GW00659789

Fernando el Católico

V Centenario (1516-2016)

CRÓNICAS DE LA HISTORA

Fernando Martínez Laínez

Fernando el Católico

Crónica de un reinado

MADRID — MÉXICO — BUENOS AIRES — SAN JUAN — SANTIAGO
2016

EDITORIAL EDAF, S. L. U.
Jorge Juan, 68. 28009 Madrid
Tel. (34) 91 435 82 60
http://www.edaf.net
edaf@edaf.net

ALGABA EDICIONES, S. A. DE C. V.
Calle 21, Poniente 3323, entre la 33 Sur y la 35 Sur
Colonia Belisario Domínguez
Puebla 72180. México
522222111387
jaimebreton@edaf.com.mx

EDAF DEL PLATA, S. A.
Chile, 2222
1227 Buenos Aires, Argentina
11 43 08 52 22
edaf4@speedy.com.ar

EDAF CHILE, S. A.
Coyancura, 2270 Oficina, 914
Providencia, Santiago de Chile
Chile
Tel (56) 2/335 75 11 - (56) 2/334 84 17
Fax (56) 2/ 231 13 97
e-mail: comercialedafchile@edafchile.cl

EDAF ANTILLAS, INC/FORSA
Local 30 A-2
Zona Portuaria Puerto Nuevo
San Juan PR 00920
Tel. (787) 707-1792 - Fax (787) 707 17 97
e-mail: carlos@forsapr.com

1.ª edición: enero de 2016

ISBN: 978-84-414-3613-8
Depósito legal: M-633-2016

IMPRESO EN ESPAÑA PRINTED IN SPAIN

Graficas COFÁS. Pol. Ind. Prado Regordoño. Móstoles (Madrid)

ÍNDICE

Opongo un rey a todos los pasados;
propongo un rey a todos los venideros:
Don Fernando el Católico, aquel gran maestro del arte de reinar, el oráculo mayor de la razón de Estado.

BALTASAR GRACIÁN: *EL POLÍTICO*

Siempre fue mi fin hacer lo que he hecho.

Yo no tengo tesoro porque siempre he tenido guerra.

FERNANDO II DE ARAGÓN Y V DE CASTILLA

A este lo debemos todo.

FELIPE II

PRÓLOGO

Fernando es un todoterreno de la Historia de España, un gigante político y nuestro mejor rey. A partir de ahí podemos hablar de sus fallos y defectos, pero a la vista está que intentó transformar un país fragmentado y de tendencia tribal en un Estado unificado moderno, con peso en el mundo, y lo consiguió en buena parte. Esa es su mayor grandeza. Los errores, que los tuvo, y algunos (como la expulsión de los judíos) gruesos no empañan ese enorme logro.

No fue un rey perfecto, pero todos los demás han sido peores. En visión de Estado y talento político, sin olvidar sus dotes militares, brilla sobre todos y marca distancias con el resto. Puso orden en el caos. Quiso hacer una nación común de un conjunto de banderías y terruños y a punto estuvo de salir lapidado en el empeño por los defensores de privilegios arcaicos y sus secuaces, el estamento nobiliario que era la élite política de su tiempo.

Fernando inventó la melodía de lo que sería España, y a partir de ahí todo han sido versiones más o menos afortunadas de la misma música. Para bien y para mal, el caminar español ha seguido la senda que él trazó. Fue un rey diplomático y guerrero, capaz de combinar la política y la espada, pues sabía bien que la una sin la otra valen poco. En caso de compararle, hay que hacerlo con sus iguales históricos, personajes forjadores de grandes potencias como pueden ser Pedro el Grande de Rusia, Federico II de Prusia, Julio César, Justiniano, Lincoln o Solimán el Magnífico. Algo que sus contemporáneos en Europa entendieron. Fue mucho más que un rey soberano, fue un líder, y eso es algo que no se improvisa. Los líderes nacen, son o no son, y el resto es pura circunstancia. Se puede tallar la madera, pero para eso es preciso que antes exista el árbol.

Inteligente, activo y calculador, persiguió unir dominios y engrandecer el acervo común peninsular, aunque le faltó tiempo. Eso le impidió rematar por

Jura de los Fueros de Vizcaya por Fernando el Católico y acatamiento de los distintos estamentos.

entero la unión política y jurídica de todos los reinos hispanos. Pero ni siquiera perdió el norte cuando la conjura de sus enemigos, convocados por el fatuo Felipe I, le obligó a salir de Castilla. Su breve retirada a Aragón y segunda boda fue un acto orgulloso de autodefensa y una forma de impedir que se dilapidase toda la herencia histórica tan trabajosamente acumulada, al quedar la corona castellana en manos de un archiduque tarambana que había convertido a su mujer en una pobre zombi.

Al presentar la figura de Fernando en este libro he tratado de huir de disquisiciones psicológicas de dudosa comprobación y buscado atenerme a los

datos en forma de crónica. El propósito implica presentar al rey desde una perspectiva «conductista», a través del recuento de sus acciones y una selección de visiones de autores diferentes sobre sus hechos, eludiendo interpretar sus pensamientos íntimos, lo cual —sin embargo— sería muy adecuado a la hora de escribir una novela. En todo caso, la intención divulgativa ha prevalecido sobre cualquier otra consideración, intentando siempre simplificar el relato y ajustar el rigor con la amenidad.

No exageran los que consideran a Fernando el Católico el *padre* de la Nación española, puesto que —como afirma el historiador aragonés Solano Costa— a él le debemos que la España de los diversos estados medievales «se integrara de manera tan sólida que los tremendos avatares de su trágica historia no han conseguido desintegrarla». Por ahora, al menos, pero tiempo al tiempo. La estupidez insiste siempre, decía Albert Camus. La esencia de la modernidad española incluye hoy un fuerte componente de pérdida del sentido común colectivo. Un proceso destructor lento pero tenaz. Nuestra fuerza oscura. A la voluntad «de ser» del país pujante que intentó Fernando se opone el lóbrego, indescifrable e incoherente deseo del otro país que no quiere ser. La maldición cainita que discute como destruir el barco en plena tempestad. Es posible que, de saberlo, el gran rey no descanse en paz, a pesar de llevar ya 500 años muerto.

Enero, 2016.

MADRIGALEJO, 1516

Fernando II de Aragón y V de Castilla, conocido también como Fernando el Católico, fue el primer monarca que usó el título de Rey de España y el primero que firmó «Yo el Rey». Nació en un palacio y murió en una «rústica casa» de Madrigalejo, Cáceres, sin dinero suficiente para pagar el entierro.

Así lo confirmó el humanista italiano Pedro Mártir de Anglería (1459-1526), cronista coetáneo.

> Mira lo poco que se debe confiar en los aplausos de la Fortuna y en los favores seculares. El señor de tantos reinos y adornado con tanto cúmulo de palmas, el rey amplificador de la religión cristiana y domeñador de sus enemigos, ha muerto en una rústica casa y en la pobreza, contra la opinión de la gente. Apenas si se encontró en poder suyo, o depositado en otra parte, el dinero suficiente para el entierro y para dar vestidos de luto a unos pocos criados, cosa que nadie hubiera creído en él mientras vivió. Ahora es cuando claramente se comprende quién fue, con cuanta largueza repartió y cuan falsamente los hombres lo tacharon del crimen de avaricia.

Sobre este asunto de la tacañería de Fernando, ha servido de señuelo la caricatura que hizo Maquiavelo de los soberanos de su época: «Un emperador inestable y movedizo; un rey de Francia desdeñoso y asustadizo; un rey de Inglaterra, feroz y deseoso de gloria; un rey de España tacaño y avaro.»

La acusación tiene más de calumnia que de verdad. Lo cierto es que las numerosas empresas de Fernando exigieron mucha sobriedad en la corte. La misma reina Isabel tuvo sus joyas empeñadas a los prestamistas valencianos, y es un hecho que, al morir el rey, en las arcas de la Corona no había dinero.

Fernando el Católico era ampliamente conocido en toda Europa al morir, y en sus últimos años días tuvo conciencia del papel fundamental que le había tocado desempeñar en los negocios del mundo. «A las cosas que los malos dicen al emperador contra mí —escribe en enero de 1514 en carta a su embajador Pedro de Quintana en la corte austriaca del emperador Maximiliano— una sola cosa habéis de responder, que ha más de setecientos años que nunca la corona de España estuvo tan acrecentada ni tan grande como ahora, así en poniente como en levante, y todo después de Dios por mi obra y trabajo.»

Frente a los que le niegan el deseo de buscar la unificación de todos los reinos hispanos, y rechazan incluso la existencia de una España como concepto político unificado frente al exterior, obsérvese ese rotundo «corona de España» que Fernando maneja con naturalidad poco antes del final de su larga trayectoria gobernante, pues en su mente —parece claro— España constituía ya un bloque dinástico ensamblado, aunque el camino para conseguirlo hubiera sido tan tortuoso y sometido a los vaivenes del azar como su propia vida.

Cuando murió, como señala el historiador aragonés J. Angel Sesma, era rey de Aragón, de Navarra, de las Dos Sicilias, de Valencia, de Mallorca, de Cerdeña y de Córcega, conde de Barcelona, duque de Atenas y de Neopatria, conde de Rosellón y de Cerdaña, marqués de Oristán y de Gociano. Y también fue rey y, tras la muerte de Isabel la Católica, regente y gobernador, de Castilla, de León, de Granada, de Toledo, de Galicia, de Sevilla, de Murcia, de Jaén, de Algarbe, de Molina, de las islas Canarias y ciudades de Bugía, Argel, Trípoli y de la parte correspondiente del mar Océano, «titulo este al que nunca renunció». En 1493, por la bula papal de Alejandro VI, «había recibido el imperio sobre las Indias; dos años después la bula *Ineffabilis et summi* lo había designado rey de África; a fines de 1500, tras la victoria hispano veneciana en Cefalonia, recayeron sobre él los derechos al trono imperial de Constantinopla y en 1510 el Papa Julio II le otorgó la soberanía sobre Jerusalén.»

Sus contemporáneos estudiosos de la ciencia política lo cubrieron de elogios, y coinciden en que fue un gran monarca, defensor de la razón de Estado en una España debilitada por los particularismos. El más importante de su tiempo, Nicolás Maquiavelo, lo pone como ejemplo de gobernante en su famosa obra *El Príncipe*, en palabras que resumen con admiración la vida del rey.

> Nada proporciona a un príncipe tanta consideración —dice el teórico florentino— como las grandes empresas y las acciones raras y maravillosas. De ello nos presenta nuestra era un admirable ejemplo en Fernando V (sic), rey de Aragón, el actual monarca de España. Podemos considerarle casi un príncipe nuevo, porque de rey débil que era se ha convertido por su fama y gloria en el primer rey de la cristiandad. Si examináis sus acciones, encontraréis que todas son sumamente grandes y aun algunas extraordinarias. Al comenzar a reinar asaltó el reino de Granada, y esta empresa sirvió de fundamento a su grandeza. La comenzó sin pelear y… tuvo ocupados en esta guerra los ánimos de los nobles de Castilla, lo cuales, pensando en ella, no pensaban en innovaciones, por este medio, él adquiría reputación y dominio sobre ellos sin que lo advirtieran. Con el dinero de la Iglesia y del pueblo pudo mantener ejércitos y formar, mediante esta larga guerra, una buena tropa, que acabó atrayéndole mucha gloria. Además, alegando siempre el pretexto de la religión…recurrió al expediente de una crueldad devota, y echó a los moros de su reino […] Bajo esta misma capa de religión atacó África, empren-

dió la conquista de Italia y acaba de atacar recientemente a Francia. Concertó siempre grandes cosas que llenaron de admiración a sus pueblos y tuvieron preocupados sus ánimos. Estas empresas han nacido de tal modo unas de otras que no dieron jamás a sus gobernados lugar para respirar ni poder urdir ninguna trama contra él. (*El Príncipe*, XXI, I)

EL PRESAGIO

Se cuenta que un día se acercó al Rey Católico alguien con fama de mago, de esos que predicen el porvenir estudiando la posición de los astros. El astrólogo predijo que el rey moriría en Madrigal, y, por si acaso, desde el fatal augurio el rey huía como de la peste de pisar esa villa abulense. El escritor Luys de Santa Marina dice que se tomó tan en serio la profecía que ni siquiera acudió a esa villa a visitar a dos hijas bastardas, a las que quería mucho, recluidas en el convento de las agustinas que allí había.

Si es así, el mago erró por poco. El fatídico y último momento del rey no estuvo en Madrigal sino en Madrigalejo. En este último lugar, sin embargo —dice el historiador local Lorenzo Rodríguez Amores— recalaba sin reserva alguna cuando le convenía en sus viajes por Extremadura. Hay dos estancias más, aparte de la del fallecimiento, registradas en el lugar. La primera, en los días 23 al 25 noviembre de 1478, cuando el rey viene de Córdoba y se dirige a Trujillo, donde residió la corte varios meses, durante el sangriento conflicto sucesorio con Portugal y la Beltraneja. Y en este punto fue dónde le llegó la noticia de la muerte de su padre Juan II de Aragón, que lo convirtió en monarca sucesor de esa corona.

Fernando volvió a Madridgalejo el 20 enero de 1511, acompañado esta vez de la reina Germana de Foix, su segunda esposa. Iba desde Madrid a Sevilla, pasando por Guadalupe y Logrosán.

Es seguro que a Madrigalejo llegó en estado de salud deteriorado y arrastrando achaques crónicos desde que se casara con Germana, cuando apenas llevaba 15 meses viudo de la reina Isabel. Fue un matrimonio meramente político, motivado por las maquinaciones de su yerno Felipe el Hermoso con el rey Luis XII de Francia, para eliminar la posibilidad de que Aragón cayese en las garras codiciosas de quienes buscaban eliminarlo del escenario político.

La segunda boda de Fernando se había celebrado el 18 marzo de 1506 en la villa palentina de Dueñas, con todo el festejo que el acontecimiento y Germana requerían, pues la nueva reina consorte de Aragón, según Prudencio de Sandoval, cronista del emperador Carlos V, «fue gran amiga de holgarse en banquetes, huertas, jardines y fiestas», y cuando se casó tenía solo 17 años y

Retrato de Fernando el Católico. Museo Naval de Madrid.

era «mujer en edad florida», aunque Sandoval nos dice que cojeaba un poco.

Tres años tardó la nueva reina Germana en quedarse preñada, y el 3 mayo de 1509 nació en Valladolid el niño Juan de Aragón, que solo sobrevivió unas horas, y de haber vivido hubiera puesto en peligro el afán unificador de los Reyes Católicos forjado en décadas anteriores. Lo que parece fuera de duda es que, como dice Pedro Mártir de Anglería: «... el Rey Católico está en extremo deseoso de tener prole, principalmente masculina, a la cual dejar sus reinos paternos hereditarios...» ¿Incongruencia? Seguramente, pero también venganza, desconfianza y despecho, contra su yerno y sus acólitos, sin excluir el afán de supervivencia. Cuatro motores poderosos de la historia.

Pasaron los años y la reina Germana no volvió a parir, pese a que Fernando se empleó a fondo, y el ajetreo erótico empezó minarle la salud. En este estado de cosas —dice Rodríguez Amores— se metieron a redentoras unas dueñas cortesanas: María de Velasco, mujer del contador mayor Juan Velázquez, e Isabel de Fabra, camarera de la reina, que aconsejan a esta, contando con el concurso de un cocinero francés, preparar un «potaje crudo» hecho de «materiales cálidos y hierbas poderosas», sin que se conozca con exactitud el contenido del brebaje. Rumores de la época aseguraban, sin embargo, que el ingrediente principal de la pócima eran testículos de toro en celo. En palabras de

Anglería «Don Fernando fue cazado en un anzuelo.»

La reina Germana de Foix, segunda esposa del Rey Católico. Sus restos fueron sepultados en el monasterio de San Miguel de los Reyes (Valencia), una fundación suya y de su tercer esposo Fernando de Aragón, duque de Calabria.

LAS PÓCIMAS

El primer *pelotazo* de tal bebedizo se lo dieron al rey en 1513, cuando pasaba unas jornadas de asueto y caza en la aldea de Carrioncillo, a corta distancia de Medina del Campo. Las consecuencias no fueron muy gratas. Anglería dice que nada más ingerir el brebaje el rey comenzó a vomitar, y tras los vómitos entró en un profundo abatimiento. El relato de sus males lo dejó escrito el cronista Alonso de Santa Cruz en su Crónica de los Reyes Católicos:

> Estando la corte en esta villa [Medina del Campo] por el mes de marzo y el rey don Fernando en Carrioncillo, lugar apartado de Medina por una legua, deleitoso y de mucha caza, holgándose con la reina Germana su mujer; donde como Su Alteza tuviese tanto deseo de tener generación, principalmente un hijo que heredase los reinos de Aragón (Aragón, Valencia, Cataluña, Mallorca, Nápoles, etc.), le hizo dar la Reina algunos potajes hechos de turmas de toro y cosas de medicina que ayudaban a hacer generación, porque le hicieron entender que se empreñaría luego. Aunque otros pensaron que le habían dado veneno o tósigo…

> Y adoleció luego de tal manera que estuvo desahuciado de los médicos, y al parecer de todos era excusado poder escapar. Pero al cabo quiso Nuestro Señor guardarle de aquella enfermedad; aunque no del todo, porque nunca tornó a su primer ser y fuerza, y su gusto que solía tener, aborreciendo las ciudades y lugares, haciéndose amigo de andar solitario por los campos, en cazas, y muy enemigo de negocios, al que primero era muy dado... de Valladolid procuró partirse para el reino de León, aunque era invierno, contra el parecer de todos los médicos, porque le certificaron que en cierta parte de aquel reino había muchas ocas, de que él era muy aficionado a la caza de ellas´. Y por agravársele allí más su enfermedad, determinó de volverse a Medina del Campo; y de allí se fue al monasterio de La Mejorada, por estar en él la Semana Santa y Pascua de Resurrección. Donde se le acrecentó mucho su indisposición...

El momento exacto de la muerte le llegó a las dos de la madrugada del día 23 de enero de 1516, a los 64 años. A Madrigalejo, una aldea próxima a Trujillo, había llegado desde Plasencia, tras cruzar en andas el puente de Cairecejo, cuando ya se sentía enfermo desde la Navidad, que había pasado en La Serena. Pensaba ir al cercano Monasterio de Guadalupe para asistir al capítulo de las órdenes de Calatrava y Alcántara, y luego continuar hasta Sevilla para revisar, dicen, los preparativos de una Armada que allí se estaba formando para combatir a los turcos en el norte de África.

En cuanto murió el rey, la sombra del envenenamiento dio pábulo a las sospechas, aunque la lujuria, su pecado más notorio, lo tenía visiblemente agotado. Tanto que el cronista Anglería lo dejó así escrito: «Nuestro rey si no se despoja de los apetitos dará pronto su alma a su creador y su cuerpo a la tierra; está ya en el sesenta y tres años de su vida y no consiente que su mujer se aparte de él y no le basta con ella, al menos en el deseo.»

> Estaba muy deshecho —cuenta el consejero Lorenzo Galíndez que le acompañaba— porque le sobrevivieron cámaras, que no solo le quitaron la hinchazón que tenía de la hidropesía, pero le deshicieron y desmejoraron de tal manera, que no parecía él: porque a la verdad su enfermedad era hidropesía con mal de corazón, aunque algunos quisieron decir que habían sido yerbas, porque se le cayó parte de una quijada [probable consecuencia de un ictus] ; pero de esto ninguna cosa de cierto se puede saber más de cuanto muchos creyeron que de un potaje que le fue dado en Carrioncillo, cerca de Medina, para ejercitar su potencia, le había venido aquel mal; porque luego en llegando a Medina en viernes se sintió mal dispuesto, en lo cual afirman haber sido Doña María de Velasco, mujer de Juan Velasco, Contador Mayor, y doña Isabel Cabra, Camarera de la Reina, con sabiduría de la Reina Germana su segunda mujer, porque deseaba mucho parir del Rey por haber sucesión de los reinos de Aragón.[1]

El «potaje» a que se refiere Galíndez debía ser una mezcla de testículos de toro y cantaridina, una sustancia afrodisiaca considerada remedio mágico para la impotencia masculina y empleada también como veneno en el siglo XVIII, que se elaboraba triturando seco un escarabajo verde brillante (la cantárida o mosca española) hasta reducirlo a polvo. Sus efectos vasodilatadores, similares a los de la actual viagra, provocaban una erección prolongada capaz de satisfacer los ardores de cualquier dama, y Germana de Foix, que contaba treinta y cinco años menos que Fernando, los tenía.

No todo, sin embargo, era placentero en la cantaridina. Sus consecuencias secundarias tenían poco de gozosas. Producía lesiones renales, con retención de líquidos y diarreas, unido a molestias urinarias, irritación gastrointestinal e hipotensión arterial. En cualquier caso, Fernando usó y abusó del escarabajo triturado a sabiendas de los médicos, que veían menguar con rapidez la salud del rey, hasta tal punto que la noticia de su muerte era esperada por muchos de quienes lo rodeaban, sobre todo a partir de 1513.

En cuanto a «las yerbas» que también menciona Galíndez, se entiende que eran hierbas venenosas, como también apunta el historiador aragonés Jerónimo Zurita:

> Estaba en ese tiempo el rey en Medina del Campo: y siendo vuelto de Carrioncillo, adonde había ido a holgar con la reina [...] adoleció de una grave enfermedad [...] ocasión de un feo potaje, que la reina le hizo dar para más habilitarle que pudiese haber hijos [...] esta enfermedad se fue más agravando cada día, confirmándose en hidropesía con muchos desmayos y mal de corazón: de donde creyeron algunos que le fueron dadas yerbas.

No parece haber duda de que tanto guiso amoroso, tanto filtro y tanta cantárida terminaron mermando las facultades de Fernando, que en sus últimos meses de vida no era sino una sombra del personaje dinámico, amable y conversador que había sido siempre. Todo apunta a que se había transformado en un ser huraño y solitario, cuyo único consuelo era la reina Germana, con la salud arruinada por continuas diarreas, y desajustes cardiovasculares y renales. El escarabajo verde le pasó factura.

Fiebres y delirios

Después de una leve recuperación de los efectos del potaje que menciona Galíndez, el monarca no volvió a recobrar la fortaleza en asuntos de cama, aunque su actividad gobernante no mermó. Pero su quebrantada salud fue a

Plaza Mayor de Madrigalejo, Cáceres, donde murió el Rey Católico en enero de 1516.

peor y degeneró en hidropesía o mal de ijada, que fue la verdadera causa de la muerte. Una enfermedad de la que, curiosamente, moriría también la reina Germana, aunque la ciencia médica actual «contempla el mal hidrópico como una consecuencia colateral y secundaria de otros procesos morbosos más graves»[2]. La mayoría de las veces, disfunciones vasculo-cardio-respiratorias y renales. Y son varios los testimonios coincidentes al respecto. El con frecuencia fantasioso historiador norteamericano W.H. Prescott afirma que la enfermedad del rey se había declarado en hidropesía acompañada de una terrible afección al corazón, «respiraba con dificultad quejándose de que se ahogaba». Y M. Morayta en su *Historia General de España* (1889) dice que la pócima «estragó la salud del rey, debilitó su naturaleza y le produjo a la larga una hidropesía con muchos desmayos y mal de corazón».

A la vista de estos testimonios parece claro que la dolencia fatal del rey estaba en el corazón, y el citado Lorenzo Rodríguez resume el cuadro clínico calificando a Fernando de «el enfermo hipocondriaco, cardíaco, asmático y,

Casa de Santa María, en Madrigalejo, última morada de Fernando el Católico.

por supuesto, hidrópico». Opinión en la que coincide mucho con Anglería: «… el irreparable daño del brebaje, la edad senil, el abusivo uso matrimonial, la desmedida afición a la caza y vivir al aire libre, que lo retiene más de lo permitido a cualquier joven independientemente de su salud». En este apartado etiopatogenico —dice también Rodríguez— tampoco eran despreciables los disgustos que le propinaron los nobles castellanos, una vez muerta la reina Isabel, por el descarado rechazo a su persona, que llegó incluso a situaciones tan humillantes como negarle el paso a través de sus posesiones particulares.

Las incógnitas sobre la enfermedad del rey quedan ya bien apuntadas en una carta que Anglería dirige a Luis Hurtado de Mendoza en marzo de 1513:

> Acerca de nuestro rey… va empeorando, está bajo los efectos de una fiebre desconocida, unas veces se siente de las tercianas y otras se salva… el lunes de la Dominica de Resurrección [lunes de Pascua] tomó una medicina. A la noche

> siguiente le sobrevino una fiebre mucho más alta y al amanecer del otro día se pensó en someter al enfermo a un reconocimiento médico. La fiebre había subido y el paciente estaba casi exánime. Profería frases incoherentes por el delirio. Los médicos, sobresaltados por el caso, empiezan a desconfiar.

A finales de ese mismo año, el mismo Anglería escribe desde Valladolid que el rey «tiene la respiración violenta y el extremo pesada. A duras penas lanza el aliento. Odia encerrarse entre paredes y bajo techo. De aquí que, ensimismado, frecuente las selvas, alejándose por completo de los negocios».

En el mes de abril de 1515 Fernando y Germana estaban en Mejorada y en esa localidad acuerdan separarse. El rey delega en la reina para que se traslade a Calatayud y presida en su nombre las Cortes aragonesas, mientras él preside las castellanas, convocadas en junio en Burgos, para refrendar la incorporación de Navarra a la corona castellano-leonesa.

Fernando acompaña a su mujer hasta Aranda de Duero, y luego marcha a Burgos, pero las Cortes castellanas se interrumpen por la enfermedad del rey, que el 27 junio «estuvo tan malo, que pensaron no llegaría a la mañana». Y desde Aranda, donde estaba el cortejo real el 18 julio de 1515, Anglería, también en carta a Luis Hurtado de Mendoza, cuenta que «en una de las noches pasadas casi quedó ahogado mientras dormía. Un síncope y el catarro le obstruyeron las fibras del corazón. Uno de los encargados de la vigilancia nocturna... sintió al soberano atragantarse y dar unos horribles ronquidos». Cuando el centinela entró en el aposento lo encontró «medio muerto con la cabeza colgando fuera de la cama». Los camareros acudieron a acomodarle en el lecho. Fernando estaba traspuesto, con el habla perdida y los ojos torcidos, hasta que le rociaron el rostro con agua fría y volvió en sí.

El rey, finalmente, tuvo que ir a Calatayud a presidir las Cortes de Aragón, a pesar de los plenos poderes otorgados a su esposa, ya que los representantes aragoneses se negaban a concederle el subsidio que solicitaba para empresas en el exterior. Con su maña negociadora, Fernando pudo solucionar en parte el negocio, pero un tanto alicaído por el desaire abandonó Aragón y se encaminó a Madrid. Germana no le acompañaba. Tenía que ir a Lérida a presidir las Cortes catalanas, y los cónyuges ya no volverán a verse hasta la agonía del rey en Madrigalejo, cuando la reina acudió al ser avisada de que la vida de su esposo se acababa sin remedio.

INFANCIA Y JUVENTUD

GRANDES SEÑALES

El nacimiento de Fernando coincide con el repunte de la guerra civil en Navarra entre Juan II y su hijo el príncipe Carlos de Viana, que hacía pocos meses había sido derrotado y hecho prisionero en Áibar.

Considerándose en peligro por la confrontación entre agramonteses y beamonteses, la reina Juana Enríquez decidió abandonar Sangüesa, en el territorio de Navarra, y dar a luz en la cercana población de Sos, distante apenas un par de leguas y en tierra aragonesa. Una villa de frontera, hoy cabeza de la comarca zaragozana de Cinco Villas, con las sierras del Prepirineo como escenario de fondo y, como apunta el historiador Ricardo del Arco, levantada con los ojos puestos en Navarra, baluarte de las rivalidades de dos reinos limítrofes. De ahí su aspecto feudal y guerrero. «La carretera trepa con dificultad hasta ganar la eminencia; uno sueña con encontrar adalides, alcaides, hidalgos de pro habitantes en aquellos caserones de holgado portal con piedra armera...»

A Sangüesa había llegado la reina desde El Frasno, donde se sintió embarazada a principios de octubre, y se instaló en el castillo-fortaleza, próximo a la iglesia de Santa María de Rocamadour. Cuando Juana comprendió que estaba para parir, quiso que su hijo naciera en Aragón por considerarlo más seguro. De Sangüesa salió en la mañana del 9 de marzo de 1452, y sobre unas andas la llevaron por malos caminos hasta Sos, distante 12 kilómetros. Una vez allí se aposentó en la casa-palacio de la familia Sada, que algunos llamaban el Caserón, donde dio a luz al príncipe Fernando, como atestiguan las crónicas:

> Después que hubo llegado a Sos con ayuda de Dios y de Nuestra Señora la Virgen, y ayudada del buen oficio de las parteras, parió a su hijo don Fernando a diez días del mes de marzo de mil cuatrocientos cincuenta y dos. (Marineo Sículo)

> Se vino la Reyna doña Juana a la Villa de Sos, lugar del Reino de Aragón, en los confines de Navarra, y a diez del mes de marzo del mismo año parió un hijo que llamaron Hernando como el agüelo. (Jerónimo Zurita)

Vista general de Sos del Rey Católico, Zaragoza, capital de la comarca de Cinco Villas donde nació Fernando.

> Sintiéndose la Reina Juana cercana al parto, se hizo llevar en andas desde Sangüesa a la Villa de Sos, primer lugar de Aragón, y allí, después de haber padecido graves dolores en el camino, dio a luz un príncipe, el más glorioso y excelente que jamás tuvo España. (José de Moret)

Con tonos poéticos, en un artículo publicado en la revista *Periplo*, titulado «Un pueblo, una historia, Sos del Rey Católico», Carlos Zapata imagina así el nacimiento del personaje:

> Sin duda las campanas debieron voltear en un desenfrenado vaivén, en aquella mañana lúcida y fría del 10 de marzo de 1452, mientras se oían en una de las dependencias del palacio de Sada los sonidos desaforados de un niño recién nacido, que por su linaje sería el príncipe Fernando, para luego ser Rey de Aragón y después de España[3].

En cuanto a la hora exacta de la venida al mundo de Fernando, se ha descubierto en el Archivo Municipal de Alcira una carta de Juan II a los Jurados de esta localidad, en la que se les comunica el feliz nacimiento de su hijo a las dos de la tarde del día diez de marzo: «Prohomens amats nostres, Certificamos que hoy, data de la present, a las dos ores apres mig jorn, en aquesta vila de Sors,

Casa palaciega de la familia Sada, en Sos del Rey Católico, donde la reina Juana Enríquez dio a luz a Fernando.

la Illustrissima reyna nostra molt cara e molt amada muller, ha parit un fill, e per gracia de Nostre Señor ella es fora de tot perill del part [...] de la Vila de Sors, a deu de marc Any MCDLII. El Rey Johan.»

Por este nacimiento llovieron mercedes. Juan II concedió a los de Sos que estuvieran siempre «francos y libres» de todo derecho de portazgo, y que perpetuamente todos los de la villa fueran declarados Infanzones. Así figura en un documento real hallado en el Archivo de Sos fechado en 1458:

> Queriendo premiar los grandes servicios de los de la dicha villa hechos a la Corona de Aragón, y los grandes daños y gastos que padecieron por su máxima innata fidelidad, y darles condigna retribución por haber nacido en ella el Ilustre Infante don Fernando su carísimo hijo y en atención a los ruegos y súplicas continuas de la Reyna Juana su mujer y del mismo Infante su hijo, quiere y es su voluntad que los de la Villa de Sos sean francos y libres de todo derecho de portazgo, usazgo, con tal fuerza, peso y mesturaje, y de todo derecho y costumbre vieja y nueva, impuesta y que se haya de imponer. Que perpetuamente todos los de la Villa sean Infanzones.

Y unos años después sería el propio Fernando quien, en carta fechada en Zaragoza el 24 de febrero de 1468 y enviada al secretario de su padre Juan II, declaró su afecto y predilección por el lugar que le vio nacer:

> E por cuanto Nos nacimos en la dicha Villa de Sos, la cual por dicha nuestra nativitat tenemos en especial amor más que a otra de este Reyno como la Razón quiere, y no querríamos ni permitiríamos en manera alguna vejación, ni daño o molestia alguna fuesen hechas a la dicha Villa, ni a los habitantes de ella...

Del apresurado nacimiento ha quedado también referencia en el cancionero popular, como recoge el estudioso local y cura párroco de Sos, Máximo Garcés Abadía.

> Por el Portal de la Reina/ viniendo de Campo-Real/ entra un lucido cortejo/ con prisa en el cabalgar./ Entre nobles caballeros/ y una escolta desigual,/ viene la real Señora/ que pronto Madre será./ Se adelanta un gentilhombre/ (Martín de Sada) que va/ a preparar el Palacio/ que a la Reina va a hospedar./ Es tal la emoción que siente/ y la prisa y la ansiedad, / que a la guardia de la puerta/ se olvida de saludar, / mientras un clarín agudo/ anuncia el pendón real...[4]

En todo caso, como suele ocurrir en el caso de grandes figuras históricas, las crónicas cuentan que se produjeron señales del futuro brillo que aguardaba al recién nacido. Dicen que hubo vendaval, truenos y relámpagos que desaparecieron bruscamente en el momento de nacer Fernando, y escribidores tan acreditados como Lucio Marineo Sículo dijo que «apareció en el aire una corona de muchos rayos muy hermosos», semejante al arcoíris. A la misma hora, un fraile carmelita anunció al rey aragonés Alfonso V en Nápoles: «Nace un varón de tu estirpe llamado a grandes cosas en favor de la cristiandad y de España.»

Otros autores imaginativos también destacaron que el destino del monarca en su edad madura estaba ya anticipado desde la cuna. Garci Rodríguez de Montalvo, en el libro de caballería *Las sergas de Esplandián*, impreso en 1510, incluye en un episodio del relato el encomio de Fernando e Isabel, y dice del rey que «desde su tierna infancia» resultaban patentes sus virtudes y valores militares:

> Que sabréis, señora, por verdad que este gran rey que digo en hermosura de rostro, en gentileza de cuerpo, en gracia de fabla, en acabada discreción y en todas las otras virtudes y gracias que conviene tener, ninguno de estos vuestros se le puede igualar. Pues del gran ardil y esfuerzo de su corazón no bastaría mi juicio a contarlo, según las grandes cosas que por él han pasado desde su tierna edad

hasta este tiempo en que estamos, así las que tocan a su esfuerzo como las que con gran discreción deben y merecen ser loadas. Y por esto lo dejaré, tornando a la reina muy famosa de que os hice mención.

Un padre acorralado

La infancia y juventud de Fernando está condicionada por el drama familiar paterno, en el que se mezclan intereses y traiciones dignos del argumento enrevesado de una tragedia romántica.

> Nació y crióse —dice Baltasar Gracián— no en el ocio ni entre las delicias del rey don Juan, su padre, sino en medio de sus mayores aprietos. Las luminarias de su nacimiento fueron rayos de las bombardas, y los regocijos de la Corte fueron triunfos de las multiplicadas victorias.

De la infancia de Fernando apenas tenemos noticia detallada. Pero es seguro que desde su nacimiento pasó a ser el hijo predilecto y bienamado de su padre, en contraste con la inquina que este sentía por el primogénito Carlos, príncipe de Viana.

Esta predilección paterna se tradujo a la hora de elegirle preceptores en la propia corte, de los que recibió una educación humanística suficiente, aunque no muy profunda. Inferior, en todo caso, a la formación política y militar, con Juan II como principal maestro.

En el artículo titulado «En busca de los nuevos tiempos», incluido en el catálogo de la exposición que con el título de *Fernando II de Aragón, el Rey que imaginó España y la abrió a Europa*, fue instalada en la Aljafería de Zaragoza en 2015, J. Ángel Sesma Muñoz señala también que la formación política de Fernando fue eminentemente práctica, algo que viene refrendado por su agitada existencia en los años mozos. Esa formación la recibió directamente de sus padres en medio de las inciertas alternativas provocadas por la sublevación catalana que ensombreció la infancia del futuro rey.

> Desde los diez años —dice Sesma—, tras la muerte de su hermano mayor Carlos, príncipe de Viana, se convirtió en el heredero de la Corona de Aragón y vivió inmerso en la dura guerra civil de Cataluña, llegando a estar con su madre sometido al asedio de las tropas de la Generalidad catalana en la fortaleza de Gerona, amenazado de muerte, perseguido y despojado de sus derechos por su filiación. Antes de los quince años dirigió ejércitos, venció en batallas, presidió asambleas y con diecisiete emprendió el camino de Castilla en una misión arriesgada de muy incierto resultado, dejando a su padre, casi ciego, viudo y anciano, peleando por la

Alfonso V el Magnánimo, rey de la Corona de Aragón y tío de Fernando el Católico.

supervivencia de su monarquía. A partir de ahí Fernando de Aragón siguió aprendiendo y ejecutando un proyecto político con una enorme intuición.

De los preceptores nos han quedado algunos nombres, como Miguel de Morer, Antonio Vaquer, Francisco Vidal de Noya, y el obispo de Gerona, Joan Margarit. Y de nodriza tuvo a la navarra María de Leoz, a la que más tarde Juan II ennobleció junto a su marido, Lope de Ayesa.

El historiador Vicens Vives resume así su educación durante la primera década de su vida:

> Establezcamos un hecho fundamental: contrariamente a lo practicado entre los Trastámaras castellanos, quienes confiaban la educación de sus hijos a personas alejadas a la Corte, aunque fueran miembros de la familia real, Juan II aceptó la costumbre aragonesa de criarlos en el mismo seno de esta última. Esto explica que don Fernando soliera acompañar a su padre en los continuos desplazamientos a que le obligara su dignidad virreinal, primero, y real, después. En consecuencia, la educación de don Fernando estaba concebida en un plan viajero, independiente de los sobresaltos de la política e incluso de la guerra.

Cuando falleció su tío Alfonso V el Magnánimo, rey de Aragón y de Nápoles, el padre fue coronado Juan II de Aragón. Fernando —que contaba entonces seis años— tenía ya los títulos de duque de Montblanc, conde de Ribagorza y señor de Balaguer, así como otros títulos italianos en Nápoles y Sicilia. Estas prebendas, como señala algún autor[5], le permitieron disponer de

Juan II de Aragón, hijo de Fernando I de Antequera y de Leonor Urraca de Castilla, padre de Fernando el Católico.

un patrimonio económico importante que durante su minoría de edad fue administrado por su preceptor Pedro de Vaca. Al parecer, durante esa época eran cordiales las relaciones de Fernando con sus hermanos mayores bastardos, Juan de Aragón y Alfonso de Aragón, duque de Villahermosa, así como con su primo, apodado Enrique Fortuna, con quienes compartió vivencias en la corte itinerante de Juan II.

> Siendo de edad de siete años, en la cual convenía aprender letras —afirma en su obra *Vida y hechos* el cronista Marineo Sículo, que estuvo al servicio de Fernando—, dio señales de excelente ingenio y de gran memoria. Mas la maldad de los tiempos y envidia de la fortuna cruel, impidieron el gran ingenio del Príncipe, que era aparejado para las letras, y lo apartaron de los estudios de las buenas artes; porque comenzando a enseñarse a leer y escribir, como en España se acostumbra, y entrando ya en Gramática, moviose la guerra que don Carlos, mal persuadido de algunos, hizo cruelmente contra su padre; y así fue quitado de las letras y estudios.

Aunque apartado del estudio, maestros buenos, los tuvo, todos ellos muy prestigiosos y de procedencias distintas, como los catalanes Miguel de Morer y Antoni Vaquer, el castellano fray Hernando de Talavera, el siciliano Gregorio de Prestimarco, y otros dos muy importantes: el italiano Francisco

Vidal de Noya, poeta destacado y traductor de Salustio, y el obispo Joan Margarit de Gerona, que escribió una guía para la educación del futuro rey. No obstante, las circunstancias históricas que rodearon su infancia no fueron las más apropiadas para un desarrollo humanístico continuado, aunque no se escatimaron preceptores para lograrlo, y según las opiniones más autorizadas, Fernando, ya desde niño, se sintió más inclinado a la actividad militar que a la meditación y lectura, siguiendo la senda que le marcó su padre.

Por eso pudo decir Fernando con razón, siendo ya de avanzada edad, que nunca tuvo tesoro porque siempre tuvo guerra, y a causa de la contienda civil entre Juan II y el príncipe de Viana, la educación del príncipe fue eminentemente militar. Lo señala Marineo Siculo en su obra De las cosas memorables de España :

> ...y aún no habiendo diez años comenzó a tratar las armas y oficio militar, y por su poca edad y por no tener título de dignidad tenía poca autoridad. Por lo cual hízole su padre duque de Monblanque porque gozara de alguna honra y fuese acatado de todos y criado así entre caballeros y hombres de guerra siendo ya grande y no pudiendo darse a las letras careció de ellas. Mas ayudándole las grandes fuerzas de su ingenio y la conversación que tuvo de hombres sabios así salió prudente y sabio como si fuera enseñado de muy doctos maestros.

No resulta, pues, exagerado decir que Fernando se crio en los campos de batalla, tal como dice el historiador Andrés Giménez Soler en la biografía que dedica al personaje. Cuando solo tenía 10 años ya estuvo a punto de morir o caer prisionero con su madre en Gerona, y tres años después intervino en la batalla donde fue derrotado el condestable Pedro de Portugal. Desde entonces el futuro rey de Aragón intervino con frecuencia en batallas al mando directo de sus tropas.

> Don Fernando se educó y formó en los campamentos entre hombres de guerra, no entre damas y eruditos; su característica fue el valor personal y la destreza en el manejo de las armas. Pero esto no quiere decir que fuera un soldadote. Fue su ayo un caballero llamado don Gaspar de Espés; tuvo de preceptor un famoso humanista, primer traductor al español de Salustio, y trató íntimamente a personas que, aunque dedicadas preferentemente a las armas, habían vivido en la suntuosa y erudita corte de Nápoles al lado de su tío el rey Alfonso V.» (Giménez Soler)

Ocasiones, pues, no le faltaron durante los años turbulentos de la guerra civil en Cataluña para formarse política y militarmente. En cuanto alcanzó la mayoría de edad a los 14 años, su padre, que ya iba para anciano, le transfirió títulos y responsabilidades, como *rex coregnans* en Sicilia y Lugarteniente de la Corona de Aragón, y antes, siendo todavía un niño, su padre le había otorgado títulos catalanes (duque de Mont Blanc,señor de Balaguer), aragoneses (conde de Ribagorza) y sicilianos. Todo destinado a consolidar la posición del hijo en el enrevesado mundo de guerras e intrigas que le esperaba.

No hay que olvidar que Juan II había sido hasta mediado el siglo XV uno de los principales agitadores de la política castellana, como hijo de Fernando el de Antequera, pues era un Trastámara y no podía olvidar su origen castellano, ni la importancia de Castilla en la política de alianzas y enlaces dinásticos. Siempre con la vista puesta en una unión de reinos que acrecentase el poder de Aragón.

La sombra de la ambición política paterna predestina el futuro de Fernando desde su infancia. Estaba previsto que recibiera su educación primera en Cataluña , para que se hiciera cargo de la lugartenencia del principado, pero la muerte de su hermanastro Carlos de Viana alteró el plan, cuando Fernando pasó a ser declarado heredero de la corona aragonesa. Una circunstancia que marcó su destino de rey combativo, experto conocedor de la jungla de intereses y confabulaciones en la que tendría que sobrevivir.

El laberinto de Juan II

El padre de Fernando, Juan II de Aragón, fue un rey insatisfecho, calculador y desgraciado, siempre en perpetua pugna por reclamar sus derechos dinásticos (imaginarios o reales) contra las muchas banderías, camarillas y facciones que pululaban por los diversos reinos y territorios de la fragmentada España tardomedieval. Había nacido en 1398 en Medina del Campo, y no fue reconocido rey de Aragón hasta 1458, cuando contaba sesenta años. La mayoría de las crónicas lo señalan como un espíritu inquieto y ambicioso que se movió en continuo batallar contra navarros, castellanos, aragoneses y catalanes. Al final consiguió sus deseos, pero todo le llegó demasiado tarde y con demasiadas complicaciones, y apenas tuvo tiempo de serenarse en nada. Sería su hijo, sin embargo, quien culminaría la mayor parte de sus frustradas intenciones políticas, y llevaría a cabo lo que el padre no pudo hacer por falta de tiempo y exceso de enemigos.

Segundo hijo del rey Fernando I de Aragón (Fernando «el de Antequera») de la dinastía Trastámara y Leonor de Alburquerque, Juan II había nacido en 1398 y se casó en 1419 con Blanca de Navarra, hija y heredera del monarca navarro Carlos III, apodado el Noble. De esta unión nacieron Carlos, príncipe de Viana, y las infantas Blanca y Leonor. La primera contrajo matrimonio con Enrique IV de Castilla en 1440, un enlace que fue anulado 12 años después sin descendencia, y Leonor se casó con el conde francés Gastón de Foix en 1434 y heredó la corona de Navarra.

Educado en la principesca corte de Medina del Campo, Fernando I de Aragón (que era el mayor terrateniente de Castilla) dotó a su hijo Juan con el ducado de Peñafiel, lo que entrañaba un gran patrimonio y la jefatura de la rama menor de los Trastámara, una familia que terminó aportando reyes a todo el conjunto peninsular. Hacia 1440, cuatro hijos de Fernando el de Antequera ocupaban sendos tronos en España y Portugal. Alfonso V, el primogénito, era rey de Aragón y Nápoles; Juan ocupaba el trono de Navarra; doña María era reina consorte de Castilla, y doña Leonor estaba casada con el rey portugués don Duarte.

Al enviudar Juan II en1441 volvió a casarse con la joven Juana Enríquez, hija del almirante de Castilla, emparentado también con los Trastámara. Era una mujer fuerte que desempeñaría un papel fundamental en la vida de su hijo Fernando. De esta unión nacieron además tres hijas: Leonor y María, que murieron pronto, y Juana de Aragón, que acabó casada con Ferrante I de Sicilia en 1476.

Juan II, que volvió a enviudar en 1468, tuvo además varios hijos naturales: Alfonso de Aragón, conde de Ribagorza; Juan de Aragón, que llegó a ser arzobispo de Zaragoza; Fernando y María, muertos en la infancia y habidos con una dama navarra de la familia de los Ansas; y Leonor de Aragón.

A pesar de terminar reinando en Navarra y Aragón, Juan II fue un Trastámara vinculado a Castilla, tanto por estirpe como por sus intereses e inclinación personales. Desde 1419 intervino con sus hermanos Enrique y Pedro en los asuntos internos castellanos. Primero, a favor del valido don Álvaro de Luna, y desde 1425 en contra.

Las aspiraciones de Juan II de Aragón a intervenir en los asuntos castellanos se vieron truncadas definitivamente en la batalla de Olmedo, cuando los «infantes de Aragón» fueron derrotados por el ejército de Juan II de Castilla y su valido Álvaro de Luna. Esa derrota hizo regresar al rey aragonés a Navarra, donde se enconó el conflicto con los partidarios de su primogénito, el príncipe de Viana. Una situación que se agravó cuando contrajo segundo matrimonio con Juana Enríquez. Fue una boda política, con la que el monarca de Aragón trataba de reforzar su posición en los enredados asuntos de Castilla, y que provocó la oposición de gran parte de la nobleza castellana.

Cielo oscuro

Desde niño, el futuro Fernando el Católico se convirtió en una baza del gran juego sucesorio, como explica el historiador Ernst Belenguer en su *Historia de la España Moderna.*

> El nacimiento del infante Fernando, el primer hijo de la desigual pero entrañable pareja, ponía otra nube en el cielo ya oscurecido de las relaciones de don Juan de Aragón y don Carlos de Viana. El niño que por primera vez acababa de ver la luz de este punto sin conocer nada de él, se convirtió así en una carta más del tramposo juego en el que su padre y hermano se debatían. Pero para Juana Enríquez era ya el as de la manga dispuesta a utilizarlo cuando fuera oportuno.

En ayuda de su hermano Alfonso V (apodado «el Magnánimo»), Juan II participó en la conquista del reino de Nápoles. Intervino en el sitio de la plaza fuerte de Gaeta y fue hecho prisionero en la batalla de Ponza (1435), aunque pronto lo soltaron para que pudiese reunir el rescate de su liberación. En 1440 casó a su hija mayor Blanca II de Navarra (1424-1464) con el Príncipe de Asturias, futuro rey Enrique IV, y tras la muerte de su esposa navarra se adjudicó el título de rey de ese reino, pasando por encima de los derechos de su hijo Carlos de Viana. Por esas fechas el autoproclamado monarca dirige la liga de los nobles de Castilla y León y hace prisionero en Medina del Campo al propio monarca castellano, que por azar lleva su mismo nombre: Juan II. Y desde 1436 ocupó la lugartenencia real en Aragón, sustituyendo a su hermano Alfonso V, que se desentendió de los asuntos aragoneses y residía en Italia, alejado de su mujer Maria, hija del rey castellano Enrique III el Doliente.

Al morir en 1458 sin hijos, Alfonso V el Magnánimo dejó la corona aragonesa en manos de su hermano Juan, cuando este tenía ya más de sesenta años y estaba prácticamente ciego. En realidad para el nuevo y casi anciano rey, Aragón significaba menos que Castilla y Navarra, que siempre fueron su principal interés.

Como resumen de su agitado reinado, Juan II convirtió Aragón en una escuela de guerra y maniobras políticas para Fernando, pero dejó las arcas del reino vacías por las continuas demandas de dinero que necesitaba para sus empresas bélicas. Además, las malas relaciones con su hijo Carlos de Viana provocaron un grave conflicto con sus súbditos catalanes que ni siquiera se resolvió con la muerte del príncipe en 1461, aunque ese fallecimiento le permitiera acelerar los acontecimientos políticos en su favor y hacer jurar como

Blanca I de Navarra que estuvo casada con Enrique IV de Castilla.

Tumba de Blanca I de Navarra en la iglesia de Santa María la Real de Nieva.

Leonor I de Navarra (1426-1479), fue infanta de Aragó y de Navarra, condesa de Foix por matrimonio (1441-1472), gobernadora (1462-1479) y reina de Navarra (28 de enero-12 de febrero de 1479).

Mausoleo de doña Juana Enríquez en el monasterio de Poblet.

El Príncipe don Carlos de Viana por José Moreno Carbonero. El cuadro representa al príncipe (1421-1461), cuya novelesca y desgraciada vida fue uno de los temas predilectos de los pintores españoles de historia. Museo del Prado.

heredero a Fernando en la iglesia de San Pedro de los Francos de Calatayud, ante las Cortes de Aragón.

Cuando prendió la rebelión catalana, apoyada también por algunos nobles aragoneses. Juan II no tenía muchos medios para dominar la revuelta. Primero pidió ayuda a Luis XI de Francia, aún a costa de ceder los condados del Rosellón y la Cerdaña, y luego buscó el apoyo de Inglaterra y Borgoña. Pero la jugada maestra fue el matrimonio de su hijo Fernando con Isabel, la heredera de Castilla.

Padre contra hijo

Lo cierto es que la rebelión de Cataluña se veía venir. La situación llevaba años siendo explosiva cuando, como lugarteniente de Alfonso V el Magnánimo, Juan se trasladó en julio de 1454 con su mujer e hijo a Barcelona para hacerse cargo de la gobernación del principado.

Casi tres años correteó el pequeño Fernando por la capital catalana, una ciudad mediterránea de aires cosmopolitas, mientras su padre hacía frente en las instituciones barcelonesas a los oligarcas nobiliarios. Eso le supuso un desgaste político que minó su autoridad. Pero conviene remontarse a la sucesión en Navarra para encajar mejor estos hechos.

Al morir su esposa Blanca, Juan II no fue reconocido rey de Navarra porque su suegro Carlos el Noble había establecido que los derechos dinásticos pasaran al primogénito de su hija, Carlos de Viana. Presionada por su marido, Blanca rogó a su hijo que no se titulara rey sin autorización paterna. Pero Juan II no se resignó a perder el trono y la guerra civil se encendió en Navarra, atizada por la endémica lucha entre los bandos de agramonteses (partidarios de Juan) y los beamonteses, que seguían al príncipe de Viana.

Dicen que el desgraciado Carlos tenía más inclinación al estudio que a la lucha política en la que se vio envuelto por la rivalidad del padre. En todo caso, la vertiente humanística del príncipe de Viana fue esmerada, y la fomentaron los maestros Alonso de la Torre y Giofanni Pontano, con poetas como Ausias March, Juan Ruiz Corella y Pedro Torrellas. La influencia de su tío Alfonso V de Aragon, durante la estancia en tierras napolitanas, llevaron incluso a Carlos de Viana a componer una *Crónica de los Reyes de Navarra*, además de otras obras menores.

En todo caso, el príncipe de Viana es una figura trágica, un perdedor histórico empujado a peregrinar de corte en corte en demanda de ayuda contra su padre. Eso lo obligó a dejar Navarra en manos del canciller Juan de Beaumont y a pedir auxilio en París al rey francés Carlos VII. Estando en Francia, le avisaron de que su tío Alfonso V de Aragón lo esperaba en Nápoles, y hacia Italia fue como un alma en pena. Primero pasó a Roma, para ver al papa, y luego a Nápoles. En ambos sitios fue bien acogido, pero solo obtuvo palabras, sin nada positivo para su causa.

Carlos de Viana estaba en la capital napolitana cuando murió su tío Alfonso V. Pudo quedarse en Nápoles como legítimo heredero de ese reino, pero Ferrante, duque de Calabria, hijo natural del fallecido monarca, lo convenció astutamente para que se marchara a Sicilia. Y en Palermo se instaló el desdichado como soberano *de facto*, lo que empeoró todavía más las relaciones con su padre Juan II, que era rey nominal de la isla.

De las relaciones con una dama napolitana, el príncipe de Viana tuvo un hijo: Juan Alonso de Navarra y Aragón, que fue abad de San Juan de la Peña y obispo de Huesca, y desde Sicilia envió mensajes conciliadores a su padre y a la reina Juana Enríquez. Pero la enemistad paterna perduraba porque Carlos usaba los títulos de heredero y gobernador de Sicilia sin autorización de Juan II.

Pese a esto, el príncipe Carlos creyó que sería nombrado heredero, pero su padre le pidió que regresara a España, con la prohibición de que residiera en Navarra. En realidad, se trataba de una artimaña para hacerle salir de Italia y el ingenuo príncipe cayó en la trampa. Cuando en marzo de 1460 llegó a Barcelona, Juan II ya era rey indiscutido de Aragón.

Pero pronto la oligarquía catalana, encarnada en el Consell de Cent y la Generalitat, demandó que fuera el primogénito Carlos quien tuviera la lugartenencia regia en ese territorio. El rey parecía dudar, y por un momento la reconciliación entre padre e hijo estuvo punto de producirse, antes de que las cosas volvieran a complicarse.

Juan II propuso a su hijo el matrimonio con la princesa portuguesa Catalina, y Carlos se negó porque pretendía casarse con la infanta Isabel de Castilla. También en eso lo manejaron. En realidad se trataba de un plan diseñado por Enrique IV, hermanastro de la infanta y enemigo solapado de Juan II, a quien consideraba —con motivo— un rival deseoso de interferir en los asuntos de Castilla.

El caso es que tanto Juana Enríquez como su marido el rey de Aragón se opusieron a esa boda, con gran disgusto del príncipe de Viana, que sin embargo se plegó a los deseos paternos. Simulando una reconciliación, padre e hijo entraron juntos en la capital catalana. La aparente concordia saltó pronto por los aires cuando Juan II encarceló a su hijo en Lérida con el pretexto de que conspiraba contra él. Las alarmas entonces saltaron en Cataluña,

Juan II, rey de Aragón y padre de Fernando el Católico (izq.).
Juan II de Aragón y el príncipe de Viana entrando juntos en Barcelona (dcha).

que prefería tener por soberano a Carlos de Viana, a quien consideraban un príncipe manejable, que a un rey enérgico y celoso de sus prerrogativas, como era Juan II.

Juan II llegó a odiar a su primogénito Carlos de Viana. La enconada disputa sucesoria lo llevó a desheredar también a su hija Blanca, repudiada por su marido Enrique IV de Castilla, que simpatizaba con Carlos. En medio de esta trifulca familiar, el príncipe de Viana se acerca al partido de los beamonteses y al conde Álvaro de Luna, valido de Juan II de Castilla y enemigo declarado de su padre.

Las tropas castellano-leonesas entran en Navarra en 1451 para apoyar a Carlos, pero son derrotadas en Áibar y el príncipe de Viana cae prisionero. La reina Juana Enríquez, que había estado sitiada en Estella y estaba embarazada, temiendo por su vida, decide entonces ir a dar a luz en tierra aragonesa y se encamina a Sos, donde nacerá el futuro Rey Católico.

La reina Juana Enríquez, esposa de Juan II de Aragón y madre de Fernando el Católico.

La venganza paterna no acabó con desheredar a sus hijos Carlos y Blanca. En 1455 Juan II nombró heredera del trono navarro a su otra hija, Leonor, casada con Gaston IV de Foix. Una decisión que enredaba más las cosas y presagiaba el giro de Navarra en la órbita francesa.

A mediados de 1457 Juan II se entrevistó con Enrique IV de Castilla, y el monarca castellano se comprometió a no interferir en Navarra cambio de que Juan II hiciera lo mismo en Castilla y León. En prueba de la aparente amistad, ambos pensaron en el doble matrimonio de los niños Fernando y Juana, con los hermanos de Enrique IV: Isabel y Alfonso. El historiador Belenguer anota que esa es la primera vez en la historia en la que aparecen «juntos aunque no revueltos» los nombres de Fernando e Isabel, pese a que nadie se tomó en serio la posibilidad de tal boda hasta varios años después, cuando Juan II, coronado ya rey de Aragon, insistió en ella para conseguir el respaldo castellano en sus tortuosos enfrentamientos políticos.

Todo se embrolló aún más cuando Enrique IV de Castilla ofreció bajo cuerda a Carlos de Viana el matrimonio con la infanta Isabel. Denunciada la trama por el almirante de Castilla, Fadrique Enriquez, el padre de Juana Enríquez, esta se mostró ultrajada. Con gesto patético puso al niño Fernando a los pies de su esposo y reclamó el castigo para Carlos de Viana. Fue entonces cuando Juan II decidió poner preso a su hijo en Lérida y la insurrección se extendió en Cataluña. Gran parte de los señores feudales catalanes y la Generalitat, que buscaban separarse de la Corona de Aragón, salieron en defensa del príncipe navarro, a quien reconocían como heredero al trono.

Pero Juan II no cedió. El príncipe de Viana fue encerrado en el palacio de la Aljafería de Zaragoza y más tarde trasladado a Morella, mientras la situación empeoraba para el rey aragonés. Un ejército de los rebelados catalanes penetró en Aragón, y también se levantaron voces de fronda en Mallorca, Valencia, Sicilia y Cerdeña en favor de la libertad del desdichado Carlos. Muy a su pesar, Juan II accedió finalmente a dejar en libertad al príncipe en marzo de 1461 y concederle la lugartenencia general de Cataluña, no sin antes pronunciar una frase tétrica: «Acordaos que la ira del rey es mensajera de muerte.» Unos meses después, en junio de 1461, por la capitulación de Vilafranca del Penedés, Carlos de Viana fue reconocido en Cataluña heredero real.

Tras su liberación, Carlos entró triunfante en Barcelona, y la Generalitat catalana le presentó una serie de exigencias para que las hiciera llegar a Juan II. La más importante, una vez otorgado al príncipe el gobierno de Cataluña, era que se prohibiera a Juan II la entrada en el principado. Algo a lo que el rey aragonés, que por entonces tenía más de setenta años y estaba casi ciego, se negó «porque equivalía a desmembrar los reinos y apartarlos de otros a los que estaban unidos.»

> Y tan fuerte fue su humillación —dice Belenguer— que Juan II no podía siquiera atravesar la frontera de Cataluña ...sin previo permiso de las autoridades ordinarias del territorio. Si algún suceso extraordinario no acontecía, el rey había perdido definitivamente la partida en el florón todavía más importante de todos sus reinos.

Todo esto contribuyó a reforzar el apoyo de la Generalitat a Carlos de Viana que, aunque nacido en Peñafiel y descendiente de la dinastía castellana de Trastámara, era consideradado en Cataluña conde de Barcelona. «Para la plebe de las ciudades, el príncipe abúlico, erudito y sensual era un mito, algo así como un San Jorge, en quien se aunaban las virtudes del santo y las del caballero y por el cual era alegre y liviana cosa el ofrendar la vida», anota el marqués de Lozoya en su *Historia de España*.

En Barcelona se produjeron tumultos contra la reina Juana Enríquez, sometida a continuos desaires. La acusaban de estar en tratos con los payeses de remensa, y se le negó la entrada en la ciudad condal. La Generalitat juró a Carlos como lugarteniente sin autorización del rey, pero cuando la guerra iba a reanudarse, el príncipe de Viana murió de tuberculosis en Barcelona el 23 septiembre de 1461.

Por entonces la reina se hallaba en Vilafranca del Penedés y pronto fue acusada de haberlo envenenado aunque no existe prueba al respecto. Solo suposiciones. V. Balaguer, en su *Historia de Cataluña,* manifiesta que:

> Apenas había tenido tiempo de enfriarse el cadáver, cuando intencionada, agorera, profética, comenzó a circular entre el vulgo la voz de que el príncipe había sucumbido a los efectos lentos de un veneno. A esta voz que halló eco en todos los corazones, a este rumor que la política se encargó de explotar, y que algunos sacerdotes dieron consistencia pidiendo desde lo alto del púlpito anatema del cielo contra los envenenadores de don Carlos, el pueblo estalló en iras y amenazas.

El dato seguro es que la salud del príncipe de Viana era muy precaria desde mucho antes de morir. Para viajar de una población a otra tenía que hacerlo en litera y, cuando regresó a Cataluña desde Italia, estaba tan débil que no podía dedicarse a ningún trabajo continuado. Son síntomas que parecen indicar que, en efecto, murió tísico, aunque nada es descartable.

A partir de la muerte de Carlos se fue allanando el ascenso al trono de Fernando, jurado heredero de Aragón en las Cortes de Calatayud (octubre de 1461). Ante el triste panorama del enfrentamiento civil, la designación suponía un rayo de esperanza. Poco antes de morir, Juan II había volcado todo su apoyo a la boda de Fernando e Isabel con el objetivo de integrar a Castilla en su proyecto político. Eso ayudó a que la mayor parte de la pequeña nobleza y los concejos apoyaran a Isabel, con la perspectiva de lograr un gobierno estable frente la alta nobleza encabezada por el marqués de Villena, que tanto alteraba la paz de Castilla.

Con diversas alternativas, el enfrentamiento del rey de Aragón con la Generalitat de Cataluña se prolongó durante diez años, hasta la Capitulación de Pedralbes, en 1472. Cuando Juan II murió, a los 80 años, fue enterrado en el monasterio de Poblet, donde recibió sepultura junto a su esposa, la reina Juana Enríquez.

> El reinado de Juan II —dice J. Vicens Vives— acabó entre las sombras más siniestras, bajo la más pesada angustia jamás sentida por los hombres de la corona de Aragón. Solo la esperanza en el primogénito Fernando permitió a muchos arrastrar la pesada carga de aquellos seis negros y calamitoso los años.

Funeral en Barcelona

Como estaba previsto, a Juan II le sucedió en Aragón su hijo Fernando, y en Navarra su hija Leonor, condesa de Foix. Fernando aprovechó los funerales del padre como desquite, antes de recibir formalmente la corona, para que Cataluña demostrara su arrepentimiento por las humillaciones hechas a sus progenitores. No olvidaba que en agosto de 1462, cuando solo contaba diez años, la Generalitat y la ciudad de Barcelona le habían despojado de sus derechos sucesorios y ofrecido la corona a Enrique IV de Castilla, aunque este, timorato y falto de audacia política, se desentendió del asunto.

> Para ello, con sus más directos colaboradores en el principado— dice J. Ángel Sesma—, [Fernando] diseñó una ceremonia fúnebre cargada de mensajes y alusiones que sirviera de homenaje y reconocimiento al soberano fallecido [...] El mismo día del fallecimiento en Barcelona, el cadáver del rey, convenientemente embalsamado, fue ricamente vestido y adornado con las insignias de la realeza, portando la cabeza una corona real, luciendo al cuello el collar del Toisón de Oro, llevando en la mano derecha el cetro y en la izquierda la real espada y, como dice el cronista Carbonel que recoge fielmente la ceremonia, manteniendo la cara *tota descuberta que apparía que fos viu*, es decir, siguiendo el modelo antiguo francés, quedaban a la vista el rostro y las manos como las partes del cuerpo real que concentran el poder.

Ante el cadáver se reunieron compungidos las principales autoridades municipales de Barcelona, los diputados de la Generalitat, los síndicos de las ciudades de Cataluña, y otros muchos prelados, nobles, caballeros y burgueses. A continuación, el rey muerto fue llevado por las calles barcelonesas hasta el palacio real, donde se instaló una capilla mortuoria fastuosa «por la que pasaron millares de catalanes para rezar por el alma del illustrissimo bon rey e senyor nostre don Joan».

> Con este espectáculo funerario —señala Sesma— la ciudad rebelde durante diez años se arrodillaba llorando ante el rey que había sido declarado persona *non grata*, despojado de su poder y expulsado del principado para llamar en su lugar a otros príncipes extranjeros.

Dejando aparte la pena que sintió por el fallecimiento del padre, ese año de 1479 fue muy positivo para Fernando (ya casado con Isabel) por el triunfo contundente sobre el ejército portugués en la batalla de Albuera, que ponía fin a la guerra sucesoria de Castilla.

Como la situación era bastante caótica en Aragón, Fernando no perdió tiempo en ocupar el trono heredado. El 28 de junio entró en Zaragoza y juró en la Seo las libertades y privilegios del reino aragonés, y el 30 de agosto de 1479 tuvo en Barcelona un recibimiento triunfal antes de dirigirse a Valencia por Tarragona y Tortosa. Después de jurar en la capital valenciana los fueros, regresó apresuradamente a Castilla, donde la reina Isabel estaba a punto de dar a luz en Toledo a la infanta Juana, la que más tarde sería apodada «la Loca».

No hay ninguna duda del papel fundamental que Juan II de Aragón ejerció en la trayectoria y los ideales políticos del hijo, como orientador general de toda su visión de gobierno.

> Hubo un grupo que, sin doctrina ni programa, fue marchando en pos de la unidad: el de Juan II de Aragón, rey de Navarra y gran magnate castellano — comenta J. Vicens Vives en su *Aproximación a la historia de España*—. Situado entre la espada de Luis XI y el muro de la revolución catalana, no vio otro recurso de salvación que apoyarse en el auxilio castellano. Tal fue el norte pragmático que alimentó el proyecto matrimonial entre su hijo Fernando y la princesa castellana doña Isabel... El enlace... volvió a plantear... también la orientación general de la política castellana. En aquel momento Castilla podía optar por una dirección atlántica o mediterránea. En la primera encontraba el apoyo de Francia, cuya alianza con Castilla remontaba a un siglo. En la segunda, la posibilidad de una apertura hacia Borgoña, cuyos mercados eran concurridos por sus vendedores de lanas. De hecho, no hubo una decisión intelectual. La suerte de las armas se encargó de decidir la dramática opinión.

Y en el mismo sentido, otro historiador, F. Soldevila destaca en su *Historia de España*, Vol. III:

> Otro temperamento menos resistente y enérgico que Juan II... se habría quizá dejado abatir. Pero no lo abatieron ni el peso de los años, ni la ceguera imposibilitó, ni... la muerte de su mujer Juana Enríquez, que le privó de su compañera y colaboradora... muy pronto un gran éxito, el que podemos considerar como el coronamiento de su política y hasta de su vida vino a compensarlo de tantas luchas y amarguras... no fue la reducción de los catalanes ni la pacífica posesión de Navarra, donde ahora se encontraba con que su yerno el conde de Foix pretendía destronarlo, sino la realización del matrimonio, tan largamente deseado, de su hijo Fernando con la princesa Isabel, declarada heredera de la corona castellana.

Con el ascenso al trono aragonés de Fernando, su esposa, la reina Isabel, no tuvo en Aragón más poder que el que su marido quiso delegar en ella como «lugarteniente». El historiador Miguel Ángel Ladero Quesada recuerda que no hubo «diarquía» como en Castilla:

> [...] la misma ausencia de una Casa propia de la reina, muestra a Fernando como único rey efectivo. Pero un rey que, a diferencia de su padre y, antes, de su tío

> Alfonso V, había conseguido integrar plenamente a Castilla en un proyecto político común, con lo que conseguía superar los peligros y enfrentamientos de tiempos anteriores y confiaba en disponer de los grandes recursos castellanos para el desarrollo del sistema de relaciones exteriores que heredaba de su padre Juan II.

En contraste, Fernando siempre actuó como rey pleno de Castilla en vida de Isabel, y desde el inicio de su mandato aprovechó tal circunstancia para impulsar su proyecto político. «Una primera señal de los nuevos tiempos —dice Ladero Quesada— fue la suspensión de hecho de las aduanas castellanas con Valencia, desde 1481. Otra, más difícil de interpretar, había comenzado ya en 1475: el florín de oro aragonés, cuyo valor de curso legal había sido en la Castilla de Enrique IV de entre 46 y 50 por 100 del *enrique o castellano*, subió al 55 por 100, sin que se alterara ni el peso y la ley de ambas monedas.»

Una madre esforzada

En Aragón también hubo una facción favorable al príncipe de Viana y partidaria de combatir por él. Este bando, encabezado por Ximeno de Urrea, vizconde de Biota, y Juan de Hijar, con el apoyo de las familias Castro y Bolea, pretendía que el príncipe fuera nombrado heredero y gobernador general de la Corona de Aragón.

Para impedirlo, Juana Enríquez intervino con decisión en favor de su hijo Fernando. La reina consorte se hizo nombrar lugarteniente de Navarra en 1451, e intervino en las negociaciones entre Juan II y la Generalitat de Cataluña cuando el padre de Carlos de Viana hizo prisionero a su propio hijo en Lérida en 1460. Un diferendo que condujo a la concordia de Vilafranca del Penedés en 1461, por la que la Generalitat reconocía como príncipe heredero al infante Fernando en caso de morir sin hijos Carlos de Viana.

Firmada la concordia, Juana Enríquez prometió respetar los privilegios, usos y costumbres de Cataluña y entró en Barcelona con el niño Fernando en 1461. Un gesto que no impidió la sublevación del principado contra Juan II cuando el rey aragonés fue a Gerona a mediar en el conflicto con los payeses de remensa, sometidos a la implacable explotación de sus señores feudales. La Generalitat mandó entonces contra los payeses un ejército al mando de Hugo Roger, conde de Pallars, que sitió Gerona dispuesto a acabar con la vida de Juan II y su familia, refugiados en la ciudadela.

En angustiosa solicitud de ayuda, la reina envió un dramático escrito a las Cortes aragonesas y a las ciudades de Zaragoza y Valencia: «Somos cierta… [que] vienen con deliberación hecha de tomar y haber a sus manos nuestra persona y del dicho primogénito y detenerlos violentamente, para que puedan hacer a su guisa y tener el dominio tiránicamente y matar con crueldad tiránica a los concelleres del señor rey y nuestros y otros que querrán, como han hecho de algunos ciudadanos de la dicha ciudad [Gerona], que por malicia e iniquidad han muerto sin culpa y causa alguna.»

El sitio sufrido junto a su madre en La Força, la ciudadela gerundense, tuvo que causar una gran impresión en Fernando, que a tan temprana edad ya vio su vida amenazada por las luchas políticas.

> Quizá se fueran desdibujando en su mente —dice Vicens Vives— las duras aristas de aquellos días. Sin embargo, no queremos pecar de imaginativos si situamos en Gerona el primer contacto importante de su espíritu con la gravedad de los conflictos políticos que se debatían a su alrededor. Ésas impresiones no se borran. Es posible que su futura política de pacificación arrancara de aquellos momentos en que, por primera vez, se preguntó por qué los hombres luchan a la muerte en defensa de sus encontrados ideales.

A última hora, el rey aragonés y su heredero fueron salvados por un ejército francés del conde Foix, que puso fin al sitio de La Força en 1462, y se haría pagar caro el favor.

> Príncipe niño, se vio cercado en el castillo de Girona con la reina doña Juana su madre, aquella castellana amazona que capitaneó tantos ejércitos en Navarra, Aragón y Cataluña. Contra un niño y una madre, hubo días en que se fulminaron al castillo cinco mil balas, pero, como la fénix, salió triunfante de este incendio; que todos los reinos parece que se conjuraron contra Fernando niño, para sujetársele después muy hombre. (Gracián)

Todo apunta a que el dramático episodio de Gerona, cuando Fernando solo contaba diez años, tuvo mucha influencia en su sensibilidad y carácter. Saberse amenazado por súbditos rebeldes, le hizo más desconfiado. Como afirma Fernando Solano Costa en el artículo que le dedica en la Gran Enciclopedia Aragonesa, el recuerdo de aquella situación es «una de las claves, quizás, del autoritarismo inteligente y cauteloso que demostraría tantas veces a lo largo de su futuro reinado. A partir de entonces, pese a su corta edad, vive dedicado casi exclusivamente a los problemas políticos y militares en la dura campaña catalana.»

La situación en ese tiempo era en Cataluña tan caótica y confusa como en Castilla, pero Juan II supo sacar partido al desconcierto. Después de romper el sitio de Gerona, con las tropas de su yerno el conde de Foix se impuso en casi todo el territorio catalán, aunque la rebelión continuó en Barcelona, que declaró proscritos al rey de Aragón y a su esposa.

El conde francés Gastón IV de Foix, casado con Leonor de Navarra y yerno de Juan II de Aragón.

En su avance desde Gerona el ejército franco-aragonés llegó ante los muros de la ciudad condal, a la que puso cerco, y con sus padres vivió Fernando el mes y medio que duró el asedio de Barcelona, antes de que —por la amenaza de una fuerza castellana apostada en Tortosa— Juan II decidiera abandonar el sitio y dirigirse al Campo de Tarragona.

Tras ocupar Vilafranca del Penedés, el rey aragonés puso sitio a la capital tarraconense, que se rindió a principios de noviembre, y a finales de diciembre toda la familia real pudo descansar en Zaragoza de sus zozobras, «si descanso puede llamarse al hecho de tener a los franceses en el Bajo Aragón, a los catalanes sublevados, a los navarros en plena guerra civil y a los valencianos alterados en la región de Moya y el Maestrazgo.» (Vicens Vives)

El historiador Luis Suárez estima que sería un error interpretar este enfrentamiento civil como un intento de Cataluña para separarse de la Corona de Aragón, ya que el principado se dividió —como había ocurrido en Navarra— en dos bandos enfrentados. Los sectores inferiores de la sociedad se mantuvieron fieles al rey, y lo mismo sucedió con importantes ciudades, pero no Barcelona, convertida en cabeza de la rebelión:

> Ni Valencia, ni Aragón —dice Suárez— ni tampoco los otros reinos que formaban la Corona, se sintieron movidos a revuelta, entre otras razones porque no era del principado contra el rey, sino enfrentamiento entre dos fórmulas políticas distintas; obediencia a la Corona o predominio de la Diputació y de la Biga[6]. Remensas, campesinos, artesanos y trabajadores a sueldo estaban sufriendo las consecuencias.

LAS LETRAS DEL PRÍNCIPE

A pesar del predominio del factor político-militar en la formación de Fernando, tanto Juan II como Juana Enríquez tenían preocupaciones de índole cultural que influyeron notablemente en la educación del príncipe, sobre todo después de que se iniciara la guerra civil de Cataluña en 1462. De sus profesores de primera y segunda enseñanza, además de los ya citados, son conocidos los nombres de Miguel de Morer y Antonio Vaquer, este último promovido por Juana Enríquez cuando su hijo contaba 12 años de edad. Junto a estos, quién desempeñó mayor papel fue Francisco Vidal de Noya, nombrado preceptor en Zaragoza en 1466. Prior del Pilar en 1477 y protonotario apostólico, Vidal era poeta laureado en los Juegos Florales catalanes, y en 1484 fue promovido obispo de Cefalú, en Sicilia.

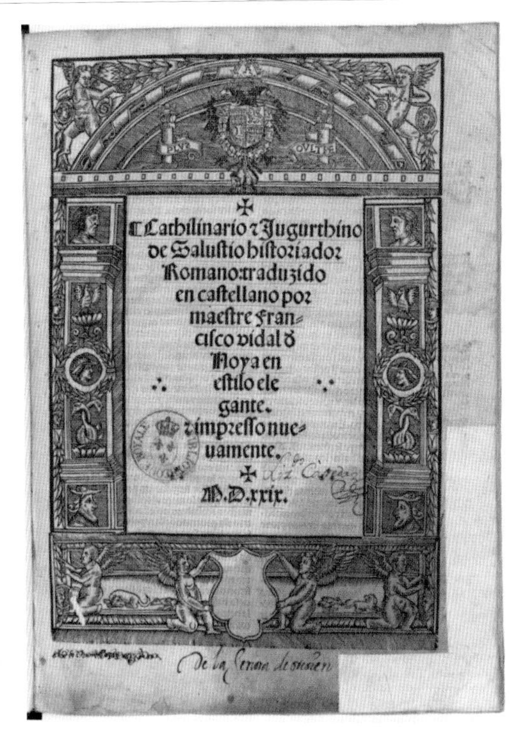
Cathilinario y Jugurthino de Salustio historiador Romano: traduzido en castellano por maestre Francisco vidal d Noya en estilo elegante. Y impresso nuevamente. M.D.xxix.

Traducción de Salustio hecha por Francisco Vidal de Noya, preceptor del rey Fernando.

Muy influyente en la educación de Fernando fue el obispo de Gerona, Joan Margarit, que aunque no fue preceptor oficial estuvo con él durante las campañas del Ampurdán en 1466 y 1467. Margarit era un notable humanista con fama literaria en Roma que escribió un tratado de educación para el futuro rey de Aragón, hoy perdido.

Adscrito a su corte estuvo también el cronista y poeta zaragozano Gaubert de Vaga, del que se ha conservado un poema que exalta la personalidad de Fernando y la rendición de Barcelona en 1472:

> Con armas, en guerra; en paz, con las leyes,
> Se quieren los reinos, señor, conservar;
> Ma ¡guay! de la tierra do todos son reyes,
> Do todos presumen regir y mandar,
> Un Dios en el cielo, un Rey en la tierra,

Se debe por todas las gentes temer.
Quien esto no teme comete gran yerra,
Por cuanto do tanta malicia se encierra
No pueden los reinos, señor, florecer.

También es significativo de la vinculación de Fernando al mundo de las letras la protección que dispensó a dos libreros principales: el humanista Gaspar Peiró, canónigo de la Seo, y el zaragozano Gaston de Embún. Destaca asimismo el mecenazgo otorgado a humanistas como Marineo Siculo, o al poeta romano Juan Michele, a quien pagó por su obra 200 ducados de oro en 1506.

Siguiendo la tradición de la Casa Real aragonesa, Fernando dedicó asimismo mucha atención a mantener una capilla palatina de música que contaba con un maestro doce cantores, siete trompetas y cuatro tambores, y desde 1464 el príncipe intervino en la selección de los músicos.

De la afición melómana del rey da testimonio el encargo que hizo en 1483 a sus embajadores en Roma para que negociaran la concesión de beneficios eclesiásticos a los capellanes y cantores de su capilla.

También sabemos que Fernando, al igual que su padre, era muy aficionado a la caza, con preferencia cinegética por las aves y la cetrería, y contaba con un grupo numeroso de monteros, cazadores y halconeros. Además, fue configurando una corte principesca dedicada a su servicio personal, siguiendo la tradición de la corona aragonesa, que sería la cantera política del futuro Rey Católico en sus estados patrimoniales de Aragón.

Desde 1468, cuando fue designado rey de Sicilia, Fernando elegía personalmente a los cargos cortesanos y fijaba sus sueldos.

Al ocupar el trono de Aragón, disponía de unos 400 servidores personales: cancilleres, protonotarios, escribanos, consejeros, secretarios, camarlengos, mayordomos, maestresalas, camareros, caballerizos, aposentadores...etc, aunque solo una veintena de ellos estaban siempre a su alrededor. El resto eran solo cargos honoríficos sin cometido real.

La Casa Militar del príncipe la presidíeron los mariscales de campo Pedro de Ferrera y Fernando de Rebolledo, un ferviente partidario de Juan II. Como camareros de armas fueron nombrados en 1474 Pedro de Samper y Pere Gilbert, aunque la responsabilidad militar efectiva recaía en los llamados «ujieres de armas», un puesto muy buscado por las influencias y beneficios que proporcionaba. También formaban parte de la sección militar palaciega varios ballesteros, un mozo de ballesta, un daguero mayor, varios espaderos y dos lanceros.

DE GERONA A ZARAGOZA

El 9 junio de 1462 el Consell de Cent envió al papa de Roma un documento en el que se intentaba justificar la rebelión catalana porque Juan II, su esposa y su hijo, habían incurrido en tiranía «al quebrantar las leyes del reino, perdiendo, en consecuencia, su legitimidad», con lo que el trono quedaba vacante, y para ocuparlo, en Barcelona se ofreció la corona al rey castellano Enrique IV.

La propuesta implicaba la presencia en Cataluña de tropas capaces de ocupar y defender el territorio. Pero la nobleza de Castilla no estaba por la labor y se movilizó para obligar a desistir al monarca castellano. Finalmente, Enrique IV se comprometió a someterse a un arbitraje del rey francés Luis XI, en abril de 1463, que se concretó en la ciudad de Bayona. El rey de Castilla renunciaba a Cataluña y Navarra, a cambio de recibir en compensación la ciudad de Estella, que pronto perdería. Juana Enríquez siguió con lógica ansiedad todo este asunto, que tanto podía perjudicar a su hijo Fernando, y respiró aliviada cuando Enrique IV renunció a ser rey de Cataluña. Algo que defraudó a los mandatarios catalanes.

> Cuando el enviado de la Generalitat, Juan Copons, tuvo del propio Enrique IV informe de que se retiraba de la empresa, no pudo contenerse y le anunció que Juan II no habría dejado pasar una ocasión como aquella para ser el rey de toda España. (Luis Suárez)

Aprovechando el caos generalizado en Cataluña, Luis XI se adueñó del Rosellón y la Cerdaña a cambio de la ayuda prestada a Juan II. Perpiñán se rindió a las tropas francesas el 7 enero de 1463, y cuando sus habitantes protestaron, el rey de Francia les contestó que se ocupaba aquellos territorios «sin amo» por haber renegado los catalanes de su señor natural, y por eso había decidido «unir y juntar los condados de Roselló y Cerdaña a su corona, sin que nada pueda ya separarlos de ella en el porvenir.»

Aunque necesitado del apoyo de las tropas francesas en Cataluña, Juan II era consciente de que Luis XI aspiraba a reconstruir las fronteras de Carlomagno, alegando derechos sobre el Rosellón y la Cerdaña heredados de su abuela Violante de Aragón, hija del rey aragonés Juan I y esposa de Luis de Anjou. Pero el aragonés estaba entre la espada y la pared, y con amenazas veladas y sagacidad diplomática el rey francés consiguió que Juan II, alarmado por una posible alianza franco-castellana en su contra, le reconociera el título de lugarteniente general en el Rosellón y la Cerdaña.

Fue entonces cuando, aprovechándose de la debilidad que las luchas intestinas provocaban en los reinos peninsulares, Luis XI convocó en Bayona la reunión ya mencionada con representantes de Aragón, Navarra, Castilla y Francia, a la que asistió Juana Enríquez en representación de Juan II. Como resultado de este encuentro, Enrique IV se desligó de la contienda catalana, y Juan II se comprometió a conceder una amnistía general si los sublevados catalanes cesaban su resistencia en el plazo de tres meses.

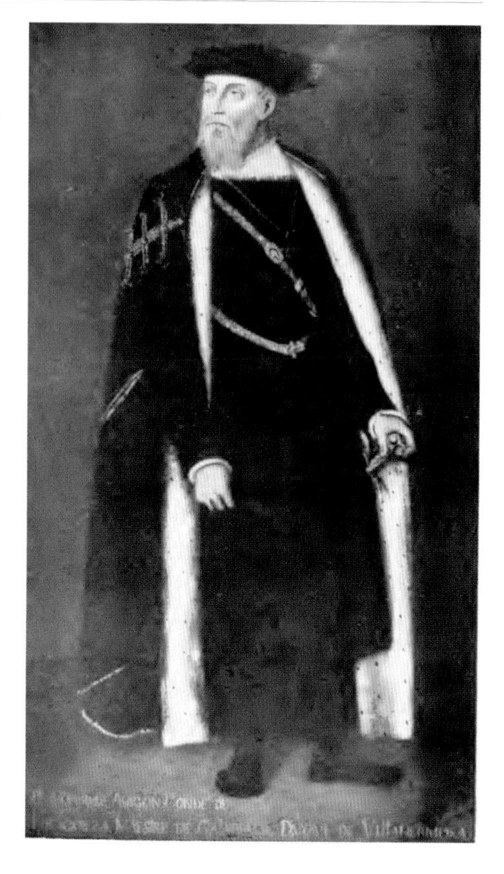

Alfonso de Aragón, hijastro de Juan II, que el rey aragonés dejó de rehén en Castilla hasta alcanzar la paz con esa corona en 1464.

Como garantía de lo pactado, y hasta les hubiera cumplido la cesión de Estella, Juana Enríquez y la princesa Juana quedaron en 1463 bajo la custodia del arzobispo de Toledo en la villa de Lárraga. Pero Juan II no se conformó y trató de modificar a su favor la sentencia de Bayona, para lo cual negoció con los representantes castellanos en la localidad navarra de Cortes. Al fin, consiguió que Juana Enríquez recuperase la libertad, pero tuvo que dejar de rehén a su hijastro Alfonso de Aragón para poder seguir negociando con los delegados en Corella, donde el 2 de marzo de 1464 se ratificó la paz entre Aragón y Castilla. Por primera vez, con motivo de estas negociaciones, aparece la firma de Fernando en un documento de carácter oficial *inter regnos*. Se trataba de un trámite burocrático que estipulaba el embargo de Casarrubios del Monte, posesión de Juana Enríquez, como garantía dada al rey castellano Enrique IV por la entrega de Estella.

LA TOMA DE LÉRIDA

Desde finales de diciembre de 1462 hasta noviembre de 1464, cuando cumplió doce años, Fernando permaneció en Zaragoza. Un periodo que constituye un intervalo de paz en la agitada adolescencia del príncipe y le permitió adelantar en su educación humanística. La política, sin embargo, continuaba definiendo su vida, ya que según el cronista Palencia, en las negociaciones de Corella entre aragoneses y castellanos se había vuelto a tratar del doble enlace entre doña Juana, hija Juan II, con el príncipe Alfonso de Castilla, y de Isabel, su hermana, con Fernando.

Por las investigaciones de la historiadora Nuria Coll sobre la figura de Juana Enríquez, se sabe que Juan II y su familia estuvieron juntos en Zaragoza desde mediados de marzo a mediados de abril en 1464, celebrando el buen éxito que creían haber obtenido en Corella. Luego Juan II partió con sus huestes a sitiar Lérida, y la reina le siguió poco después.

La capital leridana fue tomada el 6 julio y Juan II prosiguió más tarde su avance hasta Tárrega. Allí acudieron a verle los representantes del partido nobiliario castellano, encabezados por el arzobispo de Toledo y el marqués de Villena, hostiles a Enrique IV y a su privado Beltrán de la Cueva .

En el bando de los nobles figuraban también el almirante de Castilla (la rama de los Enríquez), los Alba y los condes de Plasencia, Paredes y Benavente. Todos ellos habían firmado un pacto en mayo de 1464 que proclamaba su intención de intervenir en los matrimonios de los príncipes Alfonso e Isabel para que la sucesión al trono no recayera en la princesa doña Juana la Beltraneja, a quien no consideraban hija de Enrique IV, sino de Beltrán de la Cueva. Una vez tomado este acuerdo, los conspiradores castellanos consiguieron que Juan II se comprometiera en Tárrega a prestarles auxilio en su enfrentamiento con el rey de Castilla.

Pero los problemas para Juan II y su hijo iban en aumento en Cataluña, ya que la Generalitat, después de que Enrique IV rechazara la corona del principado, había decidido entregársela al condestable don Pedro de Portugal, nieto del conde de Urgell.

En esos difíciles momentos, llegaron a Aragón representantes de Sicilia para confirmar a Fernando como heredero de este reino. Por entonces, el futuro Rey Católico ya había participado, con solo trece años, en la batalla de Calaf, que se saldó con la total derrota del pretendiente portugués y propinó un duro golpe a la rebelión catalana.

La guerra en Cataluña no cesó tras la muerte de Pedro de Portugal porque la Generalitat, en un gesto de resistencia desesperado, propuso como rey a Renato de Anjou. Fernando se enfrentó a las tropas del pretendiente francés, pero fue derrotado y estuvo a punto de caer prisionero en Viladomat (1467). Lo salvó su asistente Fernando de Rebolledo, que le cedió su caballo para que pudiera escapar.

Todo parecía entonces ir en esos momentos de mal en peor para la causa del rey aragonés. Los Anjou se apoderaron de una parte importante de Cataluña, y los condes de Foix, que se consideraban propietarios de Navarra, se aliaron con el bando francés.

Juana Enríquez murió poco después, en febrero de 1468. Fue un duro golpe para Fernando, ya que con ella moría también su principal sostenedora, pero la influencia de los Foix en Navarra pudo ser contrarrestada gracias a la maniobra de Juan II para llegar a un acuerdo con los beamonteses, partidarios mantener a ese reino en la órbita hispana.

La nueva alianza se selló en 1468 con el matrimonio de Luis de Beaumont, conde de Lerin, con Leonor, una hija bastarda de Juan II. « El conde hizo que quedara las cosas claras —afirma Luis Suárez—: el príncipe [Fernando] debía confirmar el casamiento, asumiendo así los compromisos que de él se derivaban», lo que implicaba la alianza de los Beaumont con el rey de Aragón y su heredero.

De esta forma, el asesoramiento paterno y el continuo guerrear que le rodeaba maduraron pronto a Fernando, que a los diecisiete años hacía vida de soldado y ya era padre de Alonso, un hijo bastardo a quien favoreció siempre y que llegaría a ser arzobispo de Zaragoza y lugarteniente general de Aragón.

En junio de 1468, Fernando fue coronado rey de Sicilia en la catedral de Zaragoza, lo que además de garantizarle unas rentas le permitía el uso de título real, aunque Sicilia siguió gobernándose por medio de un virrey. Es entonces cuando se inicia para el joven príncipe la verdadera carrera política que habría de propagar su nombre por toda Europa. Pero volvamos un poco la vista atrás para recapitular los hechos.

LA PRIMOGENITURA SICILIANA

Tras el pacto con los nobles rebeldes castellanos en 1464, Juan II y su esposa se trasladaron a Tarragona a mediados de agosto, y en esa ciudad recibieron al obispo de Mazara, Juan del Burgio, enviado desde Sicilia, a quien propusieron que Fernando fuese designado primogénito a la corona de esa isla. Un mes después, el 21 septiembre de 1464, Fernando fue jurado ante el altar mayor de la Seo de Zaragoza como heredero de Sicilia y Aragón «y de las demás soberanías anexas, entre ellas la del condado de Barcelona».

Este juramentó —afirma el historiador catalán Vicens Vives— fue un golpe maestro de la política de Juan II.

> Pues no solo lograba que Sicilia reconociera explícitamente la sucesión de su hijo, sino que también aureolaba a este con un nuevo prestigio… Desde entonces la actividad del monarca en los asuntos sicilianos relativos a su hijo cobró una firmeza de que hasta entonces había carecido.

En el trasfondo de la designación de Fernando como heredero al trono de Sicilia estaba el deseo de los sicilianos de disponer de un rey propio para alcanzar una cierta autonomía de la corona de Aragón y oponerse a las reclamaciones de Renato de Anjou sobre la isla. «Juan II se aseguraba de esta forma —dice el biógrafo García-Osuna— la sucesión de su hijo al trono aragonés, con la oportuna fidelidad siciliana en la guerra catalana... Con un solo movimiento, como en un tablero de ajedrez, se atraía a los sicilianos contra el Principado y bloqueaba las aspiraciones del candidato angevino, incrementado la aureola de prestigio de su hijo».

Ese mismo año de 1464 fue cuando los magnates catalanes ofrecieron la corona del príncipado al condestable Pedro de Portugal, que era nieto del conde Jaime de Urgell, el candidato catalán derrotado en el Compromiso de Caspe, del que salió elegido el primer rey de Aragón de la estirpe Trastámara, Fernando I.

El nominado monarca entró en Barcelona el 22 enero de 1464. Su papel en la práctica era el de un lugarteniente de la Generalitat, aunque él se titulara pomposamente «Don Pedro V, rey de Aragón y de Sicilia y conde de Barcelona.»

Con escasa aptitud militar, el condestable encadenó una serie de desastres frente a Juan II, que terminó derrotándole por completo cerca de Calaf (febrero de 1465), con don Pedro escapando a uña de caballo del campo de batalla. Otorga una especial significación a este combate que interviniera en él, mandando la reserva que custodiaba el estandarte real, el infante don Fernando, que a la sazón tenía 13 años de edad. Antes de eso, Lérida y Vilafranca del Penedés se rindieron a Juan II, y eso permitió al rey aragonés convocar Cortes en Tarragona antes de la victoria en Calaf. Este triunfo insufló nuevo aliento a la causa de Juan II, que se apoderó de Igualada y Cervera, al tiempo que las tropas «remensas» de Francesc Ventallat ocuparon Olot y el Ampurdán.

Aragón, Valencia, Mallorca y Sicilia, que hasta entonces se habían mostrado expectantes, se inclinaron abiertamente a la causa real, y los representantes valencianos no vacilaron en acudir en auxilio de las arcas de Juan II, que estaban vacías por el gasto bélico. Pero la guerra en Cataluña continuó.

Las derrotas militares agriaron las relaciones entre la Generalitat y Pedro de Portugal. La autoridad del portugués no era más que una sombra —dice el marqués de Lozoya—, de la cual los barceloneses no se atrevían a desembarazarse por temor a desacreditar su causa, cuando cayó enfermo en la primavera de 1466 y murió en Granollers el 29 junio de aquel año, siendo sepultado en la iglesia gótica barcelonesa de Santa María del Mar.

A pesar de todo, Barcelona persistió en continuar la lucha, y la Generalitat decidió ofrecer la corona esta vez a Renato de Anjou. Debido a su avanzada edad, Renato designó a su primogénito Juan de Anjou lugarteniente en Cataluña, y este se apresuró a presentarse en Barcelona el 31 agosto de 1467.

Representación heráldica ecuestre del rey Alfonso el Magnánimo de Aragón, con la señal real en sobreveste y gualdrapas del caballo. *Armorial ecuestre del Toison d'Or.* Biblioteca del Arsenal, París.

Fueron momentos muy duros para el ya anciano Juan II de Aragón que, inválido por la ceguera, tuvo que enfrentarse a los franceses en la Provenza y el Pirineo, y al conde de Foix en Navarra, que se había rebelado.

Contribuyó a salvar la situación, una vez más, la reina Juana Enríquez, asistida por su hijo don Fernando (declarado con 15 años mayor de edad por las Cortes de Aragón) y por su sobrino el infante Enrique de Aragón, conde de Ampurias.

La reina poco después marchó al Ampurdán y puso sitio a Rosas, en poder de los franceses, desde donde dirigió la lucha contra los partidarios de Renato de Anjou. Luego envió socorros a Gerona, cercada por el hijo de Renato de Anjou, que Fernando conseguiría liberar.

No acabaron ahí los trabajos de la esposa de Juan II en pro del futuro Rey Católico. Poco después, para asegurar la neutralidad de Navarra en el litigio con los Anjou, Juana Enríquez firmó en 1466 con su hijastra Leonor de Navarra (la hija de Juan II y Blanca) un tratado que prometía la sucesión de este reino a los condes de Foix.

Juana Enríquez, madre de Fernando el Católico, acompañada de algunos dignatarios, en una miniatura del manuscrito de la fundación del mayorazgo de Villena.

UNA MADRE PROTECTORA

El gran objetivo político de Juana Enríquez fue casar a su hijo Fernando con Isabel de Castilla. A eso dedicó sus mejores esfuerzos, aunque no pudo ver la boda, que se celebró en 1469, un año después de su muerte.

La reina consorte era una mujer de mucho carácter, entregada por completo a la voluntad política de su marido. De ella cuentan que siendo niña derribó un frasco de óleos en la sacristía de la catedral de Toledo, y su abuela Inés de Ayala, al verla manchada de aceite, exclamó: «¡Bien se ve que Dios te ha ungido para ser reina!». Algo que entonces era bastante improbable, ya que Juana no pertenecía a familia real alguna, aunque descendía de la rama bastarda surgida de los amores del rey castellano Alfonso XI con Leonor de Guzmán, origen del linaje de los Trastámara.

Señora de Casarrubios del Monte, además de reina consorte de Aragón y Navarra, Juana Enríquez era hija de Fadrique Enríquez y Marina Fernández de Córdoba y Ayala. Había nacido en 1425 en el castillo familiar de Torrelobatón, Valladolid, y falleció en febrero de 1468 de cáncer de mama. Su infancia transcurrió en ese castillo. Allí se casó con Juan II en 1443, aunque el matrimonio no se consumaría hasta cuatro años después en Calatayud, debido a que el casamiento se pactó como un toma y daca político para reforzar los intereses del aragonés en la política castellana, una vez que este quedara viudo en 1441 de su primera esposa, Blanca, y se proclamara rey de Navarra. Entre ellos existía, además, una gran diferencia de edad, ya que Juan tenía 48 años y su esposa 18 cuando el enlace se consumó.

El compromiso de los esponsales de Juana Enríquez y Juan II se firmó en la llamada Sentencia de Medina del Campo, la cual establecía que Juana permaneciera al lado de su padre hasta tanto el esposo cumpliera las condiciones políticas de lo pactado.

Para sus críticos, la gestión de Juana Enríquez condujo al enfrentamiento entre los sectores populares de la Busca catalana, que la apoyaban, y los representantes de la Biga, facción de la oligarquía feudal y mercantil catalana que controlaba la Generalitat. El historiador Vicens Vives la describe como una mujer «bella, escasamente inteligente, excesivamente sentimental e impetuosa. Destinada, de un lado, a suscitar amplias oleadas pasionales en el corazón del maduro esposo, y, de otro, enconadas animadversiones entre sus futuros súbditos.»

Seguramente debió de ser hermosa, y así la imagina Carmen Muñoz Rocatallada, de acuerdo con el retrato que aparece en su *Libro de Horas,* cuando tenía 19 años:

> Rubia, esbelta, discreta. Sus doradas trenzas se enroscaban en forma de caracol sobre las orejas, los ojos muy claros, de mirada azul algo velada, finas las facciones que no excluyen energía...

Y en cuanto a las cualidades morales, el cronista Diego Enríquez del Castillo la pone por las nubes: «En ella moraban sin duda gran perfección y muchas virtudes, era muy amiga de la castidad y limpieza, abrigo de la bondad, reparo de la nobleza».

Para la celebración matrimonial fue necesaria la dispensa papal, pues los contrayentes eran primos en cuarto grado. El papa concedió el permiso en forma de bula, pero el documento fue destruido en el curso de los enfrentamientos entre Juan II y el valido Álvaro de Luna. Eso, unido a las circunstancias políticas, fueron la causa del retraso en la consumación nupcial.

El citado Marineo Sículo se atreve a afirmar que Fernando fue engendrado en la aldea de El Frasno, no lejos de Zaragoza, en el mes de junio de 1451, un lugar que describe con acicalada prosa «abundante de aguas y delectable de huertas y florecida campiña.» Y en concreto el ayuntamiento carnal habría tenido lugar en la modesta casa de adobe de un labrador llamado Juan de la Piedad, en un momento de reposo de la ajetreada y trashumante vida que las circunstancias guerreras y políticas obligaban a llevar al matrimonio. A este Juan de la Piedad el rey lo cubrió de honores cuando en Valencia supo que la reina estaba encinta, pues el nacimiento de un heredero varón era fundamental para la estabilidad del reino tras las peleas con el primogénito Carlos de Viana. El padre tenía entonces 56 años y la madre 26.

> Juana Enríquez era en realidad —dice su biógrafo francés Desdevises du Dezert— una mujer de gran coraje, de extraordinaria finura y decisión, de invencible tenacidad, y todas estas cualidades, que habían de convertirla en un diplomático de primer orden, no perjudicaron para nada en ella las gracias femeninas. Sus adversarios más reacios estaban encantados por su ánimo, quedaban ganados por su sencillez y su modestia, y todos admiraban la claridad de sus respuestas, su buen juicio, su paciencia a toda prueba en las circunstancias más difíciles. Fue para su marido la auxiliar más preciosa y devota; y si su reputación ha sufrido algún daño, la culpa es sobre todo de Juan II, hombre cruel y colérico a cuyos designios sirvió demasiado como para no parecer su cómplice.

Víctima de un cáncer de mama, Juana Enríquez —a quien el historiador Zurita llamó la Leona Real— falleció en febrero de 1468.

> Pero su hijo,el infante Fernando, que el 1 febrero inauguró las Cortes de Zaragoza de 1468, no se encontraba tan huérfano como los míticos romanos, Rómulo y Remo, que fueron amamantados por la lobezna del Capitolio. Juana Enríquez había cumplido su papel, a veces incluso excesivamente hasta el punto de que en más de una ocasión su pasión de madre y reina rozó, sin querer, el desastre. Ahora, en los momentos en que estaba a punto de brillar la estrella de Fernando, cuya rutilante estela podía marcar los destinos de la patria, la reina madre se despedía tranquila. Ella no vería la fortuna de su hijo pero en las horas de su muerte tal vez intuía que sería excepcional. Además, su quinceañero retoño aún podía contar con los serenos juicios de su anciano marido, Juan II, y la ayuda de su noble padre, el castellano Fadrique Enríquez, como abuelo materno del regio infante. (Belenguer)

Lugarteniente general

Para allegar recursos del reino de Valencia que le permitieran seguir combatiendo en Cataluña, Juan II decidió enviar a su esposa Juana Enríquez. La reina procuró llevar a cabo el encargo con celeridad, pero por el puntilloso legalismo de los jurados valencianos terminó siendo el rey el que llegó a Valencia para realizar la tarea el 6 junio de 1466.

Antes de abandonar Cataluña, Juan II nombró a Fernando (mayo de 1465) lugarteniente general «en todos los reinos y tierras nuestras, tanto cismarinos como ultramarinos, ex latere nostro.» Algo que —dice Vicens Vives— era ilegal porque el desempeño de tal cargo exigía la mayoría de edad, lo que no era el caso del príncipe, que por entonces contaba solo 13 años. No obstante, Fernando empezó a actuar como lugarteniente a partir de la fecha del nombramiento, titulándose «Don Fernando, del illustrissimo senyor lo senyor rey primogenit.»

Le asistieron en esta tarea el cardenal canciller Jaume de Cardona, el regente de la cancillería Jaume Taravau, y los secretarios Daniel Bertrán, Joan Solsona y Antic de Bages, y entre los asuntos que manejó se cita un pleito entre los pobladores del valle del Broto, en Huesca, y los de Bigorra sobre la propiedad y uso de unos pastos en el Pirineo.

La actividad bélica se recrudeció por entonces contra el condestable Pedro de Portugal, a quien los catalanes habían ofrecido la corona. En junio de 1466 hay noticia de que Fernando estaba en el campamento real que sitiaba Cervera situado en la localidad de Vergós, donde poco después se le unió su padre, tras salir de Valencia. Para quebrantar la resistencia de esa plaza leridana Juan II envió a su hijo Fernando a Zaragoza en busca de ayuda. Con este refuerzo, el rey consiguió que Cervera capitulara el 14 agosto, y decidió redondear el triunfo yendo contra Tortosa, que era la única ciudad catalana de importancia, junto con Barcelona, en poder de los rebeldes.

En esta expedición le acompañaron Juana Enríquez y Fernando, y tras apoderarse de Vilarrodona y del monasterio de Santas Creus inició el asedio a la fortaleza de Amposta, castillo de la orden de los caballeros hospitalarios.

Como el sitio se prolongaba, el rey quiso que Fernando fuese jurado príncipe heredero de la corona en el reino valenciano, lo mismo que antes lo había sido por las Cortes de Aragón (1461) y en Barcelona (1462). Así se hizo en las Cortes de Valencia reunidas el 26 febrero de 1466 en la villa de San Mateo.

Ataque a L'Ampolla

A últimos de marzo, Juan II reactivó el cerco al castillo de Amposta, y también por esos días recibió un préstamo del mercader valenciano Mateu Capell, que avalaron Juana Enríquez y Fernando. Era la primera vez que el príncipe se responsabilizaba de asuntos financieros, al haber cumplido ya 14 años y estar por tanto libre de tutela en ese sentido.

> Por otra parte —dice Vicens Vives—, al objeto de incrementar el patrimonio del príncipe... el rey firmó una pragmática atribuyéndole 13.000 florines sobre las rentas de la gabela real de Palermo, beneficio que durante muchos años constituyó el núcleo fundamental de los recursos de don Fernando.

Mientras Amposta —defendida con heroísmo por el capitán del castillo Pere de Planella— seguía resistiendo la acometida del ejército realista, Juan II decidió atacar L'Ampolla, una plaza cercana al mar por la que los sitiados

Renato de Anjou y su esposa Juana. Tríptico de Nicolás Froment pintado en 1475. Catedral de Aix.

de Amposta recibían suministros. El ataque lo dirigió Fernando, cuya hueste chocó victoriosamente en el Coll de l'Alba con otra enviada desde Tortosa el 14 mayo de 1466.

La heroica defensa del castillo de Amposta obligó a los realistas a un asalto general el 17 junio que acabó con la resistencia de la fortaleza. Poco después también se rindió Tortosa, al conocer la noticia de la muerte del condestable Pedro de Portugal y la imposibilidad de recibir refuerzos de Barcelona.

Con estos éxitos militares, Juan II creyó llegado el momento de liquidar el levantamiento catalán con una generosa oferta de paz. El 6 agosto de 1466, Fernando envió a los barceloneses una carta que redactó su secretario Juan Cristián, en la que tras recordar los daños que la guerra civil había causado a Cataluña, proponía celebrar negociaciones con participación de representantes de Zaragoza y Valencia para alcanzar una paz honrosa. Pero la carta no llegó a su destino. El mensajero que la llevaba fue detenido a dos leguas de Barcelona y el documento fue destruido, lo que da idea del encono resistente de los sublevados que defendían Barcelona.

Recordemos que la sublevada Generalitat, tras morir Pedro de Portugal, había ofrecido la corona del Principado al conde de Provenza, Renato de Anjou, que también se hacía llamar rey de Nápoles y representaba la dinastía angevina, enemiga de la Casa de Aragón en el sur de Italia. En realidad, como señala José María Manuel García-Osuna en su *Breve Historia de Fernando el Católico*, el angevino era un intermediario del verdadero enemigo de Aragón en el Mediterráneo, que no era otro que Luis XI de Francia, a quien llamaban «el rey Araña» por su tendencia a las intrigas. Algo que, por supuesto, alarmó al calculador Juan II, ya que el pretendiente era tío del monarca francés.

Sus temores se vieron confirmados cuando Juan de Anjou, duque de Calabria y de Lorena, primogénito de Renato de Anjou, atravesó los Pirineos y entró en Barcelona en agosto de 1467, con lo que la Generalitat recobró nuevos bríos. Y a esto vino a unirse la derrota de las tropas reales en Vilademar, donde Fernando estuvo a punto de caer prisionero.

El príncipe permaneció en Tortosa hasta mediados de septiembre de 1466, cuando se trasladó con sus padres a Prats del Rei. Pocos días antes Juan II le otorgó el marquesado de Tortosa, de nueva creación, pero las autoridades tortosinas se negaron de plano a esta concesión y el rey no tuvo más remedio que abandonar la idea.

En Prats del Rei la familia real volvió a separarse. Mientras Juan II (que ya estaba prácticamente ciego) y Fernando emprendían camino a Zaragoza, la reina Juana Enríquez marchó al frente de un ejército contra la ciudad de Rosas, que se mantenía en poder de los partidarios de la Generalitat.

El 15 octubre de 1468 Fernando tomó posesión en la capital zaragozana de la gobernación general del reino como primogénito, jurando guardar los fueros y privilegios aragoneses. Por esas fechas también se adoptaron en Zaragoza varios acuerdos sobre los intereses sicilianos del príncipe.

Las exigencias de la guerra en Cataluña habían obligado a Juan II a vender el condado de Augusta y el dominio de Acireale en Sicilia. Era un sacrificio que mermaba los ingresos y posesiones de Fernando en esa isla. A esto se añadía que las autoridades sicilianas habían decidido considerar ilegal la donación que Juan II había hecho a Fernando del ducado de Noto y los terrenos de Piazza y Caltagirone, por considerar que implicaba una «segregación del dominio real en la isla», incompatible con las regulaciones del país.

Para compensar la venta de Augusta y Acireale y superar las objeciones de los sicilianos, Juan II decretó el 30 octubre de 1466 en Zaragoza que se dieran a Fernando la administración y los beneficios de las tierras de Noto, Piazza y Caltagirone, incluyendo el puerto de Vindicari, y añadió a estas posesiones las ciudades de Milazzo y Cefalú en la costa norte de Sicilia, por deseo de «donar forma al stat del illustrissimo princep don Fernando, nostre carissim fill primogénit, e per heredar aquell en aqueix nostre regne.»

Entretanto, desde la conquista de Amposta y la muerte de Pedro de Portugal se levantaron voces en Barcelona favorables a un acuerdo con Juan II, pese al decreto de la Generalitat por el que se prohibía —bajo pena de muerte— hablar en favor del rey de Aragón o del príncipe y su hijo. Pero el entendimiento se truncó por la obstinación de las autoridades de Barcelona, que aún confiaban en salir vencedoras contando con la ayuda que les podía venir de Francia. Por este motivo Juan II pidió a finales de julio de 1466 al rey francés Luis XI que el duque de Calabria, hijo de Renato de Anjou, no aceptase la corona real que le ofrecían en Barcelona.

Pero el monarca francés decidió apoyar a los Anjou en la tentadora oferta de los catalanes, que suponía integrar a Cataluña en la órbita de Francia. Con razón afirma Vicens Vives:

> Pasarse a Francia era hacer traición al genio de la estirpe. Era justificar el pacto entre Juan II y Luis XI, que en 1462 había sido considerado como causa legal de la destitución del monarca. Así son de cambiantes los tiempos y las políticas. Pero la opinión común sabía a qué atenerse.

Lo peor del caso no era la entrega de Cataluña a Francia, sino la rendición al angevino del imperio mediterráneo de la corona de Aragón. En realidad las intenciones de Renato de Anjou y el rey de Francia coincidían en la permanente ambición francesa por dominar el sur de Italia. Tras la guerra de Cataluña se ocultaba en realidad un juego de intereses por el dominio de Sicilia, Nápoles y el Mediterráneo occidental.

Para poner freno a estas maquinaciones, Juan II pidió a Luis XI que se mantuviera fiel a lo pactado en 1462, aunque el rey francés hizo oídos sordos a la petición y dio por rota la entente que mantenía con el rey de Aragón.

Campaña del Ampurdán

A primeros de noviembre de 1466 fracasó el asalto a los muros de Rosas que el rey había encomendado a Juana Enríquez. El descalabro de la reina en esta empresa obligó a Juan II a regresar en enero de 1467 a Cataluña desde Zaragoza, acompañado de Fernando, para intentar defender el norte de Gerona frente a la una posible invasión francesa, que no se hizo esperar.

A mediados de abril se produjo el ataque previsto, al que ya se ha hecho referencia, cuando Juan de Lorena, primogénito de Renato de Anjou, cruzó los Pirineos y se lanzó sobre Gerona. Para rechazar la invasión Fernando se encaminó al Ampurdán a la cabeza de las tropas reales. Lo acompañaban sus dos hermanos Alfonso y Juan de Aragón, además del castellano de Amposta y el maestre de la orden de Montesa.

Al mismo tiempo, Juana Enríquez marchó a Zaragoza y Juan II a Valencia en solicitud de recursos para continuar la guerra. La reina aprovechó también este viaje para firmar con su hijastra Leonor de Aragón, en Ejea de los Caballeros el 20 junio de 1467, un acuerdo que reconocía los derechos de los condes de Foix al reino de Navarra y de Fernando a la corona de Aragón, antes de regresar a Tarragona para reunirse con su esposo.

El plan militar de Fernando para liberar Gerona, cercada por los franceses, consistía en combinar un ataque por tierra a un desembarco de abastecimientos y artillería en la costa, y ante el avance del ejército realista, Juan de Lorena levantó el sitio y traslado a sus tropas a Hostalric.

Fernando entró en Gerona el 15 agosto y tres días después partió a la conquista de Ampurias y otras localidades en el golfo de Rosas, con el fin de asegurar el envío de refuerzos por barco desde Valencia y Tarragona.

Juan II siguió batiéndose con los franceses en las cercanías de Figueras y luego regresó a Gerona, donde juró solemnemente el 28 octubre en la catedral los privilegios de la ciudad, en presencia de Fernando, los infantes Alfonso y Juan de Aragón, el obispo Margarit y otros altos dignatarios.

El 1 de noviembre, el rey de Aragón marchó a Sant Martí de Ampurias, satisfecho por los recientes acontecimientos, pero al poco tiempo la suerte le volvió otra vez la espalda y colocó sus proyectos en la cuerda floja.

Fernando, obnubilado por el deseo de combatir, salió de Gerona con una reducida hueste y fue derrotado en Vilademat, una aldea próxima a Sant Martí de Ampurias, por un ejército francés muy superior en número. A punto estuvo de caer prisionero del duque de Calabria, y solo le salvó la valerosa intervención del camarlengo Rodrigo de Rebolledo, que consiguió sacarle a caballo del campo de batalla.

El desafortunado encuentro se produjo cuando Fernando salió de Gerona el 20 noviembre de 1467 con 80 hombres de armas y 320 jinetes para proteger un convoy de 200 acémilas que debía abastecer a la capital gerundense. La tropa fernandina fue sorprendida y derrotada por el ejército del duque de Calabria, hijo de Renato de Anjou, mandado por los condes de Campobasso y Vaudemont, y el catalán Joan Ferrer.

Cayeron prisioneros de los angevinos muchos adalides de la causa real, como el maestre de Montesa, el castellano de Amposta, Juan de Cardona,

Rodrigo de Rebolledo y el hijo del Justicia de Aragón. Fernando pudo llegar al puerto de Sant Martí y refugiarse en una nave que zarpó al día siguiente hacia Tarragona. Fue un desastre importante que hizo dudar de las posibilidades de victoria de Juan II en el Ampurdán, y dio nuevos arrestos a los sublevados de la Generalitat.

A estas desgracias vino a unirse por entonces la enfermedad y muerte de Juana Enríquez, cuya salud se deterioró rápidamente en el otoño de 1467. Cuando Juan II y Fernando regresaron a Tarragona en noviembre de ese año, la reina estaba ya moribunda, y expiró el 13 febrero de 1468.

Pocos días antes de la muerte de su madre, la mujer que lo había dado todo por asegurarle la herencia de la corona aragonesa, Fernando tuvo que ir a Zaragoza para presidir las Cortes de Aragón. En esa capital, al terminar las honras fúnebres tributadas a la reina, reunió a los nobles aragoneses presentes y les exhortó con estas palabras que recoge el cronista valenciano Miralles:

> Señores, todos sabéis con cuántas fatigas mi señora madre ha sostenido la guerra para retener Cataluña en la Casa de Aragón. Veo a mi señor padre viejo, y a mi, de muy poca edad. Por ello me encomiendo y me pongo en manos vuestras y os pido por favor que me consideréis como hijo.

Conmovidos al parecer por estas palabras, los nobles asistentes se comprometieron a poner fin a sus rencillas hasta acabar la guerra en Cataluña, y a socorrer al príncipe con sus personas y bienes.

Rey de Sicilia

El año 1468 comenzó para Juan II con malos augurios, tras la infortunada campaña del Ampurdán y la muerte de su confidente y fiel compañera Juana Enríquez. Las perspectivas eran pesimistas.

> Conocíase manifiestamente —dice Zurita— que las cosas del estado del rey estaban en punto de perderse sin ningún remedio [...] Hacíase la guerra con tanta falta y necesidad de dinero que no había aún para proveer las cosas menudas y necesarias... y parecía imposible poderse vencer aquella empresa.

En ese tiempo, Fernando había cumplido ya 16 años y estaba «curtido tempranamente por la vida—comenta Vicens Vives— , expuesto a los mayores peligros en el campo de batalla, en una adolescencia sin juegos y erizada de dificultades, respondía bajo la cuidadosa vigilancia de su padre, a las duras tareas que de él exigía la situación política.»

Tras la derrota de Vilademat, persistía la amenaza en la frontera de Gerona, y Juan II se mostraba muy inquieto por la suerte de Sicilia, ambicionada también por el rey de Francia y los Anjou.

A partir del 1 febrero de 1468, reinauguradas las nuevas Cortes aragonesas que habían sido interrumpidas por la muerte de la reina, los asuntos de la corte mantuvieron a Fernando ocupado hasta junio de 1468. Después de asistir a los funerales de Juana Enríquez , Juan II se reunió otra vez con su hijo en Zaragoza para negociar el posible matrimonio con Isabel I de Castilla, y también hablaron de la situación militar en el norte de Cataluña, que pintaba mal para las tropas realistas tras la derrota de Vilademat.

El duque de Calabria se había apoderado de los castillos de Sant Martí de Ampurias y Begur, con lo cual las plazas marítimas del Ampurdán quedaban ahora en manos enemigas, pese a la victoria que Alfonso de Aragón, el hijo bastardo de Juan II, consiguió sobre los angevinos en la batalla de San Juan de las Abadesas.

El 10 junio de 1468, Juan II dio el paso esperado de nombrar a Fernando rey y corregente de Sicilia, una muestra más del interés que tenía el rey aragonés por dejar asentada la figura de su hijo en todas las posesiones de la corona de Aragón y ante las restantes cortes europeas.

A esta decisión siguió pocos días después el nombramiento de Fernando como lugarteniente general en todos los territorios de la corona aragonesa, lo que ratificaba el nombramiento hecho tres años antes, que algunos habían considerado ilegal por no tener todavía el príncipe la mayoría de edad requerida.

De acuerdo con los términos de la pragmática real, emitida en Zaragoza el 22 junio de 1468, Fernando quedó investido de autoridad absoluta en Aragón, Valencia, Mallorca, Cerdeña, y Córcega, con facultad de convocar Cortes, crear y revocar cargos oficiales y declarar la guerra.

Operaciones en Cataluña

Como la situación militar en tierras de Gerona seguía siendo crítica, Fernando abandonó Zaragoza para trasladarse al cuartel general del ejército realista establecido en Cervera. Debido a la falta de dinero para continuar la campaña, tuvo que negociar un nuevo préstamo de 110 000 sueldos que le concedió la ciudad de Valencia a cambio de un collar de oro y rubíes, propiedad de Juana Enríquez, y las rentas de las villas de Elche y Crevillente.

> Hacíase la guerra —escribe Zurita— con tanta falta y necesidad de dinero que no lo había aún para proveer las cosas muy menudas y necesarias a la guerra. Ni tenía el ejército del Rey de Sicilia para socorrer los que llevaban cargo de la artillería y los lacayos, escuchas, espías y guías que tan necesarios eran en el ejército. Y parecía imposible poderse vencer aquella empresa. En esta coyuntura los consejos de unos y otros discrepaban profundamente.

Entre los consejeros políticos y militares de Fernando en esos difíciles momentos estaban el conde de Prades, Pedro de Vaca; los gobernadores de Valencia y Cataluña, Pedro de Urrea y Galcerán Requesens; y los capitanes Antonio de Cardona, Dalmau de Queralt y Gaspar de Espés.

Desde Cardona, el príncipe-rey consiguió reducir algunas fortalezas que dominaban la periferia de Cervera, pero la escasez de tropas y la resistencia del enemigo le impidieron avanzar hacia Vic o Gerona, y lo forzaron a volver a Cervera.

Un triunfo imprevisto mejoró la mala situación de las tropas realistas cuando una hueste al mando de Ramon de Espés tomó por asalto la villa de Berga, en el Alto Llobregat el 12 septiembre de 1468. Al recibir la noticia Fernando se trasladó rápidamente a esa población, en cuyo castillo los defensores resistían todavía tenazmente, y logró con habilidad diplomática que se rindieran y reconocieran al rey Juan II.

En Cervera, Fernando permaneció a la espera de una posible invasión francesa del Ampurdán y del resultado de las gestiones matrimoniales que se estaban llevando a cabo en la enmarañada coalición de magnates castellanos contrarios a Enrique IV. Poco después, en enero de 1469, se reencontró con su padre, que había recuperado parcialmente la vista tras una operación de cataratas.

Pocas semanas después de que Fernando fuera declarado rey de Sicilia en la catedral de Zaragoza (junio de 1468) el infante Alfonso de Castilla murió tras una corta enfermedad, dejando en el aire sospechas de haber sido envenenado.

Los derechos sucesorios pasaron entonces a su hermana Isabel, y para dar por terminada la guerra civil entre el rey Enrique IV y los nobles castellanos, ambas partes decidieron reconocerla como Princesa de Asturias en solemne ceremonia celebrada el 19 de septiembre de 1468 en la explanada de los Toros de Guisando. El tratado suponía una tregua en el enfrentamiento de los señores partidarios del príncipe Alfonso con el rey Enrique IV. Ninguno de los dos bandos —dice Luis Suárez— tenía fuerza suficiente para imponerse al otro y Juan II se ofreció de mediador y encomendó arbitrar los desacuerdos al condestable de Navarra, Pierres de Peraltes, uno de sus más fieles ayudantes. Peraltes conocía bien los entresijos de la política castellana, y era consuegro del arzobispo de Toledo, lo que le permitía negociar con el marqués de Villena, que hacía y deshacía en la corte.

Enrique IV pensó que lo acordado en Guisando era una buena solución porque, asesorado por el marqués de Villena, proyectaba casar a Isabel con Alfonso V de Portugal, y a la hija de la reina consorte, Juana, con el heredero portugués don João.

Pero lo que Villena pretendía con su maniobra era cerrar el paso al hijo de Juan II de Aragón en el casamiento con Isabel, pues temía que los parientes castellanos del rey aragonés le reclamaran devolver parte de su rico patrimonio.

Hijos y amoríos

No todo, fueron guerras y tribulaciones en este tiempo para Fernando pues en marzo de 1469 nació su hijo Alonso o Alfonso (según los autores), el futuro arzobispo de Zaragoza, a quien con solo tres años hizo prior de Tortosa y archidiácono del Montnegre, y cuya madre fue Aldonza Ivorra y Alemany, dama catalana de Cervera (llamada por algunos cronistas Aldonza Roig o Ruiz) que se vestía de hombre para acompañar a Fernando en sus campañas. Aldonza se casaría luego con Francisco Galcerán Castro y de Pinós, vizconde de Ebol y de Canet.

Fernando protegió y cuidó siempre de Alonso y su madre, y el hijo, vinculado desde temprana edad a los estamentos eclesiásticos de la corona de Aragón, además de ocupar la sede arzobispal de Zaragoza, se convirtió en colaborador y consejero político principal del Rey Católico.

Durante las frecuentes ausencias de Fernando en los territorios de la Corona aragonesa, Alonso suplió con gran acierto a su padre, y su importancia política aumentó tras la muerte en 1497 del único hijo legítimo varón del Rey Católico, el príncipe Juan. Fernando nunca dejó de confiar en Alonso para las tareas de gobierno y le encargó incluso en 1512 el mando de las tropas en la conquista de Navarra.

Como las leyes sucesorias de Aragón vetaban el acceso al trono de las mujeres, aunque fueran ellas las que transmitieran sus derechos a los descendientes, Alonso fue tentado por una facción de la nobleza aragonesa opuesta a la unión con Castilla para que ocupara el trono de Aragón a la muerte de Fernando, pero se mantuvo fiel a la memoria de su padre y rehusó entrar en ese juego dinástico. Sabía que su progenitor no hubiera aprobado esa maniobra, perjudicial para los derechos de su hija legítima, Juana, reconocidos por las Cortes de Aragón y transmitidos al futuro rey-emperador Carlos.

Una muestra de la total confianza que Fernando tenía en Alonso fue su nombramiento en 1507 como lugarteniente general del reino de Nápoles, tras cesar de virrey el Gran Capitán. Una distinción corroborada en el último testamento del Rey Católico, cuando le designó lugarteniente del Reino de Aragón y gobernante de todos los territorios de la Corona, con el encargo de proteger los derechos sucesorios de su hija Juana y su nieto Carlos hasta la llegada a España de este.

Alonso cumplió con el mandato de su padre frente a las pretensiones de una gran parte de la nobleza aragonesa, que era partidaria de un rey educado en Aragón, y mantuvo firme las riendas del gobierno. En 1518, una vez muerto Fernando, tras jurar el joven Carlos los fueros de los distintos estados de la Corona de Aragón como nuevo rey, este recompensó la fidelidad de su tío con el nombramiento de virrey.

Al morir en 1520, Alonso dejó el arzobispado de Zaragoza al mayor de los siete hijos que tuvo con Ana de Gurrea, una dama aragonesa con la que mantuvo una relación de más de veinte años, sin poder casarse por su condición eclesiástica.

Después de venir al mundo Alonso, Fernando fue padre de una hija bastarda, Juana de Aragón, que se casó en 1492 con el conde de Haro y condestable de Castilla, Bernardino Fernández de Velasco, a quien Fernando recompensó con el título de Duque de Frías. La madre de Juana, según el historiador Vicens Vives, pudo ser una mujer de humilde condición llamada Joana Nicolau.

Juana fue criada con la familia de su madre y del matrimonio con Bernardino de Velasco tuvo una hija, Juliana, nacida en 1509. El casamiento le sirvió a Fernando para asegurarse la fidelidad de esta poderosa familia castellana en el enfrentamiento con Felipe el Hermoso, durante su primer periodo de regencia.

En los primeros años de su matrimonio con Isabel, Fernando conoció también en Bilbao a una dama de nombre Toda de Larrea, de la que tuvo una hija, María de Aragón. Esta mujer divulgó sus amores con el rey con poca discreción, y cuando eso llegó a oídos de la reina Isabel, fue encerrada con su hija en el convento de Nuestra Señora de la Gracia el Real, en Madrigal de las Altas Torres, del que María fue más tarde abadesa.

Fernando tuvo otra hija del mismo nombre con la dama portuguesa María Pereira, y la niña también fue recluida en el convento de Madrigal. Ninguna de estas dos hijas supo que el rey era su padre hasta que fueron adultas, y el monarca veló por su suerte y les aseguró una vida acorde con su alcurnia. Ambas llegaron a ser abadesas y dispusieron de un alto patrimonio conseguido con la administración de las numerosas tierras del convento de Madrigal, y una de ellas fue también abadesa del convento de Pedralbes.

Convento de Nuestra Señora de la Gracia el Real de Madrigal de las Altas Torres, donde vivieron las hijas bastardas de Fernando el Católico.

Las dos Marías hijas de Fernando tampoco fueron olvidadas por su sobrino, el rey-emperador Carlos quien, además de visitarlas y mantener con ellas frecuente correspondencia, les encargó la tutela de una de sus hijas ilegítimas, también de nombre Juana, muerta en la infancia, y les cedió el palacio cercano al convento de Madrigal donde había nacido Isabel la Católica.

Eran estos amores de Fernando disculpables para sus contemporáneos, sobre todo teniendo cuenta que no llegaron a representar problema de gobierno ni turbaron la serenidad de la corte, como cuenta el cronista Abarca:

> Y podemos decir en alabanza del Rey Don Fernando de estos pecados, más de hombre que de Rey, que tanto suelen turbar la serenidad de los reyes y la paz pública de los palacios y reinos, estuvieron lejos de causar embarazos y ruidos en el Gobierno, que ni aquellas mujeres fueran hoy conocidas, sino por sus hijos; ni éstos o ellas pudieron alterar a la República. Y, en fin, en todas aquellas culpas don Fernando apareció como dos personas distintas: una, el hombre joven que pecaba, y otra, el anciano Rey que proveía.

Una opinión acreditada por el humanista italiano Mártir de Anglería, que señala la lujuria como el vicio principal del rey, que buscaba otras amantes incluso al final de su vida, estando casado con su joven esposa Germana.

> Pongo por testigos a todos los espíritus celestiales —dice—: si nuestro Rey no se desprende de dos apetitos, muy pronto entregará su alma a Dios y su cuerpo a la tierra. Ya tiene sesenta y tres años y no se separa ni un instante del lado de su esposa. No tiene bastante con un respiradero —me refiero a la respiración del pecho—, sino que se empeña en utilizar el matrimonial más allá de sus fuerzas.

En los primeros años del siglo XVI nació en Italia la última hija bastarda del monarca, también llamada Juana, princesa de Tagliacozzo, cuya madre debió de ser alguna dama de Nápoles con la que Fernando se relacionó durante su estancia en ese reino.

No hay duda de que la reina Isabel conocía la conducta lujuriosa de Fernando y sufría celos por ella. Debieron de tener muchas discusiones, pero sin que se resintiera gravemente el gran amor que la reina siempre tuvo a su marido, tal como quedó reflejado en el propio testamento de la soberana, cuando dice, al mencionar las joyas que le deja en legado, para que su recuerdo le haga vivir «más santa y justamente»:

> ...porque viéndolas pueda tener más continua memoria del singular amor que a Su Señoría siempre tuve; y aún para que se acuerde que ha de morir y que le espero en el otro siglo, y con esta memoria pueda más santa y justamente vivir.

Un amor que según todos los testimonios fue correspondido por el Rey Católico, y del que dan pruebas cartas como esta que figura en elprimer volumen de la colección de G.A. Bergenroth de cartas, archivos y papeles de Estado relativos a las negociaciones entre Inglaterra y España durante el reinado del rey inglés Enrique VII, conservados, entre otros, en los Archivos de Simancas y de la Corona de Aragón.

La carta no tiene fecha, aunque algunos piensan que pudiera ser de 1484, cuando Fernando estaba en Aragón lidiando con la oposición soterrada de los procuradores de ese reino.

> Mi señora: Ahora por fin queda claro cuál de nosotros dos ama más. A juzgar por lo que habéis ordenado que se me escriba, creo que podéis estar contenta, mientras yo no consigo conciliar el sueño porque viene un mensajero detrás de otro sin traerme noticias vuestras. La razón por la que no me escribís no está en que no tengáis papel a mano ni en que no sepaís cómo escribir, sino en que no me amáis y sois además orgullosa. Ahora estáis viviendo en Toledo y yo en estos pequeños pueblos. ¡Bien!, algún día volveréis a tomarme afecto. Si no es así, moriré, y vos seréis la culpable. Escribidme y hacedme saber cómo estáis. No tengo nada que deciros acerca de los asuntos que me retienen aquí, excepto lo que Silva os comunicará y lo que Hernando del Pulgar ya os ha contado. Os ruego que creáis a Silva. Escribidme. No olvidéis hablarme de la Princesa. Por el amor de Dios, recordame a ella. Su padre, que besa vuestras manos y es vuestro siervo. EL REY.[7]

Retratos

¿Cómo era físicamente el rey Fernando?

El cronista Hernando del Pulgar, que lo conoció y trató personalmente, asegura que era

> hombre de mediana estatura, bien proporcionado en sus miembros, con las facciones de su rostro bien compuesto, los ojos brillantes, los cabellos, proyectos y llanos y hombre de bien « complisionado»: tenía la fabla igual ni presurosa ni mucho espaciosa y había una gracia singular, que cualquiera que con él hablase luego lo amaba y le deseaba servir porque tenía la comunicación amigable..., era hombre muy tratable con todos, especialmente con sus servidores íntimos. Cabalgaba muy bien a caballo en silla de la guisa y de la jineta, justaba sueltamente y con tanta destreza que ninguno de todos sus reinos lo haría mejor. Era gran cazador de aves y hombre de buen esfuerzo y gran trabajador en las guerras; placíale jugar todos los juegos, de pelota, ajedrez y tablas y en eso gastaba algún tiempo más de lo que debía.

Son muchos los cronistas coetáneos que han retrado verbalmente a Fernando. Una descripción en exceso encomiástica del cronista segoviano Colmenares nos lo presenta en la fiesta de la coronación de Isabel con estas palabras:

> Mozo de 22 años..., de mediana y bien compuesta estatura, rostro grave, blanco y hermoso, el cabello castaño, la frente ancha con algo de calva, ojos claros con gravedad alegre, nariz y boca pequeñas, mejillas y labios colorados, bien sacado del cuello y formado de espalda , voz clara y sosegada y muy vidrioso a pie y a caballo.

Y en la misma línea, el siciliano Marineo Siculo, que le acompañó en su viaje a Nápoles, después de muerta la reina Isabel, lo describe así:

> Era el rey don Fernando de mediana estatura, tenía todos sus miembros muy bien proporcionados, el genio alegre y resplandeciente, los ojos claros y casi risueños, la barba venerable y de mucha autoridad, de ingenio muy claro y buen juicio, de ánimo benigno y liberal; en consejo, muy prudente; en la costumbre, afable sin ninguna pesadumbre... Era muy grave en todos sus hechos y dichos, cuya presencia representaba maravillosa dignidad. Por maravilla jamás le vieron airado ni triste. Era muy templado en el comer y en el beber. Jamás comía sin haber oído primero misa y siempre un prelado o sacerdote bendecía su mesa y daba gracias a Dios después de comer y cenar. Desde su niñez fue buen caballero de la brida y de la jineta, ejercitándose en justas y juegos de cañas, en los cuales sobre pujaba y aventajaba a muchos otros caballeros fuertes y ejercitados en aquel oficio de

> caballería, porque era gran bracero y ejercitado en el arte militar. Sufría sobremanera los trabajos así de la guerra como de los negocios, favorecía la justicia y demandaba muy estrecha cuenta a los que la ejercitaban. Preciábase de la clemencia y humanidad cerca de los afligidos y miserables. Era, también, muy gracioso y afable con las mujeres e hijos que tuvo; quería mucho y honraba a los hombres sabios y virtuosos y tomaba en buena gana sus consejos. Y no menos amaba a los caballeros, en especial a los de su casa.

Para completar esta descripción tenemos los retratos pintados que nos han llegado del monarca. Uno de ellos, de un autor desconocido inglés, en la Real Colección del castillo de Windsor, representa a Fernando cuando tenía unos 40 años y de acuerdo con las descripciones literarias de la época —según Carmen Morte Garcia— con «la boca y los labios un poco crecidos, los cabellos castaños, cortados al rostro como mejor la usanza de aquel tiempo», y vestido con una túnica de brocado de oro, cubierto con gorra negra, llevando un collar de oro con gruesos eslabones muy apretados.

En otro, también de autor desconocido, posiblemente flamenco, perteneciente a la Sociedad de Anticuarios de Londres, aparece Fernando sobre la inscripción Fernando *fernandus hispaniae rex* como un joven de mirada un tanto enigmática, también con rica vestimenta bordada y colgando del cuello una cruz bizantina adornada con piedras preciosas.

Otro de los más conocidos es un retrato anónimo de tres cuartos de busto al óleo que se conserva en el museo Sainte-Croix de Poitiers de finales del siglo XV. En esta pintura la imagen se concentra en el propio rostro del rey que destaca sobre un fondo negro sin ningún atributo ni símbolo de poder.

Hay también dos retratos también notables y asimismo anónimos en el museo de Historia de la Cultura de Viena y en el Staatlichen de Berlín. El de la capital austriaca presenta a Fernando con un sayo de color anaranjado brocado de oro, con cadena también de oro y un birrete negro. Su expresión es muy similar a la del cuadro del museo de Poitiers. El cuadro de Berlín, que como los anteriores es pintura al óleo sobre tabla, se atribuye por algunos al Maestro de la Leyenda de la Magdalena, que trabajó en Bruselas entre 1500 y 1530 y es uno de los seguidores de Rogier van den Weyden. El rostro del rey está ligeramente hinchado, y según el experto Stephan Kemperdick, el tono blanco- rosado de la piel, y los ojos pequeños y brillantes recuerdan mucho a las figuras masculinas de las escenas de la leyenda de la Magdalena del seguidor de van der Weyden afincado en Bruselas.

Retratos del Rey Católico.
Arriba izq. Óleo sobre tabla de autor desconocido. Sociedad de Anticuarios. Londres.

Arriba dcha. Óleo sobre tabla de autor desconocido inglés. Ca. 1500-1510. Castillo de Windsor. Royal Collection.

Debajo izq. Óleo sobre tabla. Ca. 1500. Autor desconocido flamenco. Kunshistorisches Museum. Viena.

Debajo dcha. Óleo sobre tabla. Autor desconocido aragonés. Ca. 1488-1490. Parroquia de Santa María de los Corporales. Daroca (Zaragoza).

Retrato al óleo del Rey Católico atribuido al Maestro de la Leyenda de la Magdalena. Ca. 1510-1516. Museo Staatlichen de Berlín.

LA BODA

LA GRAN JUGADA

Tanto el plano personal como en el político, el matrimonio con la princesa Isabel de Castilla fue el suceso más importante en la vida de Fernando el Católico. No exageran los que la califican esa boda como la más importante de toda la historia de España. Fue la gran jugada política de Fernando y un acontecimiento decisivo en toda Europa. El matrimonio le permitió disponer de los recursos de la potencia castellana para la realización de sus designios políticos. Le facilitó, en suma, dar un salto cualitativo en la política europea y jugar en una competición de primer rango mundial.

La unión con Castilla representó para Fernando un trampolín en la intervención de los asuntos de Europa, y le proporcionó el poder y la influencia con los que, desde la dividida corona de Aragón, no hubiera podido ni soñar. Es incluso muy dudoso que hubiese podido sujetar Nápoles y Sicilia a la Corona aragonesa, en lucha contra Francia, de no ser por la intervención de la fuerza militar, básicamente castellana, que mandaba Gonzalo Fernández de Córdoba, el Gran Capitán. Con razón se ha dicho que Isabel hizo a Fernando rey de Castilla, pero Fernando hizo a su esposa princesa de Castilla, en momentos muy difíciles y cuando todo parecía estar contra ella.

La idea de la unión dinástica venía de lejos, de 1459, cuando en el curso de las negociaciones de Enrique IV y Juan II sobre Navarra, el rey aragonés sugirió el enlace, aunque la idea por el momento cayó en saco roto. Pero después de la derrota de Vilademat, las vicisitudes y lo prolongado de la guerra con los rebeldes catalanes, apoyados desde Francia, hicieron evidente a Juan II y a su hijo la necesidad de buscar aliados, y ambos pensaron que el matrimonio con la princesa Isabel de Castilla les proporcionaría los recursos necesarios para acabar con la interminable guerra civil en Cataluña.

El rey de Aragón necesitaba hombres y dinero para la contienda, y era consciente de que solo el poder castellano podía poner coto a la intervención francesa en Cataluña.

La boda «fue una operación política largamente preparada —dice el historiador Fernando Solano en la *Gran Enciclopedia Aragonesa*—, y que dependía de una doble coordenada: por un lado de los intereses castellanos de don Juan II, por los que jamás se sintió indiferente; de otro, la sagaz intuición de Isabel, que vio en el enlace aragonés la jugada más fuerte para asegurar la herencia castellana; que lo que empezó siendo una jugada política, acabase en un sentido enamoramiento, es otra cuestión».

No fue por tanto, al principio, un matrimonio por amor. Isabel tenía 18 años y Fernando 17, y el asunto se tramitó a partir de consideraciones políticas. «El camino hacia el poder pasaba, para Isabel, por el matrimonio aragonés —sentencia Joseph Perez—, pues los portugueses eran favorables en bloque a su rival

Pintura de los Reyes Católicos que se encuentra en las dependencias reales del hoy convento de las MM. Agustinas de Madrigal y en su momento palacio real de Juan II.

Juana. Más allá de esas circunstancias personales, era la suerte de la península Ibérica la que estaba en juego. Los reinos y principados de la España cristiana soñaban con recrear la unidad política de la península, y esa unidad requería alianzas matrimoniales.»

En el fondo, lo que también se ventilaba para Castilla era la unión con Portugal o Aragón. Si Isabel quería reinar debía apoyarse en Aragón, y casarse con el heredero de ese reino, puesto que Portugal se mostraba favorable a la princesa Juana como reina de Castilla.

El proyecto matrimonial, destaca Vicens Vives en su *Aproximación a la Historia de España*, tropezó con considerables dificultades. «Desde mediados del siglo la guerra civil causaban estragos en los reinos peninsulares... El enlace de Isabel con el hijo del monarca aragonés volvió a plantear sobre el tapete no solo la futura suerte de los partidos en lucha, sino también la orientación general de la política castellana... El éxito del matrimonio aragonés venía condicionado por la desesperada situación en que se encontraba el rey Juan II.»

Conseguir este apoyo, no obstante, exigía una maniobra de muy difícil ejecución por la debilidad del monarca Enrique IV y la guerra civil que asolaba

Castilla desde 1465, cuando los magnates castellanos anunciaron su intención de recurrir a las armas para satisfacer sus ambiciones. El conflicto entre el rey y los nobles tuvo un imprevisto final con la muerte, tras una corta enfermedad, del príncipe Alfonso, designado heredero a la corona y hermano de Isabel. Esta entonces se avino a no enfrentarse a Enrique IV a condición de ser proclamada única heredera al trono en septiembre de 1468, en la explanada de los Toros de Guisando. Un reconocimiento que excluía de la sucesión a Juana la Beltraneja, a quien todos daban nacida del adulterio de la reina Juana, esposa de Enrique IV.

De acuerdo con el historiador Ladero Quesada, Isabel tomó entonces la firme decisión de no ser un pelele en manos de los señores que se habían sublevado contra Enrique IV, y optó por apoyarse en otros nobles menos levantiscos y en Juan II de Aragón. Para eso resolvió negociar el matrimonio con Fernando sin contar para nada con Enrique IV.

Como era de suponer el matrimonio de Isabel, a espaldas del rey de Castilla y con el hijo de un adversario, hizo que las relaciones de Enrique IV con su hermanastra se deteriorarán mucho más de lo que ya estaban, hasta el punto de intentar despojarla del reconocimiento de heredera legítima.

Pero en ese momento Juan II volcó toda su energía política en apoyo de Fernando, pensando que era posible integrar a Castilla en su propio proyecto político. Para lograrlo buscó aliarse con los linajes de la alta nobleza castellana que se mantenían a la expectativa, como los Mendoza. Eso hizo que en Castilla la mayor parte de los grandes señores y de los consejos municipales se fueran inclinando a favor de Isabel, «que ofrecía un programa efectivo de reforma política y gobierno frente a lo que ya se sabía, y cabía esperar, del marqués de Villena y su grupo, cuya privanza había llevado a la ruina el edificio del poder monárquico y, con él, la paz y el equilibrio político del reino.» (Ladero Quesada)

En todo caso, el papel de Fernando en el enredo matrimonial con Castilla propiciado por su padre consistió en mover ficha en el complicado tablero del poder entre los reinos hispanos. Fernando resultó una pieza decisiva en una jugada que salió bien, pero que igual pudo salir mal y costarle la vida. Fue un desafío que le lanzó el destino, y que Fernando aceptó con fortuna.

> El príncipe de Aragón —dice Sesma—, hijo único del monarca aragonés, abandonaba su propio territorio y acudía, de manera un tanto insólita, al de la novia, sin conocer muy bien cual iba a ser la tarea que debía desarrollar, porque su futura esposa tenía tantas posibilidades de llegar a suceder a su hermano como de fracasar en el intento, mientras, su padre, el rey Juan, dados los acontecimientos de la guerra de Cataluña, padecía serias dificultades para mantenerse en el trono y asegurar su propia sucesión. En términos de riesgo, el envite no podía ser más

comprometido y podía decirse que era un doble o nada impredecible. Y Fernando tenía 17 años.

En este proyecto de unión reinos por via matrimonial hay que atribuirle el mérito de precursor y «visionario» al rey Juan II de Aragón , que nunca dejó de pensar en Castilla (de donde procedía su origen familiar) durante su azaroso reinado, sobre todo cuando empujó a su hijo a la incierta aventura de hacerse con el trono castellano sin renunciar al aragonés. « Este proyecto, confuso, que llegaba tarde porque se apoyaba en la idea heredada de su padre, el primer Trastámara sentado en el trono de Aragón por la decisión de Caspe —como afirma Sesma—, y que durante más de medio siglo solo había procurado enfrentamientos inútiles, acertó en el movimiento de conseguir el matrimonio de Fernando e Isabel, aunque una vez logrado, fueron ambos esposos los que condujeron el proyecto original en una dirección algo distinta a la diseñada por el rey Juan, pero que era, por lo que luego se comprobó, la única que podía avanzar.»

Los pretendientes

Seleccionar al adecuado aspirante al matrimonio con la reina de Castilla y León no fue una tarea fácil y llevó aparejado muchos desencuentros y decepciones políticas. Enrique IV se negaba a cualquier acuerdo con su tío Juan II, que nunca dejaba de entrometerse en los asuntos de la corona castellana. Su obstinación en este sentido chocó con la resistencia de la princesa Isabel, que eligió a Fernando desde el primer momento y descartó a cualquier otro.

> [...] ella, más inclinada al matrimonio con el Príncipe aragonés —escribe Vicens Vives— solo escuchaba a los enviados del arzobispo [de Toledo]. Era el principal de ellos Pierres de Peralta, hombre de arrojo y actividad extremados, a quien no pudo detener cuando se dirigía a su entrevista secreta con la Princesa, el peligro de la rápida corriente del Tajo que para conseguir su propósito tuvo que atravesar de noche por un vado incierto.

La resistencia de la princesa topaba incluso con la opinión de los consejeros de Juan II, como el arzobispo de Tarragona, Pedro de Urrea y el vicecanciller Joan Pagés, que trataban de disuadir al rey de una unión con Castilla, por los muchos problemas existentes en esa Corona. Zurita dice que «estando el Rey de Aragón en Zaragoza el 10 de noviembre de este año [1468] atendiendo a solicitar la conclusión de este matrimonio, todo se cometió al arzobispo [de Toledo]. Y después de él fue el principal ministro el condestable Pierres de Peralta. Daba el rey comisión que se concertase no solo por medio del arzobispo de Toledo, pero también del marqués de Santillana y de don Pedro González de Mendoza obispo de Sigüenza su hermano...»

Alfonso V de Portugal, apodado el Africano, era otro que aspiraba a la mano de Isabel, sin descartar que fuera su hijo don João el que llegase al altar en su lugar.

> [...] los que en ello de su parte hablaban —dice Hernando del Pulgar— le daban a entender, que no había persona real que más le conviniese tomar por marido que a él. Porque como quier que era viudo, pero era un Príncipe asaz mancebo, y tenía reino vecino de Castilla y de León, y asaz riquezas y poder para defender la sucesión que le pertenecía de los Reinos de Castilla y de León, si alguno se la quisiese ocupar; y que por no tener más hijos de solo el Príncipe, podría ser que este su casamiento dispusiese Dios de tal manera, que la generación que hubiese heredase a Castilla y a León y a Portugal...

La boda con Alfonso V era la solución preferida de Enrique IV, ya que posibilitada la anhelada unión de reinos hispánicos, pero el obstáculo era el rechazo que Isabel sentía por el rey portugués, mucho mayor que ella.

> [...] como estuviese en propósito de concluir este casamiento con el Rey de Portugal —cuenta el cronista Diego Valera en su *Memorial de diversas hazañas*— y conociese ser muy contraria la voluntad de la Princesa su hermana, acordó que don Pedro de Velasco, hijo del conde de Haro, fuese a hablar con la Princesa, y como aconsejándole le dijese que todavía cumplía seguir la voluntad del Rey, y dejar a su arbitrio lo que cerca de su casamiento quisiere hacer, en otra manera fuese cierta que sería puesta en prisión, la cual con muchas lágrimas respondió que ella esperaba en Dios se daría forma porque se excusase de recibir tan grande injuria...

También el rey de Francia, Luis XI, optaba al ventajoso casamiento que le abría las puertas de Castilla, promocionando al papel de pretendiente oficial a su hermano Carlos de Berry, duque de Guyena. Así lo comenta el cronista Alonso de Palencia.

> [...] el Maestre [Villena], tan amigo del aplazamiento, aunque parecía desearlo, trabajaba por diferirlo desde que supo la llegada del Cardenal de Arras, que quiso encargarse de la negociación del matrimonio a nombre del duque de Berri, luego de Guyena, hermano del rey Luis de Francia [...] marchó a Madrigal el de Albi [Cardenal de Arras]; saludó a la Princesa, y en un elegante discurso trató de persuadirla a que aceptase el matrimonio que le proponía, como el más ventajoso que podría ofrecérsela. Al mismo tiempo habló en términos poco lisonjeros del príncipe D. Fernando de Aragón...

Otro pretendiente, aunque este con menos posibilidades, fue el duque Ricardo de Gloucester, futuro rey Ricardo III de Inglaterra, a quien Shakespeare eligió de personaje para una de sus mejores tragedias, y que incluso se ofreció a residir en territorio de la corona de Castilla. Pero Isabel seguía en sus trece de casarse con su primo aragonés Fernando, sabiendo que era el mejor partido posible para apoyarla en su ascenso al trono.

> La Princesa dijo que Dios testigo de los corazones sabía que pospuesta toda afición miraba solamente lo que el bien de estos Reinos de Castilla y de León cumplía...y dio luego comisión a este Gutierre de Cárdena, su criado y Maestresala, para lo concluir. Este Caballero fue luego a las personas que para esto eran reputadas por el Rey de Aragón, que le estaban esperando para entender de esta materia, y en fin plugo a la voluntad de Dios, que lo concluyese con el Príncipe de Aragón, según le fue aconsejado por los Grandes del Reino... (Hernando del Pulgar)

CAPITULACIONES DE CERVERA

El reconocimiento de Isabel como princesa de Asturias no clarificó demasiado las cosas en la turbulenta Castilla, ya que el marqués de Villena, que por razones relacionadas con su patrimonio veía con suspicacia las influencia de Juan II en los asuntos castellanos, convenció a Enrique IV de que lo mejor era casar a Isabel con Alfonso V de Portugal, y a la infanta Juana (la Beltraneja) con el heredero del rey portugués, don João. Persistía pues la oposición del monarca castellano a la boda de Isabel con Fernando, pero en marzo de 1469 se firmó secretamente un acuerdo en Cervera entre los embajadores castellanos y mosén Pierres de Peralta, condestable de Navarra y representante del rey de Aragón que daba via libre al matrimonio.

Capitulaciones de Cervera. Lápida recordatoria de este hecho histórico dedicada por la Institución Fernando el Católico en esa ciudad catalana.

Por las capitulaciones matrimoniales de Cervera, cuyo texto se conserva en el archivo de Simancas, Fernando se comprometía a gobernar según las leyes y tradiciones de Castilla y de León; acatar lo pactado en Guisando y residir de ordinario en Castilla. También aceptaba firmar con la reina todas las leyes y despachos públicos como reyes de Castilla y de León, y de todos los países que les pudieran recaer por herencia, pues Fernando todavía solo era príncipe de Aragón, ya que vivía su padre. Fernando, además de una dote de 100 000 florines de oro, ofrecía una ayuda militar de 4000 lanzas si eran necesarias en Castilla.

El camino para llegar a las capitulaciones de Cervera fue tortuoso. Para elaborar al acuerdo el rey de Aragón entregó en noviembre de 1468 al condestable Peralta amplios poderes. Cuando este volvió a Castilla contactó con el legado pontificio Antonio de Veneris, pieza esencial en esa negociación.

Juan II había advertido a Peralta que para el éxito de la operación debía contar con los Mendoza y Pacheco, cabezas de la nobleza castellana. Por esas fechas —dice Luis Suárez— Isabel había tomado ya su decisión, y se la había comunicado tajantemente a sus dos hombres de confianza, Gutiérre de Cárdenas y Gonzalo Chacón: «Me caso con Fernando y no con otro alguno.»

Pese a las amenazas de ser despojada de la sucesión y encerrada en el alcázar de Madrid, Isabel mantuvo su negativa a la boda con Alfonso V de Portugal, y pidió a Cárdenas y Chacón que iniciaran conversaciones con el condestable Peralta y Pedro de la Caballería para fijar las condiciones del enlace.

La decisión de la princesa —afirma Suárez— venía justificada por tres razones: Fernando era el varón más próximo al trono de la dinastía Trastámara, los contrayentes tenían más o menos la misma edad, y por ser heredero de la corona de Aragón, constituía un valioso aliado para lograr una poderosa unión de reinos. Como se ha dicho, a la joven princesa no le faltaban ofertas de matrimonio interesadas. El aspirante mejor situado parecía ser Alfonso V de Portugal, que era viudo y tenía varios hijos, pero se habló incluso del príncipe de Viana, que era 31 años mayor que Isabel, y del hermano del intrigante marqués de Villena, el maestre de Calatrava don Pedro Girón, que ofreció a Enrique IV tres mil lanzas y varios miles de doblas a cambio de la mano de Isabel. Girón, un personaje enloquecido y turbulento, era fraile profeso, aunque había obtenido dispensa para casarse gracias a la influencia de su familia. Tenía 43 años e Isabel solo 15, y había intentado violar en el castillo de Arévalo a la madre de la princesa, también de nombre Isabel, que vivía allí recluida por problemas mentales.

Ni corto ni perezoso, Girón se dirigió con sus mesnadas a capturar a la espantada princesa, pero por fortuna para ella, cuando el brutal maestre de

Calatrava pasaba por la localidad ciudarrealense de Villarrubia de los Ojos, el 2 mayo de 1466, se sintió enfermo y murió «blasfemando según es fama y según había vivido» (Vaca de Osma)

En la entrevista que el 3 febrero de 1469 mantuvieron el arzobispo Carrillo y Peralta con Isabel, esta entregó al condestable una carta para dar en mano a Fernando en la que le reiteraba su compromiso absoluto. Los negociadores del rey de Aragón volvieron a Cervera el 7 marzo, donde Fernando firmó las capitulaciones matrimoniales. En ellas se garantizaba que Isabel sería la reina propietaria de Castilla, y después de la boda pasaría a ser reina consorte de Sicilia, con la asignación de 100 000 florines de renta. Además incorporaba a sus señoríos los de Borja, Magallón, Elche, Crevillente, Siracusa y Catania.

En realidad, las capitulaciones fueron muy rigurosas para Fernando, e incluían la obligación de intervenir militarmente en Castilla y León en defensa de los intereses de su prometida, y guerrar contra los musulmanes, como recoge Diego Clemencín en su *Elogio de la Reina Católica.*

> Iremos personalmente a esos reinos a residir y estar en ellos ...y que no partiremos ni saldremos de ellos sin voluntad suya y consejo, y que no la sacaremos de los dichos Reinos sin consentimiento suyo...; dándonos Dios alguna generación ... nunca los apartaremos de ella, ni lo sacaremos de esos dichos Reinos de Castilla y de León: mayormente al primogénito o primogénita...; en todos los privilegios, cartas y otras cualquier escrituras que se hubieren de escribir, hacer y enviar así por ella como por nos, juntamente se hayan de firmar y firmen por manera que todas vayan firmadas por mano de ambos a dos...; que no pondremos algunos en consejo de esos Reinos salvo castellanos y leoneses y naturales de aquellos sin consentimiento y determinada deliberación de la dicha serenísima princesa [...] Después que habremos a una con la dicha serenísima princesa los dichos Reinos y Señoríos de Castilla y de León a nuestro poder, que seamos obligados de hacer la guerra a los moros enemigos de la santa fe católica, como han hecho e hicieron los otros católicos Reyes predecesores [...] Los lugares qure las Reinas de Aragón han y suelen tener por cámaras suyas, a saber en Aragón Borja y Magallón, en Valencia Elche y Crevillén y en Sicilia Siracusa y Catania [...] así como las cuatro mil lanzas si los hechos en Castilla y en León vinieren en rotura...

En opinión de Ernest Belenguer las capitulaciones hicieron de Fernando una especie de *condottiero* al servicio de su esposa. El príncipe aragonés se comprometía a respetar fueros y privilegios del clero, ciudades y villas, y a depender siempre del consentimiento de Isabel. Sin su permiso no podría abandonar Castilla ni sacar de ella a sus hijos. Además debía pagar 100 000 florines como dádiva a los cuatro meses del matrimonio, y aportar 4000 lanzas si se hacía necesaria una intervención aragonesa en Castilla.

Los acuerdos alcanzados en Cervera y Segovia para dar contenido al enlace matrimonial denotan el deseo, por parte de Isabel, de ser considerada reina propietaria de Castilla, y por parte de Fernando, de asentar su poder personal en este reino, negándose a ser un mero rey consorte sin peso propio. Todo evidencia que lo que se ventilaba era una unión duradera entre las coronas de Aragón y Castilla, y Fernando tenía conciencia de que solo contando con la potencia castellana en el plano económico y militar podría realizar sus grandes proyectos de política exterior, que incluían nada menos que la conquista de Jerusalén.

Cuando Enrique IV tuvo noticia de lo que se tramaba se sintió engañado y decidió incumplir los acuerdos de Guisando. El rey ordenó vigilar la frontera con Aragón para impedir que Fernando llegara a Castilla, y presionó al papa Paulo II para que demorase la dispensa matrimonial que Fernando e Isabel necesitaban por su parentesco, ya que eran hijos de primos hermanos. Y eso a pesar de los informes favorables a la boda del legado papal Antonio de Veneris, que había recibido de Fernando abundantes obsequios y donativos. Pero existía el riesgo de que la unión tuviera que disolverse después de celebrado el matrimonio.

Adelantándose a las maniobras del rey castellano, el arzobispo de Toledo manipuló una vieja bula para incluirla en el acta matrimonal como si fuera la auténtica. Esa dispensa era falsa, aunque el arzobispo estaba seguro de que sería validada cuando el matrimonio se hubiera celebrado. No se equivocó, pues así lo hizo el papa Sixto IV en 1471, cuando murió su predecesor Paulo II, que era partidario de Enrique IV y se hubiera opuesto a la boda.

Pese a todo, el primer encuentro de Isabel y Fernando presentó muchas dificultades. Era preciso velar por la seguridad de los contrayentes y hallar un lugar protegido para celebrar la ceremonia.

El enviado aragonés, Pedro de la Caballería, viajó entonces nuevamente a Castilla pasando por Guadalajara, donde la familia Mendoza le aseguró que no pondría ningún obstáculo a la boda. Llevaba en su equipaje un collar de perlas que le habían entregado en Aragón y debía pignorar por 20 000 florines de oro para hacer frente a gastos urgentes, lo que la idea de la escasez de fondos en las arcas del rey Juan II.

Casi al mismo tiempo, Isabel salió de Ocaña, aprovechando la ausencia de Enrique IV en esa villa, con el pretexto de visitar a su madre y celebrar honras fúnebres en Avila o Arévalo en el primer aniversario de la muerte de su hermano Alfonso. Cuando llegó a Madrigal, el maestre de Santiago reclamó al rey que diera orden de detener a la princesa. Alarmada, Isabel tuvo que pedir ayuda al arzobispo Carrillo y al almirante Enriquez, que controlaban esas tierras. En Madrigal también recibió la visita de unos embajadores franceses a los que dejó en claro que no se casaría con el duque de Guyena, uno de los pretendientes alternativos que le proponía Enrique IV, y al que apoyaban el marqués de Villena y el arzobispo de Sevilla

Para impedir que Isabel fuera apresada, acudieron a Madrigal el almirante Alonso Enríquez y el arzobispo Carrillo, que escoltaron a la princesa hasta el palacio de Juan del Vivero, en Valladolid, un sitio de consideraban seguro. Allí se les unió Pedro de la Caballería, quien por cierto no llevaba los 20 000 florines de la venta del collar que aportaba Fernando, sino solo 8000. Al parecer no había podido sacar más por la joya.

Acta de la boda de los Reyes Católicos que se conserva en el Archivo de Simancas.

SON COMO NOSOTROS

Isabel pudo burlar la vigilancia del arzobispo de Sevilla, apostado en Coca, y llegó a Valladolid el 31 agosto de 1469. A principios de septiembre, desde la capital castellana, envió una carta al rey Enrique IV en la que justificaba la fuga y le daba a entender la noticia de su inminente casamiento. También envió otra misiva a Aragón, con Alonso de Palencia y Gutiérre de Cárdenas, urgiendo para que el príncipe Fernando se trasladara cuanto antes a Valladolid. Aunque Fernando aceptó el viaje, antes consultó con su padre, que se hallaba en tierras de Lérida. Juan II se resignó a poner en peligro la vida de su heredero dada la difícil situación que ambos afrontaban, ante el mal cariz de la contienda en el frente catalán.

Uno de los secretarios de Juan II, Felipe Climent, ha dejado testimonio de las tribulaciones que embargaban al monarca en tan difícil trance:

> El señor rey no tiene otro fijo ni otro bien para su senectud en este mundo sino que el dicho sea el enésimo rey de Sicilia, y en él, después de los bienaventurados días del señor rey, pende la salud, bien y sucesión de todos estos reinos.

> Y solamente en salirle de la boca al dicho señor rey que arriesgue el dicho señor rey de Sicilia de ir solo con tres o cuatro hasta Valladolid, especialmente teniendo la poca seguridad que dice que tiene el conde de Medina, [...] es tan duro y tan fuerte que no lo puedo decir.[4]

Todo lo soportó Isabel para asegurar el casamiento, y el 8 de septiembre escribió a su hermano el rey para ratificarle que de todos los candidatos que se le ofrecían, y de acuerdo con lo estipulado en Guisando, ella elegía a Fernando de Aragón por ser lo mejor para Castilla. «Los aragoneses —le dijo Isabel a su hermano— son como nosotros, de idéntica prosapia y no extranjeros como los franceses.»

Un cronista por entonces describe a Isabel y dice que su rostro era de «facciones correctísima, de cutis blanco y transparente; sus cabellos de un rubio ambarino, como de oro viejo; el mirar de sus ojos entre verdes y azules; graciosa; de estatura mediana muy bien compuesta; formas bien desarrolladas, espléndidas en su recatada juventud. Tenía 18 años y un extraordinario encanto.»

Por entonces también, el cronista Alonso de Palencia (que estaba al servicio del arzobispo Carrillo) y Gutierre de Cárdenas fueron a Aragón para traer a Fernando a Castilla. Un viaje largo desde Zaragoza a Valladolid, pasando por Calatayud y Soria, que ponía en peligro la vida del heredero de la corona aragonesa. Al comprobar que los caminos estaban vigilados por la hueste del duque de Medinaceli, Palencia recomendó al arzobispo Carrillo que preparase una nutrida escolta para defender al príncipe, y Fernando tuvo que cruzar la frontera entre Aragón y Castilla disfrazado de criado en el séquito del embajador Ramon d Espés, que representaba a Juan II ante el rey castellano.

Las crónicas dicen que para desorientar a los espías del marqués de Villena, el viaje se organizó en tres grupos. Uno, en el que iba el príncipe Fernando, salió hacia el norte, supuestamente para reunirse con Juan II en tierras de Urgell. Otro, que dirigía Cárdenas, siguió camino bordeando las alturas del Moncayo, para simular la entrada por Ariza. Y un tercero, dirigido por Pedro Vaca, simulaba ser una embajada con presentes para Enrique IV.

> Ya de noche y con aspecto todos de trajinantes, fueron a juntarse en Berdejo, pueblecito en las faldas del Moncayo. Entre gigantescos riscos y gargantas abruptas, llegaron a una venta mísera. Nadie podía sospechar que los modestos bultos que llevaban estaban cargados de trajes de boda, regalos, joyas femeninas y coronas reales. Y menos aún que el mozo que servía la cena y jugaba de sobremesa a las cartas con los mercaderes era nada menos que el rey de Sicilia. (Vaca de Osma).

Sin ser reconocido, Fernando llegó a Burgo de Osma, donde le esperaba el arzobispo de Toledo con una escolta de 200 hombres de armas. Desde allí Carrillo lo llevó a Dueñas el 9 octubre, y le alojó en casa de su hermano el conde de Buendía. Los vecinos de Dueñas se alegraron con la llegada de tan ilustres huéspedes. Hubo juegos de cañas, y en uno de ellos don Troilo Carrillo, hijo bastardo del arzobispo de Toledo, estuvo a punto de morir al caer de su montura

El 12 octubre de 1469 Isabel volvió escribir a su hermano el rey. Le reafirmaba su fidelidad y la de su futuro esposo, que venía sin intención de «meter escándalos y males», y tenía el respaldo de los nobles y prelados de Castilla. En la carta le pedía que aprobase la boda por ser lo más conveniente a los intereses castellanos. Ese mismo día los príncipes —que aún no se habían reunido— firmaron un acuerdo que les presentó el arzobispo Carrillo en el que prometían contar con su consejo a la hora de tomar decisiones.

La ceremonia

A principios de octubre, Fernando, acompañado de Gutiérre de Cárdenas y Pedro Vaca, este último encargado de entrevistarse con Enrique IV en nombre del rey aragonés, salieron de Zaragoza. En Calatayud se encontraron con García Manrique, que les apremió, para que llegaran cuanto antes a Valladolid. Vaca y Palencia siguieron hasta Castilla por Ateca y Ariza, y Gutierre de Cárdenas continuó hacia Berdejo. Allí se les unió el príncipe Fernando.

Tras pasar ante los muros de Burgo de Osma, donde un centinela estuvo a punto de acabar con la vida de Fernando por no reconocerlo, este prosiguió su camino hacia Dueñas, en Palencia, un lugar seguro por ser propiedad del conde de Buendia, hermano del arzobispo de Toledo.

En la noche del sábado 14 de octubre, en el palacio vallisoletano de Juan del Vivero, Isabel y Fernando se vieron por primera vez. El encuentro equivalía a la petición de mano y en él se concertó la ceremonia nupcial. Como Isabel no conocía todavía al novio, Cárdenas tuvo que señalárselo con el dedo, al tiempo que susurraba: «Ese es».

Antes de separarse, los prometidos se intercambiaron regalos. Isabel recibió un collar de balajes, con enormes perlas grises y rubíes engarzados en oro, valorado en 40 000 ducados. En la ceremonia no estuvieron presentes la madre de Isabel, cuya enfermedad mental la mantenía recluida en Arévalo, ni por supuesto el rey Enrique IV. Por eso la entrega de la novia hubo de hacerla el arzobispo Carrillo.

Palacio de los Vivero, Valladolid, donde Isabel y Fernando se vieron por primera vez y concertaron la ceremonia nupcial.

Cuatro días después Fernando juró cumplir todas las leyes de Castilla, y al día siguiente, festividad de San Lucas, se procedió a la boda en la iglesia románica de Santa María la Mayor. Por la noche se consumó el matrimonio, cumpliendo con la exigencia de mostrar a los expectantes testigos, que aguardaban en una cámara contigua, la sábana ensangrentada del lecho nupcial, como señal evidente de la virginidad de Isabel.

Por lo demás, el casamiento fue modesto. Bendijo a los contrayentes el clérigo Pero López de Alcalá, capellán de la Iglesia de San Justo de Valladolid, en presencia de los miembros de las familias Carrillo, Enríquez y Manrique. Pero no asistió ni un solo obispo y estaban ausentes los principales nombres de la nobleza de Castilla. En las capitulaciones de la boda, Fernando prometió acatamiento al rey Enrique, y se pactó que los documentos que afectasen a Castilla se expedirían a nombre de ambos príncipes, que solo se entregarían oficios y fortalezas a los naturales del reino, y que el príncipe aragonés no reclamaría las villas y castillos que hubieran sido de los descendientes de su antepasado Fernando I, los famosos «Infantes de Aragón».

Alonso Carrillo de Acuña, arzobispo de Toledo. Nació en Carrascosa del Campo (Cuenca) en 1410, y ejerció gran influencia en la política de Castilla y en las maniobras que culminaron en el matrimonio de los Reyes Católicos. Murió en 1482 en Alcalá de Henares.

Como cuenta el médico de cabecera del matrimonio, doctor Toledo, «la noche del 19 se consumó entre los novios el matrimonio, y donde se mostró cumplido testimonio de su virginidad y nobleza. Otro testigo, Juan de Valera, puntualiza:

> Estaban en la puerta de la cámara ciertos testigos puestos delante, los cuales sacaron la sábana que en tales casos suelen mostrar...; la cual, en sacándola, tocaron todas las trompetas y atabales y ministriles altos y la mostraron a todos los que en la sala estaban esperándola, que estaba lleno de gente.

Fueron padrinos, de parte de Isabel, la señora del anfitrión Juan del Vivero; y el almirante de Castilla, Fadrique Enríquez, por parte de Fernando. De testigos actuaron los acompañantes del rey y una serie de nobles y prelados asistentes.

Tras la boda, Isabel y Fernando reunieron en Valladolid un Consejo real que solicitó al rey Enrique la aprobación del matrimonio, a cambio del compromiso de acatamiento a su autoridad y reclutar una guardia personal de 1000 lanzas, cuyo pago correría a cargo de Isabel. Poco después, Fernando contrató los servicios del maestro artillero Juan de Peñafiel, que aportaba al incipiente ejército de los príncipes seis lombardas, dos pasavolantes y doce cerbatanas.

Cuando Enrique IV se enteró de la boda mostró gran disgusto. Una reacción esperada por la enemistad constante que mantenía con Juan II y porque su valido, el marqués de Villena, también se oponía a ella. La hostilidad del rey hizo que Isabel y Fernando intentasen entenderse con el monarca. Un propósito que pasaba por el acercamiento a la reina consorte Juana y a su hija «la Beltraneja», así llamada por creerla casi todos hija de Beltrán de la Cueva.

Los recién casados decidieron enviar una embajada al rey Enrique, encabezada por Pedro Vaca, para comunicarle el matrimonio y renovarle el acatamiento, tal como había quedado estipulado en las capitulaciones de Cervera. Al mismo tiempo, Guillén Sánchez, copero de Fernando, partió hacia Aragón para pedir a Juan II que enviara mil lanzas a los príncipes y despachara un enviado a Roma con el fin de arreglar la dispensa matrimonial, que continuaba pendiente.

Instalado en Segovia, Enrique IV se mostró evasivo y no respondió a la carta de los príncipes, pretextando que debía consultar con los grandes del reino. En cuanto a las 1000 lanzas que pedía Fernando, tampoco hubo respuesta.

Del ambiente pesimista que envolvía a Fernando en esos momentos, da idea una carta que escribe a su progenitor el 11 febrero de 1470:

> Yo me hallo en peor disposición ..., pues perdida la esperanza de los que me siguen, dineros dar no les puedo para sostener sus gentes y servirme, algunos de ellos están para dejarme y tomar otro partido...

A esto se añadía el deterioro de las relaciones de los príncipes con el arzobispo Carrillo, con quien Fernando chocó pronto abiertamente.

Al poco de concluirse las fiestas de la boda, el arzobispo Alfonso Carrillo comenzó a sentirse molesto.

> Aquellos jóvenes príncipes estaban hechos de una pasta muy diferente de la que se esperaba; y al carácter tesonero de la mujer se sumaba la energía del marido. En el curso de una muy tensa sesión del Consejo, Fernando llegó a decir que él no iba a ser gobernado por nadie, indicando de este modo un cambio en la estructura del gobierno poniendo fin al régimen de privados —sustitutos del rey— para entrar en el de colaboradores responsabilizados. Profundamente disgustado, don Alfonso elevó sus quejas a Juan II.» (Luis Suárez)

> [...] el principio de la queja y sentimiento del arzobispo —escribe Zurita— fue que tratando un día en Valladolid con el príncipe en ciertos negocios de su estado, le dijo, como mozo, más claro de lo que debiera y aquellos tiempos cupían, que no entendía ser gobernado por ninguno, y que ni el arzobispo ni otra persona tal cosa imaginase, porque muchos reyes de Castilla se habían perdido por esto.»

Con esto Fernando puso en claro que no estaba dispuesto a ser un juguete en manos del poderoso primado de Toledo, algo que este se tomó muy a mal y alarmó al curtido Juan II de Aragón, que trató de suavizar la disputa y ordenó acelerar las gestiones en Roma para conseguir la «verdadera» dispensa matrimonial que diera legitimidad a la descendencia que los príncipes ya esperaban. Pero Fernando reconvino a su padre, pues consideraba que ese asunto estaba controlado y no era necesario alterar los trámites en marcha, pues no quería menear mucho las aguas de una cuestión tan pantanosa como la falsa autorización papal esgrimida en la boda con Isabel.

Injerencias francesas

Como por esas fechas (febrero de 1470) se anunciara el embarazo de Isabel, Fernando aprovechó la ocasión para escribir a Enrique IV y suplicarle que mantuviera a su esposa como legítima sucesora de la corona castellana, «poniendo freno a cuantos procuran de meter gentes extranjeras, a esta vuestra nación muy odiosas». Una clara alusión a las injerencias de Luis XI de Francia en los asuntos hispanos. Fernando le proponía también que las Cortes castellanas arbitraran el pleito sucesorio, y en caso de que estas no quisieran resolver, lo decidiera una comisión de las cuatro órdenes religiosas más importantes: San Francisco, Santo Domingo, San Jerónimo y la Cartuja.

Alarmado ante la turbulencia de los grandes de Castilla, que una vez más amenazaban la estabilidad del reino, el arzobispo Carrillo aconsejó a los príncipes que se refugiaran en la fortaleza de Dueñas, por considerar que Valladolid ya no era segura.

Durante la primavera de 1470 el interés de Isabel y Fernando, que estaban casi prisioneros en Dueñas, se centró en conseguir apoyos de la nobleza castellana y dar al traste con los proyectos de alianza urdidos por Enrique IV y Luis XI de Francia.

La realidad era que «salvo un pequeño reducto constituido por las plazas de Valladolid, Tordesillas, Olmedo y Sepúlveda, y aún la primera con muchas reservas, el resto de Castilla se mostraba favorable a Enrique IV, lo que no

Miniatura de un códice en latín que representa al rey castellano Enrique IV.

quiere decir, precisamente, que se mostrará contraria a los príncipes.» (Vicens Vives) Y en lo que respecta a los planes de matrimonio fraguados entre el rey de Castilla y el de Francia, se vieron avivados con la llegada a España de la embajada dirigida por el cardenal de Albi, propiciada por el marqués de Villena.

El prelado francés fue recibido por Enrique IV en el Medina del Campo. Traía la propuesta de casar a la princesa Juana con el duque de Guyena, lo cual fue aceptado por el monarca castellano, y se decidió nombrar una comisión para preparar el enlace, en la que figuraban el marqués de Villena, el arzobispo de Sevilla y el obispo de Sigüenza. Además, aprovechando aquel río revuelto, el conde de Benavente tejió una red de intrigas para soliviantar al pueblo de Valladolid contra de Isabel y Fernando.

En un intento de encauzar la situación, y tras muchas maquinaciones y conjuras, Vaca y Villena mantuvieron una áspera entrevista en las cercanías de Valladolid en la que estuvieron a punto de llegar a las manos. Villena propuso que si la princesa Isabel paría un varón, podría concertarse el matrimonio de este con la princesa Juana, hija adulterina de Enrique IV, y ambos entonces serían reconocidos herederos a la corona de Castilla. Pero al final este plan quedó en nada.

Juan de Pacheco, marqués de Villena. Colegiata de Belmonte. Nacido en 1419 en Belmonte, Pacheco dominó la política castellana durante el reinado de Enrique IV. Ostentó los cargos de alcaide mayor de Asturias, adelantado mayor de Castilla y maestre de la Orden de Santiago. Murió en Santa Cruz, cerca de Trujillo, en 1474.

HORAS BAJAS

La situación de los jóvenes esposos seguía siendo muy comprometida. Para que su poder fuera reconocido debían ser aceptados por una gran mayoría de sus súbditos, lo cual exigía mejorar las relaciones con Enrique IV, cada vez más entregado a la voluntad del marqués de Villena, Juan de Pacheco, enemigo declarado de la pareja.

Pacheco convenció al rey de que a él solo le correspondía designar sucesor, y —por haberse casado sin el consentimiento real— Isabel debía ser despojada de la sucesión en favor de Juana, la hija de la reina y de su amante Beltrán de la Cueva, que estaba a punto de cumplir siete años. Para culminar esta intriga, y obtener el apoyo de los grandes linajes, Villena repartió rentas y cargos a voleo entre los nobles de Castilla, acelerando así el proceso de desintegración social y desbarajuste que existía en el reino.

El verano de 1470 marcó las horas más bajas en el espinoso camino de Fernando e Isabel hacia el trono castellano. «La situación económica de los Reyes de Sicilia llegó a ser tan precaria —dice el historiador F. Soldevila—, que hubieron de acabar refugiándose en los dominios del almirante de Castilla y viviendo a costa suya. Juan II de Aragón se hallaba todavía sumergido en la lucha contra los catalanes, y no podía apenas ayudarles. Y la reacción producida en la corte de Enrique IV por la noticia del casamiento, a pesar de las cartas de expresión sumisa que los príncipes le dirigieron, había conducido al rey y a los magnates a procurar el rápido matrimonio de la infanta doña Juana y a declararla de nuevo princesa y heredera de los reinos.»

Hasta el inquebrantable Juan II de Aragón, angustiado por la ausencia de su heredero, parecía derrumbarse, y propuso a Villena, por medio de Pedro Vaca, que si el hijo que esperaban los príncipes fuera niño se comprometiera su matrimonio con la princesa Juana, y en ese caso Fernando e Isabel le cedieran sus derechos al trono. Algo que desde luego resultaba inaceptable para los recién casados, y que Villena tampoco aceptó, por considerar que la propuesta era innecesaria.

El 12 de octubre de 1470, Isabel dio a luz una niña a la que pusieron el nombre de la madre, con lo cual muchos quedaron defraudados, en especial en el bando aragonés. Las circunstancias seguían siendo adversas para la joven pareja de príncipes. Medina del Campo se perdió y Fernando estuvo a punto de morir a causa de una caída de caballo a primeros de noviembre.

Ese mismo mes, la reina Juana y su hija pasaron a la custodia del marqués de Villena, lo que en la práctica equivalía a ser sus rehenes. Y por su participación en estos manejos, el marqués de Santillana obtuvo el Infantado de Guadalajara, que pronto se convertiría en ducado.

Lo peor para Isabel y Fernando fue que Enrique IV dio por roto el compromiso de los Toros de Guisando, y proclamó a su hija Juana, heredera de la corona, al tiempo que notificaba el compromiso matrimonial con el duque de Guyena.

Como culminación de toda esta tramoya de intereses espurios, el 26 octubre de 1470 tuvo lugar en Val de Lozoya una ceremonia que reconocía a la niña Juana como nueva sucesora de Enrique IV y desheredaba a Isabel, «visto su poco acatamiento y menos obediencia que mostró en casarse por su propia autoridad, sin acuerdo y licencia». En este acto el rey Enrique mandó que todos sus súbditos tuvieron en adelante a Juana por sucesora, y el cardenal de Albi dio por hechas las nupcias entre el duque de Guyena y la niña Juana, que nunca fueron confirmadas.

En Val de Lozoya, con el ceremonial de rigor, un vocero del rey leyó una carta en la que Enrique IV acusaba duramente a su hermanastra Isabel de haber quebrantado la promesa de fidelidad debida.

> La dicha infanta no guardó ni cumplió las cosas susodichas, que así me prometió y juró —proclamaba el rey—. Antes en grande deservicio y daño y menosprecio mío y en quebrantamiento de la dicha fe y juramento y contra la disposición

> de las leyes de estos dichos reinos y en gran turbación y escándalo de ellos, hizo y cometió todo lo contrario, y tuvo en ello muchas maneras y formas de malo y detestable ejemplo, en gran menosprecio mío y contra mi preeminencia real y en derogación de ella.

En consecuencia, Enrique IV derogaba cualquier juramento prestado en Toros de Guisando, y proclamaba a Juana primogénita heredera, como hija «legítima y natural». Una vez leído el texto los nobles allí congregados juraron a la princesa Juana. Entre ellos había nombres tan importantes como el marqués de Villena, el conde de Plasencia, el conde de Benavente, el marqués de Santillana y el duque de Valencia de San Juan. Luego se firmó el acta del casamiento del duque de Guyena y la niña Juana, cuya celebración se postergaba hasta la pubertad de esta.

El rechazo de Enrique IV a Isabel, que contradecía lo pactado en Guisando, volvía a dividir a la nobleza y colocaba a Castilla al borde de la guerra civil. Algo que no sucedió porque Isabel y Fernando conservaron la cabeza fría y se limitaron a esperar acontecimientos instalados en Medina de Rioseco, conscientes de que si Villena intentaba ir contra ellos provocaría el levantamiento de otros nobles que no aprobaban lo acordado por Enrique IV en favor de Juana.

Para ratificar lo acordado en Val de Lozoya el rey convocó Cortes y pidió la adhesión a una serie de nobles que no habían estado presentes. Dieron su aceptación el conde de Haro, el duque de Alba, los marqueses de Cádiz y Astorga, y los condes de Lemos y Cabra, entre otros, así como representantes de ciudades como Madrid y Zamora,

Después de deliberar con su Consejo, Isabel y Fernando emitieron un manifiesto el 21 marzo de 1471, colocado en la puerta de algunas iglesias, en el que declaraban que el derecho sucesorio de Isabel era inamovible, ya que Juana no era hija legítima. El escrito criticaba con dureza a Villena y otros consejeros de Enrique IV por haber intentado casar a Isabel contra su voluntad, lo cual era contrario a las leyes divinas y del propio reino. «Estos meses difíciles nos permiten comprobar algunos elementos esenciales. Nunca, bajo ningún concepto, recurrieron los príncipes a la revuelta armada ni negaron a Enrique IV la legitimidad. Todos los esfuerzos estaban orientados a una meta que al final alcanzarían: lograr del rey alguna clase de reconciliación equivalente, sin duda, a un reconocimiento.» (Luis Suárez).

En medio de este cruce de acusaciones, intrigas y desavencias, durante los cuatro años de 1470 a 1474 hay una enorme confusión en Castilla, con dos cortes errantes en discordia. Una, la de Enrique IV, siempre bajo la influencia del marqués de Villena, y otra la de los «Reyes de Sicilia», reconocidos por algunas ciudades y amparados por el arzobispo Carrillo y la poderosa familia de los Mendoza, que había decidido cambiar de bando y situarse al lado de Isabel y Fernando.

Fernando en Valencia

El historiador Vicens Vives califica de desastroso el balance del año 1470 para el heredero de la corona de Aragón. No solo por lo acordado en Val de Lozoya por Enrique IV y un gran número de nobles, sino por el distanciamiento del arzobispo Carrillo, que se sentía frustrado al ver que los príncipes no se dejaban manejar y ponían freno a sus ambiciones. Por este «declarado descontentamiento», como dice Zurita, el prelado de Toledo abandonó a Fernando e Isabel en Medina de Rioseco, posesión de Alfonso Enríquez, hijo del almirante de Castilla, y a principios de enero de 1471 se retiró a sus posesiones.

El cambio de residencia de los príncipes no disminuyó sus zozobras, ya que incluso existía el temor de que llegara a Castilla un ejército francés del duque de Guyena para expulsarlos o algo peor. La noticia de esta intervención francesa que Enrique IV propiciaba, alarmó sobremanera al rey Juan II, que veía peligrar las vidas de Fernando e Isabel y de su nieta recién nacida. El monarca aragonés proponía celebrar una entrevista con Fernando y el arzobispo Carillo para reconsiderar la situación.

A todo esto el primado toledano fue tentado para que se pasase al bando de Enrique IV. Llegaron a ofrecerle 3000 vasallos para sus dos hijos naturales si acataba la autoridad real, pero en esta ocasión el arzobispo Carrillo no vaciló en reiterar que estaba vinculado a la reina Isabel por el juramento hecho en Guisando, al cual era su «determinada voluntad» seguir fiel.

Molesto porque los principes siguieran residiendo en Medina de Rioseco bajo la protección de los Enríquez, Carrillo reclutó una hueste para «rescatarlos». Después de laboriosas negociaciones en esa villa a principios de diciembre de 1471, el almirante Enriquez y el arzobispo toledano, contando con la anuencia de los príncipes, decidieron que estos residieran en tierras del prelado.

Isabel y Fernando se trasladaron a Torrelaguna y Alcalá de Henares, desde donde Fernando siguió camino hacia Aragón para reencontrarse con su padre, a quien no veía desde hacía mucho tiempo. La guerra contra los rebeldes catalanes tocaba a su término, pero la amenaza francesa volvía a cernirse sobre Aragón.

Isabel aceptó con pena esta separación. «Señor muy excelente —escribió a su suegro—: tan gran congoja sentí sabiendo la nueva entrada de los franceses contra vuestra real señoría que si las cosas de acá lo consintieran, no me pudiera sufrir de no ir con el príncipe mi señor a socorrer a vuestra majestad...»

En cuanto Fernando se instaló en Zaragoza, en abril de 1472, recibió de su padre el nombramiento de lugarteniente general de la Corona de Aragón, que renovaba sus poderes tras el regreso de Castilla. No fue hasta finales de julio, después de haber viajado a Huesca y Monzón, cuando se entrevistó con su padre en el monasterio barcelonés de Pedralbes.

En este encuentro, el rey aragonés y su primogénito pasaron revista a la situación política en Castilla y Aragón, y prepararon la reunión con el cardenal y legado papal, Rodrigo Borja, que buscaba conseguir la participación castellano-aragonesa en la guerra para detener el avance de los turcos en el Mediterráneo y los Balcanes. Borja hizo su entrada triunfal en Valencia, ciudad de la que era obispo, el 20 de junio, y el 31 de julio marchó a Cataluña, donde le esperaban Juan II y Fernando.

La entrevista de Borja con Fernando se celebró en Tarragona. Eran dos personalidades eminentementne pragmáticas y congeniaron pronto. El cardenal se mostró inclinado a favorecer al bando de Isabel en Castilla. y a mediar con la poderosa familia de los Mendoza (hasta entonces proclive a la facción de la Beltraneja) para que cambiara de causa, a cambio de otorgar el capelo cardenalicio a Pedro González de Mendoza, el influyente obispo de Sigüenza. Un «cambio de chaqueta» oportuno que reforzaba mucho el apoyo de los nobles a los nuevos reyes de Castilla, aunque la designación disgustó mucho al arzobispo Carrillo, que no se llevaba bien con Mendoza y se consideró preterido.

Desde Tarragona, el cardenal Borja continuó viaje a Pedralbes para entrevistarse con el rey Juan II, mientras Fernando quedó en Tarragona, encargado de recibir a una embajada de Borgoña que en Alcalá de Henares había rendido pleitesía a la reina Isabel antes de encaminarse a Cataluña. Con ese motivo hubo en Alcalá, bajo la atenta mirada del arzobispo Carrillo, festejos, toros y bailes. Por primera vez la princesa lució en público un collar con el haz de flechas que simbolizaba la unión de Aragón y Castilla, y luego se incorporaría al escudo de ambas coronas.

La misión borgoñona, enviada por el duque soberano Carlos el Temerario, deseaba que Fernando, como rey de Sicilia, ratificara el tratado de Abbeville, que su padre Juan II de Aragón había sellado en agosto de 1471 con Borgoña y establecía una alianza contra Francia. Belenguer apunta que este tratado era importante, pues preveía un auxilio de hasta 10.000 hombres si lo pedía la parte agredida, y a la alianza se unieron en noviembre del mismo año Isabel y Fernando.

Retrato de Carlos el Temerario, obra de Roger van der Weyden. Duque soberano de Borgoña, combatió contra el rey de Francia para crear un gran Estado desde Flandes a los Alpes, pero fue derrotado y muerto en el sitio de Nancy (1477), y su cadáver devorado por los lobos.

El convenio de Abbeville, por otra parte, colmaba las aspiraciones del rey aragonés de neutralizar momentáneamente a Francia, pactando con un enemigo de Luis XI tan temible como el duque Carlos el Temerario.

Fernando recibió a los emisarios borgoñones el 19 de agosto de 1472 y dos días después marchó hacia Valencia, que le recibió con entusiasmo.

Razones no le faltaban al príncipe aragonés para realizar este viaje, y Vicens Vives cita tres principales: recaudar dinero para sus urgentes necesidades en Castilla, conocer la verdad sobre los rumores de boda de su primo hermano Enrique de Aragón con la Beltranjena, y saber en qué paraba la maniobra del obispo de Sigüenza, González de Mendoza, que había cambiado su adhesión a Enrique IV por la púrpura de cardenal. No tuvo que esperar mucho Fernando para conocer las intenciones del prelado, ya que Mendoza llegó a Valencia , enviado por Enrique IV para dar la bienvenida a Castilla al cardenal Borja, ya de regreso en la capital valenciana tras entrevistarse en Cataluña con el rey aragonés.

En lo tocante a los dineros, Valencia se mostró pródiga con Fernando, que recibió una buena suma (48 000 sueldos) para afrontar sus gastos en Castilla y dejar un resto en las depauperadas arcas del tesoro real aragonés, exhausto por la actividad bélica de Juan II.

Apartados del bullicio de los festejos populares, Fernando y el obispo Mendoza conversaron largo y tendido de asuntos mundanos. El historiador Vives opina que entre las recompensas que Juan II y su hijo ofrecieron al obispo de Sigüenza para su adhesión, además del capelo cardenalicio, estaba la garantía de que Fernando devolvería a los Mendoza los bienes que les habían sido confiscados en Castilla, entre ellos las tierras del Infantado, en poder del marqués de Santillana.

Poco después, por fin, la situación se fue clarificando en Cataluña. Después de diez años de lucha, Barcelona se rindió y Juan II entró aclamado en la ciudad condal el 17 octubre de 1472 en un carro tirado por 4 caballos blancos, con Fernando a su lado. Pocos días antes se había llegado a un acuerdo con Francia, que devolvía el Rosellón y la Cerdaña a la corona de Aragón a cambio de dinero. Una buena noticia aumentada por la llegada a España del cardenal valenciano Rodrigo Borja, futuro papa Alejandro VI, que inclinó a los Mendoza al bando de los príncipes. El cardenal Borja, además, se negó a visitar a la reina consorte Juana y a conceder licencia papal a su hija, la Beltraneja, para casarse con el rey de Portugal.

Vives dice que a partir de la rendición de Barcelona a Juan II se inició un «idilio» entre Fernando y los consejeros de la ciudad, que se manifestaron deseosos de servirle y mantuvieron con él una constante comunicación.

Pena de muerte

Uno de los primeros actos de gobierno directo de Fernando en la corona de Aragón , al cumplir los 20 años, tuvo lugar durante su estancia en Valencia. Por entonces su fama de juez severo ya había trascendido al pueblo, y cuando llegó a la capital valenciana se produjo una desbandada de los cabecillas de las facciones locales. El temor no era injustificado, porque el 2 de noviembre de 1473, de madrugada, apareció a la luz de las antorchas, en la plaza de la catedral, el cuerpo de un hombre ajusticiado a garrote vil. Pegado en un muro del templo, un cartel anunciaba que el agarrotado era Diego Hurtado de Cuenca, muerto por orden del lugarteniente general por falsificar moneda.

Al enterarse los representantes valencianos, reunidos en consejo general, protestaron porque la ejecución se había realizado sin proceso legal, en flagrante vulneración de las leyes de ese reino, y decidieron enviar una embajada a Fernando.

Fingiendo sorpresa por esa actitud, Fernando se presentó ante los representantes locales y les explicó que Hurtado había confesado tantos crímenes que merecía morir para escarmiento general. El príncipe terminó apaciguándolos, y les prometió que en lo sucesivo no ejecutaría ni mutilaría a nadie en el reino de Valencia sin el debido proceso. La declaración equivalía a una ratificación de los fueros valencianos, y fue recogida en la recopilación legal del *Aureum Opus* de 1515. A partir de la ejecución de Diego Hurtado, Fernando no pudo olvidar que en Aragón existía un mecanismo legal que imponía condiciones a sus deseos y le obligaba a ser cuidadoso en el trato político. «El brusco contacto con la realidad —dice Vives— le hizo dar cuenta [sic] de que en sus reinos hereditarios habría de plegarse a ella. Fue una experiencia psicológica decisiva, de la que solo se apartó en escasas circunstancias de su vida.»

Como señala el historiador Fernando Solano en la *Gran Enciclopedia Aragonesa*, la concesión hecha por Fernando a los valencianos suponía « la sumisión del príncipe-lugarteniente al aparato legal del país; el retorno a la legalidad de la Corona aragonesa tan distinta a la castellana. Algo que don Fernando no olvidó, salvo en escasas circunstancias, a lo largo de su reinado y aún recogió en su último testamento.»

El nuncio Borja

El pontificado de Sixto IV se inició el 9 agosto de 1471, y el nuevo papa confirmó enseguida la dispensa matrimonial de los príncipes Fernando e Isabel. La licencia fue entregada al nuncio y cardenal Rodrigo Borja cuando este viajó con amplios poderes a España en busca de ayuda para hacer frente a los turcos.

Al tanto de todos estos manejos, Fernando regresó a Castilla y se reunió con Isabel en Torrelaguna, villa señorial de los Mendoza, mientras Borja y el rey castellano acordaban que una comisión formada por el marqués de Villena, Carrillo, González de Mendoza y el almirante Enriquez tratara de apaciguar las rencillas nobliarias y diera solución a los problemas pendientes.

El cardenal Borja salió de Madrid y escribió a Roma en términos muy favorables hacia Isabel y Fernando. Claramente, el nuncio había tomado partido por ellos, y seguramente en esto influyó su condición de valenciano, y por tanto súbdito teórico de la corona de Aragón. Su apoyo, en cualquier caso, resultaría decisivo para inclinar a la nobleza castellana hacia los príncipes en unos momentos de intrigas y contubernios continuos, en los que se barajaban alianzas e intereses inconfesables que convertían a Castilla en un laberinto de pasiones retorcidas.

Juan II, entretanto, impaciente por reconquistar el Rosellón con las armas, había recobrado Perpiñán, que fue sitiada por los franceses. Para superar la situación, el rey aragonés reclamó la ayuda de Fernando, que se encontraba en

Castilla y se dirigió a Aragón al frente de 400 lanzas castellanas. A esta tropa se unirían luego contingentes aragoneses y valencianos, mientras Enrique IV, instigado por Villena, ofrecía su ayuda a Luis XI Francia. Pero antes de que Fernando llegara al Rosellón, Juan II y el rey francés alcanzaron un acuerdo. El monarca francés prometía devolver los territorios catalanes ultrapirenaicos cuando se le pagase el dinero acordado a cambio de la ayuda que había prestado contra la Generalitat.

Fernando permanecía a la expectativa de estos acontecimientos en Cataluña, solucionando problemas internos del principado, cuando le llegaron malas noticias de Segovia. A principios de 1472 Enrique IV había cedido la ciudad de Sepúlveda al marqués de Villena y sus habitantes —descontentos con la decisión— se sublevaron. No querían pasar de la jurisdicción real a la de un señor feudal y se aprestaron a defenderse. En esta tesitura, los del Sepúlveda recurrieron a los príncipes, que se pusieron de su lado y les enviaron un socorro de 160 lanzas. Un episodio que el historiador Joseph Perez califica de importante, puesto que «contra los viejos señores feudales, los príncipes se presentan como defensores del patrimonio real y de las libertades municipales, gesto que les vale la simpatía de medios hasta entonces indiferentes a las querellas partidistas y a las luchas por el poder.»

Por esas fechas también, fue cuando Fernando recibió en Dueñas a la embajada de Carlos el Temerario que le entregó el Toisón de Oro, y en la ocasión acudieron a a rendirle pleitesía el condestable Castilla, Pedro Fernández de Velasco, y el marqués de Santillana, a quien los Reyes Católicos hicieron duque del Infantado en 1475. El Infantado eran tierras de Castilla cedidas por Juan II que este había heredado de su padre Fernando I de Antequera.

Mientras ocurrían estos sucesos en Castilla, la situación volvía a complicarse en Aragón. Los franceses, que no habían digerido la pérdida del Rosellón, volvieron a invadir ese territorio en junio de 1474, coincidiendo con una grave enfermedad de Juan II.

Fernando hubo de abandonar los asuntos en Castilla y marchar de nuevo en auxilio de su padre. Desde Zaragoza se dirigió a tierras catalanas con una tropa aragonesa, cuando ya los franceses amenazaban Gerona, pero no pasó de Barcelona. Alli se se encontró con Juan II y ambos reconsideraron la crítica situación existente en la corona aragonesa. Además de los ataques franceses, había alteraciones en Valencia y Zaragoza, por lo que Fernando tuvo que desistir de combatir en el norte de Cataluña y se vio obligado a regresar a Zaragoza.

En la capital aragonesa, donde se habían convocado Cortes, el príncipe permaneció durante todo el otoño de 1474. En ese tiempo liquidó drásticamente

Cardenal Rodrigo Borja, que sería elegido papa con el nombre de Alejandro VI.

las discordias internas que perturbaban el funionamiento municipal de la ciudad al ejecutar, sin proceso, al tribuno zaragozano Jimeno Gordo. Un hombre de familia hidalga, que tenía —dice Fernando Solano— «dominado el Concejo y hacía y deshacía a su antojo.»

Al parecer Gordo había organizado milicias populares con la idea de auxiliar al rey en sus guerras, pero sin privarse de llevar a cabo continuos latrocinios, asesinatos y sediciones. En vista de lo cual Juan II ordenó a Fernando que se deshiciera del tribuno. Según cuenta Vaca de Osma, Fernando citó al personaje a despachar en una cámara apartada y en presencia de un clérigo, dos esbirros y un verdugo, le dijo que se preparase a morir. Gordo, alzando la voz, invocó su derecho aragonés de manifestación. Fernando le respondió que la gravedad de sus crímenes le impedían indultarlo, y le ofreció ayudar a sus hijos como premio por sus anteriores servicios. El aterrado Gordo fue estrangulado con un dogal mientras Fernando oía misa.

> El cadáver fue montado en un mulo —dicen las crónicas— y llevado al pie de la picota de los suplicios. Ninguno de los seguidores del ejecutado se atrevió a llegar a la sublevación con la que amenazaban. Don Fernando siguió camino para Barcelona y el gobernador quedó encargado de ajusticiar a los cómplices de Jimeno.

Estando en Zaragoza le llegó a Fernando la noticia de la muerte de Enrique IV el 10 diciembre de 1474, y unos días después salió de la ciudad y emprendió el camino de Segovia.

RECONCILIACIÓN

Las maquinaciones de Villena no cesaban y constituían un peligro permanente para los príncipes. El insidioso marqués, que había instalado a la reina consorte Juana y a su hija en el alcázar de Madrid, planeó apoderarse del alcázar de Segovia donde se guardaba el tesoro real. Como el alcaide de la fortaleza era Andrés Cabrera, judío converso muy partidario de Isabel y casado con Isabel de Bobadilla, una de sus damas de más confianza, Villena provocó un alzamiento popular contra los conversos, lo que estuvo a punto de acabar en matanza, aunque, por fortuna, el diabólico intento no prosperó. «Cabrera y el rabino mayor de los judíos de España, Abraham Seneor, llegaron a la conclusión de que a ambas comunidades convenía que Isabel y Fernando llegaran a ser reyes, porque de este modo garantizaban la estabilidad.» (Luis Suárez)

Patio de la casa segoviana de Abraham Seneor tal como se conserva en la actualidad.

Cabrera negoció también con el conde de Benavente la reconciliación de Enrique IV con Isabel y Fernando. Estos aceptaron compensar a la princesa Juana (la Beltraneja) casándola con Enrique «Fortuna», conde de Ampurias, sobrino del conde de Benavente y primo de Fernando. Cabrera consiguió la componenda de los príncipes con Enrique IV por la intervención de la familia Coronel de judíos conversos segovianos, muy próximos al rey castellano. «El momento —dice el marqués de Lozoya— era propicio, pues el rey estaba, sin duda, amargado por la conducta de su esposa, ya sin freno, a la cual hubo de apartar de su lado por su deshonesto vivir.»

Buscando aprovechar la oportunidad de reconciliación con el rey que se presentaba, Isabel entró secretamente en Segovia y se entrevistó con Enrique IV en el alcázar el 28 diciembre de 1473. Cuatro días después llegó también Fernando, que fue bien recibido por el monarca, con lo cual pareció quedar sellada la deseada concordia. En los primeros días de enero de 1474 el rey y los príncipes cabalgaron juntos por las calles de Segovia, lo que venía a suponer el reconocimiento público de Isabel como heredera al trono castellano, aunque no hubo ningún acuerdo por escrito. El hecho significó una retirada de Enrique IV, en los pocos meses que le quedaban de vida —señala Fernando Solano—, y aumentó el prestigio de Fernando, quien puso de manifiesto una vez más sus dotes militares y valor personal en la ocupación de Tordesillas, uno de los focos de resistencia de sus adversarios, en junio de 1474.

La noche del mismo día de la reconciliación en Segovia, Enrique IV se sintió muy enfermo y volvió a Madrid para recuperarse. En el alcázar segoviano quedó Isabel, y Fernando pasó a Turégano, donde residía su tío el almirante Enríquez. Ahora que se había reconciliado con el rey empezaron a llegarle adhesiones. Primero del marqués de Santillana y después del duque de Alba y el conde de Haro.

Muertes de Villena y Enrique IV

Tras la reconciliación, pese a todos los esfuerzos en contra de Villena, el privado murió en Extremadura en los primeros días de octubre de 1474, una pérdida que, según el cronista segoviano Diego Colmenares, el rey sintió «más de lo que debía.»

El signo de los acontecimientos parecían ser cada vez más favorable a Isabel y Fernando, aunque en la enrevesada política castellana la norma era desconfiar por sistema. Todo parecía provisional y podía cambiar de repente.

Poco después de la muerte de Villena, que también era maestre de la poderosa orden de Santiago, el propio rey siguió a la tumba a su íntimo consejero y guía político, aquejado de una enfermedad que llevaba padeciendo desde hacía varios meses. Hernando del Pulgar dice que el rey al morir era «hombre de buena complexión; no bebía vino, pero era doliente de la hijada y de piedra; y esta dolencia le fatigaba mucho a menudo.»

El testamento de Enrique IV desapareció, aunque no es seguro que llegase a hacerlo. Hay noticia de que el jurista castellano Lorenzo Galíndez de Carvajal

(1472-1528), clérigo de Madrid que fue testigo de la muerte del rey, escapó con él a Portugal. Al parecer, solo al final de su vida tuvo la reina Isabel información del paradero del legado y ordenó que se lo trajeran, cuando ya estaba a punto de fallecer en 1504. Carvajal dice que —según algunos— el documento fue quemado por el rey Fernando, pero también es posible que se lo quedara alguien del Consejo Real. En todo caso no volvió ver la luz.

Un escrito atribuido a la Beltraneja fechado en 1475 acusaba a Isabel de haber envenenado a su hermanastro Enrique IV, de acuerdo con Fernando, para subir al trono. Algo de lo que no existe la menor prueba. Varios siglos después, en 1930, el doctor y ensayista Gregorio Marañon señaló en su libro *Ensayo biológico de Enrique IV* la posibilidad de que fuera el arsénico una posible causa de la muerte del rey, aunque cita también otras: nefritis, lesión cardiaca o cáncer. Una tesis que reiteró en 1946 al ser exhumados los restos del monarca, que habían sido descubiertos poco antes por casualidad detrás del retablo mayor del monasterio de Guadalupe.

El 12 diciembre de 1474 moría Enrique IV en el alcázar de Madrid, cuando estaba a punto de cumplir 50 años de edad, y fue sepultado en el monasterio de Guadalupe junto a su madre María de Aragón. «Para juzgar a Enrique IV, como a Pedro el Cruel, es preciso tener en cuenta que su reinado significa una regresión en la lucha de siglos que España mantenía para permanecer unida a la cultura europea. Ambos se comportan más bien como sultanes de algún país de Oriente que como príncipes cristianos. Los viajeros que en el reinado de Enrique visitaron España, como el bohemio Leon de Rozmithal, describen su corte en Olmedo como la de un rey moro.» (Marqués de Lozoya)

Con la muerte repentina de Enrique IV, Fernando dejaba de ser príncipe para convertirse en rey, y muchos en la corte desconfiaron de las intenciones del nuevo monarca. Para ganar tiempo trataron de que la noticia de la muerte le llegara lo más tarde posible, y además proclamaron inmediatamente reina de Castilla en solitario a Isabel, dos días después de fallecer el rey Enrique.

Según cuenta Andrés Gimenez Soler, Fernando se enteró de la muerte de del rey por carta del arzobispo de Toledo que recoge Zurita:

> Muy alto, y muy poderoso príncipe Rey, y Señor: Vuestra Alteza sepa: que ayer domingo a las dos horas de la noche feneció en el señor Rey, llamado por otro Rey, de todos los reyes tenéis por mayor. Hago lo saber a Vuestra Real Señoría, la cual me parece, que luego, sin ningún detenimiento, se debe partir para acá a más andar porque así cumple al servicio vuestro y por ahora no es menester más. Nuestro Señor vuestra Real persona guarde y muchos tiempos prospere y conserve. De Alcalá a 12 de Diciembre del año de MCCCCLXXIIII.

Tres días después le llegó a Fernando una breve carta de la reina no demasiado afectuosa. Isabel le decía que su presencia en Castilla no sería inútil, pero como ignoraba en qué estado quedaban las cosas que había ido a resolver en Aragón, podía actuar como mejor creyera.

Precavido por sus informadores, Fernando sospechó una maniobra del cardenal Mendoza, el arzobispo Carrillo y otros grandes de Castilla para alejarle del trono castellano.

Sin pérdida de tiempo decidió ir al encuentro de Isabel, y en Calatayud recibió nuevas cartas en las que le anunciaban que su esposa había sido proclamada apresuradamente soberana de Castilla sin contar con él, lo cual acentuó sus recelos. En Segovia, donde la nueva reina fue proclamada en la iglesia de San Miguel, estuvieron presentes el cardenal Mendoza, el duque de Alba, el conde Benavente y otros representantes de la oligarquía nobiliaria, aunque se echaba en falta al arzobispo Alonso Carrillo, que no asistió por celos del cardenal Mendoza, quien por cierto se ocupó del entierro de Enrique IV y pagó de su peculio todo los gastos.

Seguro de que la camarilla que rodeaba a Isabel estaba en su contra, Fernando entró en Castilla en diciembre de 1474 por Calatayud y Almazán, y llegó a Turégano. La reina le envió un mensaje pidiéndole que esperara tres días para preparar su entrada solemne en Segovia. Pero Fernando no se conformó y amenazó con regresar a su reino de Aragón si no era reconocido incondicionalmente como rey de Castilla, sin perjuicio de delimitar después su participación en el poder.

Como dato curioso, el duque de Medinaceli, Luis de la Cerda, exigió a Fernando, a cambio de dejarlo pasar por sus tierras, nada menos que el reino de Navarra, por estar casado con una hija natural que el príncipe de Viana tuvo con doña María de Armendáriz. Una pretensión desmesurada que, por supuesto, no consiguió.

Los cronistas que refieren este suceso mencionan algunas causas que influyeron en el postergamiento de Fernando en tan crítico trance. Una, el temor a que pretendiera imponerse a la reina Isabel como descendiente de Enrique Trastámara por línea directa de varón. Y también el miedo a que entregase cargos y fortalezas a los aragoneses, en detrimento de los castellanos. Hernando del Pulgar dice que

> [...] se alegó por parte de la reina que [Castilla] pertenecía a ella como a propietaria del reino. Porque según los derechos disponen, ningún reino podía ser dado en dote y si no se podía dar, menos el Rey podía gobernar lo que de derecho no pudo recibir. Especialmente no podía hacer mercedes ni disponer de la tenencia de las fortalezas, ni en la administración de la hacienda y patrimonio real, porque estas tres cosas habían de ser administradas por aquel que fuese señor de ellas.

El cronista Alonso de Palencia atestigua que cuando Fernando llegó a Segovia el día 2 enero de 1475, después de haber jurado por el camino guardar las leyes de Castilla, se despojó del luto por el rey y encontró que el palacio ardía en intrigas. «Apenas llegó se vio secuestrado por hombres intemperamentisimos —dice Palencia—, fomentadores de la causa injusta de la Reina; y a cuántos eran conocidos por amigos de la justicia y por dispuestos a defender la verdad, los porteros de doña Isabel les cerraban obstinadamente el paso…; el Rey…, cuando ya conoció claramente la rivalidad que la reina abrigaba, fomentada por los malos consejeros, se lamentaba a solas conmigo y se maravillaba principalmente de la imprudencia de los que se atrevían a decir a la mujer que, conforme a derecho, su marido no debía llamarse Rey sino solo Regente.»

CONCORDIA DE SEGOVIA

Cuando Fernando se vio frente a frente con la reina le demostró su enfado por la situación y dijo que de ninguna manera seguiría sufriendo tales afrentas, de las cuales el pueblo murmuraba hasta el extremo de atribuirlo a bajeza, pensando que renunciaba a su derecho. Prefería por tanto retirarse al reino de

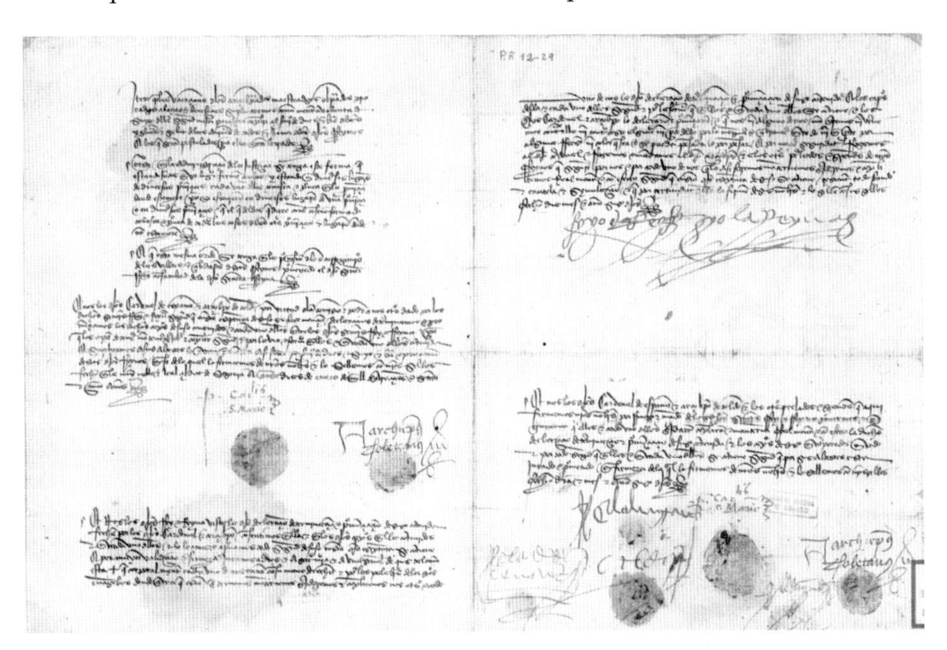

Concordia de Segovia, que estableció el reinado conjunto de Isabel y Fernando en Castilla y Aragón. Archivo de Simancas.

Aragón antes de que se pudiera pensar que con su presencia en Castilla se sometía a la voluntad de los intrigantes.

Isabel intentó calmarle con buenas palabras y propuso poner la cuestión en manos del cardenal Mendoza y del arzobispo de Toledo, que el 15 enero emitieron sentencia con estas decisiones que menciona Zurita:

> [...] el título en las letras patentes y en los pregones de la moneda y sellos habían de ser común de ambos siendo presentes o en ausencia; y había de preceder el nombre del Rey, y las armas reales de Castilla y de León habían de ser preferidas a las de Aragón y Sicilia... Declaróse que los homenajes de las fortalezas se hiciesen a la Reina, como se había hecho desde que sucedió en el reino, que era de las mayores contiendas que hubo entre ellos, y las rentas se habían de distribuir de manera que se pagase de ellas las tenencias, tierras, mercedes y quita acciones de oficios, y Consejo real y cancillería, y acostamiento para las lanzas que fueron necesarias y ayudas de coste y sueldo de gente continúa, embajadas y reparos de fortalezas y otras cosas que parecieren ser necesarias. Lo que sobrase se había de comunicar por la Reina con el Rey como por ellos fuese acordado. Otro tanto se había de hacer por el Rey con la Reina en las rentas de Aragón y de Sicilia y de los otros señoríos que tenía o tuviese. Los contadores, tesoreros y otros oficiales que acostumbraban entender en las rentas, habían de estar por la Reina, y las libranzas se habían de hacer por su orden y los pregones de las rentas; pero el Rey pudiese disponer, de la parte que la Reina le comunicase, lo que quisiese. En las vacantes de los Arzobispados, Maestrazgos y Obispados y dignidades y beneficios se suplicase en nombre de los dos a voluntad de la Reina... y que los que fuesen postulados para ellos fuesen letrados. En la administración de la justicia estando juntos en un lugar, firmas en ambos; y hallándose en diversos lugares de diversas provincias cada uno conociese y proveyese en la provincia donde estuviera; pero estando en diversos lugares de una provincia o de diversas provincias, el que de ellos quedarse en el consejo formado conociese y proveyese en todos los negocios de las otras provincias y lugares donde estuviese.

Esta sentencia irritó sobremanera a Fernando, que insistió en su deseo de marcharse a Aragón. Todos los indicios apuntan a que así lo hubiera hecho de no ser porque Isabel calmó su enojo y «con lágrimas y buenas palabras prometió mitigar la dureza del fallo» (Giménez Soler). La reina debió de ser persuasiva porque Fernando se resignó a esperar que Isabel cumpliese lo que le había prometido, «y a los que les censuraban por su dañoso consentimiento—dice Palencia—, recibía con aire indignado; confesaba a otros de su tolerancia sería temporal; respondía a algunos despreciativamente; y así eran varios los juicios ya en elogio, ya en censura de su conducta».

La reina cumplió lo que Fernando esperaba de ella. El 28 abril de 1475 hizo pública una carta desde Valladolid dirigida a todos sus vasallos «súbditos y naturales de cualquier estado, condición, preeminencia o dignidad que sean», haciéndoles saber que daba «poder al Rey, su señor» para que en cualquier parte de sus reinos pudiera ordenar «todo lo que le fuese visto y lo que por bien tuviese y lo que le pareciese cumplir al servicio suyo y mío y al bien, guarda y defensión de los dichos reinos y señoríos nuestros». También le autorizaba a nombrar , según le pareciese a Fernando, oficiales y corregidores en ciudades, villas y fortalezas; y le transfería toda su potestad como reina de Castilla de «mandar en todas y cada una cosas» como a él le pareciese, sin necesidad de que ella fuera consultada o interviniese.

Vaca de Osuna resume lo esencial de la concordia segoviana en estos seis puntos:

1º Fernando precedería a Isabel por ser el marido, pero las armas de Castilla se antepondrían a las de Aragón.
2º Isabel, como propietaria del reino, recibiría el homenaje de castillos y fortalezas.
3º Los asuntos económicos, rentas, mercedes, etc. dependerían de la reina, que tendría al corriente a Fernando para actuar de acuerdo. Y lo mismo se haría, en reciprocidad, cuando Fernando fuera rey de Aragón.
4º La reina haría los nombramientos que se pagaran con dinero de Castilla.
5º La reina presentaría al papa el nombramiento de los obispos y los maestres de las órdenes militares.
6º La justicia se administraría en nombre de los dos.

Fernando Solano en la *Gran Enciclopedia Aragonesa* comenta el trascendental episodio con estas palabras:

> En efecto, por primera y única vez en su conjuntada vida, había surgido un chispazo de desconfianza política entre los regios cónyuges. La precipitada proclamación de doña Isabel como reina soberana de Castilla el 13 diciembre y la fórmula empleada hizo nacer en don Fernando una justa preocupación y le decidió a aclarar de una vez para siempre cual había de ser su situación en el reino castellano. El resultado sería la llamada Concordia de Segovia de 15-I- 1475, el estatuto que señalaría la creación de una verdadera diarquía vigente, sin fisura alguna, aunque sí con diversas alternativas de influencia, hasta la muerte de la reina Isabel... Don Fernando alcanzaba así su segunda corona. Era rey de Castilla de pleno derecho.

La razón principal por la que Isabel se proclamó reina sin esperar el retorno de Fernando, que estaba con su padre Juan II en Aragón, seguramente fue

Yugo y flechas, emblema de los Reyes Católicos. Monasterio de Santo Tomás de Ávila.

porque sabía que los aragoneses y algunos castellanos preferían ver en el trono de Castilla a su marido. Por entonces la ley no estaba muy clara en lo que respecta a que fuera la reina, dentro del matrimonio con el rey, la que gobernase. Y además, Fernando podía alegar que tenía al menos tantos motivos como su esposa para ocupar la corona castellana, ya que era el heredero masculino más directo de la dinastía Trastámara y su padre era de origen castellano.

Por fortuna para el destino histórico de España, ya que de otro modo la guerra civil hubiera sido inevitable, se llegó a un acuerdo para gobernar Castilla en la Concordia de Segovia, por la que Isabel quedó como única titular de la corona. Un triunfo en toda regla. «A partir de entonces, en Castilla la mujer es bien reconocida no solo para transmitir los derechos de sucesión al trono sino también para ejercer plenamente las prerrogativas reales» —dice Joseph Perez. Pero Fernando fue reconocido como rey de pleno ejercicio y recibió plenos poderes. «En adelante, la pareja real formó un bloque contra que se estrellarían las intrigas y las maniobras…; actuaron siempre como un acuerdo hasta el punto de que todavía hoy los historiadores dudan en señalar lo que corresponde a uno u otro en las grandes realizaciones del reinado… resulta

Monedas del reinado de los Reyes Católicos con el yugo y las flechas.

muy difícil definir el campo reservado a cada uno de ellos, pues tan completa fue su conformidad en los grandes y pequeños asuntos.»

Para el historiador francés, a partir de la Concordia de Segovia, las mujeres vieron reconocida su capacidad para reinar en Castilla, lo cual suponía una gran diferencia con la Corona de Aragón, donde la mujer transmitía los derechos de sucesión, pero era el marido quien reinaba en la práctica.

El perfecto equilibrio de la gobernación de Castilla se resume, según una tradición que data de los últimos años del siglo XIX, en la divisa «tanto monta, monta tanto, Isabel como Fernando». Una frase que, al parecer, nunca se dijo en el reinado de ambos reyes. La fórmula empleada era «Tanto monta», que era la divisa personal de Fernando. Se la sugirió el humanista Nebrija como recordatorio de un episodio de la vida de Alejandro Magno, cuando este visitó el templo de Zeus en Gordión. Allí se custodiaba un nudo que nadie era capaz de desenredar, el cual, según un oráculo, daría el poder sobre toda Asia a quien consiguiera deshacerlo. Alejandro cortó el nudo con su espada y zanjó así el problema, dando a entender que era lo mismo deshacer el nudo que cortarlo. «Esto es lo que significa exactamente la expresión española Tanto Monta, divisa que, efectivamente, se conforma muy bien al temperamento de quien suscitara la admiración de Maquiavelo y sabría rodear los obstáculos cuando no podía franquearlos directamente.» (Joseph Pérez)

Unión de reinos

A consecuencia del desorden reinante, todos los cronistas de la época coinciden en destacar la penosa situación que imperaba en Castilla en esos momentos, cuando Isabel y Fernando llegan al trono. Muy repetida y nunca puesta en duda es la descripción que hace Hernando del Pulgar:

> En aquellos tiempos de división, la justicia padecía y no podía ser ejecutada en los malhechores que robaban y tiranizaban en los pueblos, en los caminos y generalmente en todas las partes del reino. Y ninguno pagaba lo que debía si no quería; ninguno dejaba de cometer cualquier delito, ninguno pensaba tener obediencia ni sujeción a otro mayor. Y así por la guerra presente como por las turbaciones y guerras pasadas del tiempo del Rey don Enrique, las gentes estaban habituadas a tanta desorden que aquél se tenía por menguado que menos fuerzas hacía.

Un panorama que corrobora Andrés Bernáldez, el Cura de los Palacios:

> En este tiempo no cesaban guerras, robos, rapiñas, muertes, peleas entre caballeros, juegos en las tierras o en los campos, injusticias o sacrilegio de poca honra que a cataban a las iglesias e clerecía de toda Castilla. Ca ardía un fuego entre las parcialidades y entre muchos ladrones corsarios que andaban con la voltoria del tiempo y no hacían sino robar... Y asimismo todas las fronteras de Portugal ardían en vivas llamas de robos y hurtos y cautiverios; que los castellanos de la parte del Rey don Fernando y otros muchos ladrones hacían en tanto grado, que de las cámaras los sacaban de noche de los lugares y los traían cautivos a Castilla a ellos y a sus hijos y haciendas y ganados, de donde procedió despoblarse muchos lugares de la frontera entre Portugal y Castilla;.

Otro cronista, Diego de Valera, es todavía más contundente en resaltar los trazos negros de la situación:

> Estos reinos quedaron en tan corruptas y abominables costumbres, que cada uno usaba de su libre voluntad y querer, sin haber quién castigar ni reprender lo quisiere. Las cuales, tan lenguamen tetenidas, ya eran convertidas poco menos en naturaleza; ... Donde ninguna justicia se guardaba, los pueblos serán destruidos, los bienes de la corona enajenados, las rentas reales reducidas a tampoco valor que vergüenza me hace decirlo. Donde no solamente en los campos eran los hombres robados, más en las ciudades y villas no podían seguros vivir; los religiosos y clérigos sin ningún acatamiento tratados. Eran violadas las iglesias, las mujeres forzadas y a todos se daba suelta licencia de pecar.

Todas las evidencias apuntan a que, a partir de su matrimonio, la idea de la unión de los reinos fue calando cada vez más en el ánimo de Fernando e

Isabel. Un proyecto que solo fue interrumpido brevemente con la llegada del arrogante Felipe el Hermoso a España, que no cejó hasta eliminar a Fernando de la gobernación de Castilla y obligarlo a retirarse al reino de Aragón.

No puede concluirse, sin embargo, que la unidad de España se forjara en aquel momento, pues lo que entonces se estableció fue una doble monarquía: Castilla y Aragón, con los mismos soberanos pero constituciones políticas distintas; cada corona con su autonomía sus instituciones, sus aduanas y su economía.

Es interesante entender —señala Joseph Pérez— que la doble monarquía se percibía en el extranjero como una unidad política, designada como España, y sus soberanos fueron llamados Reyes de España. Isabel y Fernando, sin embargo, igual que luego harían quienes les sucedieron, continuarían llamándose reyes de Castilla, de Aragón, de Valencia..., pero no Reyes de España como parecía lógico suponer después de la guerra civil que acabó en septiembre de 1479.

El Consejo Real, cuando Fernando llegó a rey de Aragón, planteó ya la duda de si ambos reyes debían tomar el nombre de Reyes de España. Al final decidieron no hacerlo, y Pérez cree que fue debido a que todos los habitantes de la península Ibérica, incluido los portugueses, se sentían descendientes de la España visigoda perdida. Eso explica que el poeta nacional portugués, Camõens, distinguiera en el siglo XVI entre castellanos y portugueses, «pues españoles somos todos». Si se hubiesen titulado Isabel y Fernando en ese momento Reyes de España habrían herido la susceptibilidad de Portugal, que era un reino independiente y también se consideraba incluido en España.

Esta situación se mantuvo hasta el siglo XVIII, cuando llegaron los Borbones. A partir de entonces, el conjunto de reinos y señoríos de un territorio histórico formarían una Corona. Pero en el tiempo de los Habsburgo el Estado era un cuerpo político que reuniría reinos diferentes, «cada uno de los cuales conservó su autonomía administrativa e incluso su propia economía y sus aduanas, en el que la dinastía reinante solo se observó la dirección de la guerra y la diplomacia.» (Joseph Perez). El principio que se aplicó era el que definió el jurista Juan de Solórzano Pereira con estas palabras: «los reinos se han de regir y gobernar, como si el rey que los tiene juntos, no lo fuera solamente de cada uno de ellos.»

Pero estas consideraciones no desmiente lo esencial: que la monarquía de los Reyes Católicos fue mucho más que una unión personal que dejaba casi independientes a Aragón y Castilla. Desde mediados del siglo XV había una cultura común en toda la península, «signo anunciador de la unidad espiritual y material de España», señala en hispanista francés Charles V. Aubrun. Ese sentimiento fue anterior a la unión dinástica que impusieron Fernando Isabel. Antes incluso de que la unión de las coronas se hiciese efectiva, desde el 2 febrero de 1475, una carta de Isabel recomendaba a los funcionarios de Castilla que tratara a los aragoneses como si fuesen castellanos. «Muy pronto —comentaba la reina—, los dos pueblos formarán uno solo; «es muy justa y razonable cosa que [...] los vasallos y súbditos de dicho señor Rey de Aragón sean mirados, tratados y favorecidos y ayudados como propios vasallos nuestros como ya lo son y como si fuesen naturales de estos dichos nuestros Reinos de Castilla». A través de este ejemplo se ve «cuán falso sería considerar a castellanos y aragoneses como extranjeros entre sí. La voluntad política de los soberanos se apoyaba en la reacción espontánea de los pueblos para estimular y reforzar la unión.» (Joseph Pérez)

En cuanto a la preponderancia de Castilla en el conjunto de la unión de ambos reinos, resultaba algo completamente lógico. Los dos componentes de la doble monarquía no eran iguales, y parece absurdo hablar de expansionismo castellano a costa de Aragón. Castilla representaba las dos terceras partes del territorio de las dos coronas, con unos 6 millones de habitantes, y un poco menos de 1 millón en la Corona de Aragón. Además, en el terreno económico las regiones situadas en la Castilla histórica, entre Burgos y Toledo, estaban entonces más desarrolladas y no tenían mucho que envidiar a los países más avanzados en Europa. Los comerciantes burgaleses, por ejemplo, negociaban en todo el norte de Europa y en Italia, y utilizaban las técnicas más modernas de compra y venta. La lana era el principal producto de exportación, pero no el único ni mucho menos. Una situación que contrastaba con el declive económico en la corona de Aragón.

> Castilla [y León, podríamos añadir] , bajo el caos aparente de las querellas dinásticas y nobiliarias —dice el historiador Pierre Vilar—, hacía gala de una energía creciente y descubrió la vocación que la hace ingresar, por primera vez en su historia, en la gran economía internacional. Castilla era la base del poder real, y por tanto no tiene nada de extraño que se erigiera en cabeza de la monarquía dual.

La corona castellana se extendía sobre 385 000 km^2, y en ella prevalecía la unidad institucional y administrativa en torno a la monarquía. Tenía lo que Ladero Quesada denomina «comunidad de naturaleza entre todos sus habitantes», y contaba con ciudades tan importantes como Sevilla, Córdoba o Valladolid.

> La unión política, la amplia difusión de unos módulos de poder semejantes, no estorbaba la vigencia de diversidad es regionales enriquecedoras, y servía al mismo tiempo para el desarrollo de un Estado, innovador en las circunstancias europeas de la época, organizado en torno a la fuerte concentración de poder en la institución monárquica. (Ladero Quesada).

LA GUERRA POR EL TRONO

Una transición turbulenta

La muerte de Enrique IV disparó el enfrentamiento civil en Castilla, pero en ese momento el entendimiento político de Isabel y Fernando era ya firme, y no se vería alterado en el futuro en sus líneas básicas. Ambos estaban decididos a consolidar el poder real frente a las banderías y perpetuas ambiciones de la nobleza, aunque evitaron confiscaciones o apropiaciones sin compensación, pues necesitaban el concurso del estamento nobiliario para asegurar la estabilidad social. Pero en lugar de apoyarse en validos o privados, reforzaron el Consejo Real castellano, del que formaban parte destacados juristas y secretarios eficientes.

Por otra parte, no hay que olvidar lo que algunos autores comentan sobre la realidad concreta de la unión monárquica: «La unidad no supuso la fusión, no ya la fusión moral, sino ni tan solo la política, puesto que cada reino conservó íntegra su personalidad nacional y toda su estructura institucional —dice S. Sobrequés—, y de hecho volvieron a separarse después de la muerte, pero en la práctica fueron gobernados por una sola mano (la de don Fernando puesto que la reina nunca fue en Aragón más que la mujer del rey), que pudo disponer de los recursos aunados de todos sus súbditos para fines conjuntos.»

Después de la Concordia de Segovia, en los tres primeros meses de su reinado, Fernando recibió la adhesión de gran parte de la nobleza castellana, con excepción de los Pacheco y sus aliados. Tampoco lo hizo la reina viuda ni su hija Juana «la Beltraneja», que contaba entonces 12 años. Ambas habían vivido en el alcázar de Madrid bajo la custodia del marqués de Villena, y al morir este la niña fue llevada a Plasencia, dominio de los Stúñiga cercano a la frontera portuguesa, cuando la guerra se perfilaba ya en el horizonte.

Alfonso V de Portugal, alarmado por una Castilla engrandecida con la unión de Aragón y deseoso de ocupar el trono castellano, tomó la decisión de sostener la causa de su sobrina la Beltraneja y casarse con ella. Afirmaba que Enrique IV había reconocido a Juana como heredera en el lecho de muerte, algo imposible de demostrar por la ausencia de testamento. A partir de ahí el enfrentamiento del rey portugués con Isabel y Fernando era inevitable.

En la lucha que se avecinaba, el monarca luso contaba con el auxilio de Francia, pues para este país la alianza con Portugal era preferible a un entendimiento con Aragón, dada la tradicional enemistad franco-aragonesa y la perpetua ambición francesa sobre los territorios del norte de Cataluña.

En marzo de 1475, los reyes viajaron a Medina del Campo, y ambos tomaron la decisión de que Fernando asumiera enteramente el mando y la responsabilidad de las acciones militares. Desde Medina pasaron a Valladolid, y en esa ciudad recibieron noticia de que la Beltraneja había salido de Madrid y recibido honores de reina en Trujillo.

Muchos nobles de Castilla se mantenían a la expectativa, en parte porque habían empeorado las relaciones de Isabel y Fernando con el arzobispo Carrillo, instalado con sus tropas en Alcalá de Henares. El primado se quejó a Juan II de Aragón de que los jóvenes reyes no le hacían caso, y con su política perjudicaban al monarca aragonés, al favorecer al cardenal Mendoza, partidario de Francia, y ayudar en Navarra al bando de los beamonteses, opuestos al rey de Castilla.

Primeros combates

Pese a hallarse nuevamente encinta, Isabel fue a Alcalá para entrevistarse con Carrillo, pero el arzobispo, molesto por lo que consideraba ingratitud de los reyes, se marchó de la ciudad y no quiso verla. Fue un viaje aciago. Abrumada por la fatiga y la frustración, Isabel abortó un feto varón. Gracias a los servicios del ginecólogo judío Lorenzo Badoç, la reina pudo recuperarse y daría a luz tres años más tarde al príncipe Juan. Pero Fernando, a partir de entonces —dice Luis Suárez— puso al primado toledano en la lista de sus enemigos.

Por entonces, el rey consorte aragonés se situó el 9 mayo de 1475 al frente de sus tropas en Tordesillas; luego pasó a Salamanca, donde le informaron de que el rey portugués concentraba en Arronches su ejército. Fernando decidió entonces reforzar algunas guarniciones y dejar el campo libre a los invasores, pensando que podría cortarles más fácilmente sus líneas de comunicación si se adentraban en Castilla.

Siguiendo la ribera del Duero, Fernando emprendió el regreso a Valladolid, y en esta ciudad dispuso testamento ante la inminente guerra. Suárez lo resume así:

> Disponía a ser enterrado en el monasterio de El Prado de Valladolid, donde fray Hernando de Talavera era prior; o en cualquier otro lugar escogiera Isabel

> porque ni en vida ni en muerte sus cuerpos debían permanecer separados. Pedía a su padre Juan II que modificarse las leyes sucesorias vigentes en la corona de Aragón, «por el gran provecho que resulta» en reconocer el derecho de las mujeres garantizando así la Unión de reinos que se había conseguido. Y a su esposa rogaba que cuidarse de sus hijos bastardos, Alfonso y Juana, y de las madres de estos.

Así pues, lo que pedía a su padre en caso de morir en batalla era que se encargase de asegurar el trono de Aragón a su entonces única hija, la infanta Isabel, para preservar la unidad lograda con Castilla, «por el gran provecho que a los dichos reinos resulta y se sigue de ser así unidos con estos de Castilla y León, que sea un príncipe, rey, señor y gobernador de todos ellos.»

Hay historiadores que consideran este testamento en el límite de la legalidad vigente en la corona de Aragón. «Que la princesa Isabel fuera la sucesora de los reinos de Castilla —dice Ernest Belenguer— no planteaba problema alguno. Sí lo hacia, sin embargo, la petición de Fernando a su padre Juan II de Aragón, pues bien sabía el príncipe que no podía solicitar...que en caso de morir él en la batalla, la misma infanta fuera sucesora de los reinos de Aragón y de Sicilia en los que por existir una ley sálica había un impedimento legal. Para Fernando, sin embargo, este último podía ser removido de acuerdo con el «poderío real absoluto» de la monarquía, del rey Juan II, que debía facilitar la derogación y casación de las «dichas leyes, fueros y ordenamientos y costumbres...»

La reflexión pone de relieve la temprana voluntad unitaria de Fernando, quien entendía que la unión de las coronas de Aragón y Castilla solo sería provechosa cuando hubiera un solo «señor y gobernador» de ambas. La petición de Fernando, agrega Belenguer, no se debía a ambición o codicia, sino que estaba en línea con el sentido de autoridad política propio de los Trastámaras en Castilla, una visión diferente a la existente en los reinos y territorios de la Corona de Aragón, que exigían continuos pactos con el rey de turno para resolver, o no, los problemas que iban surgiendo.

A últimos de mayo el rey de Portugal entró en España con sus tropas y se reunió con la Beltraneja en Plasencia, aunque no pudo contraer el proyectado matrimonio a falta de la necesaria dispensa pontificia y la corta edad de Juana. Unos días después, esta firmó un manifiesto en el que, además de proclamarse hija legítima y despojada de sus derechos, acusaba a Isabel y Fernando de haber envenenado al rey Enrique y ser causantes de la guerra que amenazaba a Castilla.

Tras fracasar en la conquista de Ciudad Rodrigo, las tropas portuguesas marcharon a Arévalo con intención de atacar luego Burgos. Pero las adhesiones que

Zamora con su fuerte recinto amurallado; planos de Medina del Campo y Arévalo, donde se aprecia su trazado urbano del siglo XV; grabados de Tordesillas y Toro; y calle mayor porticada de Medina de Rioseco, ciudad de los almirantes de Castilla.

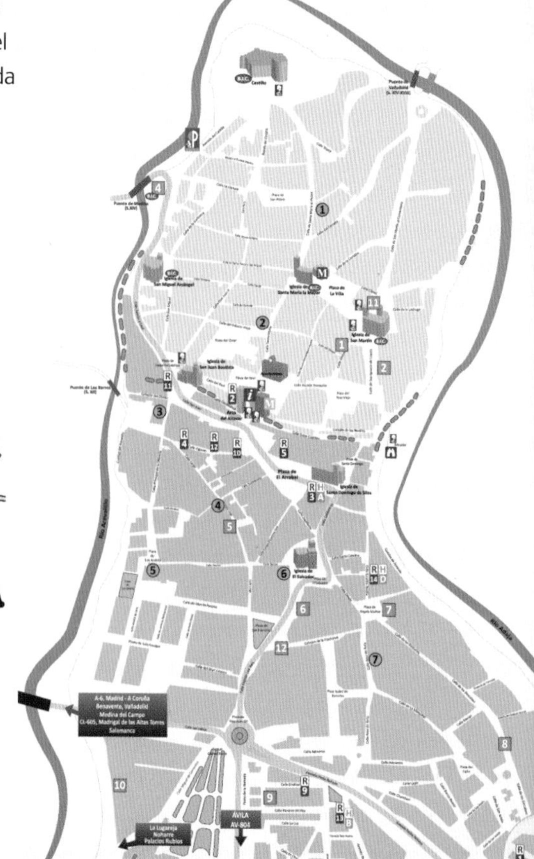

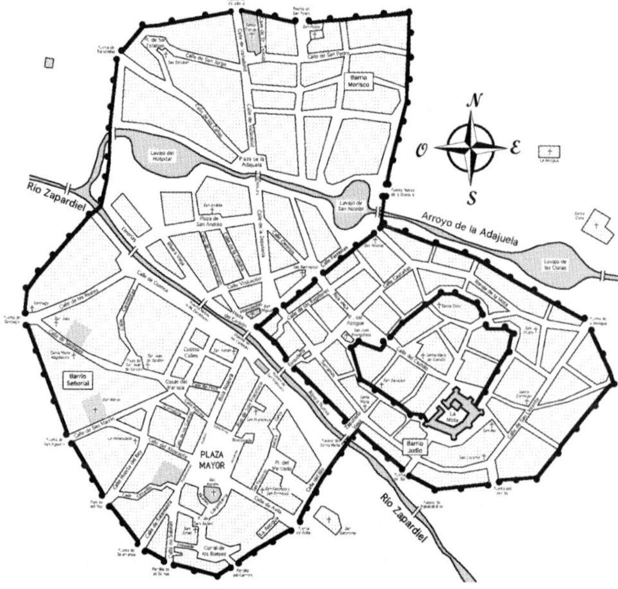

PLANO DE MEDINA DEL CAMPO EN EL SIGLO XVI
Adaptado de Sánchez del Barrio (infografía José Manuel Benito)

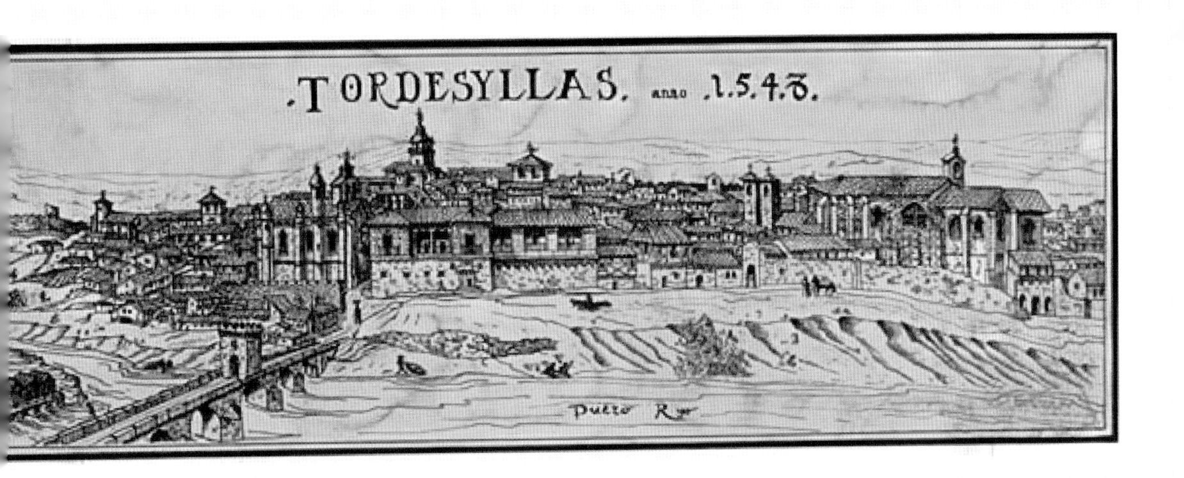
.TORDESYLLAS. anno .1.5.4.3.

CIVDAD D
TORO
ANNO
1570

el rey luso esperaba no aparecían en ninguna parte, y —como Fernando preveía —empezó a sentirse acorralado al verse lejos de sus bases y en un ambiente hostil. Con todo, le abrió las puertas y los portugueses entraron en la ciudad, cuya fortaleza defendió heroicamente Aldonza de Castilla, la esposa del alcaide.

Fernando decidió entonces acudir en auxilio de Toro y obligar al rey portugués a combatir en campo abierto. De la firme decisión de Isabel en este trance da idea su orden de reducir a moneda el inmenso tesoro real guardado en el Alcázar de Segovia. «Así se deshicieron aquellas piezas de vajilla, jarras, copas, bandejas, saleros y barrilillos de oro y de plata que asombraban a los príncipes extranjeros», dice el marqués de Lozoya. Un dato atestiguado por el cronista Colmenares, quien relata que cuando Enrique IV llegó a Segovia acompañado de los nobles y del hijo del rey de Granada con 300 caballeros moros en 1455, «con ostentación hizo mostrar a castellanos y granadinos los tesoros de oro y plata labrada y joyas, todo puesto en aparadores ostentosos en una espaciosa sala de la casa... había más de 12.000 marcos de plata y más de 200 de oro...»

En Tordesillas, donde la reina debía permanecer, Fernando reunió a sus tropas en espera de las mesnadas de refuerzo de los nobles. Era un ejército heterogéneo y poco cohesionado, con numerosos peones asturianos y vizcaínos, pocos hombres de armas y una nutrida fuerza de jinetes ligeros. En total, componían una fuerza de 10 000 caballos y 20 000 peones que avanzó hacia Toro, siguiendo la margen derecha del Duero. Ya en marcha, les llegó la noticia de que el 16 julio de 1475 el enemigo había tomado Zamora y dominaba un amplio territorio alrededor de la ciudad.

Cuando la tropa castellana llegó a la vista de Toro, hubo que desistir del asalto por falta de artillería. Frustrado, Fernando desafió entonces al rey portugués a presentar batalla en campo abierto, pero este no quiso arriesgar, sabiendo que el tiempo jugaba a su favor por el desgaste del ejército fernandino, escaso de aprovisionamientos, que también había alargado demasiado sus líneas con la retaguardia.

La ira de Isabel

En esa difícil situación, Fernando celebró consejo de guerra y los nobles se mostraron partidarios de regresar a Tordesillas. Una retirada con aires de derrota que a punto estuvo de causar el amotinamiento de los peones vizcaínos y asturianos, cuyos ánimos tuvo que apaciguar pasando el rey entre sus filas sin demostrar miedo.

En Tordesillas —dice Suárez— les aguardaba un vendaval de insultos. La propia Isabel dio muestras de una violenta cólera y zahirió a los capitanes por su cobardía. Pero la retirada no fue completamente inútil porque Fernando aprendió la lección y fue consciente de que necesitaba crear un ejército exclusivo de la Corona, más homogéneo y disciplinado, para conducir las operaciones militares a su manera, dependiendo solo de sus propias fuerzas.

A finales de julio de 1475 los Reyes convocaron en Medina del Campo reuniones con sus principales consejeros para decidir el plan de operaciones y en septiembre, ante el peligro de ver cortada su retaguardia, el ejército portugués emprendió retirada.

La guerra civil se estaba desarrollando de forma muy dispersa y la situación era muy fluida. Algunos castillos y ciudades estaban por Juana, y otros por Isabel, y los combates se extendían por Galicia, León, Castilla la Nueva, Extremadura y la frontera portuguesa, pero la mayoría de la población se iba inclinando en favor de Isabel y Fernando. Dos factores influían en esto: la digna resolución de la joven pareja real, que contrastaba con el absurdo proyecto matrimonial del rey de Portugal con una adolescente de confuso origen; y la esperanza popular en favor del «orden nuevo» que representaban los Reyes, contrario a los señores feudales que deseaban volver a la injusta y turbulenta etapa anterior, favorable a su predominio.

En un momento dado de la contienda, la posesión de la ciudad de Burgos llegó ser decisiva, pues se esperaba que el rey Luis XI de Francia invadiera España por Guipúzcoa para dirigirse a esa capital castellana. Así lo entendió también el rey portugués, que acudió con su ejército desde Zamora, ciudad que se mantenía indecisa. Fernando se presentó entonces en Burgos con el conde de Benavente y el condestable de Castilla, y el rey de Portugal, sintiéndose inseguro, se situó en Toro con la joven Beltraneja.

Desde allí el monarca luso, Alfonso V, reclamó la ayuda de su hijo y heredero, el infante don João, quien con 8000 peones y 1000 hombres a caballo se reunió con él en febrero de 1476, mientras Burgos se rendía a Isabel y Fernando.

El 17 febrero de ese mismo año, el rey portugués se puso en marcha con su ejército para tomar Zamora, en cuyo castillo resistían todavía sus partidarios. Acudieron para cerrarle el paso a esa ciudad, las tropas que habían sitiado Burgos, mandadas por Infante Enrique de Aragón y su primo el duque de Villahermosa.

El rey de Portugal, al que se unió el arzobispo Carrillo con 500 lanzas de su ejército privado, se movió con mucha lentitud y perdió varias semanas en la comarca de Arévalo, sin decidirse a atacar Burgos. Luego alcanzó Peñafiel, y el conde de Benavente le cerró el paso en Baltanás con fuerzas muy inferiores. Los portugueses atacaron y fueron rechazados dos veces, hasta que finalmente se

Detalle del dibujo de Anton van den Wyngaerde de la ciudad de Toro desde el valle del Duero, con la colegiata en el centro y el alcázar a la derecha.

hicieron dueños del campo y apresaron al conde. Pero fue una victoria pírrica que hizo ganar tiempo a los de Fernando. Por entonces Burgos capituló y la guerra cambió de signo. El monarca portugués, sin saber muy bien cómo reaccionar, dio la orden de volver a Arévalo y esperar acontecimientos.

Sabedor de estos planes del enemigo, Fernando no disgregó sus fuerzas. Mantuvo a su ejército unido, presto a combatir en todo momento, al comprender que la guerra que estaba librando no era de conquista de territorios, sino que se decidiría en batalla campal.

A pesar de contar con menos medios, Fernando vio claro el problema estratégico que se le presentaba. Siempre mantuvo la iniciativa y no solo organizó perfectamente la resistencia; también impidió que se juntaran las fuerzas de Francia y Portugal, promovió sublevaciones en las villas y estados en poder de los enemigos, y cuando tuvo que arriesgar la vida, lo hizo.

Lápida recordatoria de la batalla de Toro, que decidió la guerra sucesoria en Castilla en favor de los Reyes Católicos en los campos de Peleagonzalo.

BATALLA DE TORO

Para ganar tiempo mientras se replegaba hacia Toro, Alfonso V propuso a Fernando una tregua de dos meses que fue rechazada. El rey aragonés fue tras el portugués y le dio alcance a una legua de Toro, hostigando a su retaguardia. Era el 1 de marzo de 1476. Las tropas portuguesas cruzaban un desfiladero y Fernando forzó a sus enemigos a entablar batalla en una llanura cercana.

Las fuerzas en presencia eran bastante desiguales. Los portugueses contaban con unos 10 000 peones, 3500 jinetes y alguna artillería. Fernando solo tenía 3000 peones y 2000 caballos. El Diccionario Militar de G. Cabanellas de Torres[8] dice que después de reconocer el cardenal Mendoza las posiciones, recomendó el ataque, que se inició con el descalabro del ala derecha castellana frente al empuje de la izquierda portuguesa. «La intervención de refuerzos castellanos logró rehacer la lucha, que la arcabucería y la caballería portuguesas libraban con vigor. Tras seis horas de pelea, el ardor castellano se impuso, las compañías portuguesas emprendieron la desbandada, algunos de los fugitivos se ahogaron en el duelo y el rey portugués se refugió en Toro.» Los portugueses sufrieron unas 900 bajas, y los castellanos unas 400.

En junio de 1476, el rey Alfonso V pudo salir de Toro y se retirarse a Portugal. Pero el sitio se prolongó hasta el 13 septiembre, cuando los castellanos escalaron las murallas por el sector de las barrancas del Duero. Un lugar que se consideraba inaccesible y estaba poco vigilado. Los atacantes abrieron las puertas al grueso del ejército y conquistaron la ciudad. Pero en el alcázar resistió todavía doña María Sarmiento, «mujer de ánimo viril —dice Cabanellas—, que solo se rindió el 19 octubre, tras haber soportado tremendo cañoneo y minas.»

En la batalla de Toro, las tropas castellanas formaron en el campo con tres cuerpos y una vanguardia de 300 lanzas a las órdenes de Gutierre de Cárdenas y Rodrigo de Ulloa. Fue una lid clásica que resolvió el choque de la caballería. Duró unas tres horas, y aunque los castellanos quedaron dueños del terreno no lograron una rotunda victoria porque el príncipe portugués João impuso orden en la retirada del ejército luso.

En el cuerpo central del ejército castellano estaba Fernando, con su tío Enrique Enríquez, los gallegos del conde de Lemos y las milicias de Salamanca, Zamora, Ciudad Rodrigo, Medina del Campo, Valladolid y Olmedo.

El ala derecha estaba dividida en seis escuadras, al mando de Álvaro de Mendoza, el obispo de Ávila, Pedro de Guzmán, Bernal Francés, Pedro de Velasco y Vasco de Vinero. Y en la izquierda iban, con otros nobles, el cardenal González de Mendoza, el duque de Alba, el marqués de Astorga, el almirante Alonso Enríquez y el conde de Alba de Liste.

El ejército portugués también adoptó un despliegue similar. El ala izquierda a cargo del príncipe João, con artillería y los mejores caballeros. Este cuerpo chocó con el ala derecha de los fernandinos, la más desordenada, y la venció fácilmente. Eso obligó a Fernando a tratar de taponar la brecha con su hueste, y era ya casi de noche cuando se trabó lo más recio del combate, que Hernando del Pulgar describe con estas palabras: «Y todos revueltos unos con otros, sonaban los golpes de las armas y el estruendo de la artillería y las voces, unos nombrando su apellido, otros gimiendo sus llagas y caídas, otros demandando ayuda, otros reprendiendo a los que veían negligentes en pelear, y esforzándolos que peleasen.»

Fernando dio la batalla a sabiendas de que si la ganaba ganaría también la guerra, al quedar el norte de Castilla en sus manos, con el rey portugués vuelto a su tierra. Como lo que se ventilaba en la contienda era la corona castellano-leonesa, no hay duda de que Isabel y Fernando fueron los vencedores, ya que las aspiraciones del monarca luso a dominar Castilla quedaron deshechas.

Como consecuencia inmediata de la victoria de Toro se rindió el castillo de Zamora y el príncipe portugués don João repaso la frontera con la infeliz doña Juana, aunque el rey Alfonso V permaneció todavía algún tiempo en Castilla, en espera de apoyos que nunca le llegaron. Luego volvió a Portugal con la excusa de reorganizar su ejército y pasar a Francia para solicitar más ayuda a Luis XI.

Contribuyó mucho a la victoria del ejército de Fernando la conducta de Alfonso V, que abandonó la lucha para refugiarse en el castillo de Castronuño. Algo que contrasta con la decidida actuación del príncipe João, quien «visto que la gente del rey su padre era vencida y desbaratada, pensando en separar algunos de los que iban huyendo, subiose sobre un cabezo, a donde tañendo las trompetas, y haciendo fuegos y recogiendo a su gente, estuvo quedo con su batalla en el campo, y no consintió salir de ella a ninguno.»

El cardenal Mendoza intentó arrojarle de esa posición, pero la gran lluvia que caía, la noche cerrada, y la inmensa fatiga de la tropa castellana, que había combatido en ayunas todo el día, lo hicieron imposible, y los castellanos se retiraron hacia Zamora.

Más que una victoria militar, Toro fue un triunfo político y propagandístico de Fernando, que al quedar dueño del campo de batalla se apresuró a pedir a las ciudades castellanas que organizaran procesiones para dar gracias a Dios y a Santa María por el éxito logrado. La reina Isabel, que estaba en Tordesillas cuando le llegó la noticia, salió descalza en procesión y escribió una carta jubilosa a Juan II de Aragón. Los trofeos de la victoria se colocaron en la catedral de Toledo, y en la misma ciudad se ordenó la construcción de un monasterio en conmemoración del triunfo castellano.

Hubo algunos ejemplos del espíritu caballeresco que igualó a lusos y castellanos tras la batalla. El cardenal Mendoza ordenó que no se hiciese daño a los portugueses que vagaban por el campo tratando de dirigirse a su tierra, y el rey portugués, al saber que el duque de Villahermosa pensaba destruir el puente de Alcántara para cortar las comunicaciones con Portugal, le anunció que no iría por esa ruta «porque tal edificio no se gastase». El mismo Fernando, al apoderarse en Zamora de la cama y los ricos arreos del rey de Portugal, mandó que se los devolviesen a su adversario.

Gran estratega

Es de destacar que cuando la guerra civil comenzó en Castilla, Fernando contaba 23 años pero llevaba ya 13 de campaña junto a su padre y al lado de su hermano bastardo don Alonso. Su propia experiencia y los consejos de otros jefes militares experimentados —apunta Giménez Soler— habían hecho de él un gran general. «En esas campañas se había endurecido su cuerpo y se había formado su espíritu. Acostumbrado a ver el peligro no lo temía, y viviendo al lado de capitanes aprendió estrategia.» Además, estaba dotado de valor personal, y ganó muchas victorias por el ejemplo, arriesgando la vida para animar a los suyos. De esto hay pruebas abundantes, como la que aporta el cronista Diego Valera. En el sitio de Burgos. Fernando, enardecido por la muerte de los caballeros aragoneses, entró con decisión al combate,

> donde muchos tiros de pólvora y de ballestas y piedras venían, así de lo alto de la fortaleza como de la Iglesia, que era cosa maravillosa; y los que cerca del Rey estaban, puestos de rodillas humildemente le suplicaban que no pusiese a tanto peligro su persona, en cuya salud estaba la esperanza de todos estos reinos. Y con todo eso el Rey no dejó con gran furor de pasar adelante. Entonces todos le siguieron y tan valientemente pelearon, que los que primero estaban muy esforzados, visto el esfuerzo del Rey, tan gran temor concibieron que desampararon la Iglesia, dejando en ella todas las armas y artillerías y se subieron a la fortaleza. Y luego la Iglesia fue tomada y ocupada por gentes del Rey.

Otro ejemplo similar se produjo al salir Fernando de Valladolid con sus tropas para enfrentar al rey de Portugal en Toro, cuando un cuerpo de vizcaínos atacó un castillejo levantado en la orilla del Duero. El combate fue muy duro y las aguas del río se tiñeron de sangre. El cronista Valera dice que

> como ya estuviesen muchos heridos y al Rey pareciese que el combate aflojaba, metióse por el río sin ningún temor, esforzando a su gente; el esfuerzo suyo tanto valió que con gran furor en la fortaleza entró por fuerza de armas y todos presos los que en ella estaban, fueron ahorcados por mandado del Rey de las almenas más altas de aquella fortaleza.

Acertadamente, el citado Giménez-Soler se queja haberse ignorado ese aspecto de la personalidad del Rey Católico. «Nadie se ha cuidado de estudiar sus campañas ni de presentarlo como militar, prefiriendo todos hacerlo diplomático astuto y sin fe, tal vez porque en ese aspecto se presta más a la censura y al descrédito.»

El ejército castellano con el que Fernando inició la guerra contra el rey portugués era todavía medieval. Aunque desde el inició de la segunda mitad del siglo XIV Castilla no había tenido paz, sus luchas habían sido internas, libradas entre mesnadas nobiliarias. Pero a partir de la batalla de Toro, Fernando vio con claridad que servirse exclusivamente de estas tropas era estar en manos de los señores que las movilizaban, y quería soldados que le obedecieran solo a él. Comprendió —dice Soler— que los ejércitos formados por aluviones de

Imagen de doña Juana la Beltraneja, representada con el tratamiento de «Excelente Señora» que tuvo hasta su muerte en el monasterio de Coimbra. Antonio de Holanda de Lisboa y Simon Bening. *Genealogía real portuguesa*. Biblioteca Británica.

hombres sin instrucción guerrera, sin disciplina y sin buen armamento, no podían librar guerras victoriosas.

Retirada francesa

El peligro que para Castilla representó la invasión portuguesa se vio agravada por la persistente amenaza del rey de Francia, que seguía empeñado en apoderarse de Navarra. El plan de los franceses consistía en unir su ejército con el del rey de Portugal en Burgos, una vez que este se hubiera apoderado de la ciudad, y luego marchar juntos a conquistar Navarra. Por esta razón el monarca luso eligió atacar a lo largo del río Duero, precisamente donde Isabel y Fernando tenían más respaldo, para cumplir lo acordado con Luis XI.

El rey francés, por otra parte, no consiguió realizar su propósito de rápida invasión al no poder superar la resistencia de la plaza de Fuenterrabía, a la que puso sitio con un ejército de 40 000 hombres. Los guipuzcoanos reaccionaron en masa en favor de lo que se llamaba «el partido aragonés» (Isabel y Fernando) y obligaron a los sitiadores a levantar el cerco.

Negándose a aceptar su derrota, Luis XI volvió a entrar en España después de la batalla de Toro, y esta vez Fernando le hizo frente. Se desplazó a Vitoria y reunió hasta 50 000 soldados, con los que avanzó hacia Fuenterrabía, sitiada otra vez. Y ante la llegada de los castellanos, los franceses levantaron el cerco en agosto de 1476.

Esta retirada francesa representaba un triundo más en la política que Juan II llevaba aplicando tenazmente desde los inicios de su combatir político, y Belenguer y otros historiadores la consideran un logro de su proyecto de unión reforzada con Castilla.

Quedó claro también que el rey de Portugal utilizó a la infeliz Beltrancja simplemente como instrumento de su ambición. Once meses después de la batalla de Toro, el papa le concedió la dispensa necesaria para casarse con ella, pero el monarca luso se desentendió. El destino de la pobre Juana se decidió entre Isabel y su tía doña Beatriz, que le dieron a elegir entre la prisión en un castillo o encerrarse en un convento de por vida. La Beltraneja eligió esto último y profesó en un convento de clarisas de Coimbra. Allí pasó con humildad, amargura y paciencia el resto de sus días.

MANDANDO EN CASTILLA

Los rescoldos de la guerra

Aunque la batalla de Toro no supuso un triunfo militar rotundo, Fernando supo explotarla hábilmente en el plano propagandístico. A partir de ahí, la contienda se fue apagando y los reyes de Castilla dieron pasos importantes para consolidar políticamente su gobierno y pacificar los alterados ánimos.

Para fortalecer su prestigio ante un pueblo cada vez más inclinado a su favor y asegurar la fidelidad de la poderosa nobleza regional, los monarcas viajaron a Extremadura y Andalucía entre julio de 1477 y diciembre de 1478.

En Andalucía descendieron en barco por el Guadalquivir hasta Sanlúcar de Barrameda, donde el duque de Medina Sidonia les ofreció fiestas constantes, lo mismo que hizo el marqués de Cádiz en su palacio fortaleza de Rota. Luego los reyes se detuvieron en Utrera y Alcalá de Guadaira, y marcharon a pasar el invierno en Sevilla. Fue allí donde los reyes recibieron una embajada del rey de Granada, Muley Abdul Hacén, que solicitaba una tregua de tres años que le fue concedida, con la condición de que siguiera pagando los tributos fijados.

Las crónicas relatan que esta respuesta fue llevada a la Alhambra granadina por el capitán Juan de Vera y Mendoza, quien recibió una orgullosa respuesta del rey nazarí: «Han muerto ya los reyes granadinos que pagaban tributos; en las casas donde antes se lograba moneda para pagarlos, se forjaron ahora hierros de lanza para impedir su entrega.» A lo cual Fernando respondió cuando le llegó la nueva: «Ya arrancaré yo uno a uno de los granos de esa Granada.» Lo que efectivamente cumpliría unos años más tarde.

Por aquellos días también, el 30 junio de 1478, la reina dio a luz al infante don Juan en el alcázar sevillano. El niño fue bautizado por el cardenal Mendoza en la catedral, y al año siguiente los reyes pasaron a Córdoba. Una tierra maltratada por las rivalidades de las grandes familias nobiliarias, en especial por las continuas disputas entre Alonso de Aguilar, señor de Montilla, y Diego Fernández de Córdoba, conde de Cabra.

En Sevilla los reyes dictaron medidas encaminadas a aumentar la expansión atlántica de Castilla, en permanente disputa con Portugal, organizando expediciones con barcos andaluces, cántabros y vizcaínos. El interés en este sentido quedó manifiesto en la decisión de incorporar en 1477 a la Corona las islas de Gran Canaria, La Palma y Tenerife, que aún no habían sido conquistadas. Al mismo tiempo, por esos meses, proseguía el sometimiento paulatino de los grandes de la nobleza, a quienes se aseguraba la conservación de sus patrimonios, rentas y jurisdicciones a cambio de obediencia al poder real.

En los meses de junio y agosto de ese año, Fernando viajó a las tierras de Vasconia, y estableció su residencia principal en Vitoria. En julio visitó Vizcaya y organizó una armada para combatir al corsario francés Coulon, que causaba graves daños a la navegación en la cornisa Cantábrica y Galicia, y había intentado asaltar le La Coruña y Ribadeo.

Luego, tras pasar unos días en Toro con la reina, Fernando entró en Guipúzcoa y el 30 junio de 1476 juró en Guernica los fueros del País Vasco, y se dedicó a imponer orden y paz en un país donde los cronistas aseguran que había mucha anarquía y proliferaba el bandidaje.

Después, Fernando se entrevistó con su padre y consiguió que su hermanastra la reina Leonor de Navarra le garantizase que no pasarían tropas francesas por ese reino, y permitiría que hubiera guarniciones castellanas en las fortalezas de los beamonteses, encabezados por el conde de Lerin.

A cambio, Fernando hubo de reconocer como futuro monarca navarro a Francisco de Foix, nieto de Leonor. Visto en conjunto, el toma y daca con la reina Leonor estaba orientado sobre todo a «neutralizar» el reino de Navarra, impidiendo que ese territorio se convirtiera en una cuña del rey de Francia en el territorio peninsular.

Poco a poco, la guerra sucesoria en Castilla se fue extinguiendo. A eso contribuyó el cese de la injerencia en los asuntos hispanos del rey francés Luis XI, cuyos esfuerzos estaban concentrados en la disputa por apoderarse de la herencia de Carlos el Temerario, soberano de ducado de Borgoña, que murió por esas fechas.

El último reducto de los partidarios castellanos de la Beltraneja se mantuvo en Extremadura, fomentado por la condesa de Medellín (hija bastarda del viejo marqués de Villena), el duque de Plasencia y el clavero de Alcántara, Alonso de Monroy, despechado por no haber sido elegido maestre de esa orden militar.

Desde su cuartel general en Trujillo, Fernando dirigió las acciones militares a partir de finales de 1478, y en febrero de 1479 se libró en La Albuera una batalla que marcó el punto final de la guerra, cuando las tropas reales, al mando de Alonso de Cárdenas, maestre de Santiago, se impusieron a las huestes de partidarios de la Beltraneja extremeños, apoyados por tropas portuguesas.

El cronista Hernando del Pulgar afirma que los portugueses costearon esta última campaña con el oro de unas naves de Castilla que apresaron en la costa de Guinea. Una pérdida que, al parecer, los castellanos recuperaron con creces gracias al botín conseguido en La Albuera.

Un mes más tarde, la reina Isabel y su tía Beatriz, duquesa de Bragança, se vieron en Alcántara para iniciar negociaciones de paz que se concretaron en septiembre de 1479 con el tratado de Alcaçovas. El rey portugués renunció a sus pretensiones al trono castellano y a no volver a titularse rey de Castilla, pero reafirmó el derecho de navegación exclusiva de Portugal al sur del cabo Bojador a cambio de admitir la soberanía castellana sobre las islas Canarias. Era un acuerdo que no gustó mucho a Fernando, pero este consintió para no dejar en mal lugar a la reina Isabel que había llevado la iniciativa en las negociaciones.

CANARIAS

Durante buena parte del siglo XV la empresa de conquistar las islas Canarias fue una tarea privada de nobles y navegantes castellanos, hasta la intervención de la Corona en 1477.

Durante la guerra de Portugal y Castilla de 1475 a 1479, el archipiélago atlántico fue uno de los escenarios de confrontación entre ambos países. Por

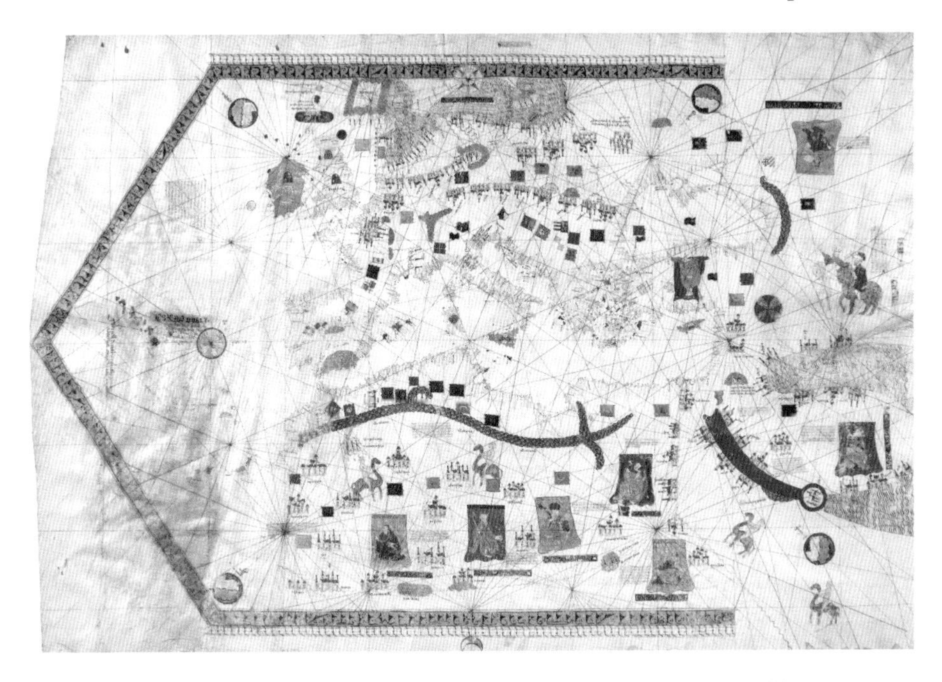

Las islas Canarias representadas en la Carta de Gabriel de Vallseca, 1439.

este motivo, junto a otros, los Reyes Católicos reclamaron entonces para la Corona el dominio de las «islas mayores» que todavía no habían sido conquistadas (Gran Canaria, Tenerife y La Palma), respetando la jurisdicción señorial sobre las cuatro islas ya ocupadas.

La primera capitulación de la Corona para llevar a cabo la empresa se estableció en 1477 con el obispo de Lanzarote, Juan de Frías, y con el capitán Juan Rejón. Tres años más tarde Pedro de Vera fue nombrado gobernador real de Gran Canaria. La conquista de esta isla concluyó en 1483, y en junio de 1492 se capituló con Alonso Fernández de Lugo la conquista de La Palma.

Tenerife fue la última isla en ser dominada, no sin que antes la hueste castellana sufriera una severa derrota en Acentejo, en mayo de 1494, que obligó a reembarcar a la tropa superviviente. Pero Fernández de Lugo regresó con nuevas fuerzas y en mayo de 1496 los aborígenes insumisos capitularon definitivamente.

A partir de Alcaçovas las islas Canarias —dice Ernest Belenguer— se mantuvieron como avanzadilla hispana en el océano Atlántico, donde faenaban pescadores vascos y andaluces, y se convertirían en algo más que un enclave castellano situado en un área que hasta entonces dominaban los portugueses. «En Alcaçovas, sin siquiera sospecharlo, el afortunado archipiélago ubicado en medio de las corrientes de los alisios se preparaba para un futuro de dimensiones oceánicas.»

Para solemnizar este acuerdo se acordó casar a la infanta castellana Isabel con el infante portugués Alfonso, primogénito del heredero don João. Por añadidura, se estipuló también una amnistía para los señores castellanos que habían luchado junto a Portugal por la causa de la Beltraneja.

Los últimos en deponer las armas contra los Reyes Católicos fueron también algunos castillos del marqués de Villena, Diego López Pacheco, hijo del favorito de Enrique IV. Este Diego López acabó sometiéndose y terminaría siendo capitán general en la guerra contra los musulmanes de Granada. En una de las escaramuzas que marcaron el final de la guerra sucesoria castellana, murió el gran poeta Jorge Manrique, cuando —según Hernando del Pulgar— «se metió con tanta osadía entre los enemigos, que, por no ser visto de los suyos para que fuera socorrido, le hirieron de muchos golpes, y murió peleando cerca del Castillo de Garcimuñoz.»

Por entonces también, el 19 enero de 1479, murió el rey de Aragón Juan II en el palacio de los obispos de Barcelona, más de vejez que de enfermedad, dice Zurita, pues estaba a punto de cumplir 82 años. Un día antes de morir dictó para su hijo Fernando una emotiva carta de despedida, en la que le daba su bendición con consejos de alta política.

> Me encomiendo a la gran misericordia de Dios —escribió el moribundo monarca—... con aquella contrición y arrepentimiento que debíamos, por ser tan grandes las ofensas que le habíamos hecho...Lleva ante los ojos el temor de Dios, que la justicia ante todo sería el espejo de vuestro corazón, haciendola sin excepción de personas... Procura evitar las riquezas, sé humilde, pues por esa sola virtud mereció la Virgen María ser la madre de Dios.

A Juan II se le rindieron magníficas exequias. Su cadáver estuvo expuesto en el Palacio Mayor de Barcelona, y a hombros de 12 caballeros y 12 ciudadanos fue llevado con gran solemnidad a la catedral. Luego, sus restos fueron trasladados al monasterio de Poblet. Cuentan que para pagar los gastos del funeral y socorrer a sus criados fue preciso vender sus joyas, y hasta el toisón de oro que solía llevar, pues el rey apenas tenía dinero. Como señala el marqués de Lozoya: Durante años había movido los hilos de la política peninsular en aras de su desmedida ambición de dominar en Castilla, que por fin vería cumplida al ceñirse su hijo la corona. Dejaba sus reinos pacificados, pero no tranquilos. Cataluña continuaba bajo un régimen de gobierno militar», y los problemas del país se complicaban con la restauración de los bienes y cargos confiscados durante la contienda civil en los estados de Aragón, lo cual era causa de gran desbarajuste generalizado.

Fernando tenía 27 años cuando sucedió a su padre en la corona aragonesa, y juró los fueros y privilegios del reino de Aragón en la catedral de San Salvador (la Seo) ante el Justicia. Luego se dirigió a Barcelona, donde entró el 31 agosto y allí también tuvo que jurar cumplir las leyes catalanas. Cerró el recorrido en el reino de Valencia, antes de regresar a Toledo a tiempo de ver nacer el 6 de noviembre de 1479 a la infanta doña Juana, la infortunada que luego sería llamada Juana la Loca.

Los nobles

Las primeras reformas de lo que Vicens Vives denomina el «afianzamiento de la nueva monarquía», tuvieron carácter económico, referidas básicamente a la Hacienda pública, muy maltrecha por la guerra sucesoria, y contaron con el resignado asentimiento de los nobles. «Los Mendoza y el resto de las grandes familias nobiliarias que habían apoyado a los Reyes Católicos lo tenían claro —dice Vives—: se trataba de encontrar un camino medio que les garantizaba su propia estabilidad social, estabilizando al mismo tiempo las rentas y la mayor parte de sus dominios.»

En términos generales, la política seguida por los Reyes Católicos hacia la nobleza se basó en dos premisas: confirmar los linajes legítimamente adquiridos sin disminuirles las rentas, pero cuidando al mismo tiempo de convencer a los nobles de que no tenían posibilidad de aumentar sus haciendas si se rebelaban. El servicio a la Monarquía debía de ser para ellos lo más importante, si querían seguir conservando sus propiedades. Cita Luis Suárez, como ejemplo de esta línea política, los acuerdos que concertaron los Reyes Católicos en 1476 con los Manrique, con el marqués de Cádiz, Rodrigo Ponce de León, y con los Stúñiga y Portocarrero.

En el caso de Manrique, corregidor en Vizcaya, que ejercía una especie de tiranía sobre este territorio, los monarcas decidieron deponerlo, aunque se le indemnizó con una renta anual de 3 millones y medio de maravedíes, y se le promovió a duque de Nájera. En lo que respecta al marqués de Cádiz, Ponce de León, en abril de 1476, dando al olvido la ambigua actitud del personaje durante la contienda sucesoria, le otorgaron una serie de prebendas, entre las que se contaba la renta del 1% del valor de todas las mercancías descargadas en el puerto gaditano. Y en cuanto al conde de Plasencia y duque de Arévalo, Álvaro de Stúñiga (apellido de solar navarro, luego castellanizado como Zúñiga), casado con una hija del marqués de Villena, tenía hijos que militaron en bandos distintos y también obtuvo el favor real sin que su patrimonio sufriera daño. Pero tuvo que renunciar al ducado de Arévalo, que la reina consideraba patrimonio de su propia madre.

Los Reyes Católicos también se mostraron generosos con el marqués de Villena y el arzobispo Alfonso Carrillo. Al primero lo confirmaron en el marquesado, aunque se le despojó de una serie de villas usurpadas en la última etapa del reinado de Enrique IV, como Alcaraz, Baeza, Trujillo, Madrid y Requena. En cuanto a Carrillo y a su hermano Lope Vázquez de Acuña, señor de Huete, solo se les exigió que pusieran a disposición de la Corona las fortalezas que mantenían en su poder. Para el arzobispo eso significó el final de su vida política. A partir de ahí se encerró en Alcalá de Henares y no quiso pisar la corte, pero siguió siendo arzobispo de Toledo hasta su muerte en 1482.

En su esfuerzo por consolidar el poder real, los monarcas convocaron en 1476 las Cortes de Madrigal de las Altas Torres, con 32 procuradores (muchos de ellos elegidos por los propios reyes) que representaban a las 16 ciudades con voto: Burgos, Toledo, León, Sevilla, Córdoba, Jaén, Murcia, Segovia, Avila, Zamora, Toro, Salamanca, Guadalajara, Soria, Valladolid y Madrid.

En Madrigal fueron promulgados también tres grandes ordenamientos: uno, estableciendo la Santa Hermandad, otro reordenando la Audiencia, y un tercero para modificar la Contaduría, agilizando el cobro de deudas, ya que las arcas reales estaban vacías después de la guerra.

Para el saneamiento del Tesoro real se invalidaron todas las rentas y donaciones concedidas después de 1464, se controló el gasto público y se diversi-

Cuadrilleros de la Hermandad castellana, fuerza de orden público al servicio de la Corona que inició su actividad en la segunda mitad del siglo XV.

ficaron las fuentes de recaudación. Estas medidas permitieron que los ingresos ordinarios de la Hacienda pública se duplicaran entre 1480 y 1502, de tal forma que el global en la Corona de Castilla y León superó los 2 millones de ducados a principios del siglo XVI.

Junto a esto, los procuradores presentaron 38 peticiones, entre ellas algunas dirigidas a limitar las actividades financieras de los judíos en Castilla, quienes, además de tener prohibido adornar sus ropas con oro y plata, debían llevar visible una rodela bermeja sobre el hombro derecho. El historiador Luis Suárez asegura que los judíos no protestaron porque el restablecimiento de la autoridad regia les ofrecía mayor garantía que las leyes escritas de épocas anteriores.

Sobre la base de este pacto de la aristocracia con el poder político de los Reyes se fortaleció la autoridad del Consejo Real, cuyo funcionamiento hasta entonces había sido intermitente, que asumió la gestión administrativa y se convirtió en suprema instancia judicial a partir de las Cortes de Toledo de 1480, las más importantes del reinado.

Existían, desde luego, diferencias entre el poder nobiliario en Castilla y Aragón en su relación con la Corona. En ambos casos, la nobleza se plegó a las intenciones del Trono para conservar sus posesiones, pero resultó mucho más manejable en Castilla que en Aragón. La nobleza aragonesa colaboró con

Fernando en toda suerte de empresas diplomáticas o guerreras, pero sin dejar de ser un factor perturbador, dispuesto a oponerse a la menor ocasión. Fernando, por otra parte, mostró menos rigor con los nobles aragoneses que con los castellanos a la hora de reprimir su insumisión (declarada o latente). Cuando intentó restaurar el orden público revuelto en Aragón, creando en 1488 una Hermandad en sus dominios aragoneses semejante a la de Castilla, fracasó y tuvo que dar marcha atrás, liquidando esa fuerza de orden público en las Cortes de Tarazona de 1495.

Las tensiones provocadas por la nobleza en Aragón durante el reinado de Fernando elevaron también las tensiones en el campo aragonés, donde la sumisión de los vasallos ante los grandes señores era casi absoluta. El incidente más notable fue la rebelión de los vasallos de Ariza contra su señor Guillén de Palafox. Un pleito quese alargó muchos años y que Fernando intentó zanjar con la sentencia de Celadas de 1497, muy decepcionante para los castigados feudatarios, ya que confirmaba los abusivos derechos señoriales en discusión. La resolución contrasta con la de Guadalupe, claramente favorable a los campesinos remensas de Cataluña, que se vieron liberados de muchas de sus ancestrales cargas. Una prueba más de que los criterios de Fernando podían variar de acuerdo a las circunstancias políticas en cada caso. Lo cierto es que si los remensas catalanes salieron bien parados, los campesinos aragoneses sometidos a jurisdicción señorial continuaron subyugados durante mucho tiempo.

Como consecuencia de la consolidación del poder aristocrático en Aragón, las Cortes apenas modificaron su funcionamiento, coartando cualquier intento reformista. Durante el reinado de Fernando hubo Cortes en Tarazona (1483—84), Zaragoza (1493-94), Zaragoza-Tarazona (1495-97), Zaragoza (1498), Monzón (1510) y Calatayud (1515). Estas últimas, con Fernando ya al borde de la muerte, fueron las más decepcionantes para el monarca, que vio fracasados sus proyectos de mejorar la suerte de los vasallos señoriales.

La recalcitrante oposición que el Rey Católico encontró en las Cortes aragoneses (bastión, no se olvide, del poder aristocrático) le movió a robustecer la fuerza de la Corona en tres instituciones fundamentales: el virreinato, que puso en manos de su fiel hijo Alonso; la Audiencia Real, en la que el rey decidía la selección de los magistrados, y el municipio de Zaragoza, ciudadela del poder real en Aragón después de 1487, cuando Fernando se presentó en el ayuntamiento y exigió al consistorio que dejase en sus manos el gobierno de la ciudad. Los concejales aceptaron, aunque pusieron como condición que se respetaran sus bienes y privilegios, y que los ediles fueran siempre zaragozanos. Una situación que se prolongó durante todo el reinado fernandino.

Con respecto a la nobleza es importante señalar que en la corona de Castilla había enormes extensiones de territorio bajo la férula de familias aristocráticas que disponían de rentas inmensas, miles de vasallos y tropas propias. En Galicia dominaban los condes de Monterrey y Lemos, en Palencia, los Manrique; en León y Zamora, los condes de Luna y de Benavente; en Salamanca, los duques de Alba; en Burgos, la casa de Velasco; en tierras de Valladolid, la familia Enríquez, de donde procedía la madre de Fernando, en Castilla la Nueva, los Mendoza y los Pacheco ; en Extremadura, los Zúñiga; en Murcia, los Fajardo, y en Andalucía los Medina Sidonia y los Ponce de León.

Como la Corona no podía enfrentarse a la fuerza de todos ellos juntos, los Reyes Católicos decidieron pactar con algunas de las familias más poderosas, como los Mendoza y los Velasco. Solo entonces pudieron enfrentarse con éxito al prepotente marqués de Villena, Diego López Pacheco, cuyas tierras se extendían desde Cuenca hasta Almería y disponía de 150 000 vasallos. Fernando, con sagacidad, fue limando poco a poco este poder, fomentando las revueltas contra Villena de sus propios vasallos, hasta que en 1476 el marqués —que luchó en el bando perdedor durante la guerra sucesoria— cedió el marquesado y todas sus poblaciones importantes a la Corona, con lo que Isabel y Fernando le permitieron conservar el título y parte de sus posesiones.

Durante la guerra de Granada, los Reyes Católicos utilizaron las energías belicosas de la nobleza para conquistar ese reino, pero tras la muerte de Isabel, Fernando se enfrentó y tuvo que combatir de nuevo con su ejército a los grandes señores. En Córdoba, aplastó la rebeldía del marqués de Priego y demolió su fortaleza de Montilla, y en 1508 tuvo que marchar con una tropa de 4000 hombres contra una alianza de nobles de Andalucia que conspiraban contra la Corona, encabezados por el duque de Medina Sidonia y el conde de Ureña, Pedro Girón.

Isabel y Fernando mantuvieron una firme política de recuperación de territorios arrebatados a la Corona por la turbulenta nobleza, aprovechando la debilidad del trono en épocas anteriores, pero casi siempre eligieron la vía del compromiso y la avenencia, eludiendo en lo posible el uso de la fuerza. Así recuperaron Cádiz y Jerez del marqués de Cádiz, a quien se compensó con otras propiedades. En 1502 le quitaron Gibraltar al duque de Medina Sidonia, y en 1503, Cartagena a Pedro Fajardo, con lo que se aseguraron el control de las costas del sur de España. Esta política apaciguó la ambición de muchos nobles, que se dedicaron a servir en la guerra a la Corona o a disfrutar pacíficamente de las rentas de sus tierras.

Como compensación a los leales, que les habían servido durante los años de su reinado, los Reyes Católicos concedieron unas 1000 patentes de hidalguía, generalmente por hechos de guerra. También fueron generosos en el reparto de nuevos títulos a la nobleza. En 1475, un Mendoza obtuvo el título de duque del Infantado; en 1479 un De La Cerda el ducado de Medinaceli; en 1482 a un Manrique le tocó el ducado de Nájera, y en 1492 a un Velasco, el ducado de Frías.

Henry Kamen concluye que pese a estos honores sería un error pensar que los Reyes Católicos entregaron España a la nobleza. «Toda su política —dice— iba en contra del aumento del poder de los nobles. Resulta significativo que, salvo unas ciudades concedidas por motivos concretos (como la donación de Vélez Blanco y Vélez Rubio a don Pedro Fajardo a cambio de Cartagena), raras veces crearan nuevos señoríos.»

Tampoco resulta cierto que tras la guerra de Granada se concediera a los nobles la mayor parte de Andalucía para compensarlos de las pérdidas en Castilla. La Corona mantuvo en su poder la mayoría del territorio, aunque concedió «repartimientos» o zonas fronterizas a algunos nobles para que las defendieran militarmente. Solo en Granada se crearon señoríos en territorios en los que la población musulmana era mayoritaria, como medio de controlarla.

El amansamiento de la aristocracia castellana supuso un notable triunfo de los Reyes Católicos. A partir de 1516 no hubo revueltas de nobles en Castilla, al contrario que en Inglaterra o Francia, donde siguió habiéndolas hasta siglo y medio después.

Los nobles pasaron a ser socios de la Corona, y conservaron sus haciendas y sus mesnadas, pero las grandes ciudades quedaron bajo control real, y la mayor parte de los funcionarios del Estado fueron elegidos entre la pequeña nobleza o los conversos, y no procedían de los grandes linajes. Junto a esto, al no existir una capital del reino ni una corte fijas, la aristocracia no podía congregarse para conspirar contra los monarcas, como ocurría en otros países.

Paz y orden

Vencedores de la guerra sucesoria que les afianza como soberanos de Castilla, los Reyes Católicos emprenderán una serie de reformas dirigidas a la reconstrucción de sus reinos, al reforzamiento de la unión entre las dos coronas, y a fortalecer su propia autoridad por encima de todos, incluida la agitada nobleza, que vivía en un estado de anarquía feudal, aferrada a sus privilegios.

En este sentido, Isabel y Fernando imponen un talante nuevo, necesario para exteriorizar que nada tienen que ver con la debilidad de reinados anteriores, y que sus decisiones deberán ser cumplidas y acatadas. La gente terminará asu-

Retrato del primer duque del Infantado, Diego Hurtado de Mendoza, por el Maestro de Sopetrán. Museo del Prado.

miendo que las leyes están bien, pero dependen sobre todo de la voluntad de los legisladores para aplicarlas. Una idea básica que Gómez Manrique expresó con rotundidad en su discurso ante las Cortes de Toledo de 1480:

> Así como las espadas, por afiladas que estén, no cortan más que si fuesen de palo si les faltasen brazos que las mueven, asi las leyes, por bien forjadas y escritas que sean, no prestan más que papel blanco si carecen de buenos ejecutores.

Los Reyes Católicos tuvieron desde el principio de su unión dinástica un concepto claro de que el Estado que representaban era el principal elemento aglutinador de la construcción política que diferenciaba su reinado de otros anteriores. Crean, en definitiva, un «aparato de poder coercitivo y benefactor que, por oposición al poder medieval, se ha llamado Estado Moderno» (Ángel Ferrari) Y a esto hay agregar una decidida intervención internacional, con proyección de gran política exterior, diseñada y llevada a cabo en especial por Fernando, como pocas veces se ha visto en España. Isabel y Fernando crearon una unión dinástica y política basada en la variedad de sus reinos. Una estructura compleja y equilibrada que se contrapone al monolitismo de la monarquía francesa, por ejemplo, concentrado ya entonces en el concepto de Corona-Nación.

Fue en la acción exterior donde primero se concretó ante los ojos de Europa el poder de la España forjada con la unión de sus diversos reinos de España. Una realidad que causó admiración en autores como Maquiavelo o el historiador Guicciardini. « Ordenadas las cosas de sus propios estados, y reunida España en una sola fuerza y en un buen gobierno —decía Guicciardini—, y liberada de su servidumbre e infamia antigua ... se ha ensanchado la gloria de esta nación.»

Sin duda, la percepción de unidad, en un país fragmentado durante toda la Edad Media, fue percibida en Europa como un gran suceso histórico de alcance permanente, atribuido sobre todo a la actitud resuelta de los Reyes Católicos, puesta de manifiesto a lo largo de todo su reinado. Isabel y Fernando nunca dudaron de que su matrimonio era el principio de la unión política permanente de sus reinos, y el Rey Católico lo atestigua por primera vez, cuando todavía era heredero de la corona de Aragón, al declarar sucesora de su reino patrimonial a Isabel, su hija primogénita, en el testamento que hace en 1475:

> [...] por ser hija de reina y madre tan excelente, más quiérolo y ordénolo así por el gran provecho que a los dichos reinos resulta y se sigue de ser así unidos con estos de Castilla y León, que sea un príncipe rey, señor y gobernador de todos ellos...

Y eso mismo se refrenda en 1480, solemnemente, en las Cortes castellanas de Toledo, al proclamar la continuidad futura de la unión de reinos y considerarla como un regalo de Dios : « [...] pues por la gracia de Dios, los nuestros reinos de Castilla y de León y de Aragón son unidos, y tenemos esperanza que, por su piedad, de aquí en adelante estarán en unión...» Lo mismo que unos años más tarde dirán los monarcas en Aragón: «Ca como quiera se han unidos a Dios gracias todos juntos los reinos de nuestra real Corona de Aragón con estos nuestros reinos de Castilla, y todos debajo de un señorío...»

«Los miembros y pedazos de España que estaban por muchas partes derramados— apunta Nebrija en el mismo sentido—, se redujeron y ajuntaron en un cuerpo y unidad del Reino, la forma y trabazón del cual así está ordenada que muchos siglos, injuria y tiempos no la podrán romper ni desatar.» El proyecto unitario se presenta también como una prolongación y culminación de la España visigoda, unida en lo político y religioso, destruida por la invasión musulmana a principios del siglo VIII.

A partir de la instancia central del Estado, de la que emana una sola línea de gobierno, la Corona dual castellano—aragonesa genera una legislación común en muchos aspectos, tendiente a homogeneizar sus recursos político—militares y hacer sentir en el exterior su poderío por medios diplomáticos o bélicos. Con esta meta, el proyecto único exige la misma obediencia a todos y la participación unida en empresas cuyo resultado afecta al conjunto, como ocurre en las guerras de Granada, norte de África, Rosellón-Cerdaña o Nápoles.

La decisión de los Reyes Católicos por alcanzar los fines del Estado mediante el ejercicio del poder y la aplicación de la ley dio pronto resultados en la salvaguarda de la paz y la seguridad interiores, tan dañadas en tiempos de Enrique IV. La protección del orden social, inspirada en la idea del bien común, se extiende a una serie de medidas de carácter económico y a la dirección de los asuntos de guerra y relaciones exteriores, sustentada por un ejército y un cuerpo diplomático propios, con capitanes y funcionarios leales a la empresa que la Corona simboliza. Como instrumento necesario de estas acciones, Fernando estará muy atento a la creación de un servicio diplomático de nuevo cuño, que dirige en persona y será su antena permanente en los principales países europeos. Los primeros embajadores fijos se enviaron a Roma, y hubo otras embajadas en Francia, Inglaterra, Flandes, Venecia, Milán y ante el emperador Maximiliano de Austria. Puede decirse que al acabar el siglo XV la red diplomática, controlada sobre todo por Fernando, cubría toda Europa occidental.

El afianzamiento y las reformas de la Monarquía dual abarcan casi todos los aspectos de la actividad económica, social, jurídica y política. Una de las primeras medidas es el saneamiento de la Hacienda real, para lo cual se llega a un consenso con las grandes familias nobiliarias, interesadas en estabilizar sus rentas y dominios, aunque fuera a costa de ceder en algunas fuentes de ingresos procedentes de épocas anteriores, cuando la debilidad de poder real les otorgó ventajas que les permitieron amasar inmensas fortunas. El Tesoro público dispone, en todo caso, de una amplia serie de recursos recaudatorios mediante los gravámenes sobre el comercio, circulación y consumo de bienes, así como de otros ingresos procedentes del ámbito eclesiástico, los maestrazgos de las órdenes militares, la Mesta y el quinto real sobre los beneficios procedentes del Nuevo Mundo.

> Nobleza y monarquía —dice Ernest Belenguer— hallaban al fin la senda de un mutuo entendimiento: los reyes lograron una reducción de más de un 50 por ciento de las cargas situadas sobre el Tesoro y la aristocracia se hacía reconocer todo lo obtenido hasta 1464, fecha de claras resonancias políticas por ser el momento del inicio de la conflictividad social y política que había conducido a la guerra civil.

Sobre la base de este pacto, el poder político de la monarquía se robustece, y la administración central extiende sus funciones hasta los últimos rincones de Castilla, aunque no sea lo mismo en la Corona de Aragón, mucho más condicionada por el particularismo foral y las prerrogativas de los diferentes territorios que la componen.

Pieza básica de este engranaje administrativo es el Consejo Real, suprema instancia judicial, compuesto por letrados y presidido por un obispo, que bajo las órdenes de los soberanos es también la instancia superior de gobierno. Las competencias del Consejo Real eran muy amplias. Tenía plena capacidad para resolver la mayoría de los asuntos de gobierno, mandaba sobre corregidores, gobernadores y jueces especiales, y ejercía funciones de Tribunal Superior de Justicia, aunque en esta tarea también intervenían la Audiencia Real o Real Chancillería con sede en Valladolid, a la que luego se unió otra en Ciudad Real que pasó a Granada en 1505.

El Consejo Real controlaba también los gobiernos locales, donde la autoridad real la ejercían normalmente los corregidores, que de forma sistemática velaban por el cumplimiento de las normas comunes en las villas y ciudades y arbitraban las disputas de las banderías urbanas. Cargos equiparables a los regidores fueron los «jueces de residencia» y «alcaldes del rey», que eran enviados a diversos territorios de la Corona, y los gobernadores fijos, que desempeñaban tareas tanto administrativas como jurídicas y militares.

Isabel y Fernando tuvieron también el acierto de poner el gobierno de la Justicia y los asuntos públicos en manos de letrados. Gente profesional, procedente de las clases medias, sin las ínfulas y resabios de la vieja nobleza, que solían ejercer su trabajo con mesura y discreción. Se les exigía honradez y vida alejada de la corrupción, y tenían por norma no recibir dones, vestir y gastar con austeridad, y no dejarse influenciar por amigos y protectores a la hora de decidir sobre el bien público.

Muchos autores coinciden en que el principal logro del reinado de Fernando e Isabel fue imponer la paz y el orden en el conjunto de España, algo que no se producía desde hacía muchas décadas. Pero la pacificación, como observa Kamen, implicaba algo más que el restablecimiento de la tranquilidad, y exigía cambios profundos en la política, la economía y la sociedad. El ingrediente esencial de este proceso pacificador era la autoridad directa de los Reyes Católicos, que con su presencia personal imponían el mando que nadie se atrevía a discutir. «Todos temblaban al nombre de la reina», dejó escrito un viajero extranjero en 1484.

La manifestación de potestad fue un largo proceso que afectó a toda España y no solo a Castilla, y motivó el recorrido que en 1481 realizaron los Reyes Católicos por los estados de Aragón acompañados del heredero, el infante don Juan.

Blasón de los Reyes Católicos en el techo del palacio de La Aljafería de Zaragoza.

Durante este viaje, la reina Isabel asistió a las Cortes de Calatayud y Fernando promulgó un decreto que la confirmaba como su igual en Aragón a todos los efectos. De julio a noviembre de ese mismo año, los monarcas estuvieron juntos en Barcelona, donde tanto la Generalitat como el pueblo llano tributaron a Isabel un recibimiento fervoroso. Antes de regresar a Castilla, los Reyes Católicos pasaron por Valencia, y volverían de nuevo a Aragón en 1487 y 1488.

La monarquía de Fernando e Isabel no tenía una capital fija, y este es un dato fundamental para comprender la aureola de su reinado, asentado sobre todo en la presencia personal, que les lleva en todo momento a estar donde consideraron necesario, lo cual redunda en un reforzamiento extraordinario de la autoridad real.

Para seguir manteniendo el control de los asuntos de Aragón durante las largas ausencias obligadas por la complejidad de las tareas que debe resolver en Castilla, Fernando solía ir acompañado de un equipo de secretarios aragoneses y catalanes que se aplicaban a resolver las cuestiones que afectaban a la corona aragonesa. Para los temas más importantes recurría a virreyes que actuaban como sus lugartenientes y se nombraron por primera vez en Cataluña a partir de 1479, y en Aragón y Valencia desde 1482 y 1496.

En Castilla, en cambio, los virreyes no fueron necesarios debido a la presencia casi permanente de la reina Isabel, cuya corte de asesores y funcionarios se mantuvo en constante movimiento durante treinta años, visitando hasta el último rincón del reino. «Los Reyes Católicos —afirma Kamen— fueron los gobernadores más viajeros de toda la historia de España y quizá —con la excepción de su sucesor Carlos V— de toda la historia de la Edad Moderna en Europa.»

Consejeros y corregidores

El Consejo Real, formado por una docena de miembros, en su mayoría letrados, estaba a las órdenes directas de la monarquía y era la institución superior de gobierno, sin renunciar a sus competencias judiciales en lo relacionado con los recursos de apelación de los alcaldes de Casa y Corte, en los pleitos civiles y en la tramitación de las querellas más importantes de la Audiencia.

La eficiencia del Consejo Real estuvo acrecentada por el escaso papel que en él desempeñó la dividida nobleza, al contrario de lo que ocurría en tiempos de Enrique IV. Los nobles y el alto clero podían asistir a sus deliberaciones, pero carecían del derecho a voto.

Para el manejo de la Justicia y la aplicación de las disposiciones administrativas, los Reyes Católicos establecieron la Real Audiencia o Chancillería de Valladolid, compuesta por un prelado-presidente, cuatro oidores, tres alcaldes, un procurador fiscal y los «abogados de pobres». Solo la Corona, como juez supremo, estaba por encima de ella, y en 1494 se crearía una segunda Chancilleria, que pasó a Granada en 1505.

Con el fin de poner orden en la innumerable maraña de leyes heredadas de la época medieval, los Reyes Católicos encargaron al jurisconsulto Alfonso Díaz de Montalvo la recopilación de las Ordenanzas Reales de Castilla, publicadas en 1485. Esta obra se convirtió en referencia fundamental para los alcaldes y otros ejecutores de la Justicia, y su adquisición era obligatoria para toda población de más de 200 vecinos.

En línea con el esfuerzo por llevar la autoridad del Estado hasta el último rincón del país, Isabel y Fernando decidieron en 1480 enviar corregidores a todas las ciudades y pueblos de Castilla. A escala municipal —dice Belenguer— estos corregidores traducían el gran consenso nacional entre nobleza y monarquía por la gobernabilidad del país, y con su actuación debilitaron la influencia oligárquica de los nobles en el entramado de los ayuntamientos.

En ese mismo año de 1480 los Reyes decidieron poner orden en Galicia, cuyos problemas eran consecuencia en gran parte de las disputas y abusos de los nobles, que campaban por sus respetos y cometían numerosos desafueros, tal como ocurría también en otras partes de España. Una situación agravada por el alzamiento popular de los «irmandiños» o hermandades campesinas, que se habían sublevado en 1465 contra la opresión secular de los señores.

Los Reyes Católicos decidieron establecer una Audiencia en Galicia y llevar allí a la Hermandad, creada recientemente. Provistos de plenos poderes judiciales, los funcionarios de la Corona lograron imponer el orden de acuerdo con el arzobispo de Santiago de Compostela, y los principales dirigentes «irmandiños» fueron ejecutados para escarmiento general.

El desbarajuste y los abusos que habían llevado la desolación a Galicia fueron reprimidos con mano dura, y la presencia en Santiago de los monarcas supuso la definitiva pacificación de ese reino. Los nobles más revoltosos fueron apresados y el resto terminó obedeciendo a la autoridad real. En estos primeros años de gobierno de los Reyes Católicos, no hay duda de que la visión unitaria de Fernando iba encaminada a una fusión duradera de súbditos de Aragón y Castilla.

> Estos dichos nuestros reinos y aquellos (los de Aragón) son unidos y juntos bajo una señoría y corona real —escribe en una carta enviada al almirante mayor de Castilla en 1475—. Por la cual es muy justo y razonable cosa que por vosotros, o cualesquiera de vos, los vasallos y súbditos del señor rey de Aragón sean mirados, tratados y favorecidos y ayudados como propios vasallos nuestros, como ya lo son, y como si fuesen naturales de estos dichos nuestros reinos de Castilla y de León, y que no hagáis ni consintáis que sea hecho mal, ni daño, ni detenimiento, ni vejación... alguna, en sus personas, bienes y mercadurías, ni en cosa alguna de los suyo.

Se trata, por otra parte, de una unión que establece una paulatina eliminación de barreras aduaneras entre Aragón y Castilla y regula el tráfico de mercancías y ganados vedado hasta entonces.

> Pues por la gracia de Dios —se ordena en las Cortes toledanas— los nuestros reinos de Castilla, y de León, y de Aragón son unidos, y tenemos esperanza que por su piedad de aquí adelante estarán en unión y permanecerán en nuestra corona real, que así es razón que todos los naturales de ellos se traten y comuniquen en sus tratos [...] y mandamos y defendemos por la presente ... que de aquí adelante no veden, ni defiendan y perturben a los que quisieren pasar a los dichos reinos de Aragón todos y cualesquier mantenimientos, y bestias, y ganados y otras mercadurías de las que hasta aquí eran vedadas.

Para asegurarse la corona de Aragón a la muerte de su padre Juan II, Fernando estuvo de junio a octubre de 1479 en Zaragoza, Barcelona y Valencia, y en las tres ciudades debío jurar los fueros propios.

En Barcelona, el monarca abolió el régimen militar de capitanes generales impuesto por su padre y tomó medidas para la restitución de las propiedades confiscadas durante la rebelión catalana de 1462 a 1472, y en 1480—1481 convocó Cortes con las que, como de costumbre, hubo de forcejear mucho para que se amoldaran transitoriamente a sus deseos. Tres años después se produjo la rebelión de los campesinos pobres (payeses de remensa) que se solucionó con la Sentencia de Guadalupe, promulgada en abril de 1486.

La Hermandad

Como instrumento eficaz de su política de ley y orden, los Reyes Católicos crearon la Hermandad. El cronista Alonso de Palencia fue, al parecer, el primero que inspiró a Fernando de la idea de restablecer lo que en Castilla se llamaban «Hermandades», que eran asociaciones de concejos para el mantenimiento del orden social y la seguridad pública en pueblos y caminos. El origen de estas Hermandades venía de antiguo en comarcas escasamente pobladas de Toledo, Talavera y Ciudad Real, y sus miembros eran llamados «cuadrilleros» porque solían actuar en grupos de cuatro, y enseguida demostraron gran eficacia en la lucha contra el bandolerismo.

Una institución así, capaz de poner coto a la criminalidad en campos y ciudades, era popularmente deseada, y ya había sido solicitada en las Cortes de Burgos de 1315, durante la minoría de Alfonso XI. Temerosa de perder poder, la nobleza se opuso a su creación, por lo que las Hermandades terminaron siendo inoperantes.

En el reinado de Enrique IV, sin embargo, las Hermandades volvieron a reactivarse, «para que los malhechores y delincuentes fuesen más prestamente seguidos y tomados y de ellos se pudiese hacer cumplimiento de justicia.» Gimenez-Soler afirma que este nuevo intento de activar la Hermandad se inició en Segovia, y se extendió a Toledo, Talavera, Ciudad Real y el Maestrazgo de Calatrava, pero el marqués de Villena y otros nobles terminaron restándole atribuciones hasta reducirla a casi nada. «Al advenimiento de los Reyes Católicos —dice Soler—, las Hermandades eran un recuerdo grato, una institución placentera, pero de imposible o casi imposible resurrección.» Pero las graves alteraciones del orden público en los últimos años del reinado de Enrique IV provocaron un desmedido aumento del bandidaje en Castilla, y esto propició el establecimiento de una Hermandad general que cubriese todo el territorio.

Al parecer los argumentos del cronista Alonso de Palencia persuadieron a Fernando, y este —haciendo caso omiso de las quejas de los nobles y del alto cle-

Sede de la Santa Hermandad de Toledo, reconvertida en posada en el siglo XIX. En la parte superior está el escudo de los Reyes Católicos y, en la inferior, el de Felipe II.

ro— terminó restableciendo la Hermandad. Hernando del Pulgar dice que fue Alfonso de Quintanilla, contador mayor de los Reyes, y Juan de Ortega, sacristán real, quienes insistieron a Fernando e Isabel para llevar adelante la iniciativa, y con este fin acudieron a Dueñas los procuradores de Burgos, Palencia, Medina del Campo, Ávila, Segovia, Salamanca y Zamora.

La reunión estuvo a punto de disolverse sin ningún resultado, hasta que Quintanilla hizo entender a todos que a una nación fuerte no podía convivir con un poder débil.

> No nos debemos quejar de los tiranos —dijo en su discurso a los representantes castellanos—, mas quejémonos de nuestro gran sufrimiento; ni nos quejemos de los malhechores, mas acusemos nuestra discordia y nuestro malo y poco consejo que los ha criado.

El rey Fernando, de acuerdo con este pensamiento, ordenó constituir la Hermandad en Burgos de modo provisional 1475, antes de la batalla de Toro, y de modo definitivo en las Cortes de Madrigal en abril del año siguiente. Para dirigir la nueva institución encargada de la seguridad territorial fueron designados Alonso de Aragón, hermano bastardo del rey Fernando (como capitán general de la Santa Hermandad), Lope de Ribas, obispo de Cartagena, Juan Ortega, Alonso de Quintanilla y Alonso de Palencia, entre otros. «Resolvieron con esto los Reyes —dice Giménez-Soler— el difícil problema de tener un ejército entusiasta, muy adicto a ellos y nacional por salir de la nación y pagarlo de ella; y con él pudieron pensar tranquilos en el porvenir.»

Tras estudiar las implicaciones financieras, Alfonso de Quintanilla pudo presentar el proyecto de creación de esta fuerza de orden público, que sería costeada por la aportación de las ciudades y puede considerarse el precedente del ejército nacional de la Monarquía.

El proyecto se convirtió en Ordenamiento promulgado el 19 abril de 1476, según el cual en cada lugar de más de 30 vecinos existirían dos alcaldes de la Hermandad, distintos de los que ocupaban las alcaldías ordinarias. De acuerdo con el número de habitantes y sus rentas, cada ciudad estaba obligada a proporcionar «cuadrilleros» asalariados a pie y a caballo, que se agruparon en una fuerza interior permanente.

La mayor novedad estribaba en la centralización de las hermandades ciudadanas de los concejos en una sola general dependiente directamente de los Reyes Católicos.

> Ahora cada ciudad, villa y pueblo —dice Belenguer— tenía que adherirse a la Hermandad, designar dos alcaldes por cada treinta hogares, un jinete por cada cien y un caballero de armas por cada ciento cincuenta. Además, fiscalizada por juntas anuales… podía votar impuestos que recaían sobre los hombros de sus súbditos. Se convertían así en mucho más que un cuerpo de policía rural que reprimía el bandolerismo con juicios y ejecuciones sumarísimas.

La Junta General de la Hermandad se reunió en Cigales en junio de 1476, y ahí quedaron redactadas las normas por las que debía regirse, sin fijar en principio un plazo para su duración, aunque las ciudades mantenían que no podía ser permanente por el gasto que para ellas suponía. Una segunda Junta reunida en Dueñas declaró que la Hermandad estaría en vigor hasta el 15 agosto de 1478, pero el plazo podría prorrogarse si las circunstancias lo exigían.

Para la adecuada distribución de las fuerzas de la Hermandad General, esta se repartió en ocho provincias, y se constituyó una Junta Suprema incluida en una sección dentro del Consejo Real.

Las actuaciones de la Hermandad, en especial en las zonas agrestes de la cordillera Central y Galicia, fueron muy eficaces. Tanto que Fernando e Isabel pensaron que las Juntas generales de esa institución podían sustituir a las Cortes como entidad intermediaria entre el pueblo llano y la Corona, ya que respondían a una estructura provincial y eso facilitaba la adhesión popular y su manejo por la autoridad real.

Los oficiales de la Hermandad tenían a su cargo una pequeña fuerza de caballería que podía perseguir a los delincuentes de una región a otra, y actuaban como policías y jueces. Su procedimiento, dice el médico real López Villalobos «era tan severo que parecía cruel, pero era necesario porque no todos los reinos estaban pacificados... Había gran carnicería con el corte de pies, manos y cabezas.»

La Hermandad nunca usó oficialmente el calificativo de «Santa», y solo actuó contra ladrones, salteadores de caminos y otros delincuentes. Su labor justiciera con los detenidos *in fraganti* solía ser sumamente expeditiva, y también tenían asignada la misión de defensa del territorio. Aunque la Hermandad General cesó en 1498, permanecieron activas las compañías de jinetes y ballesteros en Castilla, y otras Hermandades menores en Álava, Guipúzcoa y Murcia.

Aparte de su función de mantenimiento de la paz, sobre todo en las zonas rurales, la Hermandad adquirió gran importancia para los Reyes por tres motivos: servir de punto de encuentro de la Corona para la cooperación con las instituciones locales; disponer de una milicia real, y proporcionar a la Corona dinero para el esfuerzo bélico, tanto en la guerra sucesoria como en la de Granada. De hecho, desde 1476, la Hermandad fue ampliándose hasta convertirse en una pieza importante del poder real.

La milicia procedente de las Hermandad actuaba directamente a las órdenes de los Reyes Católicos, y en 1490 disponía de unos 10 000 hombres, lo que representaba una cuarta parte del total de la infantería mandada por Fernando. El conjunto de las milicias había ido en aumento desde 1480, cuando las Hermandades locales castellanas reclutaron más hombres, y las de Galicia y Andalucía incluyeron la construcción de barcos entre sus aportaciones. En 1485-86, la Corona recaudó de la Junta de la Hermandad 44 millones de maravedís, y en 1491-92 fueron 64 millones. La Junta, además, pasó a ser un organismo del gobierno con amplia representatividad local. También desempeñaron las Hermandades en funciones de las Cortes, lo que explica que durante dieciocho años los Reyes Católicos prescindieran de estas en Castilla por no considerarlas necesarias.

En Aragón, tras la ejecución sumaria en 1487 del concejal zaragozano Gordo, el Rey Católico ordenó que todas las ciudades, exceptuando las de Ribagorza, formasen una Hermandad general semejante a la castellana durante cinco años. La decisión se suspendió en 1488 por la tenaz oposición de la nobleza, y la Hermandad aragonesa acabó suprimida por las Cortes de 1495 con gran disgusto de Fernando. En cuanto a Cataluña, el monarca no intentó imponer una Hermandad en el principado porque allí ya existía la institución del «somatén», que desempeñaba funciones similares.

Detalle del artesonado del techo del palacio real de la Alfajería (Zaragoza).

LAS CORTES

De acuerdo con su visión política global, los Reyes Católicos entendían que las Cortes debían estar al servicio de la Corona, la cual a su vez debía identificarse con el bien común. En ese sentido, su papel vendría a ser complementario del Consejo Real.

Después de la convocatoria de Toledo en 1480, donde se trató el «problema de fondo de la administración hacendística», en palabras de Belenguer, los Reyes Católicos no volvieron a reunir Cortes en Castilla hasta 1498, seguramente porque consideraban poco eficientes sus mecanismos impositivo-fiscales. Solo las renovadas necesidades dinásticas y recaudatorias de la Corona, al iniciarse el siglo XVI, prolongaron la vida de una institución que llegó a estar muy postrada en la última década del siglo XV.

En esta nueva etapa, los monarcas y la nobleza (ya un tanto escarmentada) llegaron a un entendimiento en el reajuste financieron general. En cuanto a la

El Rey Católico, Fernando II de Aragón, presidiendo las Cortes de Cataluña.

Iglesia, resultó muy favorecida en su patrimonio, que quedó intacto, ya que la reina Isabel —como dice Hernando del Pulgar—, en atención a su labor social, «no quiso que fuesen quitados maravedís algunos, ni pan, ni tercias ni otras cosas de las que hubieron los monasterios, e iglesias, y hospitales y otrs personas pobres…»

Con respecto a la Iglesia, además, Isabel y Fernando iniciaron la política del Patronato Regio, que solo sería reconocido por el papado mucho más adelante, en un proceso que se inició en 1482 con un acuerdo entre el pontificado y la Corona, que se iría ampliando lentamente en favor de la realeza.

Lo que la Corona deseaba en primer lugar era supervisar los nombramientos de obispos. Para Fernando se trataba de dejar establecida la autoridad del Trono, y en este sentido ya había obtenido un triunfo notable en 1478 cuando su hijo natural Alonso de Aragón, que solo contaba seis años de edad, ocupó la sede vacante del arzobispado de Zaragoza. «Semejante propuesta un tanto estrambótica y poco espiritual —comenta razonablemente Belenguer—, más allá de buscar una promoción para el bastardo real, significaba el control eclesiástico zaragozano en manos del rey».

A diferencia de Fernando, el Patronato Regio tenía para Isabel un sentido menos político que religioso, como instrumento para llegar a la reforma moral del clero peninsular y eliminar el absentismo de los obispos, con el consiguiente descuido de su obligación pastoral. En esta misma línea se restablecieron los castigos a los clérigos amancebados y se liberó a las iglesias de Vasconia y Cantabria del patronato hereditario que desempeñaban algunos señores.

Otra decisión importante de las Cortes de Toledo fue la declaración del príncipe Juan (nacido en junio de 1478) como heredero y legítimo sucesor de la corona castellana. A lo que se añadió que en caso de morir la reina, Fernando regentaría Castilla en nombre del primogénito hasta que este alcanzara la mayoría de edad. Un precedente legal de lo que luego sería la primera regencia del Rey Católico al morir Isabel en 1504. En palabras de los procuradores reunidos en Toledo:

> Si la dicha reina nuestra señora pasase de esta presente vida en dias del dicho rey nuestro señor, que todo lo que su alteza ordenase y dispusiese cerca del título, gobernación y administración de la persona del dicho señor príncipe y de estos dichos reinos, por el dicho testamento y postrímera voluntad será obedecido y guardado y cumplido por todas las ciudades y villas y lugares…

Dos coronas

El monarca aragonés se reunió con la reina Isabel en Calatayud y desde desde allí entraron ambos en Aragón a tomar posesión de ese reino en 1481. Con ellos iba el jovencísimo príncipe Juan, que debía ser jurado príncipe de Asturias y de Gerona como heredero a las coronas de Aragón y Castilla.

En este viaje, por primera vez la reina de Castilla entró en Zaragoza acompañada del cardenal Mendoza, los duques de Medinaceli y Alburquerque, y el comendador mayor Gutierre de Cárdenas. La calurosa acogida que se le dispensó justificó que Isabel quedara como lugarteniente general en Aragón cuando Fernando tuvo que asusentarse de la capital aragonesa para ir a Barcelona. Y a esta ciudad llegó también la reina el 13 julio de 1481, donde fue recibida —dice Zurita—«con el mayor triunfo y fiesta que nunca rey lo fue en tiempos pasados.»

La aclamación popular que acompañaba a los Reyes Católicos en sus recorridos por Aragón y Castilla era un síntoma claro de la satisfacción general inspirada por la unión de las dos coronas hispanas, que implicaba aunar esfuerzos en una suma de fuerzas dispares.

Con una economía y un comercio boyantes, Castilla era ya una potencia europea. Su población alcanzaba siete millones de habitantes, siete veces más que la corona de Aragón, que sin embargo poseía una gran red mercantil en el Mediterráneo, incluyendo Sicilia y otros territorios en el sur de Italia y Cerdeña. Por otra parte, las haciendas de Castilla y León eran ricas, y sus comerciantes, que manejaban el mercado lanero, tenían representantes en las principales ciudades europeas. Además, recibían muchos ingresos de los impuestos procedentes del consumo y de las alcabalas y aduanas interiores.

En el aspecto político, las dos coronas diferían bastante. En Castilla, el poder de la monarquía era indiscutible, y en la mayoría de los casos las disposiciones reales no necesitaban del refrendo de las Cortes o de los concejos. En Aragón, por el contrario, la situación a la hora de mandar era más complicada. La autoridad real estaba mucho más reducida, y el monarca debía contar en sus decisiones con el consenso de las cortes de Cataluña, Zaragoza y Valencia, de la nobleza aragonesa, catalana y valenciana, de la Generalitat de Barcelona y de los fueros locales y comarcales. Todo lo cual componía un rompecabezas legal que dificultaba la ejecución de las leyes propuestas por el monarca.

Como señala J. Gil Palao[9], en su obra *Fernando el Católico*, para fortalecer la monarquía dual recién nacida era preciso concentrar el poder, la potestad de gobierno y el ejército. «Fernando era consciente —dice— de que una nueva época se abría ante Europa, y de que solo los que se aprestan a transformar sus Estados de acuerdo con las exigencias de los nuevos tiempos tendrían la oportunidad de entrar a la disputa del *dominium mundi.* La conciencia, tan clara y nítida, que tuvo de esta situación, junto a a la maestría con que ejecutó los planes y proyectos que le permitirían afrontarla, son los hechos por los que el Rey Católico fue considerado el prototipo de los gobernantes de su época.»

Pero muchas de las reformas puestas en marcha en Castilla resultaron casi imposibles de aplicar en Aragón. Tras la insurrección de Barcelona contra el rey Juan II, la situación de Cataluña llegó a ser calamitosa. Las peticiones económicas de Fernando a las Cortes catalanas en noviembre de 1480 resultaron baldías, y el Rey Católico no consiguió los recursos que necesitaba para rcuperar el Rosellón y la Cerdaña, que en esa fecha continuabn todavía en manos de Luis XI.

Solo a mediados de 1481, Fernando logró las 300 000 libras y 12 barcos que había solicitado el año anterior, y también pudo colocar a algunas personas de su confianza en puestos relevantes de la gobernación catalana, pero a cambio de aprobar una serie de leyes que reforzaban la autonomía jurídica y política del Principado, como la Observancia que autorizaba a la Generalitat a intervenir contra el monarca en caso de que este vulnerase determinados privilegios históricos. En todo caso se trataba de un entendimiento que facilitaba la recuperación (*redreç*) de la alicaída economía de Cataluña tras los diez años de guerra que habían socavado el reinado de Juan II de Aragón.

El nuncio Nicolás Franco

Los conflictos del papa con la Casa de Aragón reinante en Nápoles, la insidiosa influencia de Portugal y Francia, y la ruptura con el arzobispo Carrillo fueron factores adversos para los Reyes Católicos en su relación la Iglesia de Roma.

Con actitud recelosa, el papa Sixto IV accedió a recibir a los embajadores de Isabel y Fernando en julio de 1475 por insistencia del cardenal Rodrigo Borja, y pocos días después el pontífice decidió enviar al nuncio Nicolás Franco a Castilla para tratar tres asuntos que la Santa Sede consideraba de urgente solución: el pago de las rentas de la Iglesia española a Roma, el peligro turco, y los problemas suscitados por los falsos conversos judíos en España.

Franco llegó en abril de 1476 a Valladolid, cuando los reyes se preparaban para viajar a Madrigal de las Altas Torres, donde se habían convocado Cortes, y permaneció en España hasta noviembre de 1477. Las conversaciones más importantes tuvieron lugar en Sevilla y se desarrollaron en un clima de entendimiento. Al nuncio le pareció que los Reyes Católicos, y en especial la reina, tenían un deseo sincero de servir a la Iglesia, y a partir de ahí se cerraron varios acuerdos. La recogida de las rentas que Roma reclamaba se encomendó a los banqueros italianos Spinola y Centurione, asentados en España, y ambas partes convinieron en que los obispos, que en aquella época solían ser dueños de fortalezas y grandes señoríos, se escogieran entre personas fieles a la Corona.

Gracias a las gestiones de Nicolás Franco y sus informes en la corte papal, los Reyes Católicos pasaron a convertirse en aliados preferentes del Pontificado. A cambio de compensaciones, casi todas de carácter económico, el papa consintió en que el niño Alonso de Aragón, bastardo del rey Fernando, obtuviera el arzobispado de Zaragoza; y también anuló la dispensa para el matrimonio de Alfonso V de Portugal y Juana la Beltraneja, cuando ya el portugués había desistido de tal boda. Se trataba más bien de un acto simbólico, pero que zanjaba definitivamente la legitimidad de Isabel ante cualquier residuo de controversia dinástica como sucesora de Enrique IV.

La sociedad judía

El hispanista francés Joseph Pérez deja sentado que en la España medieval coexistieron mal que bien tres religiones, pero solo hubo dos civilizaciones dominantes: la árabe y la cristiana. La primera fue más brillante hasta el siglo XI, cuando la segunda tomó el relevo. En cuanto a los judíos asimilaron hábilmente una y otra, lo cual les permitió desempeñar el papel de intermediarios entre musulmanes y cristianos.

En esa situación se formaron en la España medieval las comunidades judías o aljamas, que disfrutaban de una relativa autonomía, y disponían de sinagogas, escuelas y cementerios bajo la autoridad de sus propios magistados.

Placa de calle que marca en la actual Segovia el barrio de la antigua judería.

Interior de la Sinagoga Mayor de Segovia.

«Dichas aljamas —afirma Pérez— no eran guetos, los judíos elegían libremente su domicilio y si preferían reagruparse en ciertos barrios era por comodidad, para estar más cerca de la sinagoga, de la escuela talmúdica, de la carnicería cosher donde se aprovisionaban».

Aunque la convivencia entre cristianos y judíos estaba lejos de ser idílica, estos disponían de suficiente libertad como para estar a salvo de la arbitrariedad que las dificultades económicas suscitaban en los estamentos nobliarios, y vivían en las aljamas de acuerdo con sus tradiciones. Lo mismo ocurría con los musulmanes en territorio cristiano (mudéjares), a quienes también se les respetaba su lengua, religión, costumbres y fiestas tradicionales.

Esta situación de convivencia comunitaria no tenía parangón en Europa. Aunque los judíos y musulmanes estaban situados en un escalón social inferior al de los cristianos, el equilibro existente permitía que cada grupo viviera sometido a sus leyes particulares. Eso era algo que escandalizaba a los viajeros europeos extranjeros, que veían a España impregnada de influencias «orientales» en su cultura y actividad cotidiana. «Durante mucho tiempo después de la creación de la Inquisición— dice Pérez— , después de la expulsión de los judíos y después de la conversión forzosa de los musulmanes, Europa occidental conservó la imagen de una península Ibérica infectada por su larga cohabitación con semitas, de una región que hacía pensar más en un país de Oriente que en tierra de la cristiandad».

En 1474 existian en Castilla unas 300 poblaciones con aljamas y el papel de los judíos en la guerra sucesoria fue considerable. Del abastecimiento de los ejércitos pasaron a recaudar impuestos y al manejo financiero de grandes capitales, con los cuales realizaban préstamos a la monarquía, la nobleza y la Iglesia. Solo ellos —como dice Vicens Vives— conocían el valor del dinero en Castilla.

Junto a esto, su actividad en el sector artesanal fue importantísima, y puede afirmarse que en la época de los Reyes Católicos los hebreros constituían el grupo económicamente más activo en toda España. Al iniciar su reinado, Isabel y Fernando se sirvieron mucho de ellos, ya que eran los que mejor entendían el cobro y administración de las rentas públicas. Don Abrahám Senir, por ejemplo, era almojarife (recaudador) mayor de Castilla, y cuando el contador mayor don Gaón fue asesinado en Vitoria, le sucedió Ben Arroyo, también judío. En la Guerra de Granada el funcionamiento y control de la complicada máquinaria que permitía el abastecimiento y el pago a las tropas cristianas debieron mucho a su eficacia. Pese a todo, la idea de la expulsión fue tomando cuerpo porque, como el cobro de los impuestos corría a su cargo, los judíos pasaron a ser el chivo expiatorio de un sector importante del conjunto social. Un sentimiento azuzado por algunos discursos de cristianismo flamígero, como ocurrió con las predicaciones de san Vicente Ferrer en Valencia.

En tiempo de los Reyes Católicos vivían en España unos 200 000 judíos, que formaban una sociedad al margen de la cristiana dominante. La mayoría de ellos desempeñaban oficios artesanos o de pequeños comerciantes, y una pequeña minoría practicaba el gran comercio y poseía fortunas que le permitían prestar dinero a la Corona, a nobles y a particulares. «Los soberanos, los principes de la Iglesia y los grandes feudales les confiaron de buen grado la gestión de sus negocios y el encargo de recaudar impuestos, diezmos y tasas diversas. Fue ese aspecto – asegura Joseph Pérez— el que alimentó el odio del pueblo hacia los judíos.»

A finales de la Edad Media, el reforzamiento del poder real implicaba una administración eficaz del Estado, con burocracia y medios de militares pujantes, lo cual exigía ingresos fiscales importantes. Pero —según Pérez—, al ser los judíos quienes recaudaban los impuestos, se fue creando el estereotipo del judío que chupa la sangre de los pobres, beneficiario de la opresión fiscal.

Cristianos nuevos

Al declararse la guerra civil y entronizarse la dinastía de los Trastámara en Castilla en el siglo XIV, el antijudaísmo pasó a ser explotado, y se presentó como justificación piadosa de un conflicto que en su origen no tenía raíz religiosa. El hambre, la subida de los precios y la presión fiscal provocaron tensiones entre pobres y ricos, y el antijudaísmo sirvió como válvula de escape de la violencia social.

A partir del siglo XV la cifra de judíos practicantes de su fe no superaba los 100 000 en toda España, aunque había muchos más convertidos al cristianismo. Fueron los llamados «cristianos nuevos» o «conversos», que formaban grupos numerosos en las principales ciudades de Andalucía y Castilla, atraídos por los negocios, el comercio, las finanzas y el artesanado, con auténticas dinastías de mercaderes muy influyentes en ciudades importantes como Burgos, que dominaba el comercio internacional de la lana.

La expulsión de los judíos que se produjo en 1492 está directamente relacionada con la situación de los judeoconversos. El problema empezó a enconarse a mediados del siglo XV por el rechazo visceral de un sector importante de cristianos viejos, azuzado por una parte de la nobleza. En este antagonismo se mezclaron complejos factores religiosos, socioeconómicos y xenófobos que terminaron radicalizando un asunto al que los Reyes Católicos no supieron dar salida con medidas políticas y eclesiásticas, en parte por la injerencia del Papado, que consideraba a España un país «infectado» de herejía y en peligro por la convivencia de la mayoría cristiana con judíos y mahometanos.

La ola de violencia antijudía llegó a su apogeo en 1391, con una serie de matanzas en las aljamas de Sevilla, Valencia, Barcelona, Toledo y otras ciudades. Miles de judíos se vieron forzados a aceptar el bautismo, y estos «cristianos nuevos» llegaron a ocupar altos puestos en la administración y la Iglesia. Hubo grandes prelados descendientes de conversos, y tres secretarios de los Reyes Católicos, entre ellos el cronista Hernando del Pulgar, también lo eran. Los conversos pudieron acceder a profesiones que antes tenían prohibidas y fueron numerosos en los cargos públicos, ejerciendo como regidores y jurados en algunos municipios. Otros entraron en el clero, y alcanzaron puestos de responsabilidad y prestigio, como canónigos o priores.

Las cosas no cambiaron mucho al principio del reinado de los Reyes Católicos. Uno de los principales objetivos que Isabel y Fernando se habían fijado era restablecer la justicia y la seguridad en todo el reino, algo que benefició a los judíos igual que al resto de sus súbditos. La misma reina Isabel garantizó formalmente en varias ocasiones el amparo a la comunidad judía. Aunque la convivencia entre cristianos y judíos estaba lejos de ser armoniosa, estos seguían viviendo agrupados de acuerdo con sus tradiciones, lo mismo que los musulmanes que residían en territorio cristiano, a quienes también se les respetaba su lengua, religión y costumbres. En la corona de Aragón, ni Barcelona, ni Valencia ni Mallorca contaban con aljamas, y Fernando nunca tuvo inconveniente de servirse de judíos o conversos como consejeros personales.

> Por esta mi guarda —ordenó la reina Isabel en una carta el 6 septiembre de 1477 dirigida a los judíos de Sevilla— [...] y so y amparo y defendimiento real a los dichos judíos de las dichas aljamas y a cada uno de ellos y a sus personas y bienes les aseguro que todas y cualesquier personas de cualquier estado que sean [...] les mando y defiendo que no los hieran, ni maten, ni lisien, ni consientan herir, ni matar ni lisiar.

Todavía en agosto de 1490, Isabel volvió a reafirmar su voluntad de que los judíos pudieran vivir pacíficamente en Castilla, y hacia esa misma época estos se congratulaban con sus correligionarios de Roma de ser súbditos de reyes tan justos. Como dice el mencionado hispanista francés: «En varias ocasiones se ha señalado que si Fernando e Isabel hubiesen muerto en 1491, el juicio que sobre ellos emite en la actualidad el mundo judío sería muy diferente».

SERMONES INCENDIARIOS

La comunidad hebrea residente en Castilla estaba sometida a la autoridad de un rabino mayor, Abraham Seneor, que optaría por el bautismo en 1492, apadrinado por los Reyes Católicos con el nombre de Fernando Fernández Coronel, y consiguió ser nombrado «caballero veinticuatro» de Sevilla. En 1449 los cristianos viejos de Toledo, dirigidos por Pedro Sarmiento, obligaron al ayuntamiento a excluir a los conversos de todos los cargos municipales, y la ciudad se dividió en dos bandos hostiles.

Atizaron la polémica, que se extendió por Castilla y Andalucia, una serie de autores y predicadores antijudíos, como el franciscano Alonso de Espina, confesor de Enrique IV, y un prior de los dominicos llamado Alonso de Hojeda que en 1478 predicó en Sevilla, ante la reina Isabel, un sermón incendiario en el que denunciaba a los falsos conversos. Con él se mostraron de acuerdo el cardenal Mendoza y un prior de Segovia que luego se haría famoso: Tomás de Torquemada.

El resultado de estos hechos fue que los Reyes Católicos solicitaron al papa Sixto IV ese mismo año la creación de un tribunal inquisitorial para castigar la prevaricación de los falsos conversos. Hasta entonces Castilla nunca había tenido una Inquisición dirigida desde el trono. Para ocuparse de la herejía habían bastado los obispos y sus tribunales, pero la nueva Inquisición atendía a una situación que Isabel y Fernando consideraban de emergencia y demandaba medidas excepcionales. Esta Inquisición era legalmente un órgano eclesiástico, pero los nombramientos de inquisidores y las finanzas pasaban a estar en manos de la Corona, con lo cual tenía mucho más de institución seglar que religiosa. Los inquisidores iniciaron sus actuaciones en Sevilla en 1480 y más de 4000 familias de conversos huyeron de Andalucía. Las fugas fueron tan numerosas que algunas partes del sur de España quedaron despobladas.

El historiador Henry Kamen asegura que el objetivo de la Inquisición, aunque no tenía autoridad para ir contra los judíos confesos, era extirpar la cultura judía inmersa en una sociedad eminentemente católica. Según Kamen, esto fue lo que movió a los conversos ricos de Sevilla a organizar en secreto una resistencia armada, pero fueron detenidos y castigados públicamente. El primer auto de fe, con seis personas quemadas, tuvo lugar el 6 febrero de 1481, y en 1492 ya había tribunales extendidos por toda Castilla y Andalucía. El cronista Hernando del Pulgar estima que en ese periodo fueron condenados a muerte en Castilla unos 2000 conversos, y Andrés Bernaldez calculó que en Sevilla, entre 1480 y 1488, se quemaron a más de 700 personas y se «reconciliaron» a otras 15 000. La reconciliación incluía una serie de castigos que iban desde la cárcel hasta la confiscación de las propiedades. No cabe duda —dice Kamen— que la persecución iba dirigida exclusivamente contra los «cristianos nuevos» sospechosos de seguir fieles a su antigua religión (criptojudaísmo), pero tras la gran represión de 1481-82 en Sevilla, las protestas por los abusos del procedimiento inquisitorial llegaron a Roma. No faltaban incluso quienes se mostraban perplejos por el celo excesivo que el rey Fernando ponía en el empeño, teniendo en cuenta que una trasabuela del monarca había sido concubina judía del maestre de Santiago, don Fadrique, hermano gemelo del rey Enrique II ; De este linaje descendían los Enriquez castellanos, y por tanto la madre de Fernando.

Lo cierto es que cuando en enero de 1482 el papa Sixto IV recordó a los inquisidores que seguían sujetos a la jurisdicción pontificia y debían evitar que el Santo Oficio se empleara con fines políticos, Fernando reaccionó contra esas instrucciones. En ningún caso quería verse privado de un instrumento de poder que reforzaba su autoridad en la corona de Aragón, y el papa, finalmente, tuvo que ceder porque necesitaba el apoyo del Rey Católico en otros asuntos relacionados con Italia.

Aún así, Sixto IV otorgó poderes al arzobispo de Sevilla, Iñigo Manrique, para dirimir las apelaciones de sentencias dictadas por los inquisidores nombrados por el rey, y poco antes de morir dictó que los obispos españoles pudiesen «reconciliar» con la Iglesia a los conversos sevillanos amenazados. La enérgica protesta del rey Fernando, sin embargo, hizo retirar al nuevo papa Inocencio VIII esta última decisión de su predecesor.

GUERRA DE CLASES Y RELIGIOSA

Para el historiador Dominguez Ortiz, los sangrientos sucesos relacionados con los conversos tuvieron tanto de guerra de clases como de religión, ya que las motivaciones económicas y sociales eran bastante claras, aunque se ocultaran tras el pretexto religioso.

La violencia y la segregación contra los conversos se manifestaron plenamente en la revuelta toledana de 1449, que fue seguida de una sentencia municipal que les prohibía ocupar cargos en los concejos, revocada poco después por Enrique IV. Todo esto contribuyó a fomentar la polémica sobre la marginación de los cristianos nuevos, en la que, como se ha dicho, participaron numerosos autores y autoridades eclesiásticas.

Después de los sucesos de Toledo y las persecuciones de sospechosos de criptojudaismo en ciudades de Castilla y Andalucía durante los años que precedieron a la subida al trono de los Reyes Católicos, la Corona vio urgente por motivos de orden público dar cauce legal a la cuestión. Esta urgencia se aceleró durante el viaje por Andalucia que Fernando e Isabel realizaron en 1477-78, al comprobar que en ese territorio arreciaban los tumultos contra los cristianos nuevos.

En este trance los Reyes Católicos consiguieron que el papa Sixto IV emitiera una bula que les autorizaba a nombrar inquisidores para enjuiciar a los judaizantes. La acción inquisitorial fue muy dura al principio. El primer auto de fe en 1481 y las protestas contra el poder excesivo del Santo Oficio, movieron a Sixto IV a pedir a los inquisidores que actuaran de acuerdo con los obispos ordinarios, y se permitiera la apelación a Roma de cualquier proceso.

Estas medidas moderadoras del pontífice fueron retiradas en 1483 por la enérgica protesta del rey Fernando, que veía en la Inquisición un instrumento del que no quería prescindir. El 1 de octubre de ese mismo año, a propuesta de los Reyes Católicos, el papa nombró inquisidor general para los reinos de la corona aragonesa al dominico fray Tomás de Torquemada, y a partir de entonces el Tribunal se convierte en el primer órgano jurisdiccional desplegado en todos los territorios de Aragón y Castilla, y por tanto en un instrumento de Estado fundamental. En años posteriores se formó el Consejo de la Inquisición y se promulgaron las instrucciones de funcionamiento de los tribunales, que incluían la gestión de los bienes confiscados a los reos de herejía.

Con Torquemada, que tenía ascendientes judíos, la represión se redujo un tanto, aunque continuara siendo rigurosa. Las relaciones de colaboración del nuevo inquisidor con Fernando se hicieron más frecuentes, y desde 1484 todas las actividades inquisitoriales quedaron subordinadas a un Consejo Supremo.

Los procedimientos procesales, que incluían la tortura y la entrega del reo a la justicia seglar (relajación), eran de origen medieval, lo mismo que la aplicación de las penas previstas en casos de herejía, apostasía, brujería o blasfemia. Lo singular de la Inquisición que manejaron Isabel y Fernando consistía en la facultad exclusiva que se arrogaban los reyes de nombrar a los inquisidores (a pesar de ser la Inquisición un tribunal eclesiástico) y eliminar el recurso de apelación a Roma.

Como las particularidades del procedimiento procesal era muy desfavorables a los acusados por el secreto absoluto, el anonimato de los acusadores, la confiscación de bienes que seguía a la detención y la transmisión de culpa a los descendientes (que además de arruinados quedaban inhabilitados para cargos públicos), la Inquisición pasó a ser el tribunal más temible de España, aunque sus métodos no fueran diferentes a los que imperaban en toda Europa.

Desterrados

El decreto de expulsión del 31 marzo de 1492 cayó por sorpresa. En el plazo de tres meses, que luego fue ampliado, los judíos de todo los reinos de las coronas de Castilla y Aragón tenían que elegir entre la conversión o el destierro, y los que se marcharan no podía sacar de España oro ni plata.

Hubo bastantes que prefirieron cambiar de religión antes que abandonar sus casas y actividades en suelo español, pero la mayor parte eligió el camino del destierro.

Del impacto emocional que la medida provocó dan idea estas palabras del cronista Colmenares que hacen referencia a la judería de Segovia, una de las más prósperas de Castilla:

> A los principios de agosto, dejando sus casas se salieron a los campos, enviando algunos de ellos a los reyes que pidiesen dilación. Estaban los campos del Osario, nombrado así por tener allí sus sepulcros... llenos de aquella miserable gente, albergándose en las sepulturas de sus mismos difuntos y en las cavernas de aquellas peñas. Algunas personas de nuestra ciudad, religiosas y seculares, celosas de la salvación de aquellas almas, aprovechando tan buena ocasión, salieron a predicarles su conversión en y advertirles su ciega incredulidad contra la luz de tantas evidencias en tan dilatados siglos y calamidades. Algunos se convirtieron y bautizaron, dando nombre al lugar que hasta hoy se nombra Prado Santo por este suceso.

La venta apresurada de bienes aumentó la tragedia. Andres Bernáldez cuenta que vio cambiar «una casa por un asno y una viña por un poco de paño o lienzo». En seis meses los hebreos malbarataron sus haciendas y casaron «a todos los mozos y mozas que eran de 12 años arriba, unos con otros, porque todas las hembras de esa edad arriba fuesen a sombra y compañía del marido». En todo —dice— «hubieron siniestras venturas [los judíos]», puesto que hubo cristianos que se quedaron con ricas casas y herencias por poco dinero. Los especuladores, que siempre abundan en este tipo de situaciones, hicieron su agosto, y algunos se negaron incluso a pagar las deudas que tenían pendientes con los expulsados.

En la organización del éxodo por mar participaron el converso y funcionario real Luis de Santángel y el banquero genovés Francisco Pinelo, pero los abusos persistieron durante el viaje, una vez lejos de la protección real. En muchos casos los patronos de los barcos subieron abusivamente el precio convenido y en altamar incumplieron lo acordado, llegando incluso al asesinato de familias para quedarse con los bienes que llevaban.

Gran número de los desterrados (unos 90 000) pasó a Portugal, y en Cádiz se embarcaron otras 8000 familias de Andalucía, después de recorrer los caminos abrumados de fatiga.

> Se metieron al trabajo del camino, y se salieron de las tierras de sus nacimientos —dice Bernáldez—, chicos y grandes, viejos y niños, a pie y caballeros

Expulsión de los judíos. Cuadro de Joaquín Turina Areal.

> en asnos y otras bestias, y en carretas, y continuaron sus viajes cada uno a los puertos que habían de ir; e iban por los caminos y campos… con muchos trabajos y fortunas, unos, yendo, otros levantando, otros muriendo, otros naciendo, otros enfermando, que no había cristiano que no hubiese dolor de ellos, y siempre por do iban los convidaban al bautismo, y algunos con la cuita se convertían y quedaban, pero muy poco, y los Rabies los iban esforzando, y hacían cantar a las mujeres y mancebas y tañer panderos y adufos para alegrar la gente, y así salieron fuera de Castilla y llegaron a los puertos, donde embarcaron los unos, y nosotros a Portugal.

La expulsión de los judíos fue una medida tan rigurosa que no la consideraron necesaria ni el papa en sus Estados pontificios, ni otros príncipes que se tenían por fervorosos cristianos. Desde el punto de vista económico la decisión contribuyó a empobrecer a España. Con los judíos desapareció el espíritu mercantil y el conocimiento financiero que les había permitido adelantar dinero a la Corona por medio de empréstitos. Para sustituirlos, fue necesario recurrir a los banqueros genoveses y alemanes, que encauzaron hacia sus países el oro y la plata españoles. Con razón Quevedo se quejaría siglo y medio después de que el oro nacía en las Indias, venía a morir en España y era enterrado en Génova.

¿Cuál fue el papel de Fernando en todo esto? Parece evidente que a Fernando la Inquisición le resultaba una herramienta formidable para apuntalar la unidad de la Corona, al reclamar un espacio de autoridad reservado hasta entonces a la Iglesia. Lo cierto es que desde el principio los Reyes Católicos insistieron en que ningún perjuicio de carácter económico impediría la expulsión, por ser un asunto que atañía a la fe religiosa.

Ni siquiera después de la muerte de Isabel, mostró Fernando la menor señal de arrepentimiento por la decisión, y siempre se mostró convencido de que había actuado con justicia. La medida no se tomó por cuestiones de dinero. En este sentido la expulsión perjudicaba a la Corona, puesto que los judíos tributaban directamente al rey.

En todo caso, Fernando mostró su absoluta conformidad, y hasta incluso mayor grado de rigor que Isabel en la aplicación del edicto, insistiendo en que los perjuicios económicos que tal acto podía acarrearle no eran comparables a las ventajas de la unidad religiosa

Tampoco parece haber muchas dudas de que la mayoría de la población cristiana, tanto en Castilla como en Aragón, se mostraba contraria a los judíos por las razones expuestas, y eso influyó poderosamente en la decisión de los Reyes Católicos. A esto se añadió que algunas ciudades se aprovecharon de las medidas restrictivas adoptadas en las Cortes de Madrigal y de Toledo para no pagar los préstamos o concentrar a los judíos en barrios reducidos y malsanos. «Había entrado en juego una dimensión, el odio, que escapa incluso al control de los príncipes». (Luis Suárez)

Al suscribir el decreto de expulsión presentado por Torquemada en marzo de 1492, Fernando se comprometió directamente con la decisión, ya que la hizo extensiva a la corona de Aragón. Eso le enfrentó a un porfiado rechazo en su propio reino, hasta el extremo de tener que amenazar con emplear las armas para que se cumpliera el mandato. Pero todos los argumentos que utilizó para justificar la medida fueron religiosos, basados en que la práctica de la religión judía era un peligro para el fundamento cristiano de la Corona.

Los reparos de Roma

La medida de la expulsión, que buscaba la unidad religiosa como medio de fortalecer el Estado, tenía su trasfondo más inmediato en la creación del Tribunal de la Santa Inquisición, pese a que esta institución no era una novedad en Europa y, por supuesto, los Reyes Católicos tampoco fueron sus inventores.

A petición de Isabel y Fernando , el papa Sixto IV emitió en 1478 una bula por la cual les autorizaba a elegir dos o tres inquisidores de la orden dominicana que juzgasen a los reos con las normas de la Inquisición romana. El 17 septiembre de 1480 publican los estatutos del Santo Oficio y son nombrados jueces del Tribunal los dominicos fray Miguel Morillo y fray Juan de San Martín.

En febrero de 1481 el cardenal Mendoza publicó un edicto de gracia por el cual los conversos que se creyesen culpados y se presentaran voluntariamente solo recibirían penas canónicas. Unas 17 000 personas se acogieron a esta medida, y pasado el plazo siguió un período de extremo rigor, con numerosas quemas. Por esa época, entre conversos, judíos y moriscos, sumaban en Castilla casi 600 000 habitantes que suponía el 8,4% de una población de 7 millones; y en la corona de Aragón, el total de los tres grupos citados llegaba a unos 300 000, de una población que apenas llegaba al millón. Pero Henry Kamen afirma que solo una pequeña proporción de los judíos abandonó España, porque la mayoría se quedó dentro del país, y calcula esa cifra en unos 50 000. Según el historiador británico, en la segunda década del siglo XVI las persecuciones de la Inquisición ya casi habían desaparecido de la vida pública en España.

Cuando las protestas por la dureza de la represión llegaron a Roma, el papa Sixto IV intervino pidiendo menor severidad.

> La Inquisición en Aragón, Valencia, Mallorca y Cataluña lleva tiempo actuando —protestó el Papa en una sorprendente bula, en abril de 1482— no por celo de la fe y la salvación de las almas, sino por la codicia de la riqueza y muchos verdaderos y fieles cristianos, por culpa del testimonio de enemigos, rivales, esclavos y otras personas bajas y aun menos apropiadas, sin pruebas de ninguna clase, han sido encerradas en prisiones seculares, torturados y condenados como herejes relapsos, privadas de sus bienes y propiedades y entregadas al brazo secular para ser ejecutadas, con peligro de sus almas, dando un ejemplo pernicioso y causando escándalo a muchos.

De acuerdo con esto, —explica Kamen— el papa pedía que en lo sucesivo funcionarios episcopales actuaran conjuntamente con los inquisidores; acabaran las denuncias anónimas, se utilizaran los calabozos episcopales y se autorizaran las apelaciones a Roma. «Por primera vez —dice el historiador Henry Charles Lea— se declaraba que la herejía era, al igual que cualquier otro delito, acreedora a un juicio honrado y una justicia recta».

Fernando se sintió ultrajado con esta bula papal, y hasta pretendió negar su autenticidad, basándose en que ningún pontífice en sus cabales hubiera publicado un documento como ese. El 13 de mayo de ese mismo año escribió una dura carta a Sixto IV, reconviniéndole por sus palabras:

> Me han contado cosas, Santo Padre, que, de ser ciertas, sin duda merecerían el mayor de los asombros. Se dice que Su Santidad ha concedido a los conversos un perdón general por todos los errores y delitos que han cometido... Sin embargo, yo no he dado crédito a esos rumores, porque parecen cosas que de ningún modo habrían sido concedidas por Su Santidad, quien tiene un deber para con la Inquisición. Pero si por acaso hubieran sido hechas concesiones por la persistente y astuta persuasión de los citados conversos, no pienso permitir jamás que surtan efecto. Tenga cuidado por lo tanto de no permitir que el asunto vaya más lejos, y de revocar toda concesión, así como de confiarnos el manejo de la cuestión.

Sixto IV se mostró vacilante ante la firmeza del Rey Católico y a partir de entonces la cooperación entre Fernando y el Papado quedó asegurada por otra bula (17 de octubre de 1483) que nombraba inquisidor general de Aragón, Valencia y Cataluña a fray Tomás de Torquemada, con lo que toda la Inquisición española quedaba en una sola mano, dependiente por completo de la Corona.

La protesta de Aragón

Aunque la bula del papa establecía el Consejo Supremo de la Inquisición, y el nombramiento de Torquemada como inquisidor general, este tuvo muchas dificultades —como ya se ha dicho— para realizar su cometido en el territorio de la corona aragonesa. El papa siguió reivindicando la jurisdicción del Tribunal inquisitorial, pero Fernando y los inquisidores bloquearon cualquier injerencia de Roma en una institución que estaba ya totalmente en manos del Rey Católico.

Seguramente, las razones políticas del rey Fernando pesaban en su ánimo mucho más que las religiosas, pero lo cierto, —indica el historiador Fernando Sesma— es que la vieja inquisición aragonesa —que se remontaba al siglo XIII estaba arrumbada y prácticamente inactiva—, y con la nueva, dependiente de la monarquía, «se conseguía tanto abrir una brecha en el imponente conjunto procesal aragonés, independientemente de su autoridad, como ratificar una línea fundamental de su política: la del regalismo religioso».

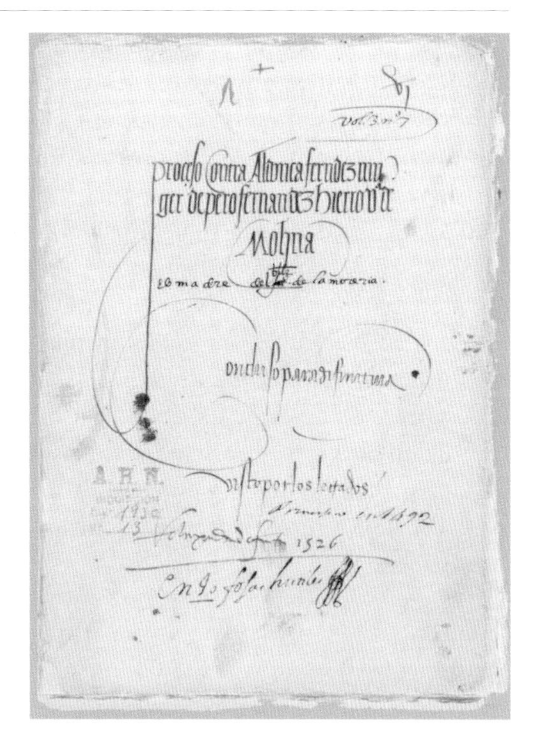

Proceso de fe contra Aldonza Fernández, mujer de Pedro Fernández Hierro, vecina de Molina de Aragón, seguido en el Tribunal inquisitorial de Sigüenza-Cuenca por criptojudaísmo, 1492-1526.
Archivo Histórico Nacional.

Cuando se reunieron las Cortes de Zaragoza de 1484, Torquemada habló a los procuradores, pero sus palabras no tuvieron mucho eco y las protestas se extendieron. En esa ciudad los conversos eran poderosos y había emparentado con muchas familias de caballeros. Aun así, Torquemada logró nombrar dos nuevos inquisidores en Aragón, Pedro de Arbués y Gaspar de Joglar, con el asentimiento de la mayoría de los próceres aragoneses.

Cuando la ciudad de Teruel, que tenía fuero propio, prohibió actuar a los inquisidores en su territorio, la Diputación de Zaragoza aprovechó este rechazo y pidió a Fernando que anulara el nombramiento de Torquemada por ser contrario a fuero.

Fernando replicó que al tratarse de una cuestión de fe, y haber sido nombrado Torquemada por el papa, el asunto no afectaba al fuero, y amenazó con ocupar Teruel con sus tropas. Pero eso no detuvo la protesta. En Aragón hubo resistencia armada y alborotos, en muchos casos apoyados por caballeros y gente principal, «publicando —dice Zurita— que aquel modo de proceder era contra las libertades del reino, porque por este delito [de herejía] se les confiscaban los bienes y no se les daban los nombres de los testigos que deponían contra los reos… tenían a todo el reino de su parte».

En realidad, la introducción de la nueva Inquisición y la disputa de Fernando con el papa Sixto IV no provocaron en Aragón demasiada inquietud por el mantenimiento de los fueros, ya que el rey solo reactivaba una institución con siglos de existencia en la corona aragonesa. Pero el nombramiento de Torquemada sí levantó gran protesta, porque suponía extender a Aragón la autoridad de un tribunal originario de Castilla.

Cuando se reunieron Cortes en Tarazona en enero de 1484 para aprobar la designación de Torquemada, Cataluña reclamó el derecho a tener inquisidor propio, y se negó a aceptar un inquisidor general. Durante dos años, Fernando fue incapaz de imponer sus demandas, hasta que el nuevo papa Inocencio VIII aprobó todos los candidatos presentados por el rey aragonés para los tribunales de la Inquisición en Cataluña. No fue hasta 1487 cuando se permitió entrar en Barcelona a Alonso de Espina, representante de Torquemada.

Los consellers de Barcelona se quejaron de que con la huida en masa de los conversos «los reinos extranjeros se están enriqueciendo y glorificando con la despoblación de este país, que se está quedando desolado». Pero esas palabras cayeron en saco roto, y Fernando se mantuvo inflexible, alegando que la defensa del dogma católico estaba por encima de cualquier otra consideración. «Ninguna causa o interés —fue su respuesta—, por grande y firme que sea, hará que suspendamos la Inquisición».

CONFUSIÓN Y REPRESIÓN

En este punto estaban las cosas cuando el inquisidor Pedro de Arbués fue asesinado en la iglesia catedral de la Seo zaragozana.

Tras el primer auto de fe en Aragón y el proceso contra Samuel de Eli, uno de los hombres más ricos de Zaragoza, los conversos suplicaron a Fernando que pusiera fin a la actuación del Santo Oficio, y le ofrecieron en compensación una suma considerable, pero el rey rechazó la oferta y la Inquisición redobló su actividad.

En esta situación un grupo de conspiradores conversos, reunidos en casa de Luis de Santángel, tío del futuro tesorero mayor de Aragón del mismo nombre, acordó acabar con la vida de Arbués. Entre los confabulados estaban Sancho de Paternoy, tesorero mayor de Aragón, y el vicecanciller Alfonso de la Caballería.

En la noche del 15 se septiembre de 1486 se produjo el crimen. El inquisidor fue atacado por Juan de Esperandeu y Vidal Durango en la Seo y murió dos días después de las heridas. Los implicados fueron pronto capturados y torturados antes de morir en la hoguera, pero el atentado puso a muchos en Aragón en contra de los autores. El temor se extendió y se produjeron algaradas contra los conversos, creando un ambiente poco propicio a contrariar a los monarcas. Juan Pedro Sánchez, cabecilla de los conjurados, pudo cruzar la frontera y se refugió en Toulouse.

La resistencia a la Inquisición cesó en Teruel y se debilitó en Valencia y Barcelona, que en 1487 terminó aceptando el hecho consumado de la actuación del Santo Oficio con la toma de posesión del inquisidor fray Alonso de Espina. Incluso después de esa fecha, los primeros autos de fe que se hicieron en la ciudad condal en 1488 despertaron profunda hostilidad y motivaron protestas, pero Fernando se mantuvo en sus trece.

La disputa por suprimir la Inquisición era sobre todo una lucha política para limitar las atribuciones de la Corona, y Fernando respondió con dureza al desafío. Cuando en plena campaña de Granada un procurador de la Generalidad valenciana acudió al campamento del rey en Setenil para protestar de que Torquemada hubiera nombrado inquisidores que no eran valencianos, Fernando le reprendió en términos muy ásperos. Le dijo que estaba dispuesto a suspender la campaña para marchar con sus tropas a Valencia y comprobar quienes eran allí sus partidarios verdaderos, y la amenaza surtió efecto. La Generalidad retiró su demanda.

La tensa situación en Aragón se desbocó con el asesinato de Pedro de Arbués el 13 de noviembre de 1485, que desató una terrible represión contra los conversos, con 64 ejecuciones. A partir de ahí, la Inquisición se impuso también en esa Corona. El fin de las juderías aragonesas llegó, como en otras partes de España, con el edicto de expulsión de 1492, que se cumplió rigurosamente. La diáspora provocó en ese territorio una situación conflictiva en lo etnicorreligioso y también en lo económico y familiar, ya que había conversos en muchas familias cristianas.

Más afortunados, de momento, fueron los moriscos, que en Aragón subsistieron en el campo y en pequeñas poblaciones gracias al apoyo que muchos grandes propietarios y nobles les prestaron porque los necesitaban para trabajar los campos, aunque en 1502 también se les obligó a convertirse o emigrar. Con esto, los Reyes Católicos dieron por conseguido su propósito de uniformar a España en plano religioso, y para mantener la situación quedó de centinela la Inquisición, que en líneas generales se mostró más benigna con los moriscos que con los judíos conversos.

Después de la expulsión de 1492, el historiador Ladero Quesada apunta que se combinaron algunas medidas de gracia y reconciliación a los judíos con la prohibición de ejercer deteterminados oficios, como cobrador de impuestos. En este sentido se produjeron rehabilitaciones masivas de conversos en Castilla entre 1495 y 1497 para permitirles el desempeño de cargos públicos y librarles de la herencia » infamante», y muchos siguieron realizando las actividades profesionales que venían desarrollando tradicionalmente, por ejemplo, la medicina.

Las rehabilitaciones prosiguieron en el primer decenio del siglo XVI, siendo ya inquisidor el cardenal Cisneros, y permitieron a muchos parientes de antiguos procesados ejercer cargos públicos, pasar a las Indias o, mediante otros arreglos legales, paliar la ruina de familias de procesados. Pero estas medidas no solucionaron el problema ni pusieron fin a la actuación del Santo Oficio en España. «Si el motivo de la expulsión fue religioso —comenta Kamen—, como sugieren los datos, la expulsión fue un fracaso total, pues en lugar de resolver el problema de los conversos, tuvo el efecto opuesto, y es posible que duplicara de golpe el número de falsos conversos que había en el reino».

Según algunos autores, como el mencionado Ladero Quesada,

> [...] la destrucción de los conversos no beneficiaba ni económica ni políticamente a la Corona, que habría actuado por motivos religiosos, y subsidiariamente por el político de lograr la unidad interna de la sociedad.

En contra de la opinión generalizada, Quesada concluye que Fernando no se aprovechó de modo directo de la Inquisición como instrumento de su política, aunque de manera indirecta aprovechara el Tribunal «para lograr determinados efectos políticos».

Parecida opinión comparte Ernest Belenguer, para quien en realidad la expulsión no implicaba ningún ataque racial, sino solo religioso, y más allá de este propósito las razones económicas no fueron determinantes en absoluto.

> Aquel decreto no se firmó para expoliar deliberadamente a los judíos adueñándose de sus bienes —afirma—. Al fin y al cabo más jugo fiscal y productivo se había obtenido hasta entonces, consintiéndoles su religión y haciéndoles pagar por ello. Nada importaban tampoco las protestas de los municipios que pudieran producirse por causa de la contracción de los negocios mercantiles, de la desestabilización monetaria o del hundimiento de sectores sociales paraburgueses.

Estas discrepancias entre los historiadores reflejan las lagunas que todavía existen para razonar las causas que motivaron una expulsión tan draconiana como repentina. Y sin duda seguirán dando mucho que hablar en el futuro.

Las auténticas razones que motivaron la expulsión no parecen ser muy coherentes con gran papel desarrollado por los judíos (conversos o no) durante el reinado de los Reyes Católicos.

Era de esperar que Fernando mostrara buena disposición hacia los judíos ya que contaba con ellos en su gobierno y era bisnieto de Paloma de Toledo, mujer de legendaria belleza. Además, su padre Juan II había sido benefactor y amigo de ellos, y tenía su motivos, aunque solo fuera porque el médico hebreo

Fray Hernando de Talavera, confesor y consejero de Isabel la Católica desde 1478.

Abieter Aben Cresques, le había salvado de la ceguera al operarle de cataratas.

Era conocida la lejana ascendencia sefardí de Fernando, que siempre había tenido en su entono próximo a numerosos funcionarios y consejeros judíos.

> Cuando Juan II envió a su hijo Fernando a Sicilia como rey —dice Salvador de Madariaga—, le había organizado un Consejo compuesto en su gran mayoría de cristianos nuevos; cuando Fernando volvió a la Península para encargarse de la Corona de Aragón, aumentó todavía la influencia y el número de los conversos, cinco hermanos Sánchez, hijos de un judío bautizado, se vieron confiar cinco altas funciones de Estado, entre ellas las de Baile General de Aragón, Gran Tesorero y Maestro de Ración; y téngase en cuenta que hasta aquí solo se trata de meros ejemplos en la larguísima lista de altos funcionarios neocristianos que rodean al rey. En lo militar, Fernando el Católico confió a los conversos los tres cargos de más confianza del país; las plazas de Perpiñán y de Pamplona y el Mando de la flota de Mallorca. La iglesia de Aragón estaba dominada por los conversos tanto como el Estado o más.

Hay otro aspecto que refuerza el decisivo papel que los conversos desempeñaron en el reinado de los Reyes Católicos. Fernando no hubiera podido casarse con Isabel sin la ayuda de los judíos de Cataluña y Aragón. Fue Abrahám Senior, uno de los próceres judíos de Segovia, quien se entrevistó con influyentes nobles castellanos para inclinarlos al matrimonio de la infanta Isabel con el heredero de Aragón, y acompañó a Fernando cuando fue a visitar por primera vez a la futura reina. Este apoyo no se quedó solo en palabras. Jaime Ram, hijo de un rabino de Monzón, entregó a Fernando 20 000 sueldos para financiar su peligroso viaje a Castilla en 1469, y como las arcas del tesoro aragonés estaban vacías, los judíos compraron el valioso collar de balajes con el que Fernando obsequió a su mujer el día de la boda.

Lo mismo que ocurría con Fernando, la administración de la Casa de la reina Isabel también estaba gobernada en gran parte por sefarditas. Sus tres secretarios, uno de ellos el cronista Hernando del Pulgar, eran conversos, como lo era su inseparable amiga, la marquesa de Moya, mujer del también converso Andrés Cabrera, y hasta lo era su mismo confesor desde 1478, fray Hernando de Talavera.

Razones dudosas

La verdad es que de no ser por la acentuada religiosidad que se les atribuye y el deseo de fortalecer el Estado, resulta difícil de explicar las razones de los Reyes Católicos para ordenar la expulsión, que no supuso beneficio económico para la Corona. El estudioso alemán Werner Sombart comenta que «si los judíos hubieran sido expulsados de España antes de 1492, Colón no hubiera podido descubrir América, porque fueron los judíos españoles los que financiaron la expedición y si los hubieran expulsado un siglo después, la riqueza de los desterrados no hubiera fomentado el capitalismo holandés, el inglés y el alemán, sino el español».

Judíos y conversos, además, apoyaron con entusiasmo el viaje de Colón, quizá —piensan algunos— porque estaban convencidos de que existían hebreos en otras tierras. Una quimera inspirada en la tradición y las interpretaciones bíblicas de los rabinos.

Casi la mitad de los judíos expulsados de España marcharon a Portugal. En ese país, el rey João II les permitió quedarse, lo que le supuso un buen negocio. Pero cuando su sucesor, Manuel I, pidió la mano de una de las hijas de los Reyes Católicos, estos accedieron a cambio de que todos los judíos procedentes de España fuesen también expulsados del suelo portugués.

Manuel I aceptó pero, preocupado por la pérdida financiera que tal expulsión representaba, decretó finalmente que los judíos no serían deportados de Portugal, aunque deberían convertirse al cristianismo. Miles de judíos fueron así bautizados a la fuerza, y vieron sus sinagogas convertidas en iglesias. Otros muchos pudieron huir y algunos retornaron a Castilla. Ya que debían convertirse forzosamente, preferían hacerlo en España, que conocían bien y donde tanto tiempo habían vivido.

A estas alturas de la historia no hay duda de que Fernando fue muy favorable a la expulsión, y cuando alguna ciudad se opuso a los inquisidores, como ocurrió en Teruel, amenazó con enviar al ejército para zanjar el asunto. «Lo curioso —destaca Henry Kamen— es que el rey no era antijudío ni anticonversos; de hecho, todos sus colaboradores más íntimos eran conversos. O sea, que sabemos que actuó en favor de la Inquisición, pero no conocemos realmente sus motivos todavía. Dentro de la poca documentación que tenemos, podemos decir que quería imponer su voluntad en algunos aspectos frente a ciudades que eran muy celosas de su independencia y sus fueros, como era el caso de Teruel, Valencia o Barcelona». Por el contrario, en el caso de Isabel, el historiador de Oxford considera probable que la principal motivación fuera religiosa.

Parece demostrado que el origen de la Inquisición tiuvo sus raíces en las acusaciones contra los falsos conversos, aunque no todas las opiniones coinciden en este punto. Para el historiador Benzion Netanyahu, padre de Benjamín Netanyahu, primer ministro de Israel, la Inquisición nació a causa de las persiones sociales derivadas del antisemitismo preexistente, que era muy fuerte en Andalucía. El odio hacia los conversos por su éxito económico terminó provocando un grave problema social en el que se vio implicada la Corona.

Lo cierto también era que en la Europa del siglo XV la unidad de fe religiosa se consideraba un elemento necesario para mantener la paz social, y no se concebía una nación en la que los súbditos del rey no profesaran la religión de su monarca.

Para resumir, es en el contexto de la tensión entre el poder político y el Papado, donde encaja el nacimiento de la Inquisición española. A mediados del siglo XIV la institución inquisitorial había quedado prácticamente obsoleta en toda Europa, pero rebrota en España en el siglo XV. Ahora bien, a diferencia de lo ocurrido en Francia e Italia, donde la Inquisición nace de una iniciativa pontificia, en Castilla y Aragón nace por iniciativa de Fernando e Isabel, y el Tribunal adquiere un carácter esencialmente político, de institución mixta. Por un lado era un tribunal eclesiástico, pero disponía de jueces nombrados por los Reyes Católicos y tutelado por estos. En la pugna con el papa Sixto IV, que intentó someter a la Inquisición a la autoridad pontificia, los monarcas —y en particular Fernando— se mostraron inflexibles, y finalmente el pontífice tuvo que capitular. El Santo Oficio, que nació como instrumento al servicio de los Reyes Católicos, fue una pieza clave de la maquinaria estatal y nunca dejó de estar adherido políticamente a la Corona.

La toma de Otranto

Que la amenaza turca era una realidad en el Mediteráneo quedó demostrado por la conquista otomana en 1480 de la ciudad de Otranto, en el extremo sur de Italia. La conquista se produjo después del cerco de la isla de Rodas y, además de conmocionar al mundo cristiano, provocó la respuesta armada de los Reyes Católicos.

La ciudad pertenecía al duque de Calabria y los turcos, al conquistarla, hicieron una degollina y la saquearon a fondo. Cuando el grueso de la flota turca partió, quedaron en Otranto varios miles de combatientes otomanos con mucha artillería. Pero los cristianos reaccionaron con rapidez. El duque de Calabria puso cerco a la ciudad y pidió socorro a Fernando el Católico y al rey de Portugal. Con su ayuda, la ciudad fue reconquistada en 1481 y los vencedores hicieron muchos prisioneros y obtuvieron un gran botín de caballos y armas.

La ayuda militar que los Reyes Católicos llevaron a Otranto exigió una movilización general en Castilla, y en especial en la costa vascongada.

> Todos los días —relata el cronista Hernando del Pulgar— venían nuevas al Rey y a la Reina de que el turco tenía gran armada por mar, y que enviaban a conquistar el reino de Sicilia. Mandaron[los Reyes] a Alonso de Quintanilla y al provisor de Villafranca, que administraban las cosas de las hermandades, que fuesen a Vizcaya, a Guipuzcoa y a las montañas, y tomasen las naos que pudiesen haber, la gente, vituallas, armas y artillería que fuese necesaria, e hiciesen armada por mar.

Los representantes reales fueron al País Vasco y reunieron «a los caballeros e hijosdalgo, y procuradores de todas las villas y lugares de aquellas tierras. A los cuales notificaron como el Rey y la Reina mandaban hacer armada por mar para ir contra los turcos... Porque los que moraban en aquel Condado de Vizcaya y en la provincia de Guipúzcoa son gente sabida en el arte de navegar y esforzados en las batallas marinas, y tenían naves y aparejos para ellos, y en estas tres cosas, que eran las principales para las guerras de la mar, eran más instruidos que otra nación del mundo...»

No sin algún recelo, por considerar que la petición real vulneraba sus privilegios, la movilización de los marinos vascos respondió a lo que se esperaba de ellos. En Vizcaya y Guipúzcoa se armaron cincuenta naos, bien abastecidas, que zarparon de Laredo al mando de Francisco Enríquez, hijo del almirante de Castilla. A esa flota se unieron otras veinte naves en los puertos de Galicia y Andalucia, y toda la fuerza naval navegó hasta poner cerco a Otranto.

Si los turcos hubieran mantenido Otranto en su poder, con la Guerra de Granada a punto de empezar, eso les hubiera permitido mantener una excelente base en la península Itálica para la incrementar la actividad corsaria en el Mediterráneo occidental, con posibilidad de prestar ayuda al reino nazarí. Actuando

Altar dedicado a los «Mártires de Otranto» en la catedral de esta ciudad italiana, que recuerda la ocupación turca.

con previsión para impedir este apoyo, los Reyes Católicos «mandaron hacer armada de naos y galeras por la mar», dice Hernando del Pulgar. Estos barcos patrullaban permanentemente el estrecho de Gibraltar y los puertos del norte de Marruecos, y «hacían guerra a los moros y no dejaban pasar navíos de la una parte a la otra».

ALLANANDO GALICIA

En el otoño de 1486 los Reyes Católicos emprendieron viaje a Galicia para arreglar la situación en ese reino, muy alterada por las revueltas populares contra la nobleza (irmandiños), el bandolerismo y los continuos enfrentamientos entre los nobles que sojuzgaban a la gran mayoría del pueblo y constituían un estamento recalcitrante y depredador.

En este escenario de confusión y enfrentamiento, la Corona decidió al final apoyar a los señores para mantener el orden social, pero exigió que los castillos y fortalezas de la nobleza gallega que habían sido demolidos en la rebelión «irmandiña» no fueran reconstruidos, y debido a la corrupción y nepotismo imperantes, sometió a los nobles a la autoridad de un virrey-gobernador foráneo, bajo cuya presidencia se creó una Real Audiencia.

El reino de Galicia, poblado por gentes que Fernando el Católico calificaba de «recias y feroces» llevaba dando quebraderos de cabeza a la Corona desde hacía muchos años, lo que exigía abordar el problema con decisión con el fin de implantar la autoridad real, restablecer el orden, regularizar los derechos señoriales y doblegar a un clero local de costumbres relajadas.

En sus Anales de la Corona de Aragón, el historiador Zurita reseña así el problema:

> En aquel tiempo se comenzó a domar aquella tierra de Galicia, porque no solo los señores y caballeros de ella pero todas las gentes de aquella nación eran unos contra otros muy arriscados y guerreros, y viendo lo que pasaba por el conde [de Lemos] — que era gran señor en aquel reino—él fueron allanando y reduciendo a las leyes de la justicia con rigor del castigo. Volvió el rey de Galicia a Salamanca en fin del mes de noviembre, y desde aquella ciudad se envió a su audiencia real formada a Galicia, para que refiriese en aquel reino y con la autoridad de los gobernadores y jueces que allí presidiesen y con rigurosa ejecución se ejecutase la justicia; y el arzobispo de Santiago les entregó su Iglesia habiendo pasado por el estado del conde de Lemos y por todas las otras tierras de señores que hay hasta llegar a su arzobispado sin ser recibidos los oidores: tan duros y pertinaces estaban en tomar el freno y rendirse a las leyes que los reducían a la paz y justicia, que tan necesaria era en aquel reino, prevaleciendo en el las armas y sus bandos y contiendas ordinarias, de que se seguían muy graves y atroces delitos e insultos. En esto y en asentar otras cosas, se detuvieron algunos días el rey y la reina en la ciudad de Salamanca.

Era el primer viaje de esta naturaleza que los Reyes Católicos hacían en mucho tiempo. El itinerario seguia el camino de peregrinación a Santiago de Compostela, y suponía transitar por los turbulentos territorios del Bierzo y Lugo. Nadie dudaba de la dimensión política del viaje, y los propios reyes así lo testimoniaron personalmente, como recogen los cronistas: «Mandar proveer y castigar las cosas del Bierzo y el reino de Galicia y visitar las reliquias de Iglesia del Apóstol Santiago, nuestro patrón».

Durante su recorrido por Galicia Isabel y Fernando aplicaron una política de mano dura concretada en varias medidas de gran trascendencia para la pacificación del territorio. Las principales fueron el nombramiento de un virrey-gobernador ; la creación de una Real Audiencia, la prohibición de reconstruir los castillos destruidos por los «irmandiños», y la integración de los monasterios gallegos en las congregaciones religiosas de Castilla.

Todo esto vino acompañado de duras sentencias contra los cabecillas de la nobleza sediciosa. El mariscal Pedro Pardo de Cela fue decapitado en Mondoñedo, y sus tierras en El Bierzo anexionadas a la Corona. Pedro Madruga, conde de Camiña y Sotomayor, tuvo que escapar a Portugal y más tarde fue asesinado, y el conde de Lemos terminó confinado oscuramente. Para llevar adelante esta política los reyes se valieron de la milicia de la Hermandad, y el programa de reformas se reforzó con el nombramiento de Fernando Acuña como gobernador-virrey (sustituido pronto por Diego López de Haro) y de García de Chinchilla como alcalde mayor de Galicia.

Además, mandaron salir de ese reino algunos caballeros especialmente revoltosos, y a otros los llevaron a la Guerra de Granada para que no impidieran la buena gobernación del país. Junto a esto, como indica Hernando del Pulgar en su Crónica, se ordenó el derrocamiento de muchas fortalezas nobiliarias:

> ...mandaron luego derribar hasta veinte fortalezas, de las cuales fueron informados que se habían hecho algunos robos y fuerzas. Otrosí, pusieron todas las rentas de los clérigos y patrimonios de las iglesias y monasterios y a varias en libertad, y... las hicieron libres de aquella tiranía en que de largos tiempos estaban, en poder de aquellos que por fuerza las llevaban, a los cuales mandaron, bajo grandes penas, que de allí en adelante no las llevasen, y dejasen las personas eclesiásticas y sus bienes en toda libertad. Y mandaron hacer justicia de algunos malhechores; y quitaron las fuerzas y opresiones y tiranías que hallaron hechas de largos tiempos... por algunos caballeros y personas, a algunas villas y aldeas, tomándoles sus términos y rentas y apropiándolos a si.

Puede decirse que después de esto la Galicia feudal quedó herida de muerte y obtuvo su definitivo encaje en el Estado moderno que representaba la unión de las coronas de Aragón y Castilla.

Por lo demás, en el viaje a Galicia tuvo un lugar destacado la visita a una serie de santuarios del reino gallego, el primero de ellos el de Santiago de Compostela, protagonista destacado en la historia del cristianismo occidental.

El apóstol Santiago continuaba siendo el patrón de los reyes de Castilla y León, y bajo su invocación tendría lugar la conquista del último reducto granadino de la Alhambra. El cronista Alonso de Santacruz dice que cuando los Reyes Católicos entraron en la fortaleza de la Alhambra, don Fernando de Talavera, obispo de Ávila, se subió a la torre más alta del reducto nazarí « y mostró la bandera de la Cruz, la cual todos devotamente adoraron. Y después mostraron la de Santiago, y la de sus armas reales». Otro texto coetáneo recuerda que mientras la Cruz, el estandarte real y el de Santiago ondeaban sobre las torres de la Alhambra, un heraldo gritó: «¡Santiago, Santiago, Santiago!¡ Cas-

Parador Nacional de los Reyes Católicos en Santiago de Compostela, antiguo hospital fundado por Isabel y Fernando junto a la catedral.

tilla, Castilla, Castilla! ¡Granada, Granada, Granada! Por los muy altos y poderosos señores Don Fernando y Doña Isabel... que han ganado esta ciudad de Granada y todo su reino por fuerza de armas a los infieles moros».

Los Reyes Católicos llegaron a Ponferrada el 7 septiembre y al entrar en tierras gallegas visitaron el priorato de Santa Maria do Cebreiro y veneraron las reliquias que se conservaban en esa iglesia. Para favorecer a los peregrinos del Camino de Santiago en su difícil paso por esas tierras y proporcionarles hospedaje digno, solicitaron del papa Inocencio VIII licencia para restaurar el monasterio y hospital que allí había.

Fernando e Isabel estuvieron en Santiago desde el 21 septiembre al 6 octubre de 1486, y al comprobar la incapacidad de los asilos que en ese momento había para atender a los peregrinos jacobeos enfermos o heridos, decidieron fundar un gran hospital con capacidad y medios suficientes. Una obra que todavía se mantiene en pie, transformada hoy en el Hostal Parador de los Reyes Católicos situado junto a la gran catedral de Santiago, en la plaza que congrega continuamente a miles de peregrinos venidos de todo el mundo.

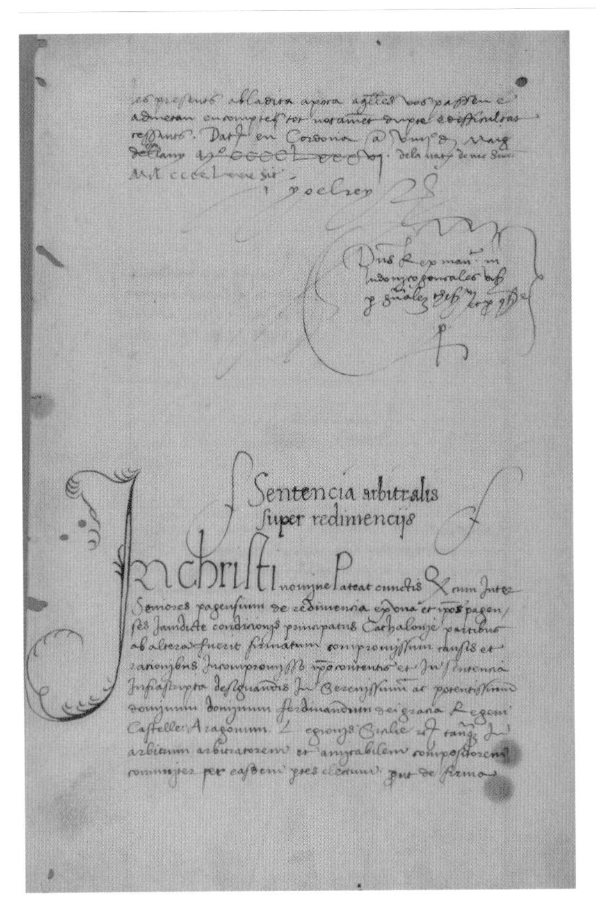
Sentencia arbitralis
super redimencijs

In christi nomine pateat cunctis

Primer folio de la Sentencia de Guadalupe, que liberó a los campesinos pobres catalanes de la servidumbre feudal.

LA SENTENCIA DE GUADALUPE

En abril de ese mismo año de 1486 se produjo otro hecho de importancia histórica, al emitir Isabel y Fernando la Pragmática o Sentencia arbitral de Guadalupe, una ordenanza que liberaba a los payeses de remensa catalanes de la opresión desmedida de sus señores feudales, y dejaba legalmente resuelto el prolongado conflicto entre los terratenientes y el campesinado pobre en Cataluña.

La hostilidad entre nobles y payeses de remensa venía de muy atrás. Los «remensas» eran siervos de la gleba que no podían abandonar la tierra del señor si no era mediante recompra o rescate. «Remensa» es el precio que el payés debía pagar por dejar la tierra del señor que le explotaba.

Todavía en el siglo XIII (1202) las Cortes de Cervera reconocían el derecho que tenía los señores de maltratar a sus vasallos (malos usos) o despojarles de sus pertenencias.

Entre mediados del siglo XIV y la primera mitad del siglo XV la situación de los siervos empeoró en toda Europa, en gran parte por la desolación producida por la peste negra, que acabó con más de un tercio de la población. Eso disminuyó las rentas pagadas por los pecheros, y los señores trataron de retener por cualquier medio a los vasallos que cultivaban sus campos para obtener mayores ingresos.

En Aragón, la condición de los vasallos libres también había ido empeorando y el poder del dueño feudal sobre sus siervos era casi absoluto. Las

Cortes de Zaragoza (1380) reconocían incluso el derecho que tenían los señores de matar al vasallo, hubiera o no justa causa, sin que ni siquiera el mismo rey pudiera intervenir en tal caso. En esto consistía el «ius malectratandi», o derecho de maltratar a los siervos.

En Cataluña, donde los siervos de la gleba eran casi una cuarta parte de la población, los señores no solo ejercían ese derecho sino que habían añadido a él otros «malos usos» como la mencionada «remensa», que esclavizaba al payés, la «exorquia» (obligación de que el patrimonio del payés sin descendencia pasará al señor), la «arsina» (multa que el payés debía pagar si se quemaban sus campos), o la «ius prime noctis» (derecho del señor a yacer con la mujer del payés la noche de bodas y pasar la víspera por encima de la novia tendida en el lecho en señal de señorío). Había otros abusos, como que el señor tomara de criadas, sin salario, a la mujer o los hijos del payés; o la prohibición a los siervos de vender cereal o vino al por menor.

Tal estado de cosas motivó constantes protestas de los «remensas» durante el siglo XV, y suponía un problema heredado por los Reyes Catolicos, mucho más acentuado en la corona de Aragón que en Castilla, donde desde 1480, por una pragmática real dictada en Medina del Campo, los vasallos tenían libertad de residencia y podían conservar todos sus bienes, lo cual les permitía pactar con el señor de la tierra una relación de aparcería o arrendamiento.

> ... mandamos a cada uno de vos en vuestros lugares y jurisdicciones que de aquí delante dejéis y consintáis libre y desembargadamente a cualquier... hombres y mujeres, vecinos y moradores de cualquiera de esas dichas ciudades y villas y lugares —decía la pragmática de Medina—, ir a pasarse a vivir y moral a otra u otras cualquier o cualesquier ciudades y villas y lugares de los dichos nuestros Reinos y señoríos, así de lo realengo como de lo abadengo y señoríos y Órdenes o behetrías, que ellos quisieren y por bien tuvieren, y avecinarse en ellos, y sacar sus ganados y pan y vino y otros mantenimientos...

Con el fin de resolver el conflicto en la Corona de Aragón, el rey Alfonso V el Magnánimo permitió a los payeses que eligieran delegados (síndicos) en 1449 para que presentaran un proyecto de compromiso. Seis años más tarde, el mismo rey aragonés abolió los «malos usos» a cambio de una compensación económica a los señores.

La resistencia de estos a aceptar el trato desembocó en la primera guerra de Remensa (1462-1472), y el proyecto de mediación real fracasó.

La segunda guerra remensa se inició en 1484, cuando los payeses se alzaron en armas dirigidos por Pere Joan Sala y exigieron que se les reconociera el derecho a la propiedad de la tierra.

Finalmente, Fernando, que aceptó negociar con los dirigentes más moderados de la rebelión, abolió los malos usos y el «ius malectratandi» con la sentencia de Guadalupe, que en sustancia proclamaba la libertad personal de los payeses y rescindía cualquier vínculo de servidumbre a los señores de la tierra.

El campesino libre podría seguir cultivando y viviendo en la tierra del propietario a cambio de un tributo. Bajo las nuevas leyes también se le permitía comprar el terreno por un justo precio, o abandonar libremente la tierra sin pagar la remensa.

Con el apoyo de los payeses, Fernando el Católico presionó a la Generalitat catalana, defensora de los señores feudales, y consiguió que ambas partes terminaran reconociendo al rey como mediador en la solución del conflicto.

La liberación de los payeses, sin embargo, no fue inmediata porque éstos debían pagar una indemnización a los señores para liberarse. Todavía en 1616 el jurista Pedro Calixto Ramírez defendió el poder discrecional de los señores sobre sus vasallos, y hubo abusos ocasionales que dieron lugar a protestas violentas en los pueblos, sin que Fernando pudiera evitarlas porque había leyes en la Corona aragonesa que ni siquiera el monarca podía cambiar unilateralmente, debido a fueros y privilegios ancestrales pactados con la alta nobleza. La abolición total solo llegaría en 1707 con el Decreto de Nueva Planta de Felipe V, que suprimió el derecho público foral en Aragón y Valencia.

La sentencia de Guadalupe tendrá un fuerte impacto económico en Cataluña por el surgimiento de una nueva clase económica más productiva: el campesinado libre y propietario del manso y la libre contratación enfiteútica. La mayor producción agraria repercutirá también favorablemente en la economía.

Por otra parte las guerras y revueltas de los remensas generaron una quiebra general. La Generalitat tuvo que emitir títulos (censales) para hacer frente a sus deudas, cuyos intereses superaban el rendimiento de los impuestos. El rey Fernando también hubo de hacer frente a este problema convocando a banqueros, funcionarios de la corona y campesinos, y enjugar la deuda contando con los recursos castellanos. Para mejorar la situación otorgó asimismo a los comerciantes catalanes el monopolio de ciertos productos en las ferias de Medina del Campo, lo cual les permitió obtener más ganancias en Castilla y otros mercados europeos. Una situación de proteccionismo económico, respaldado por la Corona, que perdurará hasta finales del siglo XVII, cuando la economía castellana entró en total recesión.

GRANADA: LA GUERRA DE LOS 10 AÑOS

La frontera

Los Reyes Católicos, en cuanto la situación de Castilla se estabilizó, dirigieron sus esfuerzos a la tarea de conquistar Granada, el último bastión musulmán que quedaba en España desde que fuera invadida por los árabes en el año 711.

A partir de Fernando III el Santo, rey de Castilla y León, la independencia del emirato nazarí de Granada, que ocupaba en el sureste peninsular las actuales provincias de Cádiz a Murcia, no estaba reconocida ni por Aragón ni por Castilla. Granada pagaba tributos a cambio de treguas renovables, salvo cuando los reyes castellanos carecían de fuerza para exigirlos, como ocurrió con las acordadas en 1475, 1478 y 1481. Por esa razón no se concertaban paces, sino únicamente treguas temporales, a cambio de las cuales los reyes castellanos percibían pagos cuantiosos, entre doce y quince mil doblas de oro al año.

También a partir del reinado de Fernando III las relaciones entre Castilla y el emirato vasallo se articulaban en torno a una frontera que abarcaba unos 30 000 km^2 en la Andalucia oriental y dibujaba una banda terrestre jalonada de castillos, torres y fortalezas. Un dispositivo fundamental de control fronterizo y escenario continuo de actividades hostiles o intercambios comerciales.

> Los reyes castellanos consideraron siempre —comenta Ladero Quesada[10]— que la situación de tregua era provisional, y que Granada pertenecía al ámbito de la expansión territorial y política de Castilla, como lo demostraba el hecho mismo de que hubiera nacido mediante un acto de vasallaje de su primer emir [Muhammad I].

Después de la batalla de El Salado en 1340 las posibilidades de supervivencia del emirato se fueron reduciendo y su frontera terrestre quedó a la defensiva, desprovista de ayudas exteriores. Con este panorama estratégico, los Reyes Católicos decidieron culminar la obra reconquistadora del territorio musulmán que los reyes de Castilla habían llevado a cabo en siglos anteriores, pero solo

CRONOLOGÍA DE LA GUERRA DE GRANADA

1462.-El emirato de Granada pierde Gibraltar y Archidona.

1462-1472.-Rebelión contra los gobernantes benimerines de Marruecos. Abul-Hasán sucede en el trono de Granada a su padre Ciriza Sad.

1469.-Matrimonio de Isabel de Castilla con Fernando de Aragón.

1471.-Conquista portuguesa de Arcila y Tánger.

1472.-Muhammad al-Shaik, primer gobernante watasi del interior de Marruecos.

1478.-Tregua entre Castilla y Granada.

1479.-Castilla y Aragón se integran en la Corona dual de Isabel y Fernando.

1481.-Las tropas moras de Granada conquistan Zahara.

1482.-Los castellanos conquistan Alhama. Fracasan los intentos de los andalusíes por reconquistar la plaza, asi como la tentativa de Fernando de ocupar Loja. Abul-Hasán se enfrenta en Granada a su hijo Muhammad XII, más conocido como Boaddil.

1483.-Las tropas cristianas son derrotadas en las montañas de Málaga. Bobadil es capturado en un ataque a Lucena, y liberado por los Reyes Católicos tras acordar con él un tratado secreto. Derrota musulmana en Lopera. Los castellanos reconquistan Zahara. Guerra civil en Granada ente Boabdil y Abul-Hasán.

1484.-La armada cristiana patrulla el estrecho de Gibraltar. Fernando amenaza a Génova y Venecia con represalias si ayudan con sus barcos a Granada, y conquista Álora y Setenil. Incursión castellana contra la vega granadina.

1485.-Auto de fe en Sevilla. Queman a 19 hombres y mujeres condenados por herejía. Abul-Hasán, incapacitado por una apoplejía, es sustituido en el trono por su hermano El Zagal. El gobernante watasi de Fez firma un

pudieron realizar la empresa poniendo grandes dosis tenacidad y energía, ya que se trataba de un territorio bien abastecido, en gran parte abrupto y erizado de puntos fuertes amurallados con guarniciones permanentes.

> La incorporación de Granada [a la corona de Castilla] —dice Ladero Quesada— no solo fue el final de un largo proceso histórico, sino un acto de previsión, y la única réplica que los europeos supieron dar a la conquista de Constantinopla por los otomanos, que sacudió la conciencia de sus dirigentes políticos en 1453.

Antes de 1482, cuando se inició la Guerra de Granada, existía una especie de equilibrio de fuerzas en la frontera, aunque los cristianos, poco a poco, iban

CRONOLOGÍA DE LA GUERRA DE GRANADA

tratado de amistad con los Reyes Católicos. Los cristianos conquistan Ronda y Marbella. Boabdil se instala en Granada con apoyo castellano.

1486.-Reconciliación entre Bobadil y su tío El Zagal. Los castellanos toman Loja y capturan otra vez a Boabdil. Tras conquistar Illora y Moclín, los cristianos repelen una salida de los musulmanes granadinos a costa de muchas bajas. Boabdil firma un nuevo tratado con los Reyes Católicos y recupera la ciudad de Granada con su ayuda, pero El Zagal se mantiene en la Alhambra.

1487.-Fernando conquista Vélez Málaga. El Zagal, falto de apoyos, abandona Granada y se hace fuerte en Almería. Nuevo acuerdo de Bobadil con Isabel y Fernando. El ejército cristiano toma Málaga.

1488.-Una fuerza castellana acude en ayuda del duque de Bretaña contra el regente de Francia, pero es derrotada. Fernando invade la parte oriental del reino de Granada y ocupa Vera, pero es contenido por las tropas del Zagal.

1489.-El gobernante de Fez, Muhammad al-Shaik, firma un acuerdo de paz con Portugal. Epidemias e inundaciones en Andalucia. Los castellanos toman Baza.

1490.-Boabdil se resiste a entregar Granada, y fracasa en su intento de recuperar Salobreña y Adra. Los castellanos sofocan una rebelión en Guadix y arrasan la vega granadina.

1491.-Empieza el asedio final de Granada. Se incendia el campamento de los sitiadores cristianos, y en su lugar se levanta la ciudad de Santa Fe. Acuerdo de rendición de Granada.1492.-En la noche del 1 al 2 de enero las tropas cristianas entran en la Alhambra. Granada se rinde oficialmente al día siguiente. Isabel y Fernando entran en la ciudad el 6 de enero.

limando el sistema defensivo nazarí, y los granadinos también contratacaban con incursiones y cabalgadas que no alteraban la situación general.

Protagonistas de estas continuas escaramuzas de frontera eran las guarniciones de los castillos-fortaleza y los habitantes de las villas y pueblos anejos, que estaban exentos en muchos casos del pago de alcabalas y otros impuestos. Junto a ellos combatían nobles desterrados, delincuentes homicidas (homicianos) a los que se perdonaban penas a cambio de servir en la guerra, adalides y almogávares, capaces de vivir sobre el terreno y realizar tareas de vigilancia, ataques por sorpresa o emboscadas.

> Toda esta gente de frontera, reconocible a ambos lados de la línea— apunta Ladero Quesada— , tuvo como función primera la de guerrear, aunque daba

> lugar a veces para los intercambios pacíficos o para los rasgos caballerescos, y era también forjadora de hombres que dieron mucho juego, tanto en la vida política andaluza como en la de toda Castilla, porque se habían templado en un ambiente duro y peligroso, el de aquella frontera que todavía continuaba viva durante la guerra final cuando, entre campaña y campaña, había que organziar un fuerte aparato de vigilancia y alerta.

La Frontera, por otra parte, sirvió para acrecentar el poder de los nobles andaluces y murcianos en los siglos XIV y XV y fueron una ocasión propicia para que muchos alcanzaran el rango de caballeros, creando una atmósfera de combate en la que muchos hijosdalgo y soldados de fortuna trataban de sobresalir con acciones heroicas, como medio de promoción social y económica.

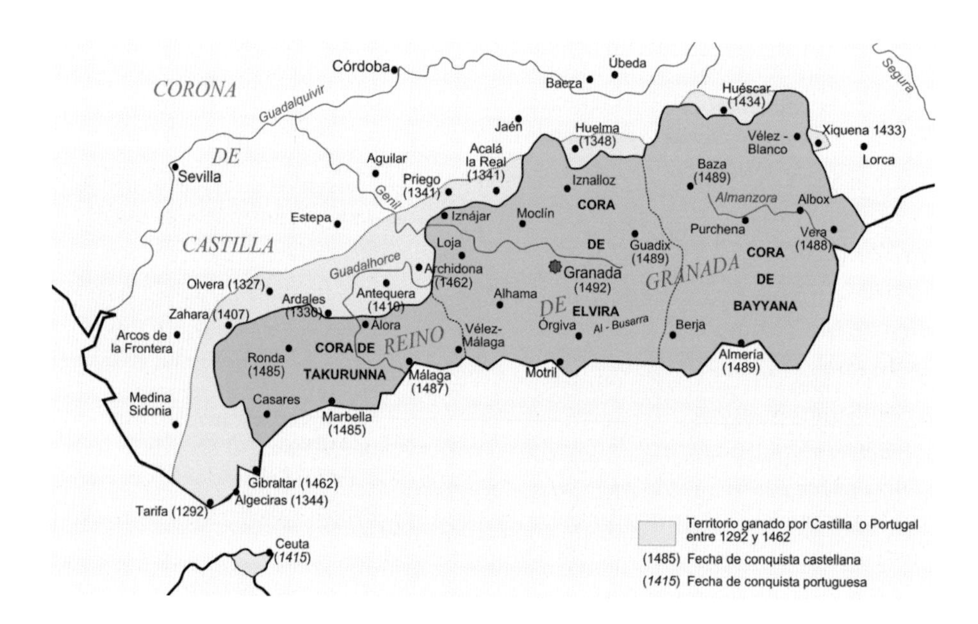

Mapa del reino (emirato) de Granada que indica los límites de ese territorio al iniciarse la conquista cristiana.

Las continuas hostilidades que se producían en la frontera no implicaban necesariamente la ruptura de las treguas vigentes. Se trataba de una actividad bélica cuyo principal móvil era obtener botín, del que había que pagar un quinto al rey, y solía realizarse en la primavera o el otoño. Esas incursiones o «entradas» de jinetes o peones armados para saquear y destruir eran denomindas algaras o cabalgadas, y en ocasiones también tenían carácter de represalia, sin excluir la captura de cautivos que, o bien eran canjeados o pasaban a ser esclavos. La costumbre no escrita dictaba que acometer de improviso un castillo y tomarlo en tres días no suponía ruptura de tregua, como atestigua el cronista Alonso de Palencia en su *Guerra de Granada*:

> Por antiguas leyes de guerra disimulaban semejantes novedades cuando dentro del plazo de las treguas se apoderaban por sorpresa de alguna villa o castillo, siendo convenio de antiguo observado por andaluces y granadinos, y aprobado por sus respectivos reyes, que dentro de los tres días fuera lícito a unos y a otros atacar los lugares de que creyeran fácil apoderarse [...] A moros y cristianos de esta región, por inveteradas leyes de la guerra, les es permitido tomar represalias de cualquier violencia cometida por el contrario, siempre que los adalides no ostenten insginias bélicas, que no se convoque a la hueste a son de trompeta y que no se armen tiendas, sino que todo se haga tumultuaria y repentinamente.

Una guerra difícil

La conquista de Granada era una empresa difícil. Planteaba muchos problemas militares, económicos y hasta demográficos. En el emirato vivía aproximadamente un 20% de la población peninsular, lo cual exigía una difícil asimilación al conjunto cristiano del resto de España. Se trataba además de un territorio rico, que disponía de abundantes recursos naturales, con numerosas fortalezas y ciudades fortificadas que obligaban a acometer una empresa militar rigurosa y de larga duración.

Por otra parte, en la España cristiana, los musulmanes eran vistos como un cuerpo extraño, y la existencia del reino moro de Granada se consideraba un agravio a la fe. Eso explica que Isabel y Fernando sintieran la necesidad de justificar la guerra como una cuestión religiosa.

> No nos hemos visto arastrados a esta guerra— escriben los Reyes Católicos al papa— por un deseo de extender nuestros reinos o señoríos [...] sino que es nuestro deseo servir a Dios, y nuestro celo por su Santa Fe Católia nos lleva a dejar a un lado otros intereses y a olvidar los constantes esfuerzos y peligros que siguen en aumento por esta causa [...] esperando solo que la Santa Fe Católica se multiplique y que la Cristiandad se vea libre del peligro al que de manera permanente se encuentra expuesta ante nuestras mismas puertas, si estos infieles del reino de Granada no son arrancados de raíz y expulsados de España.

Al principio de su reinado los Reyes Católicos no reclamaron a los nazarís las parias o tributos convenidos. Fue decisión de Fernando no pedirlos para evitar que las hostilidades se rompieran demasiado pronto, antes de tener las manos libres para actuar cuando terminase la guerra sucesoria castellana. En esta situación las incursiones musulmanas en territorio cristiano para conseguir esclavos y botín eran frecuentes y quedaban sin respuesta.

Una vez asentado en el trono, y siempre de acuerdo con la reina Isabel, Fernando se limitó a reclamar el tributo de vasallaje a los emires granadinos. La decisión definitiva de guerrear para conquistar el territorio no se tomó hasta 1485. El Rey Católico –dice Luis Suárez— adoptó los planes de guerra elaborados por los consejeros de Enrique IV, consistentes en desgastar al enemigo poco a poco, evitando las batallas en campo abierto con los aguerridos combatientes musulmanes.

La idea central era hacer que Granada, abrumada por las profundas divisiones internas y el gasto bélico, no pudiera resistir mucho tiempo. Pero eso era algo que estaba por ver. Durante gran parte del siglo XV, las continuas disputas internas en Castilla y la guerra de sucesión que siguió a la muerte de Enrique IV habían dado un largo respiro a los nazaríes, que no veían a los cristianos como un peligro demasiado serio, teniendo en cuenta, además, que por la proximidad geográfica del norte de África los musulmanes de España podrían contar con la ayuda de sus correligionarios del Magreb.

Desde 1465 gobernaba en Granada, desde el palacio de la Alhambra, el emir Abdul Hasán Ali, más conocido por los cristianos como Muley Hasán, que había derrocado a su padre y contraído matrimonio con Fátima, viuda del emir Muhammad XI. De esta unión nacieron dos hijos, uno de ellos Abu Abd Allah, a quien los cronistas cristianos llamaron Boabdil.

El enlace entre Muley Hasán y Fátima se tambaleó cuando el emir se encaprichó de la cautiva cristiana Isabel Solis, hija del alcaide de Martos, convertida al islam con el nombre de Soraya, que pasó a ser la esposa favorita del emir. El resquemor familiar entre las esposas dividió Granada en dos bandos, los abencerrajes (partidarios de Fátima) y los zegríes (partidarios de Soraya) también hizo que Muley Hasán se apoyara cada vez más en su hermano Muhammad ibn Sad, apodado «El Zagal» (el valiente) , partidario a ultranza de resistir a los cristianos, mientras Boabdil se proclamaba emir con el nombre de Muhammad XI.

El pretexto

Como reconoce el historiador Giménez Soler y cuenta el cronista Alonso Palencia, la Guerra de Granada la empezaron los Reyes Católicos, y para esta misión emplearon secretamente al asistente del rey en Sevilla, Diego de Merlo, que pensó en apoderarse de alguna plaza fuerte para cumplir con los planes de Isabel y Fernando.

Merlo, con el concurso del marqués de Cádiz y las fuerzas de otros nobles y concejos, atacó la aldea de Villalonga, no lejos de Ronda. La incursión acabó en descalabro, pero el emir granadino Muley Hacén cometió el grave error de atacar la plaza cristiana de Zahara.

En sus conversaciones con el nuncio Nicolás Franco y en las Cortes de Toledo de 1480 habían quedado claras las intenciones de los Reyes Católicos de reanudar la guerra contra el emirato. De acuerdo con esto los cristianos llevaron a cabo *razzias* y provocaciones en territorio musulmán. Cuando Diego Merlo fue nombrado asistente del rey en Sevilla, el propio Fernando le dio instrucciones de provocar un incidente que condujera a la ruptura de hostilidades. Muley Hasán, seguramente informado de esto, facilitó los deseos del Rey Católico al adelantarse y atacar Zahara (defendida por una guarnición al mando de Gonzalo Arias de Saavedra), que había sido conquistada años antes por Fernando I, el iniciador de la dinastía Trastámara en Aragón.

En la noche del 26 de diciembre de 1481 los musulmanes asaltaron las murallas de Zahara, capturaron prisioneros o pasaron a cuchillo a sus defensores. A Fernando la noticia quizá le alegró en el fondo, porque le daba el pretexto que buscaba para combatir. «Tuvimos placer en esto —confesó por escrito— ... porque nos da ocasión para poner en obra muy prestamente lo que teníamos en pensamiento de hacer.»

En un primer momento pareció que el rey iba a dejar el peso principal de la empresa a los grandes nobles andaluces, como los Medina Sidonia, Cabra, Ponce de León o Aguilar, pero eso era algo que estaba lejos de sus verdaderas intenciones.

La estrategia adoptada desde el primer momento se componía de tres palabras: escaramuza, tala y asedio —afirma Luis Suárez— sin arriesgarse nunca a una gran batalla.

> Tomando prisioneros, que debían pagar rescate para librarse de la esclavitud, arrasando cosechas y quemando bosques se conseguía arruinar al enemigo con ahorro de vidas humanas. Pero eran los asedios... de las fortalezas los que debían permitir arrancar uno a uno los granos de esa granada.

En represalia por la caída de Zahara, en la noche del 27 de febrero de 1482, una tropa cristiana se apoderó de Alhama en el corazón del territorio granadino, posición clave para asegurar las comunicaciones entre Málaga y Granada. La noticia produjo consternación en la corte granadina, y el rey —que estaba entonces en Medina del Campo— dio enseguida órdenes de mantener la plaza conquistada a toda costa y enviar refuerzos. Se trataba de un punto avanzado de importancia estratégica y poco guarnecido, un puñal clavado en el corazón de la Vega granadina que abastecía el territorio enemigo. Era además la oportunidad buscada de iniciar definitivamente la guerra.

Después de celebrar un tedeum de gracias, Fernando dejó a la reina Isabel en Medina y marchó a combatir tras pedir a los nobles que se incorporaran con sus tropas. Cuando llegó a La Rambla el 23 marzo lo acompañaban Beltrán de la Cueva y los condes de Treviño, Cifuentes y Tendilla, que habían dejado a un lado sus disputas para participar unidos en la contienda.

Fernando instaló su puesto de mando principal en Córdoba, y en abril de ese mismo año Muley Hasán lanzó un asalto para recuperar Alhama que fue rechazado. Unos días más tarde Fernando entró en la plaza al frente de un ejército de 10 000 peones y 6000 caballos y reiteró la orden de resistir a toda costa.

Para asegurar el abastecimiento de Alhama, el rey planeó conquistar Loja, defendida por una guarnición numerosa y bien mandada por Ali Atar, suegro de Abu Abd Allah (Boabdil) , y plaza de importancia estratégica para aprovisionar Alhama desde Córdoba y Écija. Pero la operación fracasó. En el asalto murió el maestre de Calatrava, Rodrigo Tellez Girón, y su pérdida desordenó a las milicias cordobesas. El intento de conquistar Loja fue un empeño personal de Fernando, que a duras penas consiguió detener la desbandada de su desmoralizada tropa. Pero como dice Andrés Bernáldez, el cura de Los Palacios, aprendió de la derrota: «Fue escuela al rey este cerco primero de Loja, en que tomó lección y aprendió ciencia, con que después hizo la guerra.»

Pocos días después, el rey en persona llevó un nuevo socorro a Alhama y arrasó sin resistencia la vega granadina. En esos momentos difíciles, por las cartas que envió a diversas personalidades del reino, dejó en claro su firme decisión de conquistar totalmente el emirato granadino.

En el verano de 1482 el rey volvió a Alhama y reiteró al obispo de Jaén, Luis de Osorio, que había asumido el mando de la guarnición, que la fortaleza debía ser mantenida a toda costa. El revés de Loja le había enseñado que aún tenía que aprender muchas cosas en esa guerra. Tenía que crear nuevas compañías, montar la artillería y bloquear los puertos para impedir la llegada por mar de refuerzos africanos. De esto último se encargaría el marino catalán Galcerán de Requesens, que en 1485 asumió el control naval en el Estrecho.

El desastre de Alhama y las correrías que el rey Fernando llevaba a cabo en la Vega granadina causaron un tumulto en Granada contra Muley Hasán. Su hijo Boabdil, a quien el padre tenía encerrado en una torre de la Alhambra, consiguió escapar y con sus partidarios, los abencerrajes, se adueñó de la ciudad. Muley Hasán pudo huir y se refugió en Málaga amparado por el Zagal.

El cronista Andrés Bernáldez, lo narra así en sus memorias:

> Después que el rey moro Muley Hacen volvió de Alhama en Granada sin tomarla, luego fue gran división entre los moros, y alzaron por rey a Muley Baudili [Bobabdil] ...Y después que esto vido el rey viejo Muley Hacén, fuese a Málaga, con toda su casa y tesoros. Y la mayor parte de este daño le vino al rey viejo por envidia que habían los caballeros de Granada por la gran privanza que con él tenía Albocacín Venegas, alguacil de Granada, que mandaba a Granada y todo el reino mucho mejor que el rey. Este alguacil era del linaje de cristianos, de los Venegas de Córdoba, y su padre y abuelos fueron cristianos, y él nació en tierra de moros y era muy gran servidor del rey.

Tropa permanente

El invierno de 1482 a 1483 se tomó la decisión de no interrumpir la guerra mediante treguas negociadas por los musulmanes, lo que obligaba a mantener permanentemente un ejército de la Corona. Las compañías de la Guardia Real y de la Hermandad se unificaron bajo un mando común compuesto por miembros de la nobleza. Este embrión de ejército incluía unos 2500 caballos, la mitad hombres de armas y la otra mitad caballería ligera (jinetes), pagados por la Corona. En total, juntando mesnadas de la nobleza y caballería de las órdenes militares, Fernando disponía de una fuerza fija de unos 6000 combatientes, sin contar las milicias ciudadanas y los voluntarios llamados «homicianos» que purgaban sus cuentas con la justicia a cambio de jugarse la vida en la contienda.

El historiador Ladero Quesada aporta datos detallados sobre los efectivos movilizados contra Granada, que cifra en un total de 6000 a 10 000 jinetes y 10 000 a 16 000 peones en las campañas iniciales, que ascenderían a 12 000 y 40 000 en 1486. Unas cifras que variaron escasamente en las campañas de los últimos años.

Un dato notable en esta guerra lo representó el incremento de la artillería, que llegó a sumar 200 piezas en el cerco de Málaga en 1487. El arma artillera desempeñó un papel decisivo para conquistar de castillos y fortalezas que antes eran prácticamente inexpugnables.

También es notable que, aunque la caballería tuviera un papel importante, sobre todo en campo abierto, muchas victorias se lograran por la acción de los peones, aportados en su mayoría por la Hermandad y los concejos municipales. Esta tendencia iría en aumento más tarde en las guerras de Italia y proporcionaría al ejército español su arma más temible.

Otro factor esencial que distingue esta guerra es el buen funcionamiento de la maquinaria logística para avituallar y pagar a una tropa tan numerosa. Ladero Quesada dice que el abastecimiento exigió en las grandes campañas la contratación de entre 2000 y 4000 acemilas, y de 500 a 1000 carretas, sin contar los medios para el transporte de los cañones.

Los gastos de la contienda exigieron una financiación extraordinaria obtenida de limosnas, subsidios eclesiásticos, ingresos aportados por la Hermandad, contribución de judíos y mudéjares de Castilla y el desembolso de nobles y concejos, sin olvidar el producto del rescate de los cautivos enemigos y los empréstitos obtenidos de la alta nobleza, el Concejo de la Mesta, los mercaderes castellanos o extranjeros y algunas ciudades como Valencia.

Aunque la mayoría de las campañas tuvieron lugar en primavera o comienzos de otoño, lo más destacable y novedoso de la guerra de Granada fue la capacidad que los Reyes Católicos demostraron para mantener movilizado y combatiendo a un gran ejército durante muchos meses del año

Tres intentos hicieron los musulmanes granadinos de recuperar Alhama y los tres fallaron. El rey estuvo ausente del frente un largo periodo del año 1483, y en esas semanas los cristianos sufrieron una severa derrota en lo que se conoció como la batalla de las «Lomas de Málaga». Tras haber asolado y saqueado las tierras de la Ajarquia, al este de Málaga, una tropa mandada por el maestre de Santiago, conde de Cifuentes, el marqués de Cádiz y Alfonso de Aguilar fue sorprendida por las tropas de «El Zagal» en la noche del 21 al 22 marzo, y 2000 muertos cristianos quedaron tendidos sobre el campo, entre las breñas de los barrancos de la Ajarquía. El desastre fue total y logró hacer renacer la esperanza de los nazaríes y aumentar el prestigio del Zagal, hermano de Abu Hasán y tío de Boabdil. El maestre de Santiago y el marqués de Cádiz se salvaron, pero el conde de Cifuentes, hecho prisionero, tuvo que pagar un rescate elevado por su libertad.

El Cura de Los Palacios atribuyó esta la derrota a la codicia y escaso ideal que movió la empresa, en busca de botín y ganado.

> Dieron a conocer —dice— que no iban con buenas disposiciones, sino con poco respeto del servicio de Dios, movidos solo por la codicia y el deseo de una ganancia impía.

Fernando no censuró a nadie por el fracaso. Sabía que estaba empeñado en una guerra que exigía paciencia y fortuna, y era preciso sacar lecciones de las derrotas más que acudir a los reproches.

La variable fortuna de la guerra favoreció de nuevo a los cristianos cuando Boabdil, a quien algunos llamaban el «Rey Chico», queriendo aprovechar el desaliento de los cristianos por la derrota en la Ajarquía, incursionó en tierras cordobesas y puso sitio a Lucena, bien defendida por Diego Fernández de Córdoba, lo que dio tiempo a recibir refuerzos de las poblaciones cercanas encabezados por el conde de Cabra, Alonso de Córdoba y Lorenzo Porras.

En esa batalla, Boabdil fue derrotado y hecho prisionero por el regidor de Lucena y Alonso de Aguilar, que acudió al combate deseoso de vengar la derrota de la Ajarquía y dio muerte a Aliatar, el jefe de la resistencia de Loja. La captura del príncipe nazarí supuso para el Rey Católico la ocasión de poner en práctica sus dotes para la diplomacia secreta, aprovechando las discordias intestinas que corroían al emirato. Entre los caballeros que tomaron parte en los combates de Lucena estuvo Gonzalo Fernández de Córdoba, que luego sería llamado Gran Capitán, y así comenzó su brillante trayectoria en esta guerra.

El Gran Capitán, Gonzalo Fernández de Córdoba, que inició su trayectoria militar en la Guerra de Granada.

Fernando estaba en el alcázar de Madrid cuando le llegó la noticia de la captura del príncipe nazarí y con rapidez se trasladó a Córdoba el 9 de mayo de 1483. Boabdil fue tratado caballerosamente, y el rey le ofreció reconocerlo como emir si se declaraba su vasallo, a cambio de un señorío en Castilla y licencia para seguir practicando la religión musulmana. Seguramente fue una oferta que él rey nunca pensó cumplir.

Bobadil se mostró de acuerdo y fue puesto en libertad, y tras dejar a su hijo como rehén regresó a continuar la discordia con su padre y su tío. De sobra sabía el astuto Fernando que un reino dividido es un reino vencido, y cuanta más división hubiera en Granada menor sería su capacidad de resistencia. En todo caso, mientras concluía las negociaciones con Boabdil, y para dejar sentado que no cejaría en la lucha, tomó Íllora a primeros de junio, alcanzó Alhama y taló la vega granadina, sin que Muley Hasán, cuyo poder apenas se extendía más allá de la Alhambra, pudiera reaccionar. En agosto, Boabdil firmó las condiciones que el Rey Católico le exigía, y se comprometió además a pagarle 12 000 doblas anuales como tributo.

Desde Madrid, el rey Fernando llegó a Córdoba el 8 de mayo de 1483, y a partir de entonces también se encargó de dirigir en persona la decisiva vertiente diplomática de la guerra. Su plan era convertir a Boabdil en aliado y señuelo contra Muley Hasán y el Zagal, y al mismo tiempo hacerle pagar cara la liberación. El príncipe nazarí debía reconocerse vasallo de Castilla, pagar los tributos debidos y liberar a un gran número de cautivos cristianos.

Las verdaderas intenciones de Fernando quedaron reveladas en una carta que escribió a su hermana la reina de Nápoles en agosto de 1483:

> Después de muchas particularidades, habemos últimamente concluido, concordado y capitulado con aquél, que por poner en división y perdición aquel reino de Granada habemos deliberado soltarle de esta manera.

Guerra de castigo

Para negociar el rescate del «Rey Chico» llegaron a Córdoba su hijo y los paladines granadinos que debían quedar retenidos en calidad de rehenes. El 2 de septiembre, Fernando y Boabdil mantuvieron otra entrevista en la que el rey impuso sus condiciones al vencido príncipe antes de permitirle volver a Granada. Su derrota había robustecido a los seguidores de Muley Hasán, que lo consideraban un traidor entregado a los cristianos y estaba siendo manipulado por los Reyes Católicos, lo cual era del todo cierto.

Los abencerrajes partidarios de Boabdil se sublevaron en las calles de Granada durante varios días, hasta que se llegó a una tregua. Enemistados a muerte, Muley Hasán ejercería el mando desde la Alhambra, y su hijo Bobadil lo haría desde el Albaicín. Una situación que hacía inútil cualquier intento de resistencia seria frente a la unidad de la tropa castellana que dirigía Fernando, pero aun así la guerra se alargaría otros ocho años. En octubre de ese mismo año de 1483 el marqués de Cádiz, Ponce de León, recuperó Zahara.

De la obstinación con la que Fernando estaba dispuesto a continuar la empresa de Granada da idea la carta que en mayo de 1484 escribió desde Tarragona al legado pontificio y futuro papa Rodrigo Borja. «Tanta es la devoción y ganas que tenemos de continuar la guerra de los moros de Granada, por no dar lugar en manera alguna a que ellos hayan de recobrar sus fuerzas, las cuales, por gracia de Nuestro disco inicial señor, les tenemos mucho debilitadas, que habemos deliberado ir a la Andalucía, para donde la Serenisima Reina... es ya partida... esperamos con la ayuda de Dios, este verano dañar mucho a aquellos infieles, de manera que esperamos en breve tiempo alcanzar de ellos cumplida victoria y constituir aquel reino en servicio de Nuestro Señor».

Las operaciones más importantes de los cristianos consistían en asedios y escaramuzas, pero el efecto más demoledor para la población musulmana lo producían las «talas», que incendiaban y asolaban cosechas, huertas y arboledas, y solían realizarse con peones que devastaban el sitio protegidos por la caballería. Así describe el rey Fernando a su hermana la reina de Nápoles en septiembre 1484 una de estas acciones de castigo:

> [...] fuimos con el mismo ejército a la vega de Granada, y con nuestras batallas [cuerpos] ordenadas llegamos muy cerca de la cerca de la ciudad, a donde mandamos talar todos los panes secados y quemar los por segar, hasta el trigo que en las eras tenían trillado; y más fueron cortados la mayor parte de las huertas y viñas de allí, y quemados muchos lugares, donde fueron muertos y tomados mucho los moros, de manera que plugo Nuestro Señor con grande honra y victoria nuestra volvimos a esta ciudad, de donde hoy tornamos a partir con alguna artillería y con 5000 lanzas y 10 000 peones. Esperamos en Dios haremos cosas que serán su servicio y nuestra honra y en exaltación de nuestra Santa Fe Católica.

Relaciones con Francia y Bretaña

Tras el verano de 1484, el Zagal aglutinaba la principal resistencia musulmana, y la guerra prosiguió, aunque los Reyes Católicos debieron viajar al norte de Castilla para ocuparse de otros asuntos. Con Portugal, donde reinaba Juan II tras la muerte de Alfonso V el Africano, la situación era estable aunque no dejaban de surgir tensiones. El problema principal estaba en las relaciones con Francia. Fernando nunca renunció a sus demandas sobre el Rosellon y la Cerdaña, pero convencido de la superioridad militar francesa en esos momentos, eligió la vía negociadora. No obstante, el duque de Anjou en su testamento había transmitido al rey de Francia los pretendidos derechos de su familia al trono de Nápoles, algo que hacia presagiar guerra, ya que Fernando no había olvidado que ese reino italiano formaba parte de la herencia aragonesa de su tío Alfonso V.

Para bloquear las pretensiones de la corona francesa en Navarra, aunque renunciando de momento a las armas, Fernando buscó alianzas con Inglaterra y el ducado de Bretaña, que entonces era todavía un territorio no integrado en la corona de Francia.

El puerto bretón de Nantes era un punto principal del comercio exterior castellano y una escala en las rutas hacia el Canal de la Mancha, y el duque Francisco II de Bretaña actuaba como soberano independiente, cuya herencia debía recaer en su hija Ana, lo cual convertía a esta en una de las mujeres más deseadas matrimonialmente de Europa, con la lógica preocupación que eso suscitaba en la corte francesa.

Como un modo de presionar al rey francés, que se mostraba renuente a devolver el Rosellón y la Cerdaña, los Reyes Católicos apoyaron con algunas tropas al duque Francisco para contener la permanente amenaza de Francia. Una situación que derivó en la llamada «Guerra Loca», que concluiría con la derrota de los seguidores del duque y sus aliados castellanos en 1488.

El comendador Juan de Herrera, enviado de los Reyes Catolicos, fue recibido por el duque bretón y expuso las ventajas que podrían derivarse del matrimonio del príncipe de Asturias con la reina Catalina de Navarra, para fomentar el comercio atlántico, en el que Bretaña tenía tantos intereses, y acabar con la piratería que infestaba la zona. Las buenas relaciones fructificaron en el otoño de 1483 con un acuerdo para la regulación del comercio hispano-bretón similar al firmado el año anterior en Londres por el cual ingleses y guipuzcoanos se comprometieron a liberalizar el comercio entre ambas partes.

El acuerdo con Bretaña se firmó el 29 noviembre de 1483 y establecía que bretones y españoles reconocían el libre acceso de los barcos y mercancías de cada uno en los puertos del otro, sin que pudieran exigirse tributos o contribuciones especiales, y con la prohibición de sacar oro o plata de Castilla.

Cuando Francisco de Bretaña murió en septiembre de 1488, el matrimonio de Ana se convirtió en la pieza clave para el dominio del ducado y, como era de esperar, condujo a la confrontación entre Francia y los países vecinos. A lo largo de la segunda mitad de 1489, los Reyes Católicos, Enrique VII de Inglaterra y el emperador Maximiliano enviaron tropas a Bretaña con la justificación de auxiliar a la duquesa, pero en realidad los tres perseguían objetivos propios, en los que Bretaña desempeñaba un papel secundario. El rey inglés pretendía recuperar Guyena, perdida en la Guerra de los Cien Años, Maximiliano reclamaba toda la herencia de su suegro, el duque Carlos el Temerario de Borgoña, y quería la parte que los franceses habían ocupado en 1477. En cuanto a los Reyes Católicos, insistían en que fueran devueltos a la corona aragonesa el Rosellón y la Cerdaña.

Esta triple alianza se consolidó en el tratao de Okyng, pero la cuestión se zanjó a favor de la corona francesa en diciembre de 1491, con el matrimonio del rey de Carlos VIII con la duquesa Ana de Bretaña. El rey francés, además, supo negociar por separado con sus adversarios y darles satisfacción. La alianza contra él se deshizo a causa de la disparidad de los componentes, pero no obstante, en septiembre de 1493, los condados en litigio del norte de Cataluña se reintegraron al principado, lo cual representó un éxito diplomático de primera magnitud para Fernando, que había terminado consiguiendo lo que deseaba.

Había otro aspecto de la política exterior de Fernando el Católico más importante. Poco antes de morir Luis XI de Francia el 30 agosto de 1483, a instancias de su confesor san Francisco de Paula accedió a devolver a Fernando los condados catalanes ultra pirenaicos. A cambio pedía que este le devolviese el préstamo que el rey francés había hecho a Juan II de Aragón, cuando estaba necesitado de dinero para hacer frente a la rebelión de Barcelona. Pero tras la muerte de Luis XI, su hija Ana de Beaujeu, regente temporal del reino de Francia, se negó a respetar la voluntad del fallecido rey.

La respuesta de Fernando fue comunicar a los consellers de Barcelona su decisión de presentar un ultimátum para exigir la devolución de los condados. Una exigencia que preludiaba la guerra con Francia.

Reunido con la reina Isabel en la ciudad alavesa de Vitoria, Fernando sabía que para llevar adelante sus planes necesitaba asegurar la neutralidad de Navarra y contar con los subsidios de la Corona de Aragón para la guerra que se avecinaba, pues Castilla tenía volcados todos sus recursos en la empresa de Granada. Mientras durara esta, la reina Isabel era partidaria de evitar guerras entre reinos cristianos y tratar de solucionar las diferencias con Francia por vía diplomática. Eso explica que la incorporación de Navarra a España se ejecutará en 1512 y no en 1483, cuando el momento era ya propicio. Pero Isabel se mostraba renuente a cualquier otra empresa que no fuera la guerra contra el islam.

> Fernando se plegó en esta ocasión porque abrigaba el convencimiento de que la gran política hacia Europa tenía que hacerla desde Castilla —dice Suárez—, ya que solo esta contaba con recursos y capacidad de decisión para afrontarla. Mientras esa hora llegaba, la Guerra de Granada iba a permitirle, a él y a sus soldados, adquirir el relieve suficiente para asumir protagonismo en otras escenas.

En febrero de 1484, Fernando convocó Cortes en los distintos estados de la Corona de Aragón, pero a ellas no quisieron asistir los representantes catalanes, lo cual suponía un grave revés para las intenciones políticas del rey aragonés.

Mientras la reina Isabel regresaba a Andalucía para preparar la ofensiva en la primavera y verano siguientes, Fernando permaneció en Tarazona hasta que se convenció de que sus reinos de la corona aragonesa no estaban dispuestos a asumir el coste que exigía una guerra con Francia.

La frustración de Fernando en Tarazona no significaba el abandono de la idea fija de recuperar los condados del norte de Cataluña, patente en la actitud hosca del Rey Católico hacia Francia hasta tanto se cumpliera la voluntad de Luis XI y esos territorios catalanes le fueran devueltos. Pero el Rey Católico se mostró paciente, no por debilidad sino por solidaridad con la reina Isabel, que ponía la guerra de Granada por encima de todo. Entretanto, hasta el día en que se viera con las manos libres para actuar contra Francia, Fernando siguió manteniendo guarniciones e influencia en Navarra, aprovechando las disensiones internas en ese reino para aumentar su papel de protector de los intereses hispanos.

Se reanuda la guerra

En la primavera de 1485 el Rey Católico lanzó a sus tropas contra la muy fortificada plaza de Ronda, en la serranía malagueña, tras un movimiento táctico que engañó al enemigo, haciéndole creer que el ejército cristiano iba contra Málaga. Al frente de una tropa de 11 000 lanzas, 25 000 peones y más de 1000 carromatos de artillería y abastecimientos el rey entró por el valle de Cártama y se apoderó de Coín, Benamejí, Alhaurín y otras poblaciones, antes de dirigirse a Ronda, defendida por una guarnición de 15 000 hombres, «los mejores del reino de Granada». La idea compartida por los jefes cristianos era que Málaga sería la pieza definitiva, y una vez esa ciudad hubiera caído, el emirato entero se desplomaría, pero antes era necesario conquistar las fortalezas que la rodeaban. Ronda era la principal de ellas.

El mismo rey relata, en carta dirigida al protonotario Antonio Geraldiuni el 3 junio de 1485, cómo conquistó la ciudad:

> ... asentado mi sitio real con la artillería y con los combates que la hice dar, la estrechez de tal manera que, puesto que es una de las más fuertes ciudades de España, dentro de 15 días, después que allí llegué, los moros se rindieron y yo cobre la dicha ciudad, a donde vive de más de 500 cristianos, que estaban cautivos, en el más estrecho cautiverio que se haya en todo el reino de Granada.

La campaña de Ronda fue muy dura y Fernando volvió a demostrar sus dotes de líder al imponer una desacostumbrada disciplina a su tropa, inclinada al desorden propio de las mesnadas feudales.

Cuando los defensores de Ronda capitularon, Fernando les ofreció tres opciones: instalarse en lugares de dominio cristiano, emigrar a África o trasladarse al territorio granadino de Bobadil, vasallo de los Reyes Católicos. Luego fue a Córdoba, al frente de todos sus caballeros y capitanes, donde le recibieron en triunfo y se hicieron juegos y fiestas por la victoria.

A mediados de junio se rinde Marbella, y Fernando —enfermo por la fatiga de la guerra— debe retirarse a Córdoba. Unos meses más tarde el conde de Cabra es derrotado en Moclín, una derrota que se compensa en parte con la toma de Cambil por los cristianos.

Entretanto, la división de los musulmanes iba en aumento. En Granada en marzo de 1486 se produjo una sublevación que pidió la abdicación de Muley Hasán y Bobadil y la subida al trono del Zagal, que acababa de obtener un sonoro triunfo. Cuando iba desde Málaga a Granada, para proclamarse jefe supremo del emirato, tuvo un encuentro con una tropa de caballeros de la orden de Alcántara a los que venció y cortó las cabezas. Con ese trofeo hizo su entrada triunfal en Granada y poco después Muley Hasán moriría apartado del poder en Mondújar.

De la profunda división que ensangrentó las calles de la capital del emirato en esas fechas, da idea el relato de un cronista anónimo musulmán:

> Algunos demonios en forma de hombres dedicánse a animar a la gente, pintándoles con bellos colores la ventaja de este proceder e interesándoles en tener paz con los cristianos. Resultado de esta propaganda fue que se sumase a este parecer un partido de gentes del arrabal del Albaicin , que es uno de los barrios de Granada. La mayor parte de los habitantes de dicho barrio llegaron por fin a aceptar este punto de vista, por el deseo que tenían de paz, como eran gentes ganaderas y campesinas; aceptaron, pues, la obediencia del emir Mohammed ben Ali [Boabdil]. Eso bastó para que quedase encendida la guerra civil entre los del Albaicin, de una parte, y los de Granada y su emir Mohammed ben Saad[el Zagal], por otra. Empeñaronse entre ambos bandos luchas y combates, llegando los de Granada a plantar en batería cañones y hasta a arrojar lluvias de piedras contra los del Albaicin, desde las murallas de la alcazaba vieja; además, les disparaban con catapultas. Combatían y se defendían los del Albaicin, esperando la llegada hasta ellos del emir Mohammed ben Ali quien, por su parte, el ex enviaba recado desde la Ajarquia, prometiéndoles su llegada.

El Zagal trató a toda costa de apoderarse de Boabdil y su hermano Yusuf, asentados ambos en Almeria. Yusuf murió asesinado y Boabdil pudo refugiarse en la corte de los Reyes Católicos en Córdoba. Fernando, explotando hasta el fondo su política de divide y vencerás, le facilitó tropas para que intentase recuperar la ciudad de Granada, en cuyas calles corrió de nuevo la sangre por la contienda civil.

Con mucho esfuerzo de los alfaquíes granadinos se llegó a una tregua y se decidió dividir de nuevo el emirato. El Zagal dominaría en la Alhambra y en Almería, Málaga, Vélez Málaga y la Alpujarra. Boabdil gobernaría las ciudades fronterizas, con la idea de que estas fueran respetadas por el ejército cristiano, gracias a las buenas relaciones que mantenía con los Reyes Católicos. Un cálculo erróneo porque en la primavera de 1486 Fernando cargó contra Loja, incluida en la zona de Boabdil, y este fue hecho prisionero por segunda vez cuando acudía a defenderla.

El 29 mayo de ese mismo año Fernando informa por carta a la ciudad de Burgos de su reciente éxito en la guerra, subrayando la importancia de su artillería y acusando a Bobadil de incumplir lo pactado sin motivo, lo cual refleja un rasgo maquiavélico del rey, porque el príncipe nazarí solo intentó defenderse, y mal, con los refuerzos que le envió el Zagal, pero quedó como agresor en la versión que Fernando difundió:

> Acabé de venir sobre esta ciudad de Loja, con muy grande ejército y artillería; donde supe estaba dentro del rey de Granada, mozo, que mi vasallo se hizo y conmigo se concertó, que con la gente y con la que de Granada le vino del otro rey y con los naturales de ella serían 500 lanzas y 3000 peones, con intención de la defender, mirando poco lo que conmigo tenía concertado y sin mediar razón alguna; y llegando aquí, asenté mi real sábado veinte y uno del presente; y luego el lunes siguiente mande dar combate a los arrabales de la dicha ciudad, los cuales con la ayuda de nuestro Señor se tomaron, adonde murieron más de 200 moros, de los más principales de ellos; y puestas mis estancias dentro de los dichos arrabales, mande asentar mi artillería, la cual ayer domingo, hora de misa, comenzó a tirar y tiro de tal manera que la ciudad y los que dentro estaban recibieron muy gran daño y esperaban recibir mayor, sino que en dicho día a la noche me envió suplicar el dicho rey, que dentro estaba, recibiésemos a él, y a la dicha ciudad ha partido.

De nuevo Fernando pacta con Bobadil, al que ofrece los títulos de duque y marqués de Guadix, para seguir atizando la discordia en Granada. El 15 de septiembre el nazarí regresa a Granada y con ayuda de las tropas cristianas de Martín de Alarcón y Fernández de Córdoba vuelve a adueñarse del Albaicín.

El Rey Católico espera hasta la siguiente primavera de 1487 para reunir un gran ejército en Córdoba. Su plan es apoderarse de Málaga, aprovechando que el Zagal está paralizado en la Alhambra por la pugna con Boaddil. En abril Fernando ataca Vélez Málaga y el Zagal propone a su sobrino Boabdil ir en ayuda de esta ciudad, pero este no acepta y los musulmanes, cercados, pierden Vélez Málaga.

En este sitio el rey aragonés demostró una vez más su serenidad en los momentos difíciles, cuando estuvo a punto de sufrir un desastre semejante al de Loja. El Zagal, que había salido de Málaga, apareció de repente en un collado que dominaba el campamento del ejército sitiador, y en la tropa cristiana se desató el pánico. «... moviéronse de un lado para otro en confusión, rompieron las consignas, salieron huidos de sus estancias, no pensaron sino en salvarse huyendo —relata Mártir de Anglería—. El rey montó a caballo y se mezcló entre ellos disimulando su preocupación y mostrando alegría, exhortando a jefes y soldados a tener buen ánimo, a que hagan frente al enemigo, que no se espanten ni hagan caso de aquellos gritos, que eran los mismos a quienes otras veces habían vencido ya hicieran más débiles que los vencidos anteriormente, pero no le obedecían y le hacían caso».

Por fortuna para la fuerza cristiana, los musulmanes retrocedieron sin combatir cuando estaban cerca del campo, lo que dio tiempo a los cristianos a reorganizarse. La razón fue que al Zagal le llegó entonces la noticia de que Granada se había sublevado, y eso le motivó a conservar intacto su ejército para defender a sus partidarios granadinos. En todo caso, con esta decisión y el manejo de la situación por el rey Fernando, el ejército castellano evitó una derrota casi segura.

La organización militar

La acción conjunta de Isabel y Fernando dio contenido organizativo a un tipo de guerra que, hasta entonces, se llevaba a cabo por la iniciativa belicosa de grupos de caballeros y gente de a pie sin plan global alguno. Pero los Reyes Católicos y sus principales asesores militares se dieron cuenta de que para ganar esa contienda no bastaban las huestes de los señores nobles ni las milicias de peones que se reunían una vez al año para luego dispersarse. Era preciso crear un ejército permanente, capaz de conseguir metódicamente unos objetivos definidos. En junio de 1484, Isabel y Fernando pasaron revista al ejército formado de acuerdo con esta doctrina, que transformaría el concepto feudal de la guerra.

La mayor parte de las tropas se habían reclutado al principio siguiendo el sistema medieval, a base de huestes de los nobles y los concejos, con gente del común y caballeros e hidalgos pobres de la Castilla del norte que deseaban obtener fortuna con las armas en las feraces tierras del sur. Muchos iban también atraídos por fervor religioso o la codicia de botín.

La escasez de batallas campales, en las que el elemento predominante eran los «hombres de armas» recubiertos de armadura, dieron más utilidad a jinetes ligeros, armados sin coraza y capaces de efectuar correrías rápidas por sorpresa. En cuanto a los peones (más tarde llamados infantes) iban armados con lanzas, espadas, ballestas y espingardas, y equipados con cascos y cotas de malla, que cada uno se proporcionaba por sus propios medios.

En cuanto a la artillería, ya se ha dicho que los Reyes Católicos le concedieron una especial atención durante toda la guerra. Al principio, los maestros

Francisco Ramírez de Madrid, jefe artillero de los Reyes Católicos casado con Beatriz Galindo la Latina.

artilleros eran italianos, franceses o alemanes, pero pronto actuaron también expertos españoles como Francisco Ramírez de Madrid, destacado jefe artillero casado con Beatriz Galindo, «la Latina», que moriría combatiendo la sublevación de los moriscos de Sierra Bermeja en 1501.

LA ARTILLERÍA REAL

Las piezas artilleras de la época eran tubos de hierro de formas variadas (bombardas, ribadoquines, cerbatanas, pasavolantes o búzanos) montados sobre artilugios de madera y cuerdas. Para manejar estos rudimentarios cañones acudieron a Córdoba muchos carpinteros, herreros y pedreros «que hacían piedras de canto y pelotas de hierro, y todos los maestros que eran necesarios y sabían lo que se requería para hacer la pólvora.»

Con el fin de trasladar estos pesados artefactos por las abruptas serranías de Málaga y Granada fue necesario traer de Castilla muchos bueyes y carromatos. De la dificultad de este transporte dan idea estas palabras de Hernando del Pulgar cuando describe una de estas expediciones, en la que juegan un papel fundamental los peones, convertidos en zapadores que van abriendo el camino cuando la ocasión lo exige:

> Y la reina mandó luego partir la artillería, que llevaban 2000 carros, delante de la artillería iban otros 6000 peones con azadas típicas de hierro allanando los lugares altos, y quebrantando algunas peñas que impedían el paso a los carros. Y en esto se ponían grandes fuerzas con las cuales se vencía la natura de las peñas, y la aspereza de las cuestas altas, y las igualaban con las llanas.

Para la fabricación y reparación estas piezas se establecieron parques en Medina del Campo, Fuenterrabía y Madrid. Los Reyes Católicos también hicieron buen uso de los equipos de pontoneros, que construían puentes de madera para pasar cursos de agua, y también había en su ejército otros combatientes encargados de hacer fosos y empalizadas para defender los campamentos o sitiar ciudades. De su eficacia da idea la rápida construcción de la ciudad de Santa Fe, a 10 km de Granada, que era en realidad un campamento fortificado al modo de las legiones romanas. Con el ejército iban también cuadrillas de albañiles, que apenas conquistada la ciudad reconstruían los edificios y obras destruidos.

El gran descubrimiento logístico de esta guerra fue la creación de una administración militar permanente. Si los pequeños ejércitos medievales podían vivir sobre el país al realizar sus algaradas, eso no era posible cuando había que sostener a un gran ejército. El marqués de Lozoya dice que en 1486 marcharon contra Loja 12 000 jinetes, 40 000 peones, 6000 zapadores y un número incalculable de carreteros, acemileros y auxiliares de toda clase. Para aprovisionar a esta gente fue preciso establecer una cadena constante de recuas que desde Castilla llevaron todo género de bastimentos, y en esta tarea se llegaron a emplear hasta 60 000 acémilas.

Otro aspecto interesante fue la organización por primera vez de la sanidad militar, con la

Piezas de artillería y catapulta del siglo XV empleadas en la Guerra de Granada.

creación de hospitales provistos de personal médico, a los que la reina Isabel prestó atención especial.

Con estas innovaciones, debidas en lo fundamental al genio organizativo de Fernando, el ejército castellano se situaba a la cabeza de las nuevas técnicas logísticas y de combate que marcarían los conflictos bélicos de la Edad Moderna.

La victoria de la guerra de Granada exigió un esfuerzo colectivo de todo el país. Lo mismo de pueblo llano que de la nobleza, las órdenes militares, los concejos de las ciudades y la Iglesia, que aportó los ingresos de la bula de cruzada, al declarar la contienda como guerra santa contra los «infieles». Ernest Belenguer dice también que en Granada nació la Hacienda moderna, con su preocupación por equilibrar el gasto y los recursos del Estado para hacer frente al gasto bélico y pagar a las tropas.

La conquista de Málaga

En 1484 los cristianos continuaron su empuje con la toma de dos importantes localidades: Álora y Setenil, puntos de apoyo para las operaciones siguientes, que tenían como objetivo Málaga y Ronda. Esta última ciudad se rindió en junio de 1485 y para su asedio se talaron todos los árboles y huertas que había en los contornos.

El asedio de Ronda se inició el 8 de mayo de 1485. Tras cañonear y tomar al asalto el arrabal se cortó el suministro de agua a la ciudad, que consiguió una capitulación favorable antes de rendirse el 22 de ese mismo mes.

En mayo y junio del año siguiente los castellanos tomaron Loja y una serie de puntos defensivos de la Vega, como Íllora, Moclin y Montefrío, y en septiembre cayeron los castillos próximos a Jaén gracias al empleo adecuado de la artillería, con la que se derribaron murallas que parecían capaces de resistir cualquier asedio.

La guerra iba tomando lenta pero inexorablemente un cariz favorable para los cristianos que, como Fernando había calculado, se veían ayudados por las inacabables disputas internas de Granada y la negociación secreta con Bobadil. El nazarí, cuando regresó a su ciudad, firmó en abril de 1487 un acuerdo con los Reyes Católicos por el cual se comprometía a entregar Granada a cambio de seguir gobernando en un señorío situado en la parte oriental del emirato.

En ese mismo año los cristianos iniciaron la campaña con la conquista de Vélez-Málaga, y en mayo fueron contra Málaga con un ejército de 13 000 caballos y 40 000 peones. Pensaron que la ciudad capitularía sin lucha porque en ella predominaban los partidarios de Bobadil. Pero la gente del Zagal bajo el mando de Hamet el Zegrí se hizo con el control, y eso obligó a un duro asedio de más de tres meses que acabó con gran ruina para los defensores.

Por las fechas en que se iniciaba la ofensiva contra Málaga, los partidarios de Boabdil habían conseguido adueñarse de Granada. El «Rey Chico» escribió entonces a la reina Isabel y envió un embajador al rey Fernando en Vélez Málaga. Solicitaba nuevas condiciones para rendir Granada, pensando seguramente que la magnanimidad de los Reyes Católicos le permitiría establecerse en una especie de reino donde los musulmanes podrían vivir con relativa autonomía. Algo así como una reserva para la población musulmana derrotada que incluyera la capital granadina. Pero ni Fernando ni Isabel estaban por esa labor. Lo que exigían, una vez conquistada Málaga, era que Boabdil entregara Granada y todos los territorios que todavía le obedecían. A cambio recibiría un ducado que incluiría Guadiz, Baza, Vera, Vélez Málaga, Mojácar, Purchena y parte de la sierra de los Filabres, sin salida al mar.

Málaga contaba con sólidas murallas y abundante artillería. El sitio se inició en mayo de 1487 y duró hasta el 18 de agosto. Los sitiados no consiguieron romper el cerco, pese a que estuvieron a punto de lograrlo en una salida desesperada, y el bloqueo naval condenó a la población al hambre, que llegó a ser tan terrible — dice un cronista— «que a los centinelas de la muralla no les daban más que una ración de pan de dos onzas [unos 50 gramos],y las gentes pobres, y aún muchas que no lo eran se vieron precisadas a comer pan del leño o de corteza de palmera, que molían y amasaban en lugar de harina.»

Ese mes de agosto, tras haber defendido valerosamente la ciudad, el Zegrí pidió condiciones de capitulación, pero Fernando en esta ocasión fue inexorable y exigió la rendición sin condiciones. Para que sirviera de escarmiento a los musulmanes dispuestos a resistir a ultranza, el Rey Católico decidió que la conquista de Málaga fuera seguida de una durísima represión. Prácticamente toda la población quedó cautiva, aunque algunos pudieron liberarse tras pagar un elevado rescate de 30 doblas de oro por cada casa. En total, entre 12 000 a 15 000 habitantes, incluidos mujeres y niños, quedaron reducidos a la esclavitud o a pagar por su libertad.

El rescate de la población musulmana superó las 60 000 doblas, que unido al de la población judía, que sumó otros 10 000 castellanos de oro, resarcieron casi por completo el gasto de la campaña. La caída de Málaga puso fin a la resistencia mantenida por el Zagal en la parte occidental del emirato, donde ya solo quedaban en poder musulmán tres ciudades importantes: Almería, Guadix y Baza.

Con la rendición de Málaga acaba en realidad la etapa militar de la guerra. Para algunos autores, Hamet Zegri es el último héroe de la España musulmana, y a partir de su rendición la desmoralización cundió entre los granadinos y produjo toda suerte de deserciones, cobardías y venalidades. En el lado cristiano, más que los capitanes, pasaron a desempeñar el papel principal los secretarios del rey, que supieron sacar partido de la desesperada situación de los musulmanes con mañas diplomáticas, de acuerdo con las instrucciones que les iba dando Fernando.

La presión militar del ejército castellano se dirigió después contra las comarcas orientales de Granada y Almería, fronterizas con el reino de Murcia. En esta ciudad Fernando instaló su centro de operaciones en abril de 1488 y a base de negociaciones secretas obtuvo la rendición de muchas poblaciones. Vera y Huéscar caen en julio sin dificultad, a pesar de que eran plazas fuertes que podrían haber resistido largos asedios.

> Estos días pasados —escribe Fernando al papa el 26 julio de 1488— puse mi Ejército sobre la ciudad de Vera, que estaba frontera a este mi reino de Murcia. La cual plugo a Nuestro Señor, que, sin alguna resistencia, luego se me dio, como con otras villas, fortalezas y lugares, hasta el número de cincuenta, y en que hay veinte y tantas leguas de tierra, toda ganada ...y entre ellas hay fortalezas inexpugnables y algunas en costa y puerto de mar.

El centro de gravedad de la guerra se trasladó entonces a las ciudades de Guadix, Baza y Almería y a la zona de Murcia. En la campaña de 1488 capitularon también Vera, Mojácar y Vélez Blanco, y más al norte Huéscar, Orce y Galera.

Las comarcas del Almanzora no opusieron defensa al avance cristiano. La mayoría de sus habitantes seguían obedeciendo a Boabdil, quien pensaba que esas tierras serían su reserva ducal, y se rindieron sin resistencia, aunque algunos escaparon para unirse a las fuerzas del Zagal. Las guarniciones militares moras fueron sustituidas por alcaides y tropas cristianas, pero la mayoría de la población musulmana vencida continuó en sus casas, en muchos casos bajo sus propias autoridades.

EL SITIO DE BAZA

Desde Jaén, donde Fernando había instalado el cuartel general, se organizó la campaña contra Baza en la primavera de 1489. Fuertemente guarnecida, la ciudad se defendió con bravura bajo el mando de Yahya al Nayyar, y los atacantes sufrieron mucho para conquistarla.

Durante cinco meses, Baza se defendió hasta que en otoño se iniciaron las negociaciones de rendición. Fue una capitulación inesperada, debida sobre todo a la tenacidad del Rey Católico, que minó la resistencia de los sitiados mediante negociaciones furtivas con algunos representantes de la ciudad sobornados con oro.

La decisión inquebrantable de no levantar el sitio de Baza vino reforzada al producirse una incursión de corsarios berberiscos en las costas de Cádiz y Tarifa, y por la llegada de embajadores desde Turquía. El sultán turco, en protesta por la guerra que se hacía al emirato granadino, amenazaba con represalias contra los cristianos que vivían en sus dominios y con destruir el Santo Sepulcro en Jerusalén. Un desafío al que los Reyes Católicos respondieron en términos similares, advirtiendo que cualquier daño hecho a los cristianos en el imperio Otomano comportaría represalias semejantes en España.

La ciudad de Baza se rindió el 28 de noviembre, y en diciembre cayeron también Almería y Guadix. En carta al rey de Nápoles el 23 diciembre de ese año, Fernando reconoció que Baza había resultado muy difícil de cercar, tanto por su tamaño, como por la mucha gente y artillería que la defendían. Fue, seguramente, la operación más ardua de toda la guerra, con gran coste para las tropas castellanas, que durante varios meses tuvieron graves problemas de aprovisionamiento y no pudieron instalar su artillería.

La perseverancia del Rey Católico se vio alimentada por el apoyo de Isabel en los momentos críticos del asedio, cuando la reina acudió al cerco con su séquito y colaboró activamente en tareas de aprovisionamiento. La ayuda de la soberana no se redujo a levantar la moral de los sitiadores; también se concretó en 20 000 florines aportados a la campaña, para lo cual tuvo que vender en Valencia el rico collar de balajes y perlas que Fernando le había regalado en la boda.

El ejército cristiano —una vez tomada Baza— entró en Guadix y en las comarcas de Almería y el valle de Almanzora. El Zagal, derrotado, se retiró a Marruecos con 2000 vasallos y 4 millones de maravedíes, tras pactar con Fernando en Almería cuando el Rey Católico entró en esa ciudad. Eso fue el 23 diciembre de 1489, y una semana después Isabel y Fernando se instalaron en Guadix, y desde allí organizaron la rendición de toda la serranía circundante.

El final del Zagal fue trágico. Cuando llegó a Tremecén, en Marruecos, fue despojado de su riqueza por el rey de Fez, que le abrasó los ojos. Ciego y mendicante tuvo que pedir limosna por las aldeas y murió en la miseria.

Mejor suerte tuvo Al-Nayyar, el defensor de Baza, que recibió en señorío varios pueblos de la cuenca del Almanzora, y en enero de 1492 aceptó ser bautizado con el nombre de Pedro de Granada.

El golpe final

Desde 1487 había ido creciendo el poder político del rey Fernando en Castilla, debido al manejo de los asuntos de la guerra, aunque en esta tarea nunca la faltara el auxilio constante y necesario de Isabel, que le animó en los momentos difíciles, y sobre todo en la primera parte de la guerra, cuando el bando cristiano sufrió algunos serios reveses. Pero con todo, la balanza de la contienda se inclinaba ya del bando cristiano en 1486, y ese año los Reyes Católicos viajaron a Galicia, para dar gracias en Santiago al Apóstol por los triunfos cosechados y apagar los restos de la rebelión «irmandiña» contra los abusos feudales. De paso, aprovecharon la ocasión para aplacar en Asturias las tensiones provocadas por los señores feudales de aquella tierra.

Muchos creían entonces que la guerra de Granada duraría poco, dadas las divisiones que carcomían la capacidad de resistencia del emirato. Pero no fue así. Los últimos cinco años de la contienda aun reservaban desafíos importantes al esfuerzo de los Reyes Católicos. De la victoria, y la «mano de hierro» de Isabel y Fernando para lograrla, ya no dudaba nadie en Castilla, y la nobleza— en otro tiempo tan levantisca— empezaba a considerar al monarca aragonés el gran adalid de la cristiandad destinado a conquistar Jerusalén, como indican estas palabras de Rodrigo Ponce de León, marqués de Cádiz, dirigidas al «ilustre y muy poderoso gran príncipe rey don Fernando», de quien dice que no será cosa de este mundo que se le pueda resistir porque toda su gloria viene de Dios. «Y no solamente su grandeza ganará el reino de Granada muy presto— afirma el marqués— , mas sojuzgará toda África, y los reinos de Fez, y de Túnez y de Marruecos y Benimerín…y ganará hasta la Casa Santa de Jerusalén…y pondrá con sus manos el pendón de Aragón en el monte Calvario».

Pese a todos estos triunfos que anunciaba la inminente caída de Granada, Boabdil no pudo cumplir lo pactado con los reyes en 1487. Una gran parte de la población granadina, con los líderes religiosos al frente, querían continuar la resistencia y aguantar hasta el final, pensando quizá que recibirían ayuda desde el norte de África. Pero el cerco a la ciudad se fue estrechando con un asedio permanente y continuas escaramuzas que desgastaban a la guarnición. El plan de Fernando era demostrar a los sitiados que esta vez el cerco se mantendría a toda costa, y con este propósito los Reyes Católicos fundaron la ciudad-campamento de Santa Fe, para desalentar la moral de los defensores.

El cronista Mártir de Anglería dice que Granada era entonces la mayor de las ciudades del mundo. Rodeada de un cinturón amurallado, debía de superar los cien mil habitantes capaces de empuñar las armas, y contaba con una población de más de doscientas mil personas.

Fernando, prudentemente, instaló su campamento a unos siete kilómetros de los muros de Granada, con objeto de dejar entre su ejército y los sitiados un campo raso donde dar batalla y poder prevenir los ataques por sorpresa de los nazarís. También mandó fortificar el acantonamiento con fosos y trincheras y perseguir a los enemigos en huida sin romper las formaciones tácticas. Unas medidas que contradecían las reglas caballerescas de la época, que animaban a los combates individuales o en pequeños grupos, casi en plan deportivo, y propiciaban la persecución desordenada de las tropas vencidas.

El Rey Católico impuso una estricta disciplina a sus capitanes, y estos a su vez la transmitieron a las tropas cristianas, que poco a poco fueron cerrando el cerco a Granada. Acertadamente señala el historiador Giménez Soler que en esta tarea el Fernando contó con excelentes colaboradores, como el marqués de Cádiz, el conde de Cabra o los maestres de las cuatro órdenes militares, que aunque valientes y diestros a la hora de combatir carecían de una visión de conjunto de la campaña, y podían pasar con facilidad del arrebato guerrero a retroceder y perder lo ganado en un momento de pánico o desconcierto.

Hay que tener en cuenta que al iniciar la guerra, Fernando no tenía propiamente un ejército, sino tropas agrupadas de forma desorganizada, propensas a la desbandada cuando había botín a su alcance y predispuestas a desertar cuando las cosas venían mal dadas. Fue el Rey Católico— siempre apoyado por Isabel— quien con tenacidad y energía convirtió ese conjunto heterogéneo y alborotado en un ejército disciplinado, poniéndose al frente como un soldado más, mandando con el ejemplo y demostrando a todos que era capaz de soportar las fatigas del combate igual que cualquiera de sus hombres.

> Contuvo a todos dentro de la órbita de cada cual correspondía; prohibió las iniciativas particulares; fortificó con fosos y trincheras y estacadas los campamentos, los hizo guardar por fuerzas suficientes, protegió a los encargados de la tala y a los convoyes y a todo acto de guerra salió dispuesto a dar batalla si los enemigos de la ofrecían (Giménez Soler).

Realidad militar

Contra lo que algunos quizá piensen, la Guerra de Granada fue muy dificultosa y de no haber sido por la habilidad táctica de Fernando y sus capitanes pudo acabar mal. En los sitios de Vélez Málaga, Málaga y Baza, el Rey Católico hizo gala de una gran pericia táctica, además de una tenacidad digna de los mejores jefes militares. En momentos críticos, como fue el asedio de Baza,

EMIRATO DE GRANADA
CAMPAÑAS 1487-1492
MONTA TANTO TANTO MONTA
ESCUDO DE ISABEL Y FERNANDO EN 1492
GUIÓN REAL DE LOS REYES CATÓLICOS
GUIÓN DE LA CASA FERNÁNDEZ DE CÓRDOB
CÓRDOBA
EL CARPIO
BUJALANCE
Río Guadalquivir
FERNÁN NÚÑEZ
BAENA
LORA DEL RÍO
LA RAMBLA
MONTILLA
ÉCIJA
SANTAELLA
AGUILAR
CARMONA
CORONA DE CASTILLA
CABRA
PRIEGO
SEVILLA
MAIRENA DEL ALCOR
PUENTE GENIL
LUCENA
MARCHENA
ALCALÁ DE GUADAIRA
OSUNA
ESTEPA
LA PUEBLA DE CAZALLA
BENAMEJÍ
PEDRERA
UTRERA
MORON DE LA FRONTERA
CASTILLO DE LOPERA
ARCHIDONA
ANTEQUERA
CAÑETE
LEBRIJA
CORIPE
OLVERA
ZAHARA
SETENIL
ARCOS DE LA FRONTERA
BORNOS
GRAZALEMA
RONDA
ÁLORA
JEREZ DE LA FRONTERA
UBRIQUE
MÁLAGA
TORREMOLINOS
GAUCÍN
FUENGIROLA
CÁDIZ
MEDINASIDONIA
ALCALÁ DE LOS GAZULES
JIMENA DE LA FRONTERA
MARBELLA
ESTEPONA
GUADIARO
VEJER DE LA FRONTERA
BARBATE
ZAHARA DE LOS ATUNES
ALGECIRAS
GIBRALTAR
TARIFA

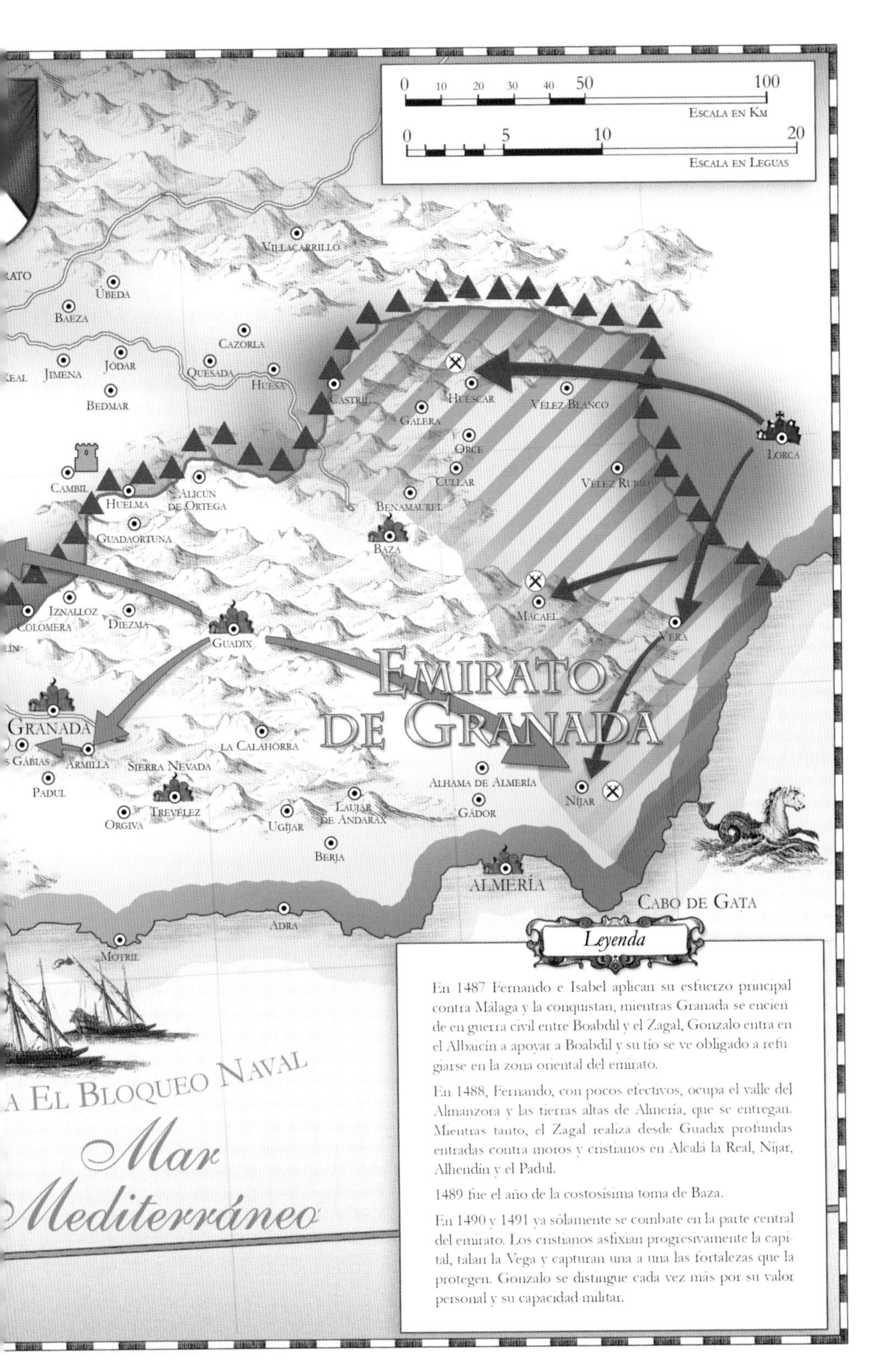

Leyenda

En 1487 Fernando e Isabel aplican su esfuerzo principal contra Málaga y la conquistan, mientras Granada se enciende en guerra civil entre Boabdil y el Zagal, Gonzalo entra en el Albaicín a apoyar a Boabdil y su tío se ve obligado a refugiarse en la zona oriental del emirato.

En 1488, Fernando, con pocos efectivos, ocupa el valle del Almanzora y las tierras altas de Almería, que se entregan. Mientras tanto, el Zagal realiza desde Guadix profundas entradas contra moros y cristianos en Alcalá la Real, Níjar, Alhendín y el Padul.

1489 fue el año de la costosísima toma de Baza.

En 1490 y 1491 ya solamente se combate en la parte central del emirato. Los cristianos asfixian progresivamente la capital, talan la Vega y capturan una a una las fortalezas que la protegen. Gonzalo se distingue cada vez más por su valor personal y su capacidad militar.

donde los cristianos tuvieron 20 000 muertos por combate o enfermedades, él fue quien levantó el ánimo de muchos de sus capitanes dispuestos a retirarse, y mandó sustituir las tiendas de campaña por refugios de piedra, dando a entender así a los defensores que por nada del mundo abandonaría el cerco.

Aparte de su certera visión de la «realidad militar», Fernando se mostró en esta guerra como un magistral organizador, no solo de las tropas combatientes, sino también de los servicios auxiliares de sanidad y abastecimiento. En el sitio de Vélez Málaga hizo «cosas nunca vistas ni oídas « al levantar un hospital permanente con 200 camas de colchones, «donde los heridos y enfermos —dice el cronista Anglería— eran servidos y curados tan bien como si en sus casas estuvieran. Y allí eran visitados de físicos y cirujanos del Rey y les eran dadas todas las medicinas y las otras cosas necesarias muy cumplidamente».

También supo aprovecharse sabiamente de las discordias de los moros granadinos, manejando con habilidad de «maestro de espías» a Bobadil en cuanto fue hecho prisionero por el conde de Cabra y el alcaide de Los Donceles. En eso demostró dotes consumadas como político y diplomático, al fomentar las intrigas entre las diversas facciones de Granada, favoreciendo a unos u otros según le convenía, y ahorrando así mucha sangre cristiana en la conquista. Más tarde sería Gonzalo Fernández de Córdoba, el Gran Capitán, quien mejor aprovecharía esas enseñanzas y culminaría los principios tácticos que Fernando ensayó en la guerra granadina.

En paralelo al asedio, el rey, por medio de su secretario Hernando de Zafra, mantenía relación secreta con Abulcasim el Muleh, uno de los personajes más importantes de la corte de Boabdil. Los Reyes Católicos exigían la rendición de la ciudad de acuerdo con lo estipulado en Loja, pero la entrega se iba dilatando por la actitud de la población de Granada, que en su desesperación estaba dispuesta a sublevarse y matar a Boabdil si este decidía entregar la ciudad.

Para solventar esta situación, Fernando envió secretamente a Hernando de Zafra a Granada, que acordó bajo mano con el monarca nazarí los términos de la capitulación, a espaldas de la población.

El 29 noviembre de 1491, los Reyes Católicos dirigieron una carta a los alcaides, alfaquíes, ulemas y otras autoridades de Granada. Les anunciaban su firme decisión de mantener el asedio hasta el final, y les ofrecían condiciones ventajosas si la ciudad se entregaba antes de veinte días. De lo contrario, Granada sería tratada con el mismo rigor que Málaga. Con la carta los reyes adjuntaron una gruesa suma de dinero para que Abulcasim ablandase la voluntad de resistencia de los notables de la ciudad, que en esos momentos ya pasaba hambre porque las nevadas del invierno habían cortado la comunicación con la Alpujarra y los víveres no llegaban.

TRAICIÓN DE BOABDIL

A pesar de que el Zagal había sido vencido y Boabdil se había declarado vasallo y pactado la rendición con Fernando, Granada resistió más de lo previsto, hasta el mes de noviembre de 1491, cuando el Rey Chico negoció secretamente la entrega. En la primavera de ese año, un gran ejército cristiano marchó sobre la ciudad. Los Reyes Católicos dirigieron esta última ofensiva desde el campamento de Santa Fe, que se habían comprometido a no desmontar hasta tomar la ciudad.

Sin abastecimientos, con la Vega devastada y sin perspectivas de ayuda exterior, la capacidad de resistencia de los musulmanes granadinos se derrumbó y Boabdil inició en secreto negociaciones para rendir la ciudad.

En una especie de doble juego, los sitiados designaron una embajada presidida por Abulcasim para negociar abiertamente lo que ya había sido decidido de forma oculta. En un plazo de 65 días, Boabdil entregaría la ciudad a los Reyes Católicos y los vencedores respetarían las vidas y haciendas de los vencidos, así como su religión y sus leyes. Una cláusula secreta de la capitulación entregaba a Boabdil el señorío de la Alpujarra y una generosa compensación en dinero. El nazarí, temeroso de la reacción popular, urgió entonces a los Reyes Catolicos para que ocupasen la ciudad cuanto antes, y el ejército castellano entró en Granada el 2 enero de 1492, unos días antes de que lo hicieran Isabel y Fernando.

Como Boaabdil confesara a Fernando que en la Alhambra podría haber resistencia a la rendición pactada, una tropa cristiana al mando de Gutierre de Cárdenas ocupó en la madrugada del 2 de enero de 1492 los puntos estratégicos del palacio-fortaleza de los emires y ese mismo día gran parte del ejército castellano entraba en Granada.

Los acuerdos de capitulación se firmaron el 5 noviembre de 1491 y Boabdil entregó la Alhambra el 2 enero de 1492, cuatro días antes de que los Reyes Católicos hicieran su entrada solemne en la ciudad. Cuando los monarcas llegaron cerca de la Alhambra salió a su encuentro Bobadil a caballo, con un numeroso séquito, y entregó las llaves de la ciudad. El soberano vencido quiso descabalgar y besar la mano del rey, pero Fernando no se lo consintió, y el nazarí le besó en el brazo y le dio las llaves con estas palabras: «Toma, Señor, las llaves de tu ciudad, que yo y los que estamos dentro somos tuyos». Fernando tomó entonces las llaves y se las dio a la reina.

La tropa cristiana —unos 3000 a caballo y 2000 espingarderos— entraron luego en la Alhambra y en su torre más alta pusieron una cruz que Fernando siempre llevaba consigo en esa guerra. «Y el rey, y la reina y el príncipe y toda la hueste se humillaron a la Santa Cruz —dice el Cura de Los Palacios—, y dieron muchas gracias y loores a nuestro Señor; y los arzobispos y clerecía dijeron Te deum laudamus; y luego mostraron los de dentro el pendón de Santiago, que el maestre de Santiago traía en su hueste, y junto con él el pendón real del rey Don Fernando y los reyes de armas del rey dijeron altas voces: «Castilla, Castilla», e hicieron allí y dijeron aquellos reyes de armas en lo que a su oficio era debido de hacer, y dieron sus pregones». Todos los prisioneros musulmanes fueron puestos en libertad el 8 de enero.

Retablo que representa la entrada de los reyes Isabel y Fernando en Granada.

Conforme a lo acordado, a Bobadil le fue concedido un señorío aislado en Las Alpujarras, en el que no permaneció mucho tiempo, pues al final vendió sus posesiones y marchó al norte de África.

Sobre el papel, las capitulaciones de la rendición fueron muy generosas con los vencidos, aunque en realidad se incumplieron pronto. No solo se respetaban las propiedades, religión y actividades comerciales de los musulmanes sino que incluso se les permitía conservar sus armas, aunque en seguida fueron despojados de estas. Quedaba sin embargo pendiente el verdadero problema de fondo: el sometimiento de la población musulmana mediante su conversión al cristianismo, y la creación de un gobierno cristiano que asegurase la integración de la ciudad en el conjunto del Estado unificado al que los Reyes Católicos aspiraban.

La toma de Granada tuvo enorme impacto en España y en toda Europa. Fue un hecho histórico de primera magnitud, que los reyes Isabel y Fernando consideraron siempre el logro principal de su reinado. La gobernación del reino de Granada siguió las pautas empleadas en el resto de Castilla, con corregidores reales al frente de los concejos municipales. La corona procedió a numerosos repartos de tierra y se repoblaron por completo las principales localidades del interior y costeras.

La mayor parte de los territorios reconquistados en la parte oriental del emirato se dieron a los grandes nobles castellanos, pero las tierras occidentales (Ronda, Málaga, Álora...) se entregaron a campesinos y menestrales de la Baja Andalucía. En la ciudad de Granada, a la que llegaron muchos pobladores cristianos, los musulmanes se concentraron en el Albaicín y los arrabales, y su población, que rondaba las 200 000 personas en el momento de la conquista, entró pronto en progresivo declive.

Existen pocas dudas de que la conquista de Granada fue debida en gran parte al talento organizativo y militar de Fernando. La guerra, que duró 10 años, fue dirigida personalmente por el Rey Católico, que vio agigantarse su figura política y guerrera en toda Castilla. «Es don Fernando—comenta el marqués de Lozoya—el que concibe un plan admirable de campaña que se sigue metódicamente, sin un decaimiento, superando los fracasos y sacando de ellos nuevo partido. Se manifestó el rey trabajador incansable, despreciador de fatigas y peligros y guerrero valiente y bizarro».

La reina Isabel, compenetrada totalmente con el rey, fue su más firme apoyo en toda la campaña y entre los dos organizaron una maquinaria administrativa, económica y militar que funcionó con precisión y eficacia, como requisito esencial de la victoria.

Pactos rotos

En el año 1500 el descontento de los musulmanes por el incumplimiento de las capitulaciones motivó una rebelión de las Alpujarras sofocada por el conde de Tendilla, que hizo necesaria la presencia de Fernando.

Peor fue la sublevación que un año después se produjo en la sierra de Filabres y se extendió por la serranía de Ronda y Sierra Bermeja. De nuevo el Rey Católico tuvo que tomar las armas para aplastar la revuelta e impuso a los vencidos el dilema de expatriarse o convertirse al cristianismo. Muy pocos de los musulmanes que entonces vivían en España decidieron emigrar. La mayoría se quedaron y aceptaron la conversión forzada. Se creó así la clase social de los llamados «moriscos», numerosos en Andalucía, Murcia, Valencia y Aragón, y siempre vistos con recelo por la población cristiana.

Las generosas capitulaciones de la rendición de Granada no se cumplieron, pese a que el primer gobernador, conde de Tendilla, rigió el antiguo emirato con equidad y tacto, con el concurso de fray Hernando de Talavera, primer obispo de Granada. Pero pronto prevaleció en la corte el criterio mucho más rigorista del también confesor de la reina, el franciscano Francisco Jiménez de Cisneros, empeñado en cristianizar a la fuerza a los musulmanes. Una política que motivó la revuelta de la población granadina, lo que sirvió de pretexto para incumplir lo pactado.

Boabdil, que se las prometía muy felices en su señorío de las Alpujarras, acabó siendo considerado en la corte castellana como un peligro en un territorio recién conquistado y con una abrumadora mayoría de población musulmana. Con su demostrada habilidad para este tipo de tareas, el secretario Hernando de Zafra, intrigó con el visir de Boabdil para que este vendiera todos sus bienes en España, y en octubre de 1493 el «Rey Chico» se embarcó en Adra con un grupo numeroso de sus antiguos súbditos. Fue bien recibido por el sultán de Marruecos, y se construyó en Fez un gran palacio en el que vivió hasta su muerte.

El rey en Aragón

Aprovechando la pausa invernal en la campaña, Fernando se trasladó en noviembre de 1487 a Aragón, donde existía mucha resistencia a la implantación del Santo Oficio. En enero de 1485 se produjo el enfrentamiento a golpes entre un alguacil del gobernador de Zaragoza y Pedro Cerdán, jurado primero de la ciudad. El alguacil fue condenado a muerte pocos días después y ejecutado. En respuesta, el jurado segundo de la ciudad y asesor de los jueces que habían sentenciado al alguacil, Martín de Pertusa, fue detenido por el gobernador y también ejecutado el 22 de junio. Todo esto contribuyó a enrarecer el ambiente contra el Rey Católico, que llegó a la la capital aragonesa decidido a dejar patente su autoridad.

De forma imprevista, Fernando se presentó en una reunión de las autoridades municipales y, además de reprenderles por los obstáculos que ponían a su potestad, les exigió que reforzasen en sus ordenanzas locales los poderes de la Corona. El plenario municipal terminó plegándose a sus deseos; sobre todo al principal de ellos: la creación de una Hermandad aragonesa semejante a la existente en Castilla. El rey quería disponer de una fuerza militar propia, independiente de las mesnadas feudales y pagada por las ciudades y villas del reino, aunque para esto necesitaba la aprobación de las Cortes de Aragón, que se reunieron en diciembre de 1487. Pese a la oposición del clero y los nobles, los procuradores aragoneses acordaron establecer la Hermandad durante cinco años, al término de los cuales podría plantearse su continuidad.

Satisfecho por haber conseguido imponer su decisión, Fernando se centró en la reforma de la Diputación zaragozana, cuya situación económica era ruinosa. Para aligerar las deudas, el monarca les adelantó incluso 5000 libras de su propio dinero, que recobraría después con nuevos impuestos. En todo caso, con este préstamo, además de poner en marcha un plan de saneamiento financiero, el monarca se convertía en acreedor de la Diputación y eso le facilitaba su control político.

De forma similar, Fernando actuó en el reino de Valencia para consolidar el poder de la Corona. En la Generalitat valenciana, desde finales de 1487, decidió el nombramiento de diputados y oidores, colocando a gente de su confianza. También intervino en la ciudad de Valencia, donde había gran revuelo por las acusaciones de corrupción y nepotismo contra el racional Bernat Catalá[11]. Fernando aceptó en principio renovarle el cargo, pero lo sustituyó en junio de 1488 por Francis Granulles, a quien recortó los poderes que tenía su antecesor. La estabilidad social dio un nuevo impulso económico a la ciudad del Turia, que en 1489, al producirse el sitio de Baza —el más duro de toda la guerra de Granada— pudo prestar al rey 60 000 florines, con los cuales Fernando culminó con éxito la campaña.

CATALUÑA Y BALEARES

En Cataluña el Rey Católico también procedió de forma drástica para imponer su autoridad y obtener el dinero que necesitaba para el sostenimiento de la guerra. En la primavera de 1488 notificó a su primo don Enrique de Aragón, virrey en esa región, su deseo de intervenir en el gobierno de la Generalitat. El virrey convocó un parlamento en Cataluña con el fin de obtener subsidios para la guerra de Granada , pero los representantes catalanes se negaron a asistir, alegando que una reunión de esa clase solo podía ser presidida por el propio rey.

Fernando tomó nota y decidió entonces convocar a los representantes de la Generalitat y a una serie de altos funcionarios catalanes en Zaragoza. Cuando los tuvo reunidos actuó con severidad, recordándoles que él era, por gracia divina, el «cabeza, defensor y protector» del Principado. Y como las deudas y la extendida corrupción en Cataluña no le dejaban otra opción, suspendía *sine die* todos los cargos de la Generalitat y designaba cabeza de esa institución a un hombre de su confianza, Jaume Destorrens.

Los diputados catalanes, preocupados ante todo por las finanzas de la Generalitat, aceptaron la intervención del rey, que dio así un nuevo paso para el control de esa corporación catalana. El 29 de noviembre de 1490, víspera de la elección anual de los concellers de la Generalitat, Fernando decidió suspenderla. Al mismo tiempo designó una serie de nombres para ocupar los cargos ejecutivos de la ciudad, encabezados por Destorrens como *conseller en cap*. Un hombre dispuesto a aplicar con pragmatismo los deseos del rey, representante de la nueva línea política que marcaría la política catalana durante largo tiempo.

El reino de Mallorca presentaba también graves problemas que el rey debía afrontar. Las deudas que la isla tenía con los acreedores catalanes, y la conflictiva situación social por las constantes disputas entre la clase alta y los menestrales y campesinos, habían conducido a una situación que exigía grandes reformas económicas y políticas.

Fernando había convocado a los mallorquines a las Cortes de Tarazona en 1483, pero estos rechazaron presentarse por temer que el rey les pidiese dinero, a pesar de que perdían así una oportunidad de participar en el principal parlamento de la Corona aragonesa, al que nunca habían sido convocados. La renuncia hizo que Fernando perdiera interés en ese territorio y Mallorca quedara no solo aislada geográficamente, sino también en lo político, con lo cual perdió peso específico en el conjunto de la Corona. Eso le restó fuerza a la hora de tratar de impedir la actuación de la Inquisición en la isla, que se inició en 1488 y se cebó, sobre todo, con los judíos (chuetas), marginados durante siglos por los cristianos viejos.

El nuevo ejército

Los analistas militares de ese momento histórico coinciden en la profunda transformación que el ejército de los Reyes Católicos experimentó en la Guerra de Granada. Con razón E. Martínez Ruiz señala que la «la Guerra de Granada ha sido considerada por muchos como el acontecimiento que marca en el terreno militar la transición del Medievo a la Modernidad».

De acuerdo con el tratadista francés René Quatrefages[12], la organización del ejército castellano que combatió en la guerra granadina se basaba, en primer lugar, en los Guardas Reales, una caballería que pagaba directamente la Corona y formaba la parte más pujante del ejército. Esta fuerza se complementaba con unidades montadas de nobles que el propio monarca mantenía, de acuerdo con el contrato feudal según el cual, a cambio de un sueldo, el vasallo debía acudir a la convocatoria militar del señor. Era un servicio que podía realizarse individualmente o en grupo, en el caso de que un gran noble se comprometiera

Piezas de artillería empleadas en la campañas de los Reyes Católicos.

Cañón sobre cuatro ruedas utilizado para batir murallas en la Guerra de Granada.

a situar cierto número de hombres sobre el campo, recibiendo a cambio un pago del rey.

Dentro de las tropas pagadas directamente por la Corona estaban los combatientes de la Hermandad y los espingarderos, que introducían un elemento de modernidad en el aspecto militar al que Fernando dedicó siempre especial atención. Por algo sus contemporáneos lo consideraban un rey guerrero.

Además de las tropas reales estaban las huestes que los nobles aportaban en la mayoría de los casos pagadas también por el monarca mientras estaban a su servicio. Eran importantes además las tropas municipales y las milicias de los concejos. Una fuerza muy necesaria en la guarnición de plazas fuertes, pero con escasa capacidad decisoria en las batallas.

Es de subrayar, como ya se ha dicho, el importante papel que jugó en esta guerra la Artillería, un Arma que estaba a disposición casi exclusiva de los monarcas.

Según el tratadista Contamine, en los siglos XIV y XV existían en España diversos tipos de piezas artilleras. Unas de gran calibre: mortero, trabuquete, bombarda y pasavolante; y otras de de pequeño calibre: bombardeta, falconete, cerbatana, ribadoquín y esmeril. El empleo de la artillería se produjo en los reinos peninsulares desde el siglo XIV, con tendencia a utilizar piezas de poco calibre que podían ser movidas con facilidad. Pero en tiempo de los Reyes Católicos se dio un cambio fundamental, al sustituirse los cañones de hierro

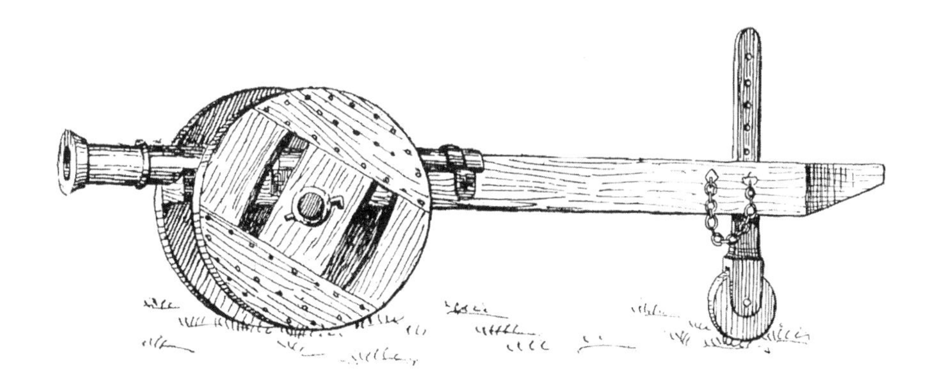

Cañón de campaña con tren de arrastre. Siglo XV.

por cañones de bronce, con un sistema de forja que se cambió pronto por el de fundición.

En la Guerra de Granada proliferaron los asedios y toma de fortalezas en los que la artillería tuvo un papel fundamental. A partir del momento en que la guerra se hizo más costosa por el gasto de fabricación y mantenimiento de la artillería, esta pasó a considerarse el Arma exclusiva de la Corona. Fueron los Reyes Católicos, y sobre todo Fernando, quienes sentaron las bases de la organización y empleo de artilleros dentro del ejército. Los monarcas prohibieron además que los nobles tuvieran trenes de artillería propios y contrataron los servicios de especialistas extranjeros cuando lo consideraron necesario.

En 1490, afirma Martínez Ruiz, los Reyes Católicos disponían de un total de 180 piezas de todos los calibres, con cinco fábricas de pólvora y cañones.

> Gracias a disponer de un tren de sitio de unas 180 piezas, los Reyes Católicos —dice Geoffrey Parker— pudieron apoderarse en 10 años de los puntos fortificados del reino de Granada que durante siglos habían resistido a sus antecesores. Parecía como si la era de las «defensas verticales» hubiera concluido.

Una opinión que corroboran autores muy anteriores, como Andrés Bernádez, el Cura de Los Palacios, cuando dice que «grandes ciudades que en otros tiempos habrían resistido un año frente a cualquier enemigo que no fuera el hambre, caían ahora al cabo de un mes». O como Zurita, quien recalca la fragilidad de «murallas y torres que habían sido construidas para una guerra de lanzas y escudos». Y Maquiavelo ya afirmaba en 1494 que «no hay muro, por grueso que sea, que la artillería no pueda destruir en pocos días».

Siguiendo los datos aportados por el estudioso Víctor Joaquín Jurado Riba en cuanto a cifras de los contingentes movilizados en la guerra granadina, el tratadista P. Contamine afirma que en la expedición de 1485 había 11 000 jinetes y 25 000 peones; en la de 1486 los montados eran 12 000 y 40 000 los peones; en 1487, las cifras respectivas eran 11 000 y 45 000, y en 1489, 13 000 y 40 000.

Martínez Ruiz dice que en el momento culminante del cerco de Granada las tropas llegaron a 80 000, y el resto de las campañas los efectivos rondaron los 60 000 hombres. Estas cifras difieren un tanto de las de A. Espino López en su estudio comparativo sobre las estructuras militares de los reinos hispá nicos, según el cual las tropas castellanas oscilaron entre los 16 000 y 26 000 hombres en los años de 1482 a 1484. En 1485 pasaron a 36 000, y en 1486 a 52 000, hasta llegar a los 60 000 en 1491. Datos muy similares a los que recoge Ladero Quesada.

Se trata pues de un ejército de notables dimensiones, que preludia la modernidad militar, sobre todo por su organización centralizada en un Estado nacional, dotado de hacienda suficiente para mantener un alto nivel de tropas y aprovisionarlas. Algo que comenzó en la década de 1470, con las derrotas de Carlos el Temerario, duque soberano de Borgoña, en las batallas de Morat, Grandson y Nancy contra la infantería de mercenarios suizos.

Las estrategias utilizadas —asegura Jurado Riba— adelantan lo que será la guerra de asedio moderna, con escasa influencia de las batallas campales y mucha profusión de escaramuzas, asedios y devastación de campos y poblaciones. Un tipo de guerra que recuerda mucho a las actuales, que buscan asolar el territorio enemigo, castigar a la población civil y destruir los recursos económicos.

En cuanto al armamento empleado en la contienda de Granada, las innovaciones principales afectaron a la artillería y la infantería. Uno de los factores fundamentales a partir de 1491 es el empleo de la pica, en el que la infantería helvética se había adelantado al resto de Europa, creando lo que se llamó el «modelo suizo», con formaciones cerradas de combate en orden estricto. La pica era un arma de largo recorrido, que solo requería de una firme voluntad y de férrea disciplina.

Las nuevas armas además desarrollan todo su potencial cuando se combinan con los proyectiles, al reunirse en las unidades combatientes las picas con los arcabuces. La ballesta siguió desempeñando un papel muy importante en los campos de batalla hasta los inicios del siglo XVI.

Real tropa

Desde finales del siglo XV la guerra había pasado a ser más cruenta y exigía menos especialización. Aunque un arquero adiestrado tenía una mayor precisión, alcance y cadencia de tiro que un arcabucero, para manejar las armas de fuego individuales no se requería un adiestramiento tan intenso. Estas armas no eran caras de fabricar y requerían un entrenamiento mucho menor que el de los arqueros.

La importancia creciente de las armas de pólvora, a las que tan bien se adaptó el ejército castellano de los Reyes Católicos, puede verse en un informe de Alonso de Quintanilla, citado por Quatrefages, en el cual se dice que los habitantes con una renta de más de 10 000 maravedíes debían poseer una ballesta; y a partir de los 20 000 maravedíes, una espingarda con 150 balas y 20 libras de pólvora. Son cambios que perfilan de forma definitiva el nuevo concepto táctico que dominó los campos de batalla durante siglo y medio.

Al final de la Guerra de Granada, pueden apreciarse con claridad ciertos aspectos estratégicos que marcan la revolución militar de la nueva etapa: el rey como autoridad suprema única, el incremento progresivo de la infantería, el empleo masivo de la artillería y el desarrollo de servicios como los batidores o la sanidad.

La composición del ejército en la primera expedición a Nápoles en 1495 al mando del Gran Capitán es muy indicativa por la distribución y el número de las tropas empleadas. En esa empresa embarcaron 5000 peones y 600 lanzas jinetas, lo que evidencia ya una clara tendencia a empleo de la infantería como elemento de combate predominante.

Con todo, la guerra de estilo medieval también se dio en las campañas de Granada, porque las tropas de los concejos carecían de caballería pesada que estaba a cargo de los nobles, pero en esta forma tradicional de guerra la caballería llevaba las de perder al contender con las nuevas armas.

De lo que no hay duda es que el reinado de los Reyes Católicos supone un paso militar decisivo dentro de un Estado moderno, no solo desde el punto de vista práctico sino también teórico.

Un primer punto a destacar en este sentido es la formación de las Guardas de Castilla como cuerpo de caballería fijo a partir del 2 mayo de 1493, lo que algunos analistas consideran el primer ejército permanente español, por la necesidad de enfrentar a la «gente de armas» francesa con una fuerza similar.

Las Guardas eran un cuerpo de 2500 lanzas repartidas en 25 capitanías de 100 lanzas cada una. Cuatro quintas partes estaban formadas por lanzas tradicionales (caballería pesada) y el restante por lanzas jinetas o caballería ligera.

Ballesteros y lanceros del ejército real en la Guerra de Granada. A la derecha, un combatiente de a pie musulmán.

Además de las Guardas, los Reyes Católicos disponían también de una mesnada de caballeros y escuderos repartidos por todo el reino a los que pagaban un «acostamiento». En cuanto a la artillería, la Corona pasó de tener solo 4 artilleros en 1479 a 91 en 1485, con unas 150 a 200 piezas de tipos diversos.

Este ejército real estable tenía por misión (además de defender la corte) la guarnición de algunas fortalezas y ejecutar funciones vinculadas a las decisiones de los Reyes Católcios, y disponía de especialistas y capitanes capaces de dirigir fuerzas mucho mayores.

Los Reyes Católicos contaban también con las mesnadas de las órdenes militares de Santiago, Calatrava, Alcántara y San Juan del Hospital (hospitalarios), a las que se añadían las de los nobles y algunos prelados, como el de Toledo. Estas tropas acudían cuando las convocaba el rey, que era quien solía pagarlas.

A partir de 1485 Isabel y Fernando exigieron también el servicio militar personal a los caballeros e hidalgos nombrados por carta regia posterior a 1464, pero la convocatoria tuvo escaso éxito, ya que la pequeña nobleza no disponía de medios propios para ir a la guerra. Aunque el oficio de las armas era propio de todo el estamento nobiliario, solo podía cumplirse si se contaba con recursos económicos.

Además de estas fuerzas, en la Guerra de Granada intervinieron también huestes de los concejos municipales y de la Hermandad, que los Reyes Católicos contrataron y pagaron directamente. La mayoría de las ciudades de Castilla y León aportaron tropas de la Hermandad. El pago estaba a cargo de la Hacienda real y de los fondos municipales o recaudados por la propia Hermandad. Ladero Quesada comenta que las autoridades municipales y las Hermandades se encargaban de recaudar el dinero para contratar voluntarios entre los vecinos de pueblos o ciudades, lo cual equivalía a una forma encubierta de mercenariado controlado firmemente por la monarquía.

Al ser la guerra granadina eminentemente terrestre, la marina no desempeñó un papel destacado, pese a que durante toda la contienda los Reyes Católicos dispusieron de barcos procedentes de Andalucía, la costa Cantábrica, el País Vasco, Cataluña y Sicilia. Pero ninguna acción de guerra se decidió por las intervenciones navales, quizá debido al elevado coste de las naves y sus tripulaciones. El consejero Diego de Valera estimaba que para controlar el Estrecho de Gibraltar eran necesarias al menos dos carracas grandes, dos balleneres o vallineles y seis carabelas en invierno, y a esto deberían añadirse cuatro galeotas en verano para vigilar el litoral e impedir los envíos de pertrechos desde el norte de África.

REFORMA MILITAR

La reforma militar llevada a cabo en la Guerra de Granada se basó en una serie de disposiciones adoptadas en la década de 1490, que se tradujeron en ordenanzas para garantizar el control de la Corona sobre las fuerzas armadas en el conjunto de Castilla.

El tratadista Quatrefages recuerda que ya en 1494 se publicó una primera instrucción, referida al sueldo de los capitanes, junto con algunas disposiciones sobre los equipos y normas disciplinarias de la caballería. Un año más tarde se regularon los estipendios de las diversas tropas, y se ordenó que las lanzas jinetas tendrían cinco meses para equiparse y diez los hombres de armas. Algo que permitía disponer de una poderosa reserva en caso de enfrentamiento con Francia, la nación que se iba perfilando como el gran enemigo de España en Europa.

En paralelo a estas medidas, los Reyes Católicos encargaron un informe sobre la balanza económica de Castilla al contador mayor Alonso de Quintanilla, que propuso asignar el armamento según la renta individual. Quienes tuvieran hasta 5000 maravedíes —dice Jurado Riba— debían tener en su casa un pavés, una lanza, una espada y un casco. Si tenían un mínimo de 10 000 maravedíes, debían disponer del equipamiento de un peón con media coraza o de ballestero, y los que llegaban a 20 000 maravedíes deberían tener una espingarda con 150 balas de munición y 20 libras de pólvora.

Ballesteros con paveses preparados para entrar en combate.

En los años 1495 y 1496 se dictaron un total de tres ordenanzas. En la primera se establecía el armamento general para todos los hombres combatientes y dos revistas anuales. La intención era que todos los vasallos estuvieran armados según sus posibilidades económicas y listos para acudir al llamamiento del rey.

En la segunda ordenanza, emitida en Tortosa en enero de 1496, se establecía la organización de las licencias, veedores y pagos. En definitiva —dice Jurado—, esto asentaba la Tesorería y la base económica del ejército, dedicando especial atención a la caballería. Sobre la infantería solo se mencionaba que debía ser tratada igual que el cuerpo montado, aunque haya referencias al trato entre los capitanes y los combatientes peones.

La tercera ordenanza, en febrero de 1496, es muy importante por establecer el porcentaje de reclutamiento en relación a la población general (una doceava parte), lo que suponía poner entre 80 000 a 100 000 hombres a disposición del la Corona.

Todas estas disposiciones quedarían ampliadas y reguladas en la Gran Ordenanza de 1503, firmada por el rey Fernando el Barcelona, en la cual queda patente la adopción del «modelo suizo», con los piqueros en sustitución de los antiguos lanceros.

Tal reglamentación sería la génesis de los tercios, y marcaría la tendencia a la desaparición de los « escudados» (ballesteros y rodeleros) y al aumento de los piqueros y espingarderos o arcabuceros. El analista Borreguero Beltrán afirma que la ordenanza de 1503 acabó con diez años de evolución militar y abrió el camino a una nueva reglamentación, que se mantuvo sin grandes variaciones hasta el siglo XVIII.

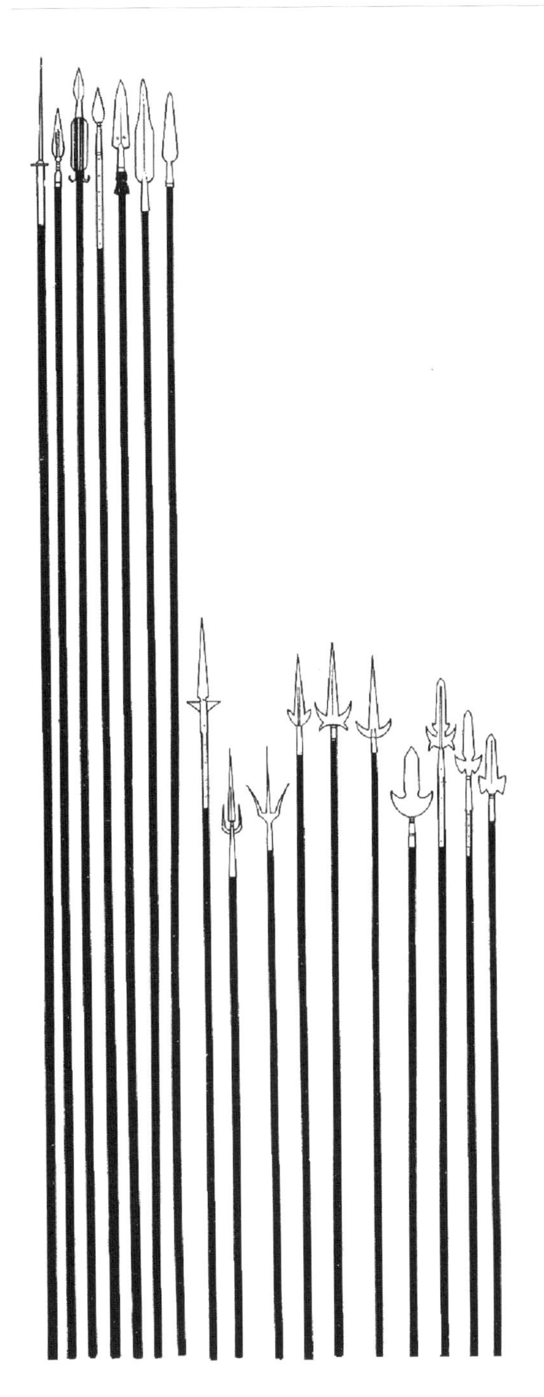

Picas, espontones y partisanas. Armas de la infantería real.

La regulación de 1503 tenía 61 artículos que incluían la administración de los cuerpos, el control de sueldos, las inspecciones, la necesidad de que los capitanes residieran con sus tropas y los problemas de alojamiento. Los artículos hacían mención a la moralidad de la tropa (prohibían el concubinato y la bigamia) y establecían las revistas, el armamento, las medidas de disciplina y el pago a los soldados.

Al igual que en la Ordenanza de Tortosa, el texto de 1503 hace referencia sobre todo a la caballería, pero en su último artículo indica, en palabras del Rey Católico, que las normas se hacían extensivas a «cualesquier gentes así de los nuestros asentamientos como de las ciudades y villas y lugares de nuestros reinos o de cualesquier grandes y caballeros nuestros vasallos…»

Para Quatrefages, estas ordenanzas preludían el fin de la autonomía de los diversos contingentes militares en campaña que comandaban los nobles. Su organización seguía siendo plural pero estaba dirigida por los Reyes, que controlaban el ejército con la tendencia centralizadora característica de la modernidad histórica. La organización militar pasó a

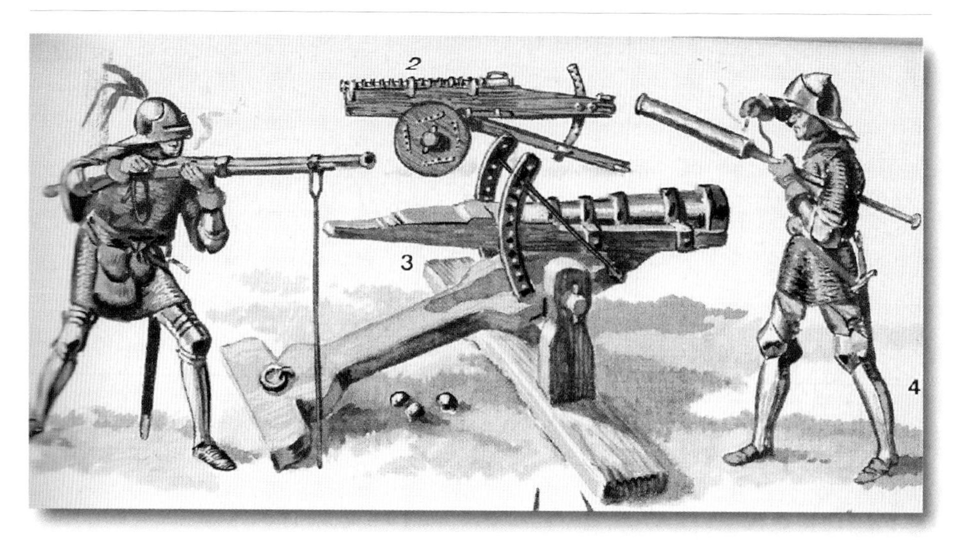

Arcabuceros y artilleros en las postrimerías del siglo XV.

tener como cabeza que regulaba la actividad bélica, al Estado encarnado en la Corona.

En suma, entre la Guerra de Granada y el año 1503, cuando se libra la batalla de Ceriñola, se produjeron transformaciones sustanciales en la legislación militar, armamento y tácticas, que se tradujeron en una serie de innovaciones que marcaban el signo moderno de los tiempos en el terreno táctico y en proporcionar mayor poder a la Corona.

Fernando el Católico fue muy consciente (y uno de los primeros artífices) de la transformación militar que exigía la nueva época. Las disposiciones y ordenanzas emitidas son buena prueba de ello. En esta evolución influyó mucho su propia experiencia, en la guerra civil catalana (1462-1472), y en la guerra de sucesión castellana que siguió a la muerte de Enrique IV.

En cualquier caso el esfuerzo bélico sostenido durante 10 años en la Guerra de Granada puso de manifiesto la realidad suprema de la autoridad monárquica en el Estado moderno. Las formas de organización, abastecimiento y pago del ejército —señala Ladero Quesada—, enlazan con tradiciones medievales pero se potencian hasta un nivel antes desconocido.

En conjunto, la reorganización militar emprendida por los Reyes Católicos, debida sobre todo a Fernando, significa una auténtica revolución táctica asentada sobre bases jurídicas, logísticas y administrativas. Algo que supuso culminar una labor que se había ido gestando desde mediados del siglo XV en un círculo de la administración estatal, con personajes como Alonso Fernández de Palencia, autor del *Tratado de la perfección del triunfo militar* (1459), que en forma de relato alegórico sirvió de base a la reflexión humanista de la guerra en los nuevos tiempos.

Las consecuencias sociales de la conquista de Granada, por otra parte, fueron duraderas. Decenas de miles de nuevos pobladores de otras regiones de España afluyeron hacia el sur y configuraron socialmente Andalucía. Sus efectos ideológicos sobre la concepción nacional de España también perduraron.

CARTAS
DE GONZALO AYORA,
CRONISTA
DE LOS REYES CATOLICOS,
PRIMER CAPITAN DE LA GUARDIA REAL,
Primer Coronel de Infantería Española, é introductor de la táctica de las tropas de á pie en estos reynos.
ESCRIBIALAS
AL REY DON FERNANDO
en el año 1503 desde el Rosellon, sobre el estado de la guerra con los Franceses.
DALAS A LUZ
D. G. V.
MADRID
EN LA IMPRENTA DE SANCHA.
1794.

Las cartas de Gonzalo Ayora, cronista de los Reyes Católicos, en edición de finales del siglo XVIII.

> La conquista de Granada fue, por todo ello, un suceso central —dice Ladero Quesada— y singularmente denso por su valor explicativo, dentro del conjunto de la historia hispánica, y se cuenta siempre como la parte más rica del legado que, conscientemente, quiso dejar la época de los Reyes Católicos a la posteridad.

Mientras duró la Guerra de Granada, la política exterior de los Reyes Católicos pasó a un segundo plano en los escenarios atlántico y pirenaico, al tiempo que se aplazó la confrontación con Francia, pese a los focos de rivalidad existentes. No ocurrió lo mismo en el escenario mediterráneo, ya que la conquista del emirato nazarí, aún siendo una empresa básicamente castellana, estaba vinculada a la política mediterránea de los monarcas aragoneses y la amenaza de los turcos otomanos. Eso explicaría en parte la tenaz decisión con que se llevó a cabo la contienda, pues —como dice Luis Suárez—el reino de Granada cerraba las costas de la Península y era la válvula de seguridad del estrecho de Gibraltar.

Con esta perspectiva, Fernando observó alarmado el avance de los turcos, que en el verano de 1480 habían puesto pie en el sur de Italia (Otranto). El rey mantuvo una actividad política compleja, que incluía negociaciones con los emiratos del norte de África para impedir que acudieran en auxilio de Granada, y el mantenimiento de la paz en Italia, con objeto de no verse obligado a intervenir allí antes terminar la contienda en el sur de España.

El fin de la Guerra de Granada tuvo un extraordinario eco en el mundo cristiano, y fue considerada una compensación por la toma de Constantinopla por los turcos en 1453. En París y Londres se entonaron tedeum para celebrar el acontecimiento y en Italia las celebraciones fueron fastuosas. Nápoles organizó representaciones teatrales, y en Roma sonaron las campanas de todas las iglesias y se organizaron procesiones. El papa Inocencio VIII celebró una misa solemne y los festejos prosiguieron hasta el mes de mayo con torneos, justas y repartos de comida. En la plaza Navona se representó el cerco de Granada, y el cardenal español Rodrigo Borja, que poco después sería papa Alejandro VI, hasta ofreció una corrida de toros.

La conquista de Granada también condicionó el largo enfrentamiento entre España y los turcos en el Mediterráneo, y proporcionó a Fernando la poderosa colaboración financiera y militar de Castilla a su propia política exterior, que sustentaría el predominio de España en Europa en los siglos siguientes.

EL DESCUBRIMIENTO

Campos de alegría

El año 1486 fue importante en la trayectoria de los Reyes Católicos. La guerra de Granada tomaba decisivamente un sesgo favorable. La división en el bando musulmán se acentuaba día a día y Muley Hasán se había retirado a Almuñécar, dejando Granada en poder del Zagal. Pero Bobadil era dueño del Albaicín, aunque no consiguiera apoderarse de la Alhambra, donde mandaba el Zagal.

En los planes de guerra de Fernando figuraba como primer objetivo la conquista de Loja, que se llevó a cabo en mayo. Alonso de Palencia dice que la noticia de la rendición de Loja fue de gran consuelo para la reina, que estaba muy preocupada por la suerte de su amado consorte y había pasado días en oraciones y ayunos, suplicando a Dios por la suerte del ejército cristiano.

Dicen también las crónicas que Isabel estaba muy alegre al saber que Loja había caído, y cuando cabalgaba junto a la fuente de Archidona le salió al encuentro el marqués de Cádiz y ella lo saludó con estas palabras: «Parece que los campos de dónde venís están llenos de alegría». Poco después, al entrar en Íllora, se encontró con Gonzalo Fernández de Córdoba, entonces un joven capitán a quien conocía de años atrás, cuando este había acudido a a Córdoba para rendirle homenaje. «Encargaos —le dijo la reina— de la tenencia de esta fortaleza de Íllora ..., que al tanto y más os mandaremos dar con esta».

Al comienzo de junio, Fernando puso fin a la campaña y los Reyes Católicos viajaron a Galicia, muy revuelta por las querellas de los nobles, mientras el duque de Alba quedaba al mando de la frontera. Los meses de aquel invierno fueron difíciles por las malas cosechas y el aumento del gasto de la guerra, que atribulaban a toda Castilla.

El año 1486 fue también importante para un desconocido navegante llamado Cristóbal Colón que se había ofrecido en Portugal para descubrir un nuevo camino hacia las Indias navegando rumbo oeste. Rechazada su propuesta en el país vecino, Colón llegó a España con el propósito de entrevistarse con los Reyes Católicos y proponerles que patrocinaran el proyecto descubridor que rey portugués había rechazado. Con buen criterio, Isabel y Fernando remitieron la cuestión a una Junta, mientras daban largas a una decisión firme hasta que acabara la guerra granadina.

Resulta un tópico repetido que el rey Fernando era opuesto a la empresa y la reina Isabel favorable, pero esto no deja de ser una opinión infundada. Sabemos que entre los más decididos partidarios de la idea de Colón había hombres muy próximos a Fernando, como Juan Cabrero, camarero del rey, fray Diego de Deza, ayo del príncipe Juan, Luis Santangel, mayordomo de palacio, Gabriel Sánchez, tesorero general del reino de Aragón, o Juan Coloma, el secretario de más confianza del monarca. No resulta lógico pensar que estos personajes tan próximos al rey, conocedores de sus opiniones y pensamientos íntimos, tuvieran opinión contraria a la del monarca en una cuestión tan importante.

Contra quienes piensan que la empresa era un negocio exclusivo de Castilla, y por tanto Fernando no lo tenía por propio, está el hecho documental de que las capitulaciones de la Corona con Colón quedaron registradas en la cancillería de Aragón y fueron refrendadas por el secretario aragonés Juan de Coloma.

Fernando además tenía más motivos que Isabel para mostrarse favorable a la idea de Colón, ya que en opinión de muchos hombres de ciencia en Italia (donde la tradición mediterránea de Aragón mantenía estrechos vínculos con genoveses, venecianos y florentinos) el viaje no era descabellado en teoría. Eso sin mencionar los contactos frecuentes con mercaderes y armadores italianos que mantenían Luis de Santángel y Gabriel Sánchez.

En Castilla, por el contrario, la mayoría de los expertos, y mucho más el sentir popular, eran escépticos. Fray Bartolomé de las Casas afirma que la reina Isabel juzgaba la empresa de Colón imposible, igual que la Junta encargada al efecto. «Todos a una vez decían —comenta Las Casas— que era locura y vanidad y a cada paso burlaban y escarnecían de ello».

Forjador de Las Indias

En torno a este prejuicio tan extendido, el profesor de la Universidad de Zaragoza, Juan José Andreu Ocariz, en su estudio sobre el papel de Aragón en el descubrimiento de América, se queja de que la historiografía tradicional haya considerado a Isabel la Católica como la protectora casi exclusiva de Colón y la impulsora de la gesta. Una visión poco fundada, como deja en claro el propio Fernando el Católico cuando en carta enviada al Capítulo General de la Orden Franciscana, reunido en Barcelona el 14 de abril de 1508, afirma sin ambages haber sido él la causa principal del hallazgo y poblamiento de las Indias recién descubiertas.

Jerónimo Zurita, en su crónica laudatoria sobre el reinado del rey Fernando, no vacila en adjudicarle la «Invención de las Indias», y en el siglo XVII el aragonés y cronista, Bartolomé Leonardo de Argensola, dice en sus *Annales* publicados en Zaragoza en 1630:

> Y el Rey con aquella increíble capacidad, donde pudieran caber muchos Mundos, abrazó la Empresa del que llaman Nuevo, y Cristóbal Colón su Descubridor, a quien después dio título de Almirante, hizo las honras que hoy viven en su descendencia.

Cristóbal Colón por Sebastiano del Piombo (1519).

Tras destacar el protagonismo del converso Luis Santangel en el viaje de Colón, Argensola añade:

> Y así, como no debe ser agraviada Castilla, permitiendo que los escritores callen lo que su nación ha obrado en aquel Mundo, tampoco se ha de conseguir, que alguno defraude al Rey Católico la gloria de haber dado principio a la mayor obra de la Tierra, de muchos Siglos a esta parte. Como ni a los naturales de la Corona de Aragón que han pasado a las Indias, peleado, descubierto, y gobernado, fundado, y poblado ciudades, y servido a la Religión Católica, de manera que (siguiendo a su rey en su estandarte) por aquel nuevo mundo, no se ha señalado menos que cuando le hicieron Señor, de lo que tuvo en Levante, y tiene hoy en Italia, en las Islas, y en lo demás que se sabe de Europa, en África y en Asia.

Con buen juicio argumenta el historiador Demetrio Ramos que si se acepta generalmente la maestría como estadista de Fernando el Católico, no se concibe que careciera de proyecto para América. «Tanto en vida de Isabel, con la que no hubo la menor discrepancia en materia indiana, como en la época de su gobierno, preside una misma razón política: la directriz realenga, frente a las pretensiones señoriales de Colón y sus sucesores. No cabía en los postulados de los dos monarcas la constitución de aquella dualidad Almirante—Corona a la que aspiró siempre el genovés».

En vida de la reina Isabel, y siendo ambos soberanos los propietarios de las tierras descubiertas de acuerdo con la concesión pontificia, el problema que se le presentaba a Fernando era evitar que Colón se extralimitase en sus funciones, intentando ejercer una especie de cosoberanía en los nuevos territorios, algo que el monarca aragonés no estaba dispuesto a tolerar.

Aprovechando el mal gobierno y el autoritarismo riguroso del almirante, Fernando fue imponiendo la autoridad de la Corona a través de una serie de hombres de su confianza encargados de apuntalar el poder real en América. Entre estos había oficiales reales, como el tesorero general Miguel de Pasamonte; el factor del rey y veedor Juan de Ampiés, y los secretarios Miguel Pérez deAlmazán, nacido en Calatayud; Pedro de la Quintana, de Tarazona; el legado apostólico fray Bernardo Boyl; el capitán Pedro de Margarit y Lope Conchillos.

Junto a ellos, alrededor de Fernando se movieron también una serie de personajes claves en el buen éxito del viaje colombino, que facilitaron incluso el dinero necesario para la empresa.

Cuando Colón llegó a España la idea de alcanzar las costas orientales de Asia navegando a través del océano Atlántico ya había sido expuesta al rey de Portugal por el geógrafo y humanista florentino Toscanelli, que vio rechazada su propuesta, al igual que ocurrió con Colón.

El descubridor tuvo suerte al recalar en el convento de los franciscanos de La Rábida. Los frailes le pusieron en contacto con la corte. Pero el momento no era propicio. Todos los recursos y los dineros del Tesoro real estaban volcados en la Guerra de Granada. Las pretensiones de Colón, además, parecían exageradas. Afirmaba con seguridad fanática que había un paraíso al otro lado del Océano, pero no aportaba prueba alguna y exigía que se le nombrase almirante de Castilla, virrey y gobernador general de las tierras que descubriese, además de quedarse con la decima parte del oro, plata y piedras preciosas y cualquier cosa de valor que se obtuviese en las nuevas tierras.

Con buen juicio, los Reyes Católicos dejaron en suspenso la oferta y remitieron la cuestión a una junta de expertos cosmógrafos presidida por fray Hernando de Talavera. Pero Colón no estaba solo y contaba ya con apoyos importantes en la corte. Además de los frailes de La Rábida y el arzobispo de Sevilla e inquisidor general fray Diego de Deza, le apoyaban el contador mayor Alonso de Quintanilla y el cardenal González de Mendoza.

La junta encargada de examinar el fantástico proyecto colombino seguía a la corte transhumante de los Reyes Católicos, y cuando éstos llegaron a Salamanca estudiaron la cuestión en esta ciudad, uno de los centros cosmosgráficos más importantes del mundo. «Todo se discutía —dice Anglería— en aquel centro de estudios; desde el átomo hasta las excelsas montañas; desde los orbes celestes hasta la mínima y elemental particula del mundo». Sin desestimar el proyecto, la junta encontró los cálculos de Colón erróneos, pero el navegante comenzó a recibir dinero y pudo ensanchar el círculo de amistades poderosas que le ampararon.

Ahí, en Salamanca, fue donde Colón conoció a fray Diego de Deza. «Él fue la causa —confiesa— que sus Altezas hubiesen las Indias, y que yo quedase en Castilla, que ya estaba yo de camino para fuera».

TRES APOYOS ESENCIALES

Hubo otros tres personajes aragoneses muy vinculados al rey Fernando cuya intervención fue decisiva para el Descubrimiento: Juan Cabrero, Juan de Coloma y Luis de Santángel.

El apoyo de Cabrero fue determinante para que los Reyes Católicos se aventurasen a organizar el viaje de Colón.

Nacido en Zaragoza de familia judeoconversa, Cabrero fue nombrado por Fernando jefe de su cámara o «camarero mayor», un cargo equivalente a consejero real. Formaba parte del Consejo Secreto de Estado, y el monarca, que solía seguir sus consejos en los asuntos más difíciles, le premió con el hábito de Santiago y las encomiendas de Aledo y Montalbán. El rey confiaba hasta tal punto en él que lo nombró su testamentario. Más tarde, Fernando conseguiría que las autoridades de Puerto Rico le concedieran una encomienda de 200 indios en esa isla, algo excepcional por no ser el beneficiado residente en tierra americana.

Cuando Juan Cabrero murió en 1514 le quitaron la encomienda a su sobrino Martín Cabrero, pero este la reclamó alegando que su tío había sido «causa principal de que se emprendiese la empresa de las Indias, y que si no por él no fuera ni hubiera Indias, a lo menos para provecho de Castilla».

Juan de Coloma era de Borja y había sido secretario de Juan II de Aragón desde 1462. Cuando este rey murió, Fernando lo mantuvo en el cargo, y en 1493 le otorgó el señorío de Alfajarín.

Según Bartolomé de Las Casas y otros cronistas de Indias, Coloma y fray Juan Pérez, monje de La Rábida, fueron quienes arbitraron el asunto del Colón ante los Reyes Católicos y les propusieron la vía práctica para solucionarlo.

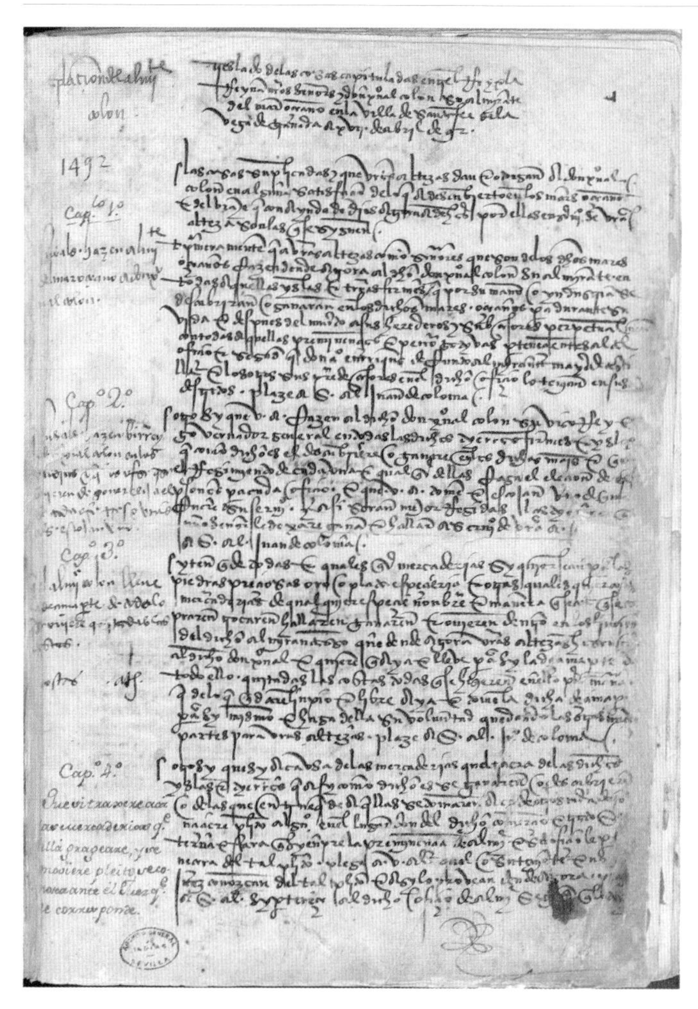

Capitulaciones de Santa Fe acordadas entre los Reyes católicos y Cristóbal Colón. Incluidas en el Libro Generalísimo de Reales Disposiciones (17 de abril de 1492 a 23 diciembre de 1505). Archivo General de Indias.

En cuanto a Luis de Santángel, cuya estatua forma parte del monumento a Colón en Barcelona, era hijo de una influyente y acaudalada familia judeoconversa de Aragón, mantuvo una fluida relación personal con Colón y su intervención fue determinante para el gran viaje. Bartolomé de Las Casas lo califica de «persona muy honrada y prudente», y sabemos que financió el tercer viaje de Colón en 1498, y que el Fernando le demostró en varias ocasiones su amistad y en 1491 lo salvó de que lo condenaran por judaizante.

Santángel heredó de su padre los derechos aduaneros en Tortosa y Valencia, y el rey Fernando lo nombró en 1481 «escribano de ración», un cargo equivalente al de administrador del patrimonio real. En los siglos XVI y XVI los Santángel se contaban entre las familias más ricas e influyentes de Aragón, y

Manuscrito de la carta de Cristóbal Colón a Luis de Santángel, escribano de ración de la corona de Aragón, dando cuenta de su primer viaje a las Indias. Fechada sobre las islas Canarias el 15 de febrero de 1493. Archivo General de Simancas.

tuvieron eminentes juristas y consejeros reales, y uno de ellos llegó a ser obispo de Mallorca.

En julio de 1491, Luis de Santángel, que era sobrino del condenado del mismo nombre en Zaragoza por la muerte del inquisidor Arbués, tuvo que comparecer ante el tribunal de la Inquisición acusado de judaizante, pero Fernando consiguió salvarlo y lo nombró intendente de Hacienda de la Corona aragonesa, y más tarde «contador mayor» de Castilla. Todos los asuntos de Estado que manejaba Fernando pasaron por sus manos, y Simón Wiesenthal, en su libro *Operación Nuevo Mundo* lo compara con el estadista inglés Benjamín Disraeli, que también descendía de judíos expulsados de España. «*Subrayemos* —dice este autor— que, aun siendo un «buen aragonés» (así acostumbraba a llamarle el rey en las cartas que le dirigía), trabajó lo indecible por la unidad de la Península Ibérica.»

Cuando Colón ya desesperaba de que los Reyes Católicos le prestaran ayuda, Santángel se entrevistó con la reina Isabel y defendió con entusiasmo al descubridor, poniendo de relieve los inmensos beneficios que podrían obtenerse si la empresa tenía éxito.

El 30 de mayo de 1497 los Reyes Católicos concedieron a Santángel el excepcional privilegio de un estatuto de limpieza de sangre, con lo que ni él ni sus descendientes podían ser llevados en adelante a los tribunales del Santo Oficio.

La lista de cristianos nuevos que participaron en los preparativos del Descubrimiento es interminable, y en ella estaba incluido fray Antonio de Marchena, astrónomo del monasterio de Santa María de la Rábida, que tenía un hermano, también franciscano, que fue quemado por la Inquisición.

Otra persona influyente en la corte castellana era Juana de Torres, confidente de la reina Isabel y ama del príncipe heredero don Juan. Cuando Francisco de Bobadilla encarceló al almirante en Santo Domingo, Colón escribió a Juana y le contó su situación. Enterada la reina, dio orden de que al descubridor le quitasen las cadenas y mandó venir a España a Bobadilla para que explicase su proceder.

Las indias castellanas

La reina Isabel terminó aceptando el proyecto de Colón, y como las arcas reales estaban vacías en ese momento, la soberana se ofreció a empeñar sus joyas para conseguir el dinero necesario. Santángel entonces le dijo que eso no haría falta, puesto que él le adelantaría la suma. La cantidad prestada por Santángel, quien tenía otro socio llamado Francisco Pinelo, ascendía a 1,14 millones de maravedíes, y el dinero procedía de lo que ambos habían recaudado de la Hermandad en los reinos de Castilla y Galicia. Otras versiones, como la del historiador colombiano Daniel Mesa, elevan la cifra a 17 000 ducados de oro (unos 5 millones de maravedíes).

Lo cierto es que en esos momentos, la Hacienda aragonesa que manejaba los negocios de Estado de Fernando era controlada por conversos. Junto al citado Santángel estaban Gabriel Sánchez, tesorero general de Aragón, y Sancho Paternoy, maestre racional (ministro de Hacienda). Y en lo político destacan los nombres de Felipe Climent, protonotario del rey, y Alfonso de La Caballería, vicecanciller de Aragón.

Este grupo de conversos aragoneses vinculados directamente a Fernando consideraban el viaje de Colón una gran oportunidad para desbancar a los portugueses en el comercio de las especias, sí se hallaba el camino directo desde Occidente hasta las Indias.

Bajo esa visión, la empresa podría dar un gran impulso económico a Aragón. En opinión del profesor Antonio Ubieto, eso explicaría que las Capitulaciones de Santa Fe entre los Reyes Católicos y Colón fueran firmadas solamente por el secretario de la corona de Aragón, Juan de Coloma, y se registraran en los Archivos de la corona de Aragón, en vez de la Chancilleria de Valladolid, además de que se diera a Colón el título de virrey y gobernador general, un cargo que existía únicamente en los reinos de la Corona aragonesa.

En caso de que Colón hubiese llegado, como pensaba, al extremo oriental de Asia, Aragón se habría adueñado de la ruta de las especias, aunque hubiese tenido que compartir con Castilla los inmensos beneficios que ese comercio hubiera reportado.

El mismo Colón era muy consciente de que el éxito de su viaje se debía en gran parte a los hombres de negocios y funcionarios ligados a Fernando, como demuestra el hecho de que, antes de regresar a España en el primer viaje del Descubrimiento, escribiera cartas a Juan Cabrero, Luis de Santángel y Gabriel Sánchez.

Llama la atención, sin embargo, que las bulas emitidas por el pontífice Alejandro VI para repartir el mundo entre españoles y portugueses fuesen concedidas personalmente a Fernando e Isabel, y a sus herederos y sucesores «los Reyes de Castilla y León para siempre», excluyendo a la corona aragonesa.

La explicación, de acuerdo con la autorizada versión del historiador Juan Manzano, es que el papa entendía que las nuevas tierras eran bienes matrimoniales gananciales de los reyes, y les correspondía la mitad a cada uno, no a sus reinos. Solo más adelante sus sucesores en Castilla y León se apropiaron con carácter exclusivo de esos territorios, que quedaron incorporados a la corona de Castilla con carácter inalienable.

Fernando conocía perfectamente el alcance de todo esto, y hay que pensar que la incorporación del Nuevo Mundo a Castilla se hizo porque el monarca aragonés juzgó conveniente ceder la parte ganancial que le correspondía en las Indias a los herederos de su esposa Isabel. «De ello se infiere —dice Manzano— que cuando ambos monarcas solicitaron de común acuerdo de Alejandro VI la concesión en la forma citada, es porque el monarca tenía decidida de antemano la suerte de su mitad legítima.»

Con todo, no dejar de causar extrañeza que con todo el peso que el rey Fernando tenía en la unión de Aragón y Castilla, las Indias quedaran incorporadas a la corona de Castilla por la famosa bula *Inter Coetera* del papa Alejandro VI en mayo de 1493. En términos de derecho, las tierras descubiertas eran bienes gananciales, y sin embargo el papa asigna a los cónyuges «y a los Reyes de Castilla y de León, vuestros herederos y sucesores, todas las islas y tierras firmes halladas y que se hallaren». En principio, la empresa era tan castellana como aragonesa, y Fernando transigió con esto: ¿por qué? Es insostenible mantener que si las Indias se cedieron a Castilla fue porque solo Castilla estaba interesada en la empresa y fue esa corona la que pagó los gastos.

La cesión es una prueba más de la profunda visión de Fernando como hombre de Estado, pues en Castilla el poder real tenía muchas menos trabas que en Aragón, donde predominaba un laberinto de fueros y privilegios que limitaban la acción unificadora de la autoridad real.

> Aragón no era el país de las libertades —dice Manzano—, sino el de los privilegios, especialmente de una clase social, la nobleza, aprovechándose de su fuerza respecto a monarcas débiles, mermó su autoridad por el procedimiento de arrancarles coactivamente una serie de leyes-pactos autolimitativos de su soberanía.

En este sentido, Jerónimo Zurita dice que Fernando el Católico deseaba mucho más «ser Gobernador en Castilla que con aquella libertad de sus súbditos reinar en los suyos [de Aragón]», y la reina Isabel, en un arranque airado, llegó a decir tajante, en referencia a los embrollos jurídicos que los Reyes Católicos debían superar en Aragón, que «cuanto más honesto remedio les sería conquistar este Reino que aguardar sus Cortes y sufrir sus desacatos».

La incorporación a la corona de Aragón de los nuevos territorios descubiertos entrañaba, según este punto de vista, un grave peligro para la autoridad de la monarquía si los nuevos vasallos pretendían alcanzar las exenciones aragonesas. Para Fernando, la ampliación a las provincias de las Indias de las «libertades» de esa corona hubiera planteado un sinfín de conflictos jurisdiccionales, agravados por la lejanía geográfica.

Coincidiendo en la misma tesis, Juan José Andreu Ocariz opina que Isabel y Fernando deseaban ejercer un dominio personal sobre las nuevas tierras e implantar en ellas las estructuras políticas que lo permitiesen. Desde tal perspectiva, la incorporación de los territorios del Nuevo Mundo a Aragón hubiera supuesto sujetarse a los fueros y privilegios aragoneses, con el consiguiente recorte de la autoridad estatal. La apropiación por los nobles aragoneses del territorio americano hubiera hecho muy difícil su control a los monarcas. Esta sería la razón fundamental que Fernando tuvo en mente para excluir de la empresa a sus reinos patrimoniales, ya que las instituciones políticas castellanas se acomodaban mucho más al ejercicio del poder real.

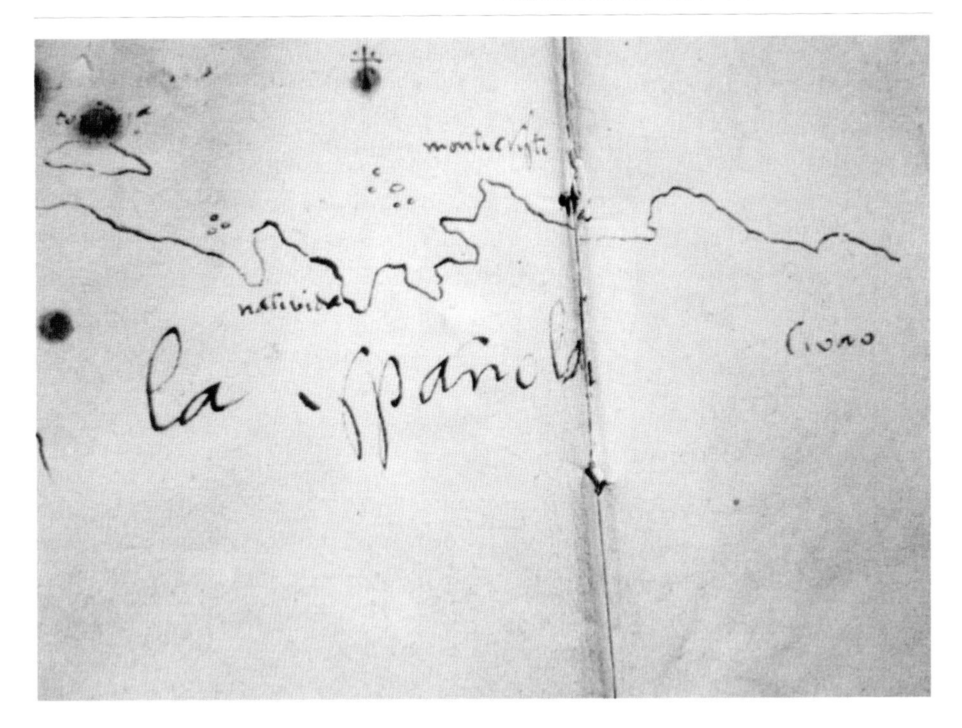

Apunte de Colón con el perfil de la costa de la isla La Española en su *Diario de a bordo.*

Es destacable que en ninguno de los reinos de la Corona de Aragón se produjeran protestas o fuertes presiones por la incorporación del Nuevo Mundo a la corona castellana, quizá porque no hubo impedimento a las emigraciones individuales de súbditos aragoneses en las nuevas tierras desde el comienzo de la empresa.

Ya en el segundo viaje de Colón, dos personas de confianza del rey Fernando: Boil y Pedro Margarit son los máximos responsables de la evangelización y de los hombres de armas respectivamente, y a estos siguieron otros muchos nombres aragoneses. «Parece evidente —resume Andreu Ocariz— que a los Reyes Católicos y a sus sucesores no les importó la presencia de súbditos de la Corona de Aragón en tierras americanas, siempre que actuasen en ellas dentro de las estructuras políticas establecidas, controladas por los monarcas a través de los organismos creados en España y América a tal efecto».

Ya en 1595 las Cortes de Monzón dejaron establecida la igualdad de castellanos y aragoneses en tierras americanas, y desde el principio de la conquista muchas tierras fueron exploradas y colonizadas por súbditos de la corona de Aragón.

Los conversos y el Nuevo Mundo

Desde el principio Colón contó con la ayuda de figuras importantes judías, como Isaac Abrabanel y Abraham Senior, y otras de la alta nobleza con posible ascendencia conversa, como Luis de la Cerda, duque de Medinaceli (según Simnón Weisenthal), que hospedó durante dos años al navegante en su casa, le proporcionó dinero y solicitó al cardenal González Mendoza que intercediera por él. El dato claro es que sin contar con la ayuda científica y material de los conversos es muy probable que el almirante no hubiese podido descubrir el Nuevo Mundo.

Hay estudiosos que explican este apoyo converso dando por sentado que a los nobles de Castilla y Aragón no les interesaba el proyecto de Colón. Ya poseían tierras y rentas, y solo les preocupaba la política interna para conservar sus privilegios. «Cabría preguntarse —dice el historiador y antropólogo colombo-ucraniano Juan Friede— hasta qué punto este desinterés y a veces franca aversión hacia la empresa americana y, por consiguiente a los conquistadores en general, se debía al antagonismo reinante entre la corte y la nobleza, que veía en aquella gesta el fortalecimiento de la monarquía».

La mentalidad y los intereses de los conversos eran diferentes, ya que veían con esperanza el descubrimiento de otras tierras y otros pueblos para ampliar sus iniciativas comerciales.

Otro aspecto a considerar es la renuencia del rey Fernando hacia las pretensiones que exigía Colón por llevar adelante la empresa. En palabras del propio monarca:

> Muy problemático, se diría, es lo que Colón ofrece; pero lo que para el caso que se obtenga es tal, que si realmente se lo diésemos, nada ganaríamos los Reyes en el descubrimiento ni ganaría España.

Lo que pedía Colón parecía, en efecto, desmesurado. Nada menos que los oficios de almirante, virrey y gobernador del mar Océano, islas y tierra firme para sí, sus hijos descendientes y sucesores, para siempre jamás; con facultad de nombrar lugartenientes, alcaldes, alguaciles; con jurisdicción civil y criminal, alta y baja, y mero y mixto imperio; con facultades de sustancial todos los pleitos civiles y criminales. La única función de soberanía reservada a los reyes era que las cartas o provisiones se expidiesen con sus nombres y sellos.

Fernando aparentó acceder a las pretensiones desmedidas de Colón, pero le sobraba talento político para tener la certeza de que cumplir semejante pacto era imposible. Entonces, ¿por qué discutir con Colón antes de saber si había alguna realidad en lo que proponía? Si efectivamente se cumplía el sueño, sería la dura realidad, más fuerte que cualquier documento, la que impondría las reglas

La propia naturaleza del pacto —como observa Miguel Gómez del Campillo[13]— era imposible de cumplir: «No se concibe siquiera que la descendencia de Colón conservase hasta nuestros días los derechos soberanos que en Barcelona se le concedieron. ¿Se hubieran sometido a su autoridad los conquistadores posteriores como Hernán Cortés, Pizarro, Almagro, Alvarado, Valdivia, Ximénez de Quesada y otros?».

Evidentemente, no.

Sin embargo, en torno a la calamitosa actuación de Colón como gobernador en tierra americana, se ha formado una «leyenda negra» contraria al Rey Católico. Es cierto que el descubridor fue enviado a España encadenado por el pesquisidor Bobadilla, pero la Corona tenía sus razones, y en todo caso los escándalos de Santo Domingo fueron tan grandes que hasta el mismo almirante pidió a los Reyes Católicos el nombramiento de un juez que ordenara el pleito.

Sería más tarde, en febrero 1512, cuando Fernando le explicara a Diego de Colón, hijo del descubridor, en carta desde Burgos, las razones del escarnio hecho a su padre.

> Para que las cosas vayan como conviene a mi servicio y vuestro provecho y honra no debéis poneros en esas preeminencias de poca sustancia...vos sabéis muy bien que cuando la Reina y yo, le enviamos [a Bobadilla] por gobernador a esa isla [La Española] a causa del mal recaudo que vuestro padre se dio en ese cargo que vos ahora tenéis, estaba toda obrada y perdida y sin ningún provecho y por esto fue necesario darle al Comendador Mayor [Bobadilla] el cargo absoluto para remediarlo, porque no había otro remedio ninguno, ni había caso para que se pudiese dar ninguna orden ni concierto desde acá... y también porque no tenía yo noticia ni información ninguna de las cosas de esa isla para poderlas proveer.
>
> Ahora, gracias a Dios, las cosas de esas partes las entiendo yo como las de Castilla y están de manera que se puedan poner en orden y concierto; para que Nuestro Señor sea servido y nuestras rentas acrecentadas, los vecinos y naturales de esa isla, deben estar como vasallos y no como esclavos, según los tuvieron en tiempos pasados...

Así pues, Fernando explica con claridad las razones principales del encarcelamiento de Cristóbal Colón: la mala administración (mal recaudo), el desorden provocado por el mal gobierno y la esclavización de los indios, a quienes la Corona deseaba vasallos iguales a los de otros reinos.

El hecho de que los territorios de las Indias fuesen considerados al principio patrimonio exclusivo de los Reyes Católicos implica que Fernando, cuando ya no era rey en Castilla por haber fallecido Isabel, seguía siendo copropietario de las Indias. Algo que queda patente en su testamento final de Madrigalejo cuando hace mención de sus posesiones naturales:

> Hacemos e instituimos [a Juana su hija] heredera y sucesora nuestra universal en nuestros reinos de Aragón, Sicilia..., Jerusalén, Valencia, Mallorca, Cedeña y Córcega, Condado de Barcelona, ducado de Atenas y Neopatria, Condado del Rosellón y de Cerdaña, ... y a la parte a Nos perteneciente a las Indias del Mar Océano.

Una posesión que ya le había sido reconocida expresamente en Castilla por las Cortes de Toro en abril de 1505: «Rey de Aragón, de las dos Sicilias, de Jerusalem, de Valencia, de Mallorca, de Cerdeña, de Córcega, Conde de Barcelona, Señor de las Indias de la mar océano, Duque de Atenas y Neopatria, Conde de Rosellón y Cerdaña, Marqués de Oristany y de Goziano».

Las Indias, pues, estaban ligadas por igual a Isabel, como reina de Castilla, y a Fernando, como rey de Aragón, y los derechos de ambos pasarían a su heredera la princesa Juana. Fernando figura pues en primer plano, con la reina Isabel, en todo lo que hace al Descubrimiento y dominio del Nuevo Mundo, y su papel resolutivo queda demostrado por la intervención de la cancillería aragonesa en la negociación de las Capitulaciones de Santa Fe. En cuanto al registro del importante documento, también se realizó a través de Ruiz de Calcena, registrador de Fernando, quien entregó un ejemplar del documento a Colón.

No debería por tanto de haber pleito alguno en buscar preeminencias ridículas en la magna tarea del descubrimiento de América. Tanto Aragón como Castilla manejaron conjuntamente la empresa a través de los dos monarcas, aunque luego el mayor peso de la corona castellana prevaleciera en la conquista y administración del inabarcable territorio americano.

Los Reyes Católicos entretuvieron a Colón con consultas y reuniones durante siete años, antes de prestar su conformidad al proyecto descubridor, y en este tiempo Fernando tuvo una parte muy activa en las negociaciones y decisión final. Supo de los planes de Colón desde el primer momento, se asesoró de personas expertas de su confianza y consiguió, por medio de los aragoneses Luis de Santángel y Juan Cabrero, el dinero para financiar la expedición.

Como ganancia adquirida durante el matrimonio, las tierras del Nuevo Mundo correspondían a ambos esposos, y a Fernando le tocaba al menos la mitad de las Indias. En este sentido no resulta confusa la cláusula incluída en el último testamento de Fernando, donde declara heredera a su hija Juana de la parte que le pertenecía en las «Indias del Mar Océano».

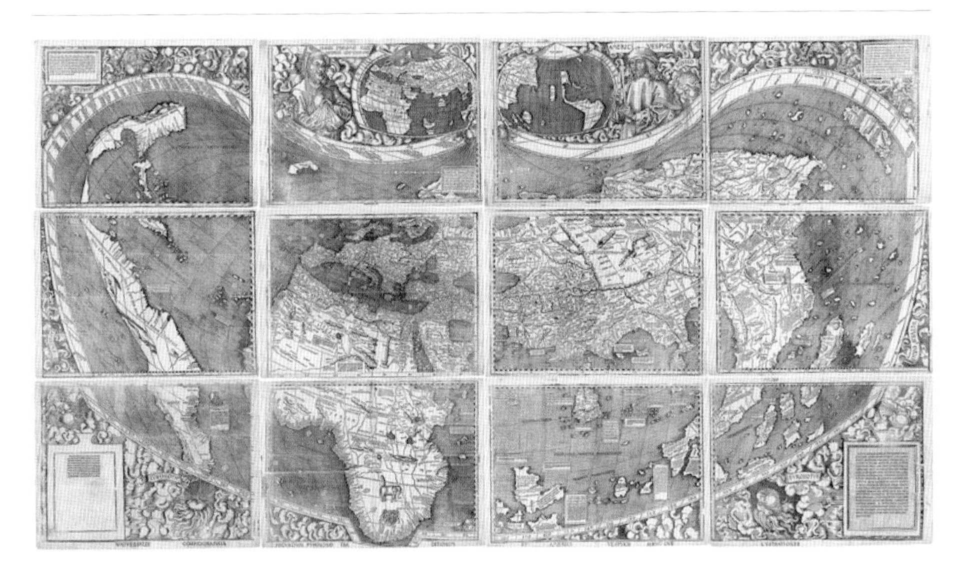

Universalis Cosmographia o Planisferio de Waldseemüller.

DESAFÍO PERMANENTE

Otra pista de la motivación que tuvo Fernando para «dejar» las Indias en manos de Castilla podría venir dada por el juicio que aporta el historiador jesuita Juan de Mariana, cuando razona sobre el extraño proceder del rey aragonés al incorporar el reino de Navarra a la corona de Castilla. Lo cual vendría a ser un caso semejante a lo ocurrido en las Indias. El rey — dice Mariana— actuó así para evitar que los navarros, caso de ser incorporados a Aragón, se valiesen de las libertades de los naturales de este último reino, que ponían freno a la voluntad de los monarcas.

La aceptación de esta tesis evidenciaría una vez más las altas dotes de estadista de Fernando, sobre todo teniendo en cuenta que la herencia de ambos esposos en el Nuevo Mundo debía recaer en la misma persona, la reina Juana. Con la incorporación de las tierras americanas a Castilla conseguía, por una parte, acrecentar su prestigio y poder, ya que como rey de Castilla efectivo tenía las manos libres para llevar a cabo su política exterior expansionista; por otro lado, al no incorporar las Indias a Aragón recortaba la fortaleza del estamento nobiliario en esa corona.

Historiadores como Juan Manzano, muy estudiosos de la cuestión, llegan a la conclusión de que en Aragón las libertades y los privilegios lo eran de una sola clase social: la nobleza. Una clase que «hizo jirones la autoridad real» a lo largo de la Edad Media, como Fernando bien conocía por el ejemplo de su padre Juan II, hostigado continuamente por las revueltas en Cataluña y otras ciudades y territorios de la corona aragonesa.

En Castilla, por el contrario, el poder del monarca apenas estaba condicionado por prerrogativas o fueros en el ejercicio de la soberanía, y la Corona disponía una libertad de acción mucho mayor.

Para la política de reforzamiento del poder real, Castilla era para el Rey Católico el ejemplo a seguir, porque no existía la resistencia perpetua de las Cortes de los diferentes reinos y condados que se daba en la corona de Aragón, donde el estamento nobiliario trataba por todo los medios de limitar la potestad real.

Durante toda su vida, Fernando vivió amargado con este desafío constante a su autoridad, hasta el extremo de que prefería «ser gobernador en Castilla que con aquella libertad de sus súbditos reinar en los suyos», asegura Zurita. Un último ejemplo de este forcejeo se produjo en las Cortes de Calatayud de 1515, cuando el Rey Católico, poco antes de morir, vio rechazada su petición de fondos para hacer frente a los gastos de su política exterior.

Los procuradores de la nobleza osaron pedir al rey, a cambio de aprobar el pago, que les concediese la «justicia» o poder de jurisdicción sobre los vasallos que habitaban en sus tierras, lo que suponía devolverles el poder feudal casi omnímodo que los señores detentaban antes de la sentencia de Guadalupe.

Como era de esperar, Fernando no accedió a esa pretensión. «Como Príncipe muy católico y justo— dice Zurita—, no quiso por ningún interés perder tan gran preeminencia: porque era perder la justicia y hacer a sus súbditos vasallos de los Barones y constituirlos que fuesen señores absolutos».

Ante el rechazo de las Cortes aragonesas, Fernando tuvo que clausurarlas y volver a Castilla muy contrariado. Seguramente debió de recordar en esos momentos otro desafío importante a su empeño de consolidar la unión de reinos peninsulares, cuando en 1498 las Cortes de Aragón, reunidas en Zaragoza, respondieron con evasivas leguleyas a la trascendental cuestión de unir bajo el mismo cetro las coronas de Aragón, Castilla y Portugal.

Se trataba de jurar príncipes herederos a los reyes de Portugal don Manuel y doña Isabel, hija de la Reina Católica, en quienes habían recaído los derechos de esa corona tras morir el infante don Juan. Las Cortes de Toledo les reconocieron príncipes herederos sin dificultad, pero en Aragón las cosas fueron muy diferentes. Los procuradores de este reino se mostraron renuentes a jurar a la reina portuguesa por heredera, so pretexto de que el derecho aragonés no admitía la sucesión de las hembras al trono.

No es de extrañar la indignación de la reina Isabel, que recogen los cronistas, sorprendida y hastiada de tanta obstinación por parte de los procuradores aragoneses.

> Sentían los reyes —dice Jerónimo Zurita— que en cosa de aquella calidad..., teniendo respeto a lo que en Castilla se había hecho, se difiriesen tanto las Cortes: y tratando en su Consejo sobre ello, como una vez dijese la Reina que era mujer de muy altos pensamientos y de ánimo no acostumbrado a reinar sino absolutamente: cuanto más remedio les sería conquistar este Reyno (de Aragón) que aguardar sus Cortes y sufrir sus desacatos....

Esta resistencia de los brazos nobiliarios en los reinos de la corona aragonesa chocaba frontalmente con la política unitaria de Isabel y Fernando, encaminada a mermar los privilegios abusivos de la clase dominante.

La idea queda esbozada en la carta que escribe Fernando a su nieto Carlos el día antes de morir:

> [...] porque aunque Nos —le dice— pudiéramos disponer de nuestros Reynos, que en nuestra vida han sido acrecentados a nuestra Corona Real de Aragón, como quisiéramos, pero Nos no lo habemos querido hacer, por desear en vos toda nuestra memoria y sucesión, por el amor que os tenemos».

Una intención que en última instancias redondea la ingente labor de robustecimiento del Estado que presidió toda la labor gobernante de Fernando, con el deseo de dejar en un solo heredero el imperio que forjó en vida. Y hay testimonios abundantes de eso.

> Siempre fue mi fin —escribe a su embajador Rojas en Roma— hacer lo que he hecho, y posponer mi particular interés por el bien y paz del reino y por sostener en paz esta heredad (Castilla) que yo después de Dios he hecho con mis manos, la cual si yo tomara otro camino, fuera destruida para siempre.

BARRO Y PIEDRA

En la mente del Rey Católico existía una voluntad imperial en ciernes para cuya realización Castilla era la pieza imprescindible. Un Nuevo Mundo dividido entre dos coronas hubiera obstaculizado la política unida que exigía tal empresa. El proyecto de expansión a los cuatro vientos exigía una cabeza unificada y poderosa que, por la pujanza y los recursos, solo podía ser Castilla: el instrumento más potente, manejable y obediente de que disponía Fernando para llevar adelante su política.

Tal como señala el historiador aragonés Fernando Solano Costa, todas las estructuras legales del reino de Aragón se encontraban afectadas por el mantenimiento de las prerrogativas y derechos de las oligarquías gobernantes, y esto comportaba una esencial debilidad de la monarquía, «más considerada como el clavillo que sujeta las varillas de un abanico que integraban los dominios de los señores eclesiásticos o laicos, como posible árbitro de sus querellas y disputas, y como señor de la guerra en su calidad de suprema autoridad indiscutida e indiscutible».

En cualquier caso, el reinado de Fernando marca el momento de transición entre la monarquía medieval y la Edad Moderna. Durante los 37 años de su reinado, el Rey Católico es fiel representante del signo que marcan los nuevos tiempos. Es un monarca que trata de reafirmar su autoridad sobre la disgregación nobiliaria, algo que le causó tremendos quebraderos de cabeza en cuanto rey de Aragón. De estirpe castellana, Fernando encontró muchos menos resistencias en Castilla, donde siempre acabó imponiéndose. «Castilla fue barro en sus manos; Aragón, piedra berroqueña», resume Solano. En cuanto a Isabel, no es de extrañar que considerase siempre a la corona aragonesa, en sus aspectos jurídicos, un «enigma indescifrable».

Enfrentado al «leguleyismo furibundo» (Giménez Soler), la principal preocupación de Fernando en Aragón fue restaurar el derecho público sobre el particularismo legislativo imperante. Un exceso de fragmentación legal que solo podía rendir pésimos frutos. «Aragón vive en una semianarquía a fuerza, es curioso, de sentido legal —comenta Solano Costa —, y sobre todo Zaragoza, «era el asilo de todos los forajidos de España», al interpretarse que las libertades aragonesas no recaían sobre los hombres, sino sobre la tierra, lo que implicaba que el hecho de vivir aquí amparaba a todo el mundo, natural o alienígena, honrado o criminal».

Este desafío permanente que el rey mantuvo con la disparidad territorial y foral le llevó a adoptar medidas y duras, como en los casos de las ejecuciones de Ximeno Gordo o Martín de Pertusa, jurado primero del concejo de Zaragoza, pero en el fondo la voluntad reformadora del Rey Católico tuvo poco eco entre sus súbditos aragoneses. La falta de respuesta a sus demandas de cambio, y los muchos asuntos que exigían su resolución personal en el complicado tablero de la política internacional, hacen que Aragón termine siendo secundario en sus preocupaciones inmediatas. Fernando, finalmente, preferirá dejar las cosas como están en la corona aragonesa (en la que el papel de Isabel era escaso), «no tanto por gusto como por necesidad».

Como muestra de este relativo desapego de Fernando hacia su reino propio, es de destacar que en sus siete lustros largos de gobierno solo permaneció en la Corona aragonesa menos de tres años, de 33 a 34 meses, en periodos espaciados. Y de los 147 viajes que realizó en total como rey, solo 16 transcurrieron en tierras de Aragón. Esos viajes, además, son anteriores a 1500 y tienen que ver casi siempre con convocatorias de Cortes o son de tránsito hacia otros territorios de la Corona. Desde que regresó como regente a Castilla tras la muerte de su yerno Felipe el Hermoso, el Rey Católico solo estuvo dos veces en Aragón, la última en Calatayud en 1515, donde las Cortes le propinaron uno de los mayores desaires de su vida. En Zaragoza estuvo por última vez en 1510, y tan larga ausencia no puede explicarse solo por razones de política exterior o de gobierno en Castilla. Se deben más bien a que renunció a enzarzarse en asuntos internos aragoneses en los que no quería verse implicado, ya que no le dejaban resolverlos a su gusto.

Las ausencias del Rey Católico, por otra parte, también eran deseadas por algunos en Aragón, ya que contribuían a prolongar el *statu quo* autonómico del reino, de acuerdo con la frase: «Rey tengamos y no lo veamos». La resistencia de la corona aragonesa a la política reformadora del rey es considerada por algunos historiadores como un fracaso de Fernando, quizá porque se plegó excesivamente, por exceso de prudencia, a una oligarquía dominante que solo velaba por sus intereses de clase.

Las disposiciones innovadoras que Fernando aplicó con desigual resultado eran consecuencia, en general, de la unión de reinos establecida con Castilla y el surgimiento de España como potencia en el panorama europeo. Las principales medidas fueron la creación del Consejo de Aragón, la implantación del Tribunal de la Inquisición, con sus graves implicaciones jurídicas y sociales, la expulsión de los judíos, la sustitución de las lugartenencias por el Virreinato y la creación de la Audiencia Real.

Junto a estos «éxitos» de su política en Aragón, Fernando también cosechó fracasos que Solano Costa enumera: No consiguió la pacificación interna y no pudo implantar las Hermandades que, como en Castilla, restaurasen la seguridad en los campos, por la oposición frontal de la nobleza, y con grave quebranto a la autoridad real. Además, en contraste con la sentencia de Guadalupe, que liberó a los payeses catalanes, los vasallos señoriales aragoneses siguieron muy sometidos. «En el aspecto social bien puede asegurarse que la Edad Media aun en sus aspectos más ásperos, al menos se prolongó en Aragón hasta el siglo XVIII». Tampoco se logró en el campo de las actividades económicas crear una unidad estrecha entre ambas coronas, favorecida por la expansión en América, para hacer frente a la competencia de otros países de Europa, como Francia o Inglaterra.

Al no poder Fernando atraer a las Cortes aragonesas a su magno proyecto político se produjo una especie de divorcio con las instituciones de esa corona que tuvo consecuencias negativas para ambas partes. El Rey Católico, receloso, dilató cada vez más la convocatoria de Cortes, y estas mantuvieron una permanente suspicacia hacia el poder real, creando continuos obstáculos y abusando de los formalismos y las prerrogativas en defensa de intereses particulares de la nobleza y grupos afines. Junto a esto, también permanecieron indiferentes a la política internacional de Fernando, en contraste con los forcejeos en torno al nombramiento de herederos a la Corona. El fracaso de Fernando en este sentido fue completo.

> En ningún momento las Cortes aragonesas del tiempo fernandino, sintieron la menor comprensión y entendimiento hacia el proceso unitario de España que se derivaba del matrimonio vallisoletano, y que se perfilaba con claridad después del fallo genético del segundo matrimonio del Católico». (Solano Costa)

Hay que decir, por otra parte, que a título individual los súbditos de la corona de Aragón participaron igual que los del resto de España en la empresa del Nuevo Mundo, y que Fernando siempre tuvo la administración de las Indias como una de sus prioridades, tanto por motivos financieros como políticos. Una preocupación que se revela incluso en la época en que ejerce de regente en Castilla, con la creación de la Junta de Navegantes (1508), la ratificación de las Ordenanzas de la Casa de Contratación (1510), o las Leyes de Burgos (1512) que recogen su interés por la situación jurídica y laboral de los indígenas en las nuevas tierras transoceánicas.

EL ATENTADO

El año 1492 fue históricamente glorioso, pero terminó mal para el Rey Católico por el atentado sufrido en Barcelona, cuando estuvo a punto de perder la vida.

El nivel de adhesión popular hacia su persona, igual que a de la reina Isabel, estaba en su apogeo tras la conquista de Granada, la firma de las Capitulaciones de Santa Fe y el impulso de la empresa americana. Muchos veían ya a Fernando como el gran adalid de la cristiandad, el siervo de Dios capaz de emprender una nueva cruzada o reconquistar Jerusalén, y hubo poetas que así lo cantaban:

> Fállase por profecía
> de antiguos libros sacada

que Fernando se diría
aquel que conquistaría
Jerusalén y Granada.
El nombre vuestro tal es,
y el camino bien demuestra
que vos lo conquistaréis;
carrera vais, no dudés,
sirviendo a Dios, que os adiestra.[14]

Fue el 7 de diciembre. Estaba la Corte en Barcelona, y el agresor se llamaba Joan de Cañamares, payés nacido en Canyamars en la comarca catalana del Maresme. El autor del crimen era un labriego de unos 60 años, vasallo de remensa. Era viernes, víspera de la Concepción de la Virgen. Ese día Fernando salía del Palacio Real, tras haber celebrado audiencia pública. Estaba pendiente de la llegada de sus embajadores, que tramitaban con el rey Luis XI la recuperación del Rosellón, en manos francesas desde el Tratado de Bayona en 1462, cuando Juan II de Aragón cedió el condado a Carlos III de Francia a cambio de su apoyo para combatir la rebelión catalana.

Fernando tenía costumbre dar audiencia pública de ocho a doce de la mañana por lo menos un día a la semana. Ese día se entretuvo más de lo acostumbrado y al salir de la audiencia Cañamares se le acercó y le asestó el tajo.

Eran las doce cuando acabaron los juicios, Fernando descendió las gradas de la escalinata del palacio —cuenta el cronista Andres Bernáldez— « hasta una plaza que dicen «Plaza del Rey», con muchos caballeros y ciudadanos con él

> ... y el Rey se paró en lo más cerca de las gradas abajo del suelo, a departir con su tesorero, y allegóse cerca de él, por detrás, a que el dañado y traidor hombre, y así como el Rey acabó de departir con el tesorero, abajó un paso para cabalgar en su mula, y él tendía el paso, y el traidor que tiraba el golpe con un alfanje o espada, cortachano de hasta tres palmos, y quiso Nuestro Señor milagrosamente guardarlo, que si le diera antes que se mudara, partiérale por medio la cabeza hasta los hombros, y como se mudó, alcanzólo con la punta de aquel mueron una cuchillada desde encima de la cabeza por cerca de la oreja, el pescuezo Ayuso hasta los hombros. Y como el Rey se sintió y vido herido, púsose las manos en la cabeza y dijo: «Santa María, val», y comenzó de mirar a todos, y de decir «!Oh, qué traición! ¡ oh que traición!» que pensó que era ordenada allí entre muchos traición contra él, y mirando a todos, no vido ir ninguno contra sí...

Coincide en este relato de los hechos Alonso de Santa Cruz, en su *Crónica de los Reyes Católicos:*

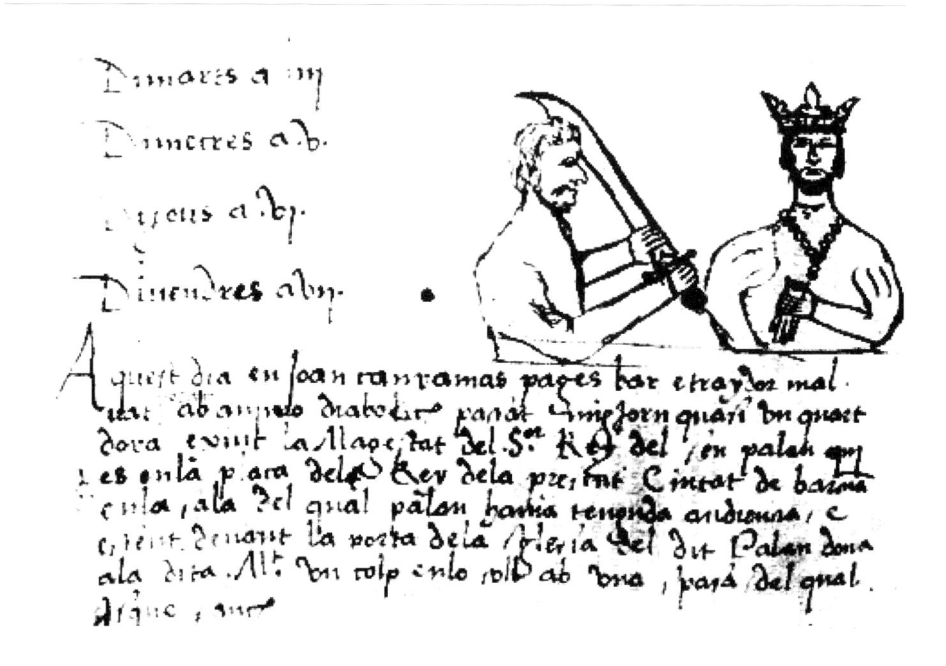

Dibujo del atentado contra el rey Fernando el Católico según un relato manuscrito de la época.

Juan de Cañamares —dice— «sacó de bajo de la capa una espada corta y ancha, muy aguda, y dio al Rey una cuchillada en el pescuezo, que fue gran milagro no cortarle de cercén la cabeza…»

Cuando el atacante intentó darle otro golpe, le agarraron los que estaban junto a Fernando, le quitaron la espada y le dieron tres puñaladas. Allí mismo lo hubieran rematado de no ser porque el rey dio voces para impedirlo.

> Y queriendo su Alteza cabalgar para irse a su palacio, se tocó con las manos en el pescuezo y hallose que le corría mucha sangre… y lo asentaron en una silla, y hicieron luego venir allí todos los médicos y cirujanos de la ciudad… y entre tanto le dieron de beber un trago de vino puro…

Al rey lo llevaron a palacio para curarlo y le dieron siete puntos. En la herida «cabían cuatro dedos de profundidad y cuatro de anchura».

Entretanto, mientras Fernando se recuperaba de la herida, Cañamares fue sometido a tormento para que confesara quien le había inducido a cometer el atentado, pero «por muchos y diversos tormentos que le dieron» siempre negó haberlo hecho por orden de alguno, «y no le pudieron sacar otra cosa sino que el Espíritu Santo había inspirado en él que matase al Rey y que luego lo alzarían a él por rey…»

Cuando la reina dijo a su esposo lo que aquel loco había confesado, Fernando manifestó que él lo perdonaba «por amor de Nuestro Señor y de su bendita madre». Pero menos piedad que el rey tuvieron las autoridades barcelonesas y del Consejo Real que, para dejar patente su aprecio al monarca, dictaron por su cuenta sentencia `por delito de lesa majestad: «que aunque el dicho Cañamares fuese loco y endiablado y mentecato, había de morir cruel muerte, porque fuese ejemplo y castigo de otros, y quedase para memoria eterna».

Finalmente, a Cañamares le dieron garrote vil por piedad de Isabel, y todas las mutilaciones que dictaba la sentencia se ejecutaron en el cadáver. Al torturarlo, todos entendieron que estaba demente, sobre todo cuando dijo que había actuado porque le pertenecía la corona, que esperaba heredar a la muerte de Fernando, y prometía renunciar a todos sus derechos si le ponían en libertad.

Al desgraciado Cañamares lo llevaron en un carro de madera por las calles principales de Barcelona, bien atado a un palo, y en cada calle le fueron arrancando un miembro de su cuerpo. «Y así se hizo, aunque después de muerto, porque así lo mandó la Reina porque no desesperase. Y después fue sacado el carro al campo, con todos los pedazos cortados, a los cuales y al carro fue puesto fuego, para que todos se quemase».

Al difundirse la noticia del atentado, Barcelona se alborotó. Corrió el rumor de que el monarca había muerto y muchos fueron corriendo a palacio, «unos armados; y otros llorando y gritando, por saber si era muerto el Rey, y vengarse en los autores de su muerte, y la herida que se había hecho a la reputación de su fidelidad».

El tumulto arreció, pese a que desde el palacio se dijo a la gente que Fernando estaba vivo, y que la herida no era grave y podían irse a sus casas. Pero el gentío empezó a gritar que si el rey estaba vivo lo enseñaran. Para calmar a la multitud, Fernando tuvo que asomarse a una ventana. La gente al verlo empezó a vitorearlo, y el rey ordenó que se fueran a sus casas, y así lo hicieron.

La herida, sin embargo, curó más tarde de lo esperado. Al principio no parecía de gravedad pero luego empeoró. «Se le encontró fracturado un hueso, del que los cirujanos tuvieron que extraerle una parte, y en el séptimo día su estado era crítico». Durante ese tiempo la reina Isabel estuvo noche y día al lado de Fernando, dándole de su mano las medicinas, hasta que por fin la gravedad cedió.

«El Rey estuvo muy malo, especialmente el día séptimo —dice la crónica de Juan de Ferreras, párroco de San Andrés en Madrid y Bibliotecario Mayor del Rey—, con varios accidentes, de que se recobró, y comió de mano de la Reina; pero al día doce se declaró fuera del peligro; en cuyo tiempo se hicieron en la Ciudad, y fuera de ella, muchas rogativas por su salud, y muchos de la familia Real fueron por ella a pie en peregrinación a Monserrat».

> La reina cayó desmayada al recibir la noticia —dice el historiador William H. Prescott—, y en un principio creyó que el atentado provenía de la antigua enemistad de los catalanes, tan contrarios al rey en sus primeros años. Y al punto ordenó de las galeras surtas en el puerto estuvieran preparadas para recibir a sus hijos, temiendo que la conspiración pudiera tener por objeto alcanzar otras víctimas.

Por fin, la robusta constitución de Fernando hizo que a las tres semanas ya pudiera presentarse a la vista de todos.

Es fama que la célebre campana de Velilla de Ebro (Zaragoza), que cuando tocaba anunciaba siempre alguna desgracia para el reino, se oyó sonar cuando se produjo el atentado. Era la quinta vez que tañía desde la caída del reino visigodo. La cuarta había sido cuando asesinaron al inquisidor Arbués en la Seo de Zaragoza.

El nacionalismo catalán esgrimió a partir del siglo XIX una teoría según la cual Cañamares no estaba loco, pues en 1491 había podido heredar los bienes de su padre sin ningún problema legal. El atentado habría sido porque su autor, payés de remensa, estaba descontento con la sentencia arbitral de Guadalupe de 1486. Pero esta hipótesis parece poco sostenible porque la mencionada resolución favoreció mucho a los payeses, al reducir la servidumbre que sobre ellos ejercían los nobles en Cataluña.

El recibimiento a Colón

Pocos meses después, en abril de 1493, Barcelona también se vio alterada, pero en esta ocasión con un suceso venturoso, que traía noticia asombrosas de extrañas y lejanas tierras. El espectáculo no era para menos. Cristóbal Colón había regresado de su viaje y traía muestras de lo hallado en un mundo nuevo lindante con Cipango y Catay.

Torres Amat[15] ha dejado una brillante descripción del histórico momento en el que el almirante hizo su entrada en la ciudad condal:

> Los indios que le acompañaban, los papagayos colores encarnados y verdes y cantidad de otras curiosidades que él procuró poner a la vista de los espectadores, aumentaban su admiración... Todos los cortesanos, seguidos de un inmenso pueblo salieron fuera a recibirle, y luego que hubo recibido los primeros cumplimientos de parte del Rey y de la Reina, continuó su ruta hasta el palacio en este orden: Iban delante los siete indios, los que daban mayor lustre a su triunfo, en el que tomaban también ellos parte... Enseguida se veían coronas y láminas de oro...; balas o fardos de algodón, arcas llenas de pimienta... papagayos llevados sobre cañas... pellejos de caimanes... varias especies de cuadrúpedos y de aves desconocidas, y cantidad

de otras muchas cosas raras que la novedad hacía preciosas...Fue conducido Colón con esta pompa atravesando una gran parte de la ciudad a la audiencia de los Reyes Católicos, que le esperaban fuera del palacio, bajo un magnífico dosel, vestidos de gala y mantos reales el príncipe de España a su lado, rodeados de una brillante corte mayor y más lucida que de mucho tiempo se había visto».

Colón se arrodilló a los pies de los Reyes Católicos para besarles la mano, pero Fernando le hizo levantar y le mandó que se sentase en una silla que le estaba preparada.

Luego, el navegante empezó a narrar su aventura. La corte se admiró y, siguiendo el ejemplo del rey y la reina, todos se arrodillaron para dar gracias a Dios.

> Desde este gran día —dice el cronista— el Rey no salió en la ciudad sin llevar a su derecha su hijo el príncipe, y Colón a su izquierda. Todos los grandes, a ejemplo de su soberano, se apresuraron a llenar de honores al almirante virrey de las Indias...

De los catorce indios embarcados por Colón a España, solo seis comparecieron ante la corte en la capital catalana. Uno había fallecido durante la travesía, otros tres quedaron enfermos en Palos de Moguer, y cuatro más en Sevilla. El escritor Juan Eslava Galán dice que todos fueron bautizados y recibieron nombres cristianos, y que el intérprete de Colón, conocido desde entonces por Diego Colón, regresó a las Indias con el almirante. Hubo otros dos indios que permanecieron en España. Se llamaron Juan de Castilla y Fernando de Aragón, y fallecieron al poco tiempo. Los restantes volvieron a América y al parecer tampoco vivieron mucho.

En cuanto al oro que trajo Colón a España, una parte se dedicó al viril de la custodia de la catedral de Toledo y a dorar el techo del salón real en la Aljafería de Zaragoza, y otra parte se entregó en Roma al papa, que lo empleó en decorar la cubierta de la basílica de Santa María la Mayor.

Satisfechos los Reyes Católicos con el resultado de la empresa acordaron llevar a cabo una segunda expedición que cinco meses más tarde salió del puerto de Barcelona. Con el almirante, en este segundo viaje, se embarcaron muchos catalanes, entre ellos el padre Bernardo Boil, monje de Monserrat, que fue nombrado primer arzobispo del Nuevo Mundo, con doce sacerdotes del mismo monasterio, y el capitán Pedro Margarit, que fue el primer gobernador de las tierras descubiertas.

Antes de despedirse Colón de Barcelona, los Reyes Católicos habían salido de la ciudad en dirección a Perpiñán. Fernando se mostraba muy preocupado. El plazo asignado para la evacuación del Rosellón se había cumplido hacía

Cristobal Colón ante los Reyes Católicos en Barcelona.
Cuadro de Ricardo Balaca (1844-1880).

bastante tiempo, y Francia no manifestaba deseo alguno de cumplir lo acordado. El parlamento de París y los consejeros del rey francés Carlos VIII no cesaban de poner obstáculos a la entrega, y el conflicto parecía otra vez inevitable. Por fin, el rey francés, a quien por entonces no parecía preocuparle otra cosa que conquistar Nápoles, renovó la orden de entregar el Rosellón y la Cerdaña al rey Fernando.Por esta causa los reyes partieron de Barcelona el 6 septiembre y llegaron a Perpiñán el 13 del mismo mes. En la capital del Rosellón permanecieron hasta que regresaron a Barcelona el 9 octubre, y viajaron luego a mediados de noviembre a tierras de Aragón.

ITALIA, MI VENTURA

La política matrimonial

La política exterior de Fernando el Católico se apoyaba en dos ejes. La búsqueda de alianzas para frenar a Francia y la expansión en el Mediterráneo (Nápoles, Sicilia y el norte de África), que inevitablemente conducía al enfrentamiento con el imperio Otomano. En esta estratagia global entraban también en juego las alianzas dinásticas conseguidas mediante los matrimonios de sus hijos.

La unión de los reinos peninsulares bajo una sola corona fue el pensamiento cardinal de los Reyes Católicos, para el que no escatimaron medios. Con esta idea fija en mente, y siguiendo la línea de reinados anteriores en Castilla, buscaron con insistencia unirse a la monarquía portuguesa, y estuvieron a punto de lograrlo, aunque por desgracia el intentó se frustó y no pudo concretarse hasta 1580, con Felipe II en el trono. La hija mayor, Isabel, casó dos veces con portugueses (el heredero Alfonso, en 1490, y el rey Manuel), en 1497), pero el hijo que pudo reinar en toda la Península, Miguel, murió a los dos años de edad. Incluso después de morir Isabel, los Reyes Católicos propusieron al rey de Portugal el matrimonio con María, la única hija que les quedaba disponible.

En la misma línea de alianzas, con el fin de enfrentar a Francia desde los Países Bajos, se concertaron los matrimonios de doña Juana con Felipe el Hermoso, y de Juan (el único hijo) con la princesa Margarita de Austria, para reforzar lazos con el Imperio Habsburgo, enemigo de la monarquía francesa después de que el emperador Maximiliano se casara con María de Borgoña, heredera de un ducado que se extendía desde el Mar del Norte hasta los Alpes. Los Habsburgo ostentaban el título del Sacro Imperio Romano Germánico desde hacía varias generaciones. Una nominación de enorme resonancia histórica, ya que los emperadores se consideraban herederos del imperio romano.

Tras la muerte de su padre, Carlos el Temerario, María no había podido impedir que Borgoña cayera en manos de la corona de Francia, pero aún disponía de otras posesiones muy ricas de la herencia paterna, como los Países Bajos y el Franco Condado.

La red de vínculos matrimoniales proyectada por los Reyes Católicos debía culminar con la boda de Catalina y el príncipe de Gales Eduardo VI, y al morir este con Enrique VIII. Pero esto también se malogró por un cúmulo de circunstancias personales adversas que fueron causa de la desgracia de la hija menor de Isabel y Fernando.

Diplomacia y guerra

El Rey Católico, pese a su inclinación por la negociación diplomática o los matrimonios en su relación con otras monarquías cristianas, no dudó en emplear la via armada cuando lo consideró necesario, como demostró en la recuperación del Rosellón, en las guerras de Italia y en la incorporación de Navarra. Y, por supuesto, al combatir al imperio Otomano que avanzaba pujante por el sur del Mediterráneo y el norte de África.

La primera relación diplomática de Fernando con los turcos se produjo en 1487, en plena guerra de Granada, cuando el sultán Bayazid II se preparaba para la conquista de Siria y Egipto. Una noticia que inquietaba a Venecia y Sicilia, al pensar que el golpe podría también ir contra ellas. Los temores no eran infundados porque los otomanos planearon un ataque disuasorio a la isla de Malta de pequeñas proporciones con el fin de impedir que desde allí se pudiera enviar ayuda a Egipto cuando fuera invadido. El ataque fracasó pero Fernando decidió reforzar las defensas de esa isla, así como las próximas de Gozzo y Pantelaria, y en las tres se levantaron nuevas fortificaciones dirigidas por Juan Valguarnera , barón de Azzaro. Asimismo, de acuerdo con el papa, el Rey Católico decidió mantener una flota permanente en esas aguas, sustentada con un impuesto sobre el comercio entre Roma, Sicilia y Cerdeña.

Fue por entonces cuando Katy Bey, sultán de Babilonia del Nilo, viendo peligrar su trono, envió una embajada en demanda de ayuda a los reinos cristianos de Occidente por medio de los franciscanos de Tierra Santa.

En 1489 Katy Bey había contratado el arriendo de cincuenta barcos españoles, y en julio de ese año, durante el cerco de Baza, se presentó en el campamento cristiano fray Antonio de Millán, guardián del convento franciscano de Jerusalén, que expuso a los Reyes Católicos la precaria situación de los seguidores de la cruz en Tierra Santa y tanteó la posibilidad de una alianza con el sultán de Babilonia.

Isabel y Fernando decidieron entonces convertirse en protectores de los Santos Lugares, que estaban en manos del soberano de Egipto. Una decisión que venía respaldada porque Fernando, como rey de Sicilia, seguía conservando el título nominal de rey de Jerusalén, incorporado al de esa isla desde el tiempo del emperador alemán Federico II.

El monarca aragonés empezó así a intervenir en los asuntos de Tierra Santa, asumiendo encabezar la presencia cristiana en ese disputado espacio, y para dar respaldo armado a esa mediación decretó el 28 de febrero de 1489 que el Gran Maestre de la Orden de San Juan en Rodas emplease en defensa de esta isla todos los buques castellanos o de la corona aragonesa que hubiese en la zona.

Recuperación del Rosellón

La recuperación de los condados del Rosellón y la Cerdaña, hipotecados por Juan II de Aragón a Luis XI de Francia, exigieron a Fernando altas dotes de habilidad diplomática y paciencia, y constituyó un objetivo principal de la política exterior del monarca desde que el rey francés aceptara en su testamento la devolución de esos territorios. La renuencia francesa a entregar lo dispuesto por Luis XI influyó en el acercamiento de los Reyes Católicos a la Casa de Austria, cuyo heredero, el rey y emperador Carlos V, terminaría rigiendo los destinos de España.

En 1484 el emperador Maximiliano de Habsburgo, que tenía dificultades para mantener la herencia de su esposa María de Borgoña en los Paises Bajos, buscó una alianza dinástica con Inglaterra y Castilla con el fin de contener las pretensiones de Francia sobre el ducado borgoñón.

Entre Flandes y Castilla las relaciones económicas, en las que ahora entraba también Aragón, eran fluidas, y en 1483, siguiendo instrucciones del emperador, el comerciante Nicolas Bertrand se entrevistó con el Rey Católico.

Bertrand explicó a Fernando que tras la muerte de María de Borgoña, la nobleza flamenca se había hecho cargo de sus dos hijos herederos: Felipe y Margarita, y se negaba a reconocer a Maximiliano como regente en ese rico territorio, estratégicamente situado entre Francia y Alemania.

Pero Maximiliano no se conformaba y exigía la regencia y la custodia de sus hijos, y en este pleito los Reyes Católicos lo apoyaron, considerando que el emperador podría ser un buen aliado para contrarrestar las aspiraciones francesas a Nápoles.

Gracias en parte a este apoyo, Maximiliano logró ser reconocido como regente de Flandes en junio de 1485, y a partir de ahí se reforzaron los contactos con los reyes españoles, lo que fomentó el intercambio económico y la resolución de pleitos pendientes de carácter comercial. Tres años más tarde, cuando

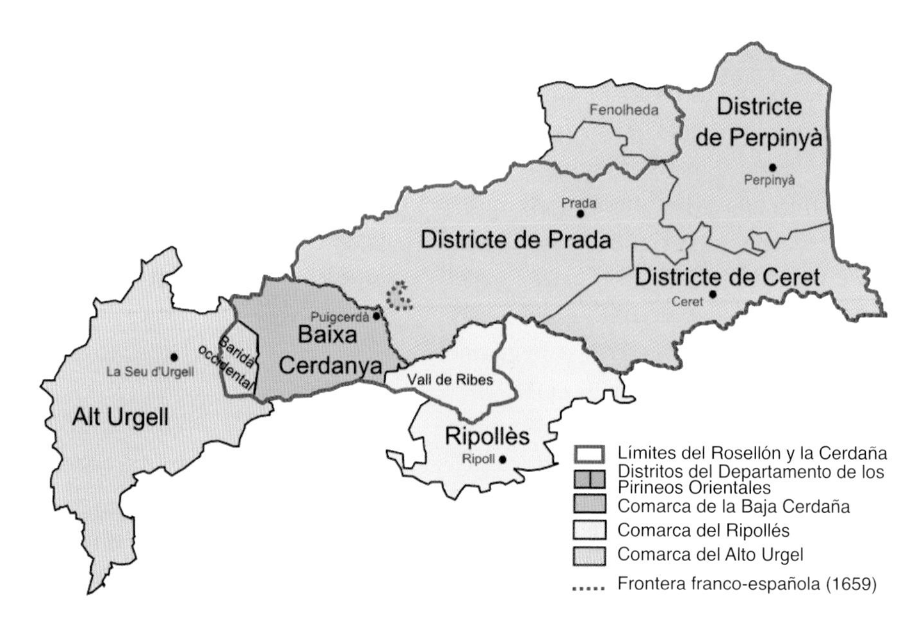

Los territorios del Rosellón y la Cerdaña con las fronteras actuales.

la ciudad de Brujas se alzó en armas contra Maximiliano e intentó despojarle de la regencia, los Reyes Católicos se mantuvieron al lado del emperador y le enviaron una embajada encabezada por Juan de Fonseca, arcediano de Ávila, para ofrecerle apoyo.

Fonseca llevaba también la misión de tantear el doble matrimonio de los infantes españoles Juan y Juana con los hijos de Maximiliano: Margarita y Felipe.

Una vez dominada la revuelta de Brujas, el emperador decidió intensificar las relaciones con España, y envió a los Reyes Católicos una embajada de alto nivel dirigida por Balduino, hijo bastardo de Carlos el Temerario. Balduino se casó en España con una de las damas de la reina Isabel, María Manuel, cuyo hermano Juan Manuel, aprovechando el parentesco, llegó a ser, tras la muerte de Isabel, uno de los principales consejeros de Felipe el Hermoso y un decidido adversario de Fernando.

En paralelo a estas maniobras diplomáticas, el Rey Católico buscó también la alianza con el ducado de Bretaña, que Francia deseaba anexionarse, por medio de Alain d´Albret, padre del rey de Navarra y vinculado a la nobleza bretona, que era partidario de la independencia de ese territorio.

Como una baza más del mismo juego diplomático, una embajada inglesa encabezada por John Weston llegó en abril de 1488 a Murcia, donde los Reyes

Católicos mantenían la corte mientras proseguían la Guerra de Granada. La misión buscaba una posible alianza política, comercial y militar contra Francia. Algo que suponía un cambio completo en la tradicional política castellana de amistad con la corona francesa. Ambas dinastías —la española y la inglesa— debían unirse a través del matrimonio de Arturo, príncipe de Gales y sucesor del trono inglés, y la infanta Catalina, que por entonces solo tenía tres años.

Para negociar estos asuntos fue enviado el secretario Juan de Sepúlveda a la corte de Inglaterra, donde estaba de embajador Rodrigo González de Puebla, hábil diplomático descendiente de conversos. Aunque Puebla y Sepúlveda se llevaron mal, después de arduas negociaciones por la elevada dote que los ingleses exigían por el matrimonio de Catalina, se pudo llegar en Londres a un acuerdo preliminar en julio de 1488. Fernando e Isabel se comprometían a enviar a su hija a Inglaterra cuando tuviera edad de casamiento y a entregar una dote de 200 000 escudos al exhausto Tesoro inglés.

A pesar de que el compromiso de Londres tenía cláusulas y omisiones que el Consejo Real en España consideraba inaceptables, el Rey Católico decidió seguir adelante con el trato por la importancia que otorgaba a la alianza inglesa. La perseverancia del monarca dio sus frutos cuando el gobierno inglés se declaró dispuesto a respaldar los derechos de Ana de Bretaña al ducado bretón. Y antes de terminar el año 1488, Fernando había conseguido el gran objetivo de sellar una alianza antifrancesa entre Inglaterra, Bretaña y los Países Bajos.

Materia de Bretaña

La cuestión de Bretaña se convirtió entonces en un asunto principal para el Rey Católico, ya que era la vía de presionar a Francia para conseguir la devolución del Rosellón y Cerdaña.

Informado de que la duquesa Ana de Bretaña había conseguido sendas alianzas con Enrique VII y Maximiliano, Fernando decidió enviar a Nantes a Francisco de Rojas, con el encargo de conseguir una reconciliación entre los nobles bretones que permitiera un matrimonio conveniente para la duquesa.

Al final, el 27 de marzo de 1490 se confirmó solemnemente el acuerdo de los Reyes Católicos con Inglaterra. Una amistad —como señala Luis Suárez— que «durante los siguientes cuarenta años iba a girar en torno al triste destino de una persona, Catalina, que fue sucesivamente novia, princesa, reina, esposa repudiada y prisionera. Un trágico destino que sus padres no tuvieron la oportunidad de percibir».

Con este tratado Fernando seguía la política de alianzas que le había marcado su padre para hacer frente a las injerencias francesas en Navarra y Cataluña, y se aseguraba el apoyo de Inglaterra en la disputa de Flandes. El acuerdo incluía un compromiso militar y garantizaba la libertad de comercio entre las coronas inglesa e hispanas, y el uso de puertos ingleses para los barcos españoles que iban y venían de Flandes.

En todo este laberinto de intereses, Francia seguía siendo un rival temible. Disponía de fuerzas superiores a las de todos sus enemigos juntos, y además contaba con Escocia como aliada. Fernando vio la ocasión de romper esa alianza, lo que produjo un episodio diplomático rocambolesco. Para neutralizar a Escocia envió a ese reino al embajador González de Puebla en marzo de 1489, con la misión de negociar en nombre de la corona de Aragón (no de Castilla en esta ocasión) un acuerdo semejante al firmado en Londres. Para propiciar el entendimiento, Fernando ofreció la mano de su hija bastarda Juana al rey Jacobo de Escocia, algo que el monarca escocés interpretó como una falta de respeto a su persona y además desagradó también a la reina Isabel. Fernando entonces intentó salvar la situación cambiando su oferta. Si el rey escocés conseguía que Francia cumpliera con el compromiso de devolver los condados catalanes, la infanta María, por entonces casi recién nacida, podría ser la futura esposa de Jacobo.

Acuerdo de Okyng

Entretanto, los asuntos de Bretaña se complicaron más de lo que ya estaban. Alain d´Albret se cambió al bando del rey de Francia, Carlos VIII, y se distanció de los Reyes Católicos, igual que Maximiliano de Austria. Para presionar al monarca francés, que por entonces rozaba ya la mayoría de edad, Fernando envió a Bretaña una fuerza de mil hombres de armas bajo el mando de Pedro Gómez Sarmiento, conde de Salinas, a la que se unieron luego 400 peones asturianos. Las instrucciones eran evitar una batalla campal y apoderarse de algunas plazas que pudieran servir de cabeza de puente para una intervención futura más ambiciosa. Junto a esto, Fernando dio órdenes de fortificar Fuenterrabía, Jaca y otros puntos de la frontera con Francia.

El desbarajuste creció en Bretaña por la desunión entre los dos bandos principales de la nobleza bretona, dirigidos por el mariscal De Rieux y Jean Chalons, príncipe de Orange, mientras las fuerzas expedicionarias extranjeras provocaban con sus abusos el descontento de la población. La confusión se hizo mayor cuando Maximiliano envió una tropa de 700 lanzas y selló un acuerdo secreto con los franceses.

Las partes rivales acudieron al arbitraje del papa Inocencio VIII, y este exhortó a todos a concertar la paz para enfrentar a los turcos, que ya habían atacado Otranto, en el sur de Italia. Fernando entonces intentó convencer al papa, por medio de su embajador Bernardino de Carvajal (mayo de 1490), de que no le sería posible entenderse con Francia mientras esta no devolviera los condados del norte de Cataluña.

Estas gestiones dieron por resultado el envío a Castilla del emisario francés fray Juan de Mauleón, nacido en Navarra, portador de cartas de Ana de Bretaña y Carlos VIII que proponían un encuentro de los Reyes Católicos y el rey de Francia. Las conversaciones no se interrumpieron y Mauleón viajó varias veces a España en un esfuerzo por mantener la paz.

Ambos monarcas, Isabel y Fernando, parecían negociar por separado, pero en realidad los dos actuaban con el fin de lograr la devolución del Rosellón. Mientras la reina Isabel proponía una entrevista «de mujer a mujer» con Ana de Bretaña, Fernando pidió a Alain d´Albret que le entregara la ciudad de Nantes, para poderla intercambiar por los condados catalanes en poder de Francia.

Siempre atento a mermar el poder francés, y viendo que Bretaña se inclinaba cada vez más a Francia, los Reyes Católicos firmaron en septiembre de 1490 en Okyng, una residencia real cercana a Londres, un acuerdo tripartito con los procuradores de Enrique VII y Maximiliano, en el que se incluía al archiduque Felipe el Hermoso.

Como secuela de este acuerdo se estipuló que, cuando el príncipe Arturo hubiese cumplido catorce años y Catalina doce, esta sería enviada a Inglaterra para celebrar la boda, y Maximiliano se comprometía declarar la guerra a Francia en el caso de que este país atacase a Inglaterra o España. Además, si en el plazo de tres años no se iniciaban conversaciones para devolver el Rosellón, los tres aliados se comprometían a combatir contra el rey francés.

También como consecuencia del acuerdo de Okyng, en octubre de 1490 Ana de Bretaña selló un acuerdo matrimonial con Maximiliano y se incorporó a la triple alianza. Fernando creía asegurado ya su triunfo, pero las cosas se torcieron cuando el emperador austriaco empezó a considerarse duque de Bretaña y Alain d´Albret, que también aspiraba al puesto, se sintió traicionado y ofreció sus servicios al rey de Francia.

Astutamente, los franceses jugaron bien sus bazas y engañaron a todos sus rivales. Enviaron a fray Juan de Mauleón a hablar con la reina Isabel y le dijeron que Ana de Bretaña estaba dispuesta a entrevistarse con ella, pero sin fijar fecha concreta. Entretanto, la duquesa bretona pedía la retirada de las tropas castellanas en Bretaña para no empeorar la situación.

Cuando Fernando, con las manos atadas por la campaña de Granada, se dio cuenta de que Francia solo trataba de ganar tiempo ya era tarde. El despechado Alain d´Albret había entregado Nantes al rey francés, y la tropa castellana concentrada en Redon regresó a España.

Poco después, en mayo de 1491, en cuanto los españoles se retiraron, los franceses ocuparon Bretaña y la duquesa Ana, sitiada en Rennes, aceptó casarse con el rey de Francia, que anexionó a su corona ese rico territorio. Maximiliano y el rey inglés se sintieron frustrados, pero ninguno de ellos quería la guerra y decidieron no intervenir. La triple alianza, tan laboriosamente tejida por Fernando, no había servido de mucho y el Rosellón seguía en manos francesas.

No solo eso, la dinastía de los Albret de Navarra también daba señales de inclinarse al lado francés, y con dinero del rey Carlos VIII fueron comprando lealtades y permitiendo la entrada de tropas francesas en ese reino, aprovechando que los Reyes Católicos estaban volcados en rematar la conquista de Granada. Fernando encajó el golpe, que esperaba devolver pronto al monarca francés.

LA DISCORDIA DE NÁPOLES

La revancha del rey aragonés empezó a gestarse cuando Carlos VIII, ya alcanzada la mayoría de edad, quiso hacer valer sus derechos sobre Nápoles. Consideraba que, con la devolución del Rosellón y Cerdaña al Rey Católico, este debería a cambio permitirle la conquista del reino napolitano. Pero Fernando tenía claro que Nápoles entraba en la esfera de intereses de la corona de Aragón, y no iba a permitir que los franceses se salieran con la suya esta vez.

El rey aragonés Alfonso V, tío del Rey Católico, había sido reconocido soberano de Nápoles y Sicilia, aunque mantuvo separados ambos reinos por razones de la compleja política italiana, dejando que Sicilia siguiera en el patrimonio de la Casa de Aragón, y cediendo la corona de Nápoles a su hijo bastardo Ferrante. Eso era algo con lo que Fernando no estaba conforme, porque al ser sobrino legítimo de Alfonso V se consideraba con mayor derecho a ese trono, por encima incluso que los descendientes de la Casa de Anjou francesa.

En este escenario, la pretensión de Carlos VIII al reino de Nápoles, además de alterar profundamente el siempre frágil equilibrio italiano, afectaba directamente a los intereses de la unión de reinos hispana y no iba a quedar sin respuesta. Pero el Rey Católico —fiel a su política— antes de recurrir a las armas consideró conveniente negociar.

Fernando se mostraba dispuesto a colaborar con Francia si esta devolvía el Rosellón, pero ya no confiaba en las buenas palabras y presionaba a sus

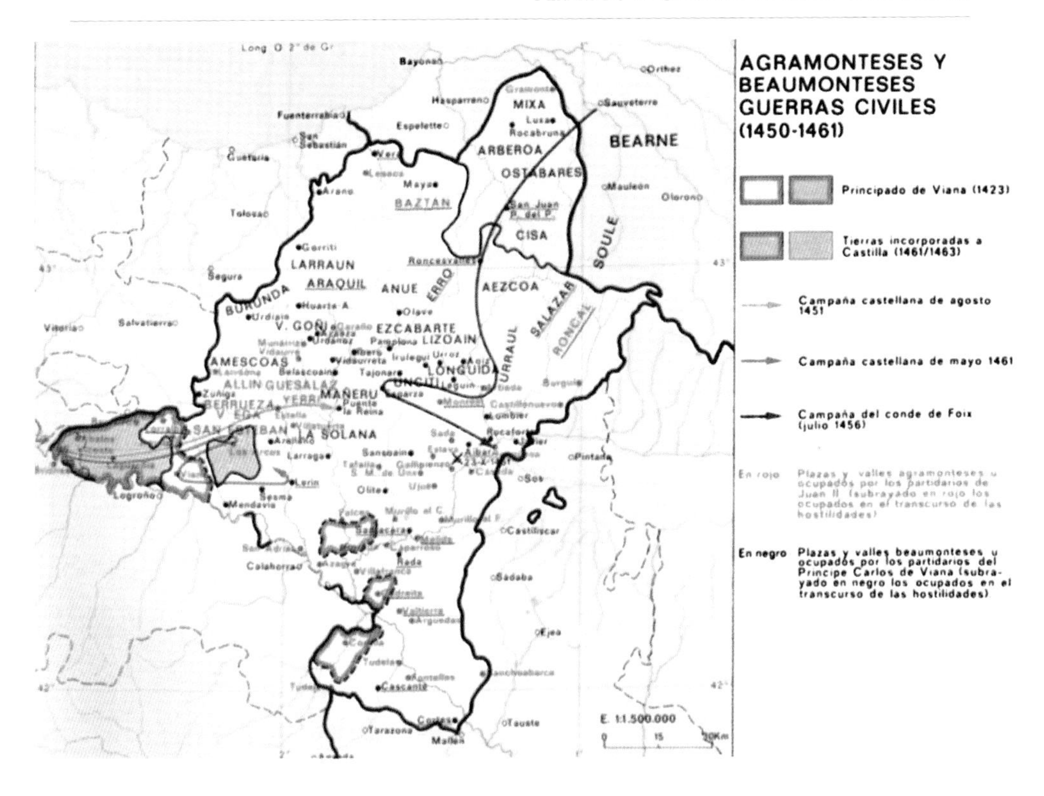

embajadores para que la triple alianza de Okyng se mantuviera. Esto implicaba apoyar las reclamaciones de Inglaterra sobre Guyena y Normandía, difíciles de sostener ya que siempre se habían considerado territorios franceses.

A principios de 1492 se desarrollaron negociaciones secretas entre Fernando y los embajadores franceses para arreglar la entrega de los condados ultrapirenaicos catalanes. El Rey Católico no quería demoras en eso, pero también aprovechó la negociación para plantear el tema de Navarra, y en este punto fue tajante: Navarra era uno de los reinos de España, y en ningún caso debía pasar a manos de Francia.

EL EMBROLLO NAVARRO

La situación en el reino de Navarra era un rompecabezas de difícil solución. Los condes de Foix habían sido declarados lugartenientes a raíz de la destitución del príncipe de Viana en 1455, y a partir de ahí el escenario político se fue enredando hasta hacerse inextricable, tanto por las luchas internas entre

NAVARRA

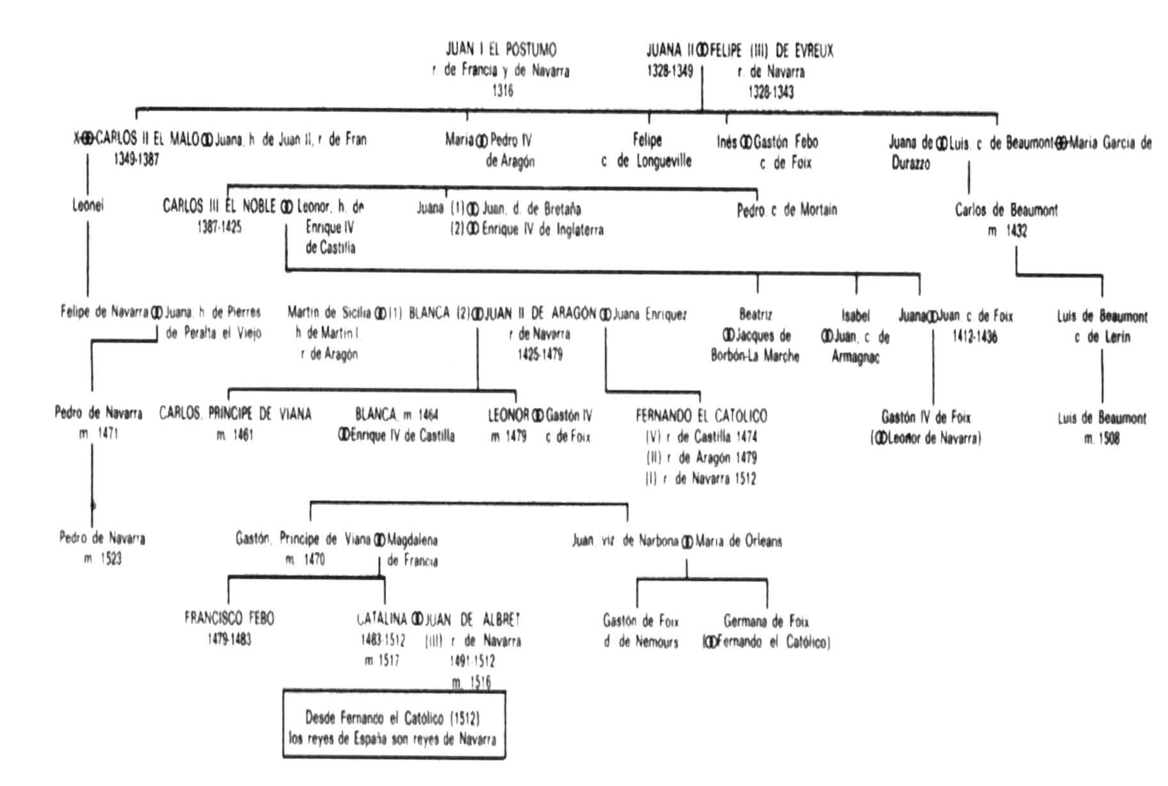

agramonteses y beamonteses, en guerra permanente, como por las continuas injerencias externas derivadas de la rivalidad aragonesa con Francia.

A la muerte de la reina Blanca de Navarra (hija de Carlos III el Noble) le correspondía ocupar el trono a su hijo Carlos, príncipe de Viana, pero la reina, presionada por su marido el infante Juan de Aragón, el futuro Juan II padre de Fernando, pidió al heredero que no se declarase rey mientras viviera su progenitor.

El príncipe de Viana acató la voluntd de su madre y comenzó a gobernar Navarra como lugarteniente, mientras su padre volvía a casarse con Juana Enríquez y terminó heredando la corona de Aragón en 1454. Además decidió proclamarse rey de Navarra, contra los derechos de su hijo Carlos.

Se desata entonces un conflicto sin solución que divide a la nobleza navarra. La facción beamontesa, que encabeza Luis de Beaumont, conde de Lerín, apoya al príncipe Carlos, y frente a ella se situa el clan de los Agramunt, o agramonteses, dirigido por mosén Pierres de Peralta y el mariscal Pedro de Navarra.

Por un momento, la situación pareció arreglarse cuando en 1460 el príncipe Carlos es proclamado en Cataluña heredero de la corona aragonesa y logra una aparente reconciliación con su padre Juan II. El príncipe, que tenía entonces 40 años y era viudo sin hijos, negocia el matrimonio con la infanta Isabel de Castilla, la futura Reina Católica, pero ese mismo año fallece de repente en Barcelona. Muchos estaban convencidos de que había sido asesinado por su madrastra, Juana Enríquez, para asegurar que su hijo Fernando heredase la corona de Aragón.

Como el príncipe Carlos no tenía hijos, la corona navarra fue a parar a su hermana Blanca, que había sido esposa del rey castellano Enrique IV (que la repudió en 1453) y vivía prácticamente prisionera de su padre en el castillo de Olite, por haber apoyado a su difunto hermano.

Por orden de Juan II, mosén Pierres de Peralta, el jefe de los agramonteses, entregó a la princesa Blanca a su hermana Leonor, la hija preferida del rey aragonés. Tras pasar dos años presa en el castillo de Orthez, Blanca fue asesinada por su hermana en 1464.

Leonor entonces se convirtió en princesa de Viana y gobernó el reino navarro como lugarteniente de su padre, que era el monarca efectivo. Tuvo que esperar hasta la muerte de este en 1479 para ser proclamada reina de Navarra en al catedral de Tudela y falleció quince días después de ser coronada. Algo que el padre Mariana consideró una calamidad divina:

> Castigaba Dios a aquella familia y generación de estos príncipes, y bajaba sus ánimos, en venganza de las injustas muertes que se dieron a don Carlos, príncipe de Viana, y a doña Blanca, su hermana, sin dejar reposar a los culpados, ni quedar alguno que no fuese castigado.

La situación de Leonor en Navarra se consolidó al casarse con el conde de Foix, Gastón IV. Los Foix, cuyo solar patrimonial estaba en Francia, mantenían desde hacía mucho tiempo estrecha relación con Navarra. Sus propiedades incluían los territorios de Bigorre, con capital en Tarbes; el Bearne, con capital en Pau, y otras ciudades como Orthez, Marsan y Gabardan, todos bajo la soberanía de los monarcas franceses.

En 1468 el obispo de Pamplona, consejero de Leonor, murió asesinado por el cabecilla agramontés Pierres de Peralta. Ese mismo año, el rey Juan II despojó de la lugartenencia a Leonor y a su esposo para zanjar el desgobierno navarro, y nombró lugarteniente al hijo de estos, Gastón V, casado con Mag-

Leonor I de Navarra, hija de Juan II de Aragón y esposa del conde Gastón de Foix.

dalena, hermana del rey de Francia.

La muerte inesperada de Gastón V en 1472, cuando acudía al frente de un ejército a pacificar Navarra, obligó a Juan II a llegar a un acuerdo con su hija Leonor en 1470, cuyos herederos eran los hijos de Gastón: Francisco y Catalina, ambos de muy corta edad, que vivían con su madre Magdalena en la corte navarro-francesa del Bearn. Parece que entonces (1481) los Reyes Católicos intentaron casar a Francisco Febo, que contaba once años, con la infanta doña Juana, pero el proyecto se desvaneció por las maniobras de Magdalena contrarias a la influencia castellana en Navarra.

Durante siete años Leonor tuvo que llevar en solitario la lugartenencia hasta la muerte de su padre en 1479, haciendo frente a continuas revueltas internas y peleas nobiliarias. El rey Fernando firmó en 1476 un tratado con Leonor que instituía un verdadero «protectorado» castellano sobre Navarra, y mediante el cual se garantizaba la neutralidad de este reino respecto a Francia. A partir de ahí, los objetivos tanto de Isabel como de Fernando coincidirían y marcarían toda la política de Aragón y Castilla hacia Navarra.

En 1476, poco antes de la muerte de Juan II de Aragón, que se declaró rey de Navarra, Fernando consideró obligado intervenir en los asuntos de este reino, y el resultado fue el tratado de Tudela, que estableció una especie de protectorado de Castilla en el territorio navarro.

Al morir prematuramente Gastón V, primogénito de Leonor y Gastón IV, le sucede en el trono el nieto de ambos, Francisco Febo, cuyo reinado duró cuatro años. La corona entonces pasó a su hermana Catalina de Foix. Sin contar con el parecer de las Cortes navarras, Magdalena de Valois concertó el matrimonio de su hija Catalina con el señor francés Juan de Albret, heredero de uno de los linajes más poderosos de Francia.

Catalina de Foix, también conocida como Catalina de Navarra (1468-1517), fue reina de Navarra, duquesa de Gandía, condesa de Foix, Bigorra y Ribagorza, duquesa de Montblanc y vizcondesa del Béarn.

Los Reyes Católicos quedaron muy defraudados con esta boda, que fue un triunfo de la diplomacia francesa, ya que deseaban casar a su primogénito el príncipe Juan, todavía un niño, con Catalina. Para conseguirlo habían enviado a la corte navarra a Rodrigo Maldonado y Alonso de Quintanilla, dos hábiles negociadores, y situaron tropas en la frontera, pero finalmente Catalina decidió casarse con el señor francés.

Juan de Albret aportaba al matrimonio los ducados de Albret, Vendôme, Beaumont y Alençon, situados en Guyena. Catalina, por su parte, sumaba a la corona navarra los vizcondados franceses de Bigorre, Lomagne y Limoges, y los condados de Rodez, Armagnac y Perigord, además de compartir la soberanía de Andorra con el obispo de la Seo de Urgel.

Esta heterogeneidad de territorios —señala el autor navarro Jaime Ignacio del Burgo— era precisamente el talón de Aquiles de los reyes navarros.

> Constituir un gran Estado 'pirenáico'... con al suma de todos ellos era una tarea imposible... Para las cortes de Navarra mantener buenas relaciones con Castilla y Aragón era una necesidad. Por el contrario, para la supervivencia del Bearne era vital estar a bien con los reyes de Francia, que a comienzos del siglo XVI se había convertido en una gran potencia europea. Y sobre todo pesaba su distinta posición geoestratégica. Una Navarra unida a Francia era un peligro para la seguridad de

Castilla y Aragón. A la inversa, una alianza navarro-castellana o navarro-aragonesa era una amenaza para la integridad del territorio francés.

Los beamonteses y una facción de los agramonteses denunciaron el matrimonio de Catalina, y los Reyes Católicos, que observaban atentamente el desarrollo de los acontecimientos, centraron sus esfuerzos, a partir de entonces, en neutralizar la influencia de Francia y aumentar su ascendiente en Navarra a través del partido beamontés y el mantenimiento de tropas castellanas en Pamplona y otras ciudes de ese reino.

Leonor y Gastón IV de Foix tuvieron una numerosa descendencia. El segundogénito fue Juan de Foix, vizconde de Narbona, que se casó con María de Orleans, hermana de Luis XII de Francia y reclamó su derecho a la corona navarra en 1470, a la muerte de su hermano mayor Gastón V.

La subida al trono de Catalina de Foix no apaciguó la contienda civil en Navarra. La rebeldía de los beaumonteses hizo que la reina y su esposo Juan de Albret no pudieran coronarse en Pamplona hasta 1494, y tuvieron que hacerlo bajo la protección de las tropas castellanas.

Dando al olvido el desaire que supuso el matrimonio de Catalina con Juan de Albret, los Reyes Católicos mantuvieron una actitud amistosa hacia los nuevos soberanos de Navarra, y firmaron con ellos en 1492 un tratado que hizo posible su coronación en Pamplona. A cambio, Juan de Albret y Catalina se comprometían a cerrar su frontera navarra en los Pirineos en caso de guerra entre Francia y España, y a no casar a sus hijos sin el consentimiento de los Reyes Católicos.

Como gesto de buena voluntad, Fernando obligó a Luis de Beaumont a salir de Navarra para reducir la tensión política en el reino. El jefe del partido beamontés cedió todos los bienes que poseía en Navarra al rey aragonés, y de este modo pasaron al Rey Católico numerososo territorios y fortalezas navarros.

En este contexto, Magdalena de Valois, una vez recuperados los dominios de la Casa de Foix, unidos a los de Albret por el matrimonio de su hija Catalina, buscó una aproximación a los Reyes Católicos y viajó a Zaragoza a entrevistarse con ellos en agosto de 1492, cuando iban ya camino de Barcelona.

Fernando garantizó a Magdalena que el único interés que tenía con Navarra era asegurar la neutralidad de ese reino, algo que en ese momento era verdad porque toda su atención estaba centrada en las conversaciones para la devolución del Rosellón, que avanzaban a buen paso con Francia desde la primavera de 1492.

La pugna con Francia

Las conversaciones hispano-francesas empezaron a complicarse y se situaron al borde la ruptura cuando Fernando se dio cuenta de que el rey Carlos VIII le ofrecía los condados catalanes como si fuera «un regalo» a cambio de vía libre para conquistar Nápoles.

El Rey Católico seguía paso a paso todo este proceso, y su enviado Juan de Albión viajó a Tours para entrevistarse con Carlos VIII el 2 de septiembre de 1492. Albión explicó al monarca francés que Fernando estaba dispuesto a consultarle antes de concertar los matrimonios de los infantes españoles (como el rey galo le pedía) pero insistía en que el Rosellón y la Cerdaña tenían que ser devueltos.

Tras cinco días de forcejeo diplomático, el emisario del Rey Católico regresó con las manos vacías y las conversaciones entraron en punto muerto. El rey francés envió entonces una nueva embajada a España con el arzobispo de Narbona para aliviar la tensión. Pero Fernando parecía convencido de que Francia no cedería sin guerrear, y pidió a Londres ratificar el tratado de Okyng. Franceses y españoles, sin embargo, parecían renuentes a recurrir a las armas, con gran satisfacción de la reina Isabel, muy opuesta a la guerra entre reinos cristianos.

Poco después se produjo el atentado contra Fernando en Barcelona y, una vez repuesto, al monarca aragonés le llegaron noticias favorables. El rey inglés Enrique VII había renunciado a sus derechos sobre Guyena y Normandía a cambio de una indemnización económica, y Maximiliano negociaba también un acuerdo con Francia sobre la herencia de Borgoña.

A finales de 1492 Fernando volvió a tomar las riendas de la política exterior para enfrentar las intenciones francesas, y el 8 de enero de 1493 se firmaron en Narbona unos acuerdos entre el rey de Francia y los Reyes Católicos que parecían equilibrar la balanza de intereses entre ambas partes. Isabel y Fernando se comprometían a no prestar ayuda a ningun enemigo de Carlos VIII, exceptuando el papa, lo que liquidaba en la práctica el tratado de Okyng. A cambio se restituían a la corona aragonesa el Rosellón y Cerdaña sin compensación alguna.

Pero las semanas pasaban y la entrega se demoraba. Los franceses jugaban a perder tiempo mientras proyectaban lanzarse sobre Nápoles, y en los condados catalanes hubo un conato de sublevación en favor de Fernando que reprimieron las tropas francesas.

A principios del verano de 1493 la guerra parecía otra vez cercana, hasta que por fin el rey francés cedió y los Reyes Católicos entraron en Perpiñán el 12 de septiembre.

Fernando dio muestras de amistad hacia Francia y la paz parecía de momento asegurada. Antes de concluir el mes de septiembre emitió una carta real por la cual los súbditos franceses recibirían trato de favor en España, y la Universidad de París envió un escrito de felicitación a los Reyes Católicos por la conquista de Granada y la expulsión de los judíos.

La reforma religiosa

En 1493 la bula papal *Quanta in Dei Ecclesia* autorizaba a los Reyes Católicos a emprender la reforma de las órdenes religiosas, y venía a culminar un proceso de reafirmación de la voluntad real en los asuntos religiosos de Aragón y Castilla. Esta bula, junto con otras que se habían emitido entre 1486 y 1487, establecía que ningún obispo sería nombrado sin consulta previa a Isabel y Fernando, lo cual convertía a los obispos en «altos magistrados espirituales de la Corona» (Luis Suárez), algo que comportaba una reforma de las estructuras de la Iglesia española, que los Reyes Católicos intentaban controlar, sin ceder a las injerencias político—religiosas de Roma. No hay que olvidar que, además de su poder espiritual, el papa era soberano terrenal en su propio Estado de Italia, aunque los conflictos de signo político con Roma no afectaban a la obediencia que Isabel y Fernando prestaban al pontífice en cuanto vicario de Cristo en la Tierra.

En esta tarea de afianzamiento de la autoridad de la Corona, los Reyes Católicos contaron con la valiosa colaboración de fray Hernando de Talavera, confesor de la reina Isabel y prior jerónimo del monasterio de El Prado de Valladolid. Ambos siempre coincidieron sobre este tema en lo fundamental, aunque Fernando se mostraba más celoso que la reina en aquellos aspectos dirigidos a extender su autoridad, dentro de los límites que le marcaba la doctrina de la Iglesia.

En 1478, con la corte establecida en Sevilla, se celebró en esta ciudad una asamblea eclesiástica en la que fray Hernando de Talavera llevó la voz cantante, y se aprobaron una serie de reformas encaminadas a restablecer la disciplina del clero secular, minado por el absentismo y la corrupción.

Fernando utilizó estas reformas para conseguir que los obispos fueran personas idóneas y naturales de los propios reinos en los que ejercían su labor, y consideró que el mejor modo de conseguirlo era que se le reconociera el derecho de proponer a los candidatos, aunque el nombramiento final lo hiciera el papa.

Las propuestas de la asamblea sevillana fueron convertidas en leyes en las Cortes de Toledo de 1480, y limitaron la plaga del nepotismo y la corruptela extendida entre los altos cargos eclesiásticos ausentes de sus diócesis, nombrados en muchos casos por amaños políticos.

Estas reformas se extendieron después de 1492 a América, donde los Reyes Católicos fundaron y dotaron nuevas sedes episcopales y nombraron en la práctica obispos titulares. La intervención de la Corona mejoró la calidad del clero en el Nuevo Mundo y produjo un conjunto de evangelizadores que desarrollaron eficazmente su tarea proselitista en esas tierras.

El conjunto de esta reforma— dice Luis Suárez— se movía lejos del nominalismo teológico y estaba muy influenciado por la doctrina escolástica de Santo Tomás de Aquino (tomismo), según la cual la naturaleza humana está dotada de libre albedrío, fruto de su capacidad racional. Partiendo de esto, los tomistas defendían que la fe necesita proyectarse en las obras, pues con estas se obtienen los méritos para ir al cielo.

EL TRATADO DE TORDESILLAS

La concentración de los importantes acontecimientos que se dieron en 1492 tuvo su remate en el Tratado de Tordesillas, que repartió el mundo de polo a polo entre España y Portugal. Un hecho que no tiene precedentes en la historia.

Firmado el 7 de junio de 1494, el tratado puso fin a un pertinaz enfrentamiento de las coronas castellana y aragonesa con Portugal para repartirse el espacio de las nuevas tierras que españoles y portugueses iban descubriendo para Europa. En la elaboración del acuerdo tuvo una intervención fundamental

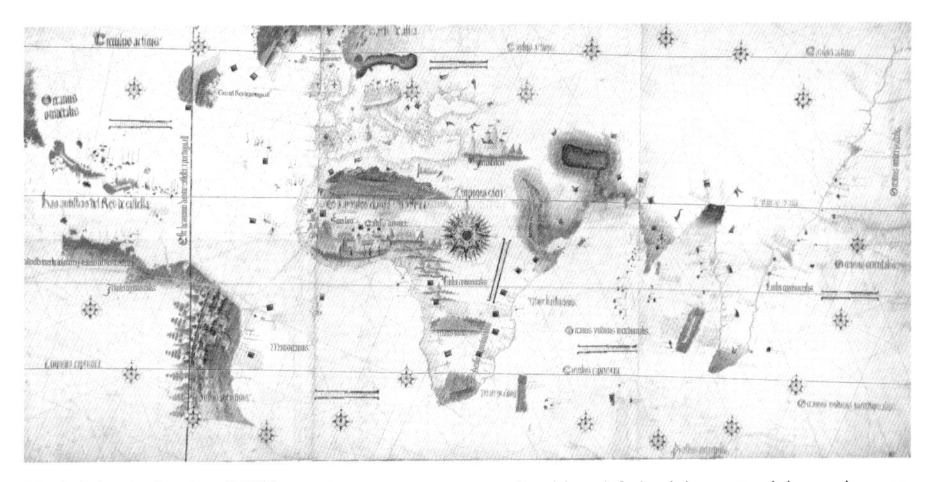

Planisferio de Cantino (1502), en el que aparece marcado el hemisferio del reparto del mundo acordado en Tordesillas entre España y Portugal.

El papa Alejandro VI.

el papa español Rodrigo Borja (o Borgia, como lo llamaron en Italia).

Al regreso de su primer viaje, Colón hizo escala el 17 de febrero de 1493 en las Azores, y el 4 de marzo llegó a Lisboa, antes de poner término definitivo a su expedición descubridora en el puerto de Palos. Un extraño desvío que todavía no ha sido suficientemente aclarado, y deja abiertas las peores sospechas. En la capital lusa se entrevistó con el monarca portugués João II, a quien puso al corriente de sus descubrimientos. Esas noticias dieron pie al rey de Portugal para reclamar de inmediato las nuevas tierras, alegando lo pactado con Castilla en Alcáçovas en septiembre de 1479. Pero los Reyes Católicos rechazaron la reclamación por considerar que la navegación de Colón se había realizado siempre hacia oeste, y no hacia el sur de las islas Canarias.

Pese a los muchos vínculos existentes entre las casas reales de ambos países, dirigidos a promover una unión que no se produciría hasta 1580, João II de Portugal y los Reyes Católicos negociaron duramente un nuevo acuerdo. Portugal buscaba por encima de todo —dice el profesor portugués Hermenegildo Fernándes— el control del Atlántico, donde había invertido mucho, y conseguir al menos una parte de ese Nuevo Mundo descubierto por España.

Una vez descubierta América, los Reyes Católicos buscaron legitimar esa empresa con un nuevo arbitraje, puesto que el acuerdo de Alcáçovas resultaba insatisfactorio para España en el nuevo escenario geográfico que abría el Descubrimiento. Recordemos que el citado pacto daba las islas Canarias a Castilla, y a Portugal las islas de Madeira, Azores, Cabo Verde, Guinea y «todo lo que es hallado o se hallare, conquistase o descubriere en los dichos términos, allende de que es hallado ocupado o descubierto».

El papa expidió cuatro bulas en 1493 (conocidas como Bulas Alejandrinas) a favor de los Reyes Católicos, pero el monarca portugués no las aceptó. En ellas se reconocía la posesión castellana de las tierras y mares situadas al

El rey João II de Portugal, que selló el Tratado de Tordesillas con los Reyes Católicos.

oeste del meridiano situado a 100 leguas de las Azores y Cabo Verde, y se decretaba la excomunión para todos los que cruzasen esa línea sin permiso de Castilla.

Con el rechazo portugués a la propuesta del papa, el arbitraje quedó en suspenso. João II propuso entonces que Portugal y España negociasen directamente el tratado, pero las primeras conversaciones fracasaron. Ante la amenaza de guerra, que ni Fernando ni Isabel deseaban, los embajadores de ambos países se reunieron en Tordesillas y tras rectificar la línea de demarcación en favor de Portugal, hasta extenderla a 370 leguas al oeste de Cabo Verde, se llegó al acuerdo. Fijado un plazo de cien días de ratificación por los respectivos monarcas, los Reyes Católicos lo refrendaron en Arévalo y João II en Setúbal.

El cronista portugués García de Resende afirma que los embajadores portugueses jugaron con ventaja porque recibían desde Lisboa informes secretos sobre la posición negociadora de los plenipotenciarios castellanos, junto a las instrucciones directas de su rey João II. Si es así, los Reyes Católicos tuvieron un espía en su propia corte, y el traidor, que sepamos, nunca fue descubierto.

Aunque el tratado estipulaba que se solicitaría la confirmación del papa a lo acordado, ninguna de las dos partes estaba obligada a desligarse de lo pactado por lo que decidiera Alejandro VI, quien por otra parte nunca sancionó el acuerdo.

En el tratado de Tordesillas se menciona expresamente a los «señores rey y reina de Castilla y Aragón» como poseedores de todo lo hallado por estos «y por sus navíos, desde la dicha raya, dada en la forma susodicha, yendo por la dicha parte de poniente, después de pasada la dicha raya, para el poniente o al norte sur de ella, que todo sea y quede y pertenezca a los dichos señores rey y reina de Castilla y de León, etc., y a sus sucesores para siempre jamás.»

La línea fijada —situada en los 46º 37´longitud oeste— pasa por la actual ciudad de Sao Paulo, por lo que Portugal obtuvo la soberanía del territorio brasileño cuando Pedro Álvarez Cabral llegó a esa costa en el año 1500.

El tratado incluía también la renuncia de Castilla al reino de Fez, en Marruecos, salvo la región que bordeaba Melilla, y la prohibición para los pesqueros españoles de faenar al sur de Cabo Bojador, pero reafirmaba el derecho de Castilla a realizar «cabalgadas» entre ese punto y el Rio de Oro, en lo que luego sería llamado el Sáhara Español.

La porfía mantenida por España y Portugal en el descubrimiento, conquista y colonización del Nuevo Mundo influyó decisivamente en la formación de las actuales naciones americanas, y en este sentido el pacto logrado en Tordesillas representó la solución pragmática a una serie de difíciles problemas políticos y diplomáticos entre las dos naciones más poderosas de aquel momento histórico. Fue un reparto que al final permitió, como afirma el historiador Samuel E. Morison, que «nunca en la historia moderna se haya realizado una expansión colonial en tan vasta escala con tan pocas fricciones entre países rivales».

Primera guerra de Nápoles

El rey francés Carlos VIII —hombre de pocas luces políticas— estaba muy convencido de que el tratado de Barcelona firmado con Fernando el Católico dejaba Italia a su alcance, porque el monarca español no interferiría en sus ambiciones. Un cálculo erróneo que le saldría caro.

La labor diplomática que Fernando había llevado a cabo en los últimos años, unido al control que mantenía sobre el Mediterráneo occidental, le permitían barajar una política de alianzas con el papa, Génova, Inglaterra, el emperador Maximiliano y Portugal para aislar a Francia, que era el eje de su política exterior.

Por eso cuando Carlos VIII, alegando derechos de la Casa de Anjou anteriores a la presencia aragonesa, entró con su ejército en Italia y ocupó el reino de Nápoles (*Reame*) en febrero de 1495, los recursos políticos de Fernando le permitieron formar en muy poco tiempo una Liga encabezada por el papa Alejandro VI, de la que también formaban parte Maximiliano, Milán y Venecia. Adelantándose a los acontecimientos, los Reyes Católicos ya habían enviado tropas a Sicilia al mando de Gonzalo Fernández de Córdoba, a quien Fernando consideraba un buen caballero, desprovisto de la soberbia habitual de los grandes nobles y con dotes militares demostradas en la guerra de Granada.

Nominalmente, Nápoles era feudo del papa y había sido conquistado por el rey aragonés Alfonso V el Magnánimo en 1443, aunque lo consideró una posesión personal que dejó en herencia a su hijo bastardo Ferrante el Viejo.

Cuando este murió en enero de 1494 le sucedió su hijo Alfonso II en el trono napolitano y Alejandro VI advirtió a Carlos VIII contra la intervención en Italia. Eran momentos críticos por el pujante poderío otomano. Pero el rey francés, obsesionado con adueñarse del *Reame* no le hizo caso, y en el verano de 1494 se lanzó sobre Italia con un ejército de casi 40 000 hombres y artillería de gran calibre.

El rey Carlos VIII de Francia. Museo de Chantilly.

Cerca de Roma, el rey francés cumplió con la formalidad de pedir ayuda militar a España, pero el embajador de los Reyes Católicos dio por roto lo pactado en Barcelona si Carlos VIII iba contra la Iglesia o su patrimonio.

Desde Roma, el monarca francés continuó su marcha hacia el sur y en febrero entró en la capital napolitana, donde reinaba el joven Ferrante II, tras haber abdicado en enero su padre Alfonso II. Padre e hijo pidieron entonces ayuda a España. «Dios no permita —escribieron a Fernando— que el francés gane aquel reino, porque no descansará hasta ocupar el reino de Sicilia que es de sus Altezas [...]; es tan grande la codicia desordenada de aquella nación [Francia], que no pararán hasta ocupar todo cuanto puedan sin acatar derecho divino ni humano.»

Carlos VIII se hizo coronar en mayo rey de Nápoles, pero la alegría le duró poco. Ante el temor de ver cortada su línea de comunicación con Francia y el descontento de la población local por las tropelías de sus tropas, decidió regresar a Francia, pero dejó en el *Reame* una importante fuerza a cargo de Gilberto de Borbón, duque de Montpensier, del escocés Everardo Suart, señor de Aubigny, contando además con el apoyo de los barones partidarios de la casa de Anjou (angevinos).

Fernando decidió entonces intervenir en apoyo a la rama aragonesa del reino napolitano. Una intervención que sería la segunda gran acción militar común de los reinos de España, tras la guerra de Granada, y reforzaría las tradiciones de cruzada de Aragón y Castilla frente a la expansión francesa, en el marco de las ambiciones de poder que desencadenan las guerras de Italia.

En una entrevista que Fernando mantuvo con Gonzalo de Córdoba en Mesina quedó decidida la conquista de Calabria. Era este un territorio con muchos partidarios de la Casa de Aragón, y cuya orografía, semejante a la de Granada, se prestaba a la guerra de guerrillas y escaramuzas en la que el Gran Capitán era maestro.

Tras algunos reveses iniciales, Gonzalo Fernández domina las escabrosas sierras calabresas y, utilizando muchas de las tácticas aprendidas en la contienda de Granada, conquista numerosas ciudades y fortalezas y se abre paso hacia la capital del *Reame*. En pocos meses se apoderó de Calabria y el avance, contando con la ayuda de las tropas napolitanas del rey Ferrante, terminó derrotando a los franceses, que son expulsados de Nápoles.

Ferrante vuelve a ocupar el trono en julio de 1495 y las tropas francesas del duque de Montpensier se concentran en Atella, que Gonzalo Fernández cerca tras derrotar a franceses y angevinos en Murano y Laíno. Un cerco largo y durísimo que terminó con la rendición de los sitiados. El duque de Montpensier, que sucumbió en Pozzuoli por el dolor de la derrota, entrega todo el reino de Nápoles salvo Gaeta, Venosa y Tarento. Y fue en este sitio donde los soldados italianos comenzaron a llamar «Gran Capitán» a Gonzalo de Córdoba, al ver cómo le obedecían el rey Ferrante y los grandes señores del reino. «Y así fue —dice Juan de Mariana— que los demás caudillos, llegado él, no parecían sus iguales, sino sus inferiores y él como general de todos».

Reyes Católicos

En octubre de 1496, recién restaurado en el trono, muere Ferrante II y le sucede su tío Fadrique III. El Gran Capitán, dueño de toda Calabria, marcha a Roma y el papa le pide que libere a la ciudad del bloqueo que mantienen en el puerto de Ostia las naves del corsario vizcaino Menaldo Guerri, al servicio de los franceses.

Vencido y apresado Guerri, Gonzalo Fernández entra triunfalmente en la capital romana y Alejandro VI le entrega la Rosa de Oro, máxima condecoración del papado. Un año después volvió a España y Fernando le concedió el título de duque de Santángelo. El Gran Capitán lo recibe, entre muestras de gran afecto de la reina Isabel, en el palacio de la Aljafería de Zaragoza.

Poco después, en 1496, al calor del triunfo en Italia, el papa Alejandro VI, en agradecimiento por verse liberado de la amenaza francesa, otorgó a los reyes Fernando e Isabel el título de «Católicos», que no era meramente honorífico religioso, puesto que la palabra «católico» también equivale a «universal» y eso suscitaba el recelo de otros monarcas de la cristiandad.

El Gran Capitán entrega al papa Alejandro VI al corsario vizcaino Menaldo Guerri. Cuadro de Zacarías González Velázquez (1763-1834).

En esta campaña del Gran Capitán las tropas y los recursos son mayoritariamente castellanos, en tanto que la corona de Aragón aporta los barcos encargados de vigilar la costa y apoyar a la fuerza terrestre bajo el mando de destacados marinos, como el catalán Bernat Villamarí. De esta forma, los recursos de Castilla— señala el profesor Hernando Sánchez— servían a un designio aragonés que era ya de toda la Monarquia.

Las victorias del Gran Capitán en 1495-96 reforzaron la influencia de los Reyes Católicos sobre la rama napolitana de la Casa de Aragón se debieron tanto al predominio de las nuevas tácticas bélicas como a la capacidad que demostró Fernández de Córdoba para atraerse a los distintos sectores de la población del reino de Nápoles, evitando saqueos y sellando pactos con los que le permitieron asegurar el territorio.

En la primera campaña de Nápoles surgió también en Europa el flagelo de la sífilis, que hizo estragos en las tropas y tantas muertes se cobraría a partir de entonces. «En esta guerra de Nápoles se descubrió una nueva manera de enfermedad —dice el padre Juan de Mariana—, que se pegaba principalmente por la comunicación deshonesta. Los italianos la llamaron mal francés. Los franceses, mal de Nápoles. Los africanos, mal de España. La verdad es que vino del Nuevo Mundo y como se hubiese desde allí derramado por Europa, como lo juzgan los más avisados, por este tiempo los soldados españoles la llevaron a Italia y a Nápoles».

Desde el punto de vista militar las victorias en Italia fueron posibles por la idea de los Reyes Católicos, y sobre todo de Fernando, de contar con una milicia poderosa y permanente. A diferencia de otras guerras, como las de Granada, el norte de África o el Rosellón, en Nápoles actuó un cuerpo expedicionario que dependía directamente del Rey Católico, quien tenía además bajo su control las poderosas órdenes militares desde que se autoasignó los nombramientos de maestre de Santiago (1476, Alcántara y Calatrava (1485), confirmados por el papa Alejandro VI en 1492 y transmitidos a sus sucesores.

Las órdenes militares entraron así a formar parte del patrimonio regio, a través del Consejo de Órdenes encargado de los nombramientos y cuestiones jurisdiccionales. Con el tiempo, su función religioso militar evolucionó en organizaciones honoríficas, que tenían el añadido de una serie de rentas vinculadas a encomiendas y señoríos, y estaban siempre al servicio de la Corona.

Gente de ordenanza

Las guerras de Italia suponen también la eclosión fuera de las fronteras españolas del ejército moderno que Fernando e Isabel venían forjando desde la etapa final de la conquista de Granada, capaz de actuar en lugares lejanos. En esta tarea, siempre bajo la mirada atenta de Fernando, colaboraron fundamentalmente el contador mayor Alonso de Quintanilla y el cronista real Alonso de Palencia, que tuvieron en cuenta el precedente de la Hermandad, ya suprimida en 1498, una vez conquistada Granada y suprimido el bandolerismo en Castilla, para ahorrar el gasto que su mantenimiento exigía a ciudades y súbditos.

Con los Reyes Católicos el ejército experimenta una serie de mejoras decisivas, como secuela de la Guerra de Granada. Se perfeccionó la artillería con la utilización de cañones fundidos, la infantería adquirió prestigio y se emplearon por primera vez las armas de fuego individuales agrupadas en campo abierto.

El mayor problema consistía en que la mayoría de las fuerzas con que contaban los Reyes Católicos no dependían directamente de ellos, ya que necesitaban la conformidad de la asamblea general de la Hermandad. Eso llevó en 1493 a la creación de otras fuerzas que dependían directamente de la Corona, como las Guardias Viejas, compuestas por 2500 jinetes divididos en 25 compañías; cada compañía con un capitán, un teniente, un alférez, un portaestandarte y un trompeta.

En 1495 se unificó el armamento de todas las tropas con un reglamento en el que se estipulaba la composición de las unidades y la distribución de las armas. «Lo importante es que cada una de esas armas —dice el historiador García Hernán— era de un solo tipo, lo que facilitaba que el soldado estuviera en un puesto fijo con facilidad de maniobra. El soldado debía presentarse con sus armas».

Aunque las bases de la organización militar se sentaron en las dos ordenanzas de 1496, fue en 1504 —según el tratadista militar Quatrefages— cuando se formó la «gente de ordenanza», encuadrada en compañías articuladas y no en contingentes provinciales heterogéneos. En esta evolución tuvo gran relevancia la ordenanza de 1503, que regulaba las relaciones entre sociedad y ejército, el control económico por medio de contadores mayores, y la justicia militar. Cuando se producían tensiones entre soldados y civiles, el corregidor del lugar era el responsable último.

Los corregidores ejercieron amplios poderes en lo judicial, político y administrativo con los Reyes Católicos, y fueron uno de los instrumentos más eficaces de la autoridad real, pues en su demarcación, además de presidir los ayuntamientos, intervenían en pleitos de primera y segunda instancia y en la designación de procuradores a Cortes.

Soldados españoles de principios del siglo XVI. Atambor-Guardia-Alabardero armado a la suiza-Lansquenete y Escopetero.

La nueva organización militar se consolida en las luchas contra Francia en el Rosellón y en Italia, pero arrancó de la guerra de Granada, en la que intervinieron tropas señoriales de Castilla y Aragón, milicias movilizadas por la Corona y voluntarios. Todos los combatientes percibían una soldada.

La reforma táctica tenía su base teórica en la filosofía política que Alonso de Palencia había plasmado en su *Tratado de la perfección del triunfo militar*. En 1495 ya se había conseguido crear una especie de ejército de reserva (pagado por los municipios y por la Corona) y formar una milicia por medio de la Junta de la Hermandad. Un momento clave —como ya hemos dicho— se produjo en 1493 con la creación de las Guardias Viejas de Castilla, con unidades permanentes, que representaban en la práctica al ejército real. Como evoca el historiador aragonés Zurita:

> Y publicóse en ese tiempo la nueva ordenanza en la gente de guerra que había en España, diferente de la que hasta entonces se usaba, siguiendo la costumbre italiana y francesa cerca de la orden y armadura de guerra...
>
> Trajeron de allí adelante los hombres de armas almetes y lanzas de armas y sus espadas o estoques y un caballo encubertado y otro para un paje, con sus mazas en los arzones. Y de 20 en 20 hombres de armas había un cabo de escuadra que primero se llamaba cuadrillero.
>
> Y porque en las otras provincias se acostumbraba que cada hombre de armas tenía un arquero o ballestero a caballo, y tanto número de gente de caballo parecía inútil y también era muy necesario a la gente de armas llevar consigo ballesteros a caballo, se usó algún tiempo que en cada compañía había respecto de las lanzas el quinto de ballesteros que traían corazas, armadura de cabeza, falda y los que entonces llamaban gocetes.
>
> Repartiéronse los peones —que así se llamaban en este tiempo y aún mucho después— en tres partes: él un tercio con lanzas como los alemanes las traían, que se llamaron picas; y el otro tenía el nombre antiguo de escusados; y el tercero de ballesteros y espingarderos que se usaban entonces, y llevaban las ballestas tan fuertes que no se podían armar sino con cuatro poleas. E iban estos peones repartidos en cuadrillas de cincuenta en cincuenta; y cada compañía de hombres llevaba a su cargo alguna parte de la artillería del campo a respeto de las piezas que tenía en el ejército.

Desde 1503 aparece en los libros de cuentas el término «infante», derivado del italiano «fanti» para designar a los peones. Por entonces, la España reunificada disponía ya de un ejército moderno como instrumento para la realización de los planes políticos, gracias a la coincidencia del plan de gobierno de Fernando y su feliz ejecución sobre el terreno por una serie de jefes militares, entre los que descuella Fernández de Córdoba.

Conviene insistir en la importancia que adquirieron en la infantería los espingarderos, que se movilizaban con sus propios capitanes o contratados como mercenarios por un sueldo de mil maravedíes al mes, comparable al de un jinete. El resto de los peones eran lanceros (piqueros) o ballesteros. Unos acudían solo a las campañas principales (como los numerosos peones gallegos y asturianos que se contrataron en 1496) y otros formaban parte de guarniciones fijas.

En la guerra del Rosellón, al contrario que en Nápoles, no hubo batallas campales. Las operaciones consistían en incursiones a caballo en territorio enemigo y en el asedio de fortalezas, como ocurrió en Salses. Para eso era fundamental disponer de buena artillería, un arma en la que Fernando confiaba mucho, por lo cual ordenó construir un parque o maestranza de artillería en Perpiñán, donde se reunían lombarderos, oficiales artilleros y maestros artesanos relacionados con la fabricación de las piezas.

En la primera campaña del Rosellón tampoco hubo mucha actuación de fuerzas navales, debido en parte a la ausencia de corsarios enemigos que entorpecieran el abastecimiento de las tropas españolas. Algo a lo que contribuyó la alianza con Génova y la destrucción de la armada real francesa en junio de 1495, al pasar por la costa genovesa cuando regresaba de Nápoles. Un hecho que Andrés Bernáldez relata así:

> Salió la grande armada de genoveses y del rey de España, vizcaínos y de otras naciones de la Liga,y la prendieron y tomaron toda. De donde hubieron infinitas riquezas,que valieron más de 100.000 ducados; que allí venían todas las cosas riquísimas, y las antigüedades y otras cosas talladas en alabastro, y las puertas doradas, y las otras bellas cosas riquísimas de Nápoles que se habían quitado de donde estaban y las había embarcado para enviar a Francia, en señal de vencimiento. Y venía toda la artillería de Nápoles, que era la más hermosa del mundo, toda de cobre. Lo cual todo venía cargado en galeras y galeazas…Y fueron presos los franceses que en la flota venían, y algunos echados en las galeras y otros presos».

A partir de ahí quedó patente la superioridad española en el dominio del mar próximo a la frontera catalana, y eso permitió establecer una larga vía naval de abastecimiento entre la costa atlántica andaluza y el Rosellón que se mantuvo durante años.

CONQUISTA DE MELILLA

Espoleado por el vago sueño de recuperar Tierra Santa, Fernando dio su consentimiento a varias expediciones en el norte de África. Una de ellas la conquista de Melilla en 1497.

El Tratado de Tordesillas, que reparte el mundo conocido entre España y Portugal, menciona siete veces la necesidad de conquistar las villas de Melilla y Cazaza, de las que se duda que pertenezcan al reino moro de Fez. A partir de ahí, varias expediciones sondean la posibilidad de tomar posesión de ese lugar. Aunque Melilla está muy poco poblada y carece de tropa propia, la empresa se considera difícil y poco rentable, pero las incursiones berberiscas contra el litoral andaluz desde el norte del actual Marruecos determinan emprender la conquista.

Ese mismo año de 1497 los Reyes Católicos autorizan a la Hermandad reunir un ejército para ocupar Melilla, desde donde procedían frecuentes ataques de rapiña berberiscos, y establecer en esa plaza una guarnición que vigilara la costa africana.

De llevar a cabo la empresa se encargó la Casa de Medina Sidonia, en la persona del duque Juan Alonso de Guzmán, capitán general de Andalucia, que tomó a su costa la expedición y designó a Pedro de Estopiñán para dirigirla. Una elección en la que pudo influir el hecho de que las tropas aportadas por los concejos de Jerez, Medina Sidonia, Arcos de la Frontera y Sanlúcar de Barrameda estuviesen al mando de tres jerezanos, como el mismo Estopiñán.

Antes de emprender la expedición se intentó negociar la rendición pactada con la familia mora dominante en Melilla, pero el trato fracasa y los negociadores musulmanes con considerados traidores por los escasos habitantes del lugar, que piden ayuda al rey de Fez sin resultado. Las crónicas islámicas dicen que entonces los habitantes decidieron abandonar la ciudad, destruir los adarves y quemarla, para que los cristianos no encontrasen en ella nada útil.

Al frente de 5000 infantes y 250 jinetes, en una pequeña flota bien aprovisionada, partió Estopiñán de Sanlúcar en septiembre de 1497. La fuerza cristiana desembarcó por la noche, sin hallar resistencia, y tomó la ciudad. Tras reparar inmediatamente las murallas, Estopiñán dejó en Melilla una guarnición de 1 500 hombres al mando del capitán Gómez Suárez y regresó a España. Por esta acción los Reyes Católicos le recompensaron con una encomienda de la orden de Santiago.

Al año siguiente, los piratas berberiscos intentaron recuperar la plaza, pero la guarnición de Melilla resistió gracias a las nuevas fortificaciones, y el duque de Medina Sidonia —de acuerdo con los Reyes Católicos— decidió enviar de nuevo a Estopiñán con refuerzos. Los atacantes fueron derrotados y Melilla quedó definitivamente en manos españolas.

Dos cronistas reales (Zurita y Andrés Bernáldez) niegan que el proyecto de la conquista fuese del duque de Medina Sidonia con el visto bueno de los Reyes Católicos. Afirman que se trataba de un plan elaborado por Fernando e Isabel, que contaron con el ofrecimiento del duque para llevar a cabo la empresa.

Conquista de Melilla. Dibujo de Barrantes Maldonado en su obra *Ilustraciones de la casa de Niebla*, en el que aparecen montañas peladas al fondo, la rada ocupada por las tropas castellanas, los albañiles acondicionando las murallas y las embarcaciones participantes en el asalto.

Gracias a la migración de moriscos peninsulares a las costas africanas, el secretario real Hernando de Zafra fue quien recogió la información que facilitó la conquista de Melilla, proporcionada por marinos y pescadores que navegaban esa costa. Los Reyes Católicos también enviaron a indagar el estado de las defensas melillenses a un capitán artillero, que envió un informe favorable a la conquista cuando regresó a España.

La Casa ducal de Medina Sidonia conservó la posesión de Melilla hasta el 7 de junio de 1556, cuando la cedió a la corona española tras renunciar a seguir manteniéndola.

En cuanto a Estopiñán, casi no se sabe nada de él hasta que en 1503 el rey Fernando le pidió que liberase la fortaleza de Salses, en el Rosellón, sitiada por las tropas de Luis XII. Un encargo que cumplió con notable éxito, obligando a retirarse a los franceses a finales de ese año. En recompensa, Fernando le nombró en 1504 adelantado de Indias y capitán general de la isla de La Española.

Cuando realizaba los preparativos para viajar con su familia al Nuevo Mundo y desempeñar el cargo que le había sido otorgado, Estopiñán falleció repentinamente el 3 de septiembre de 1505 en el transcurso de una visita al monasterio jerónimo de Guadalupe. Dos días más tarde fue enterrado en el mismo sitio, y no faltaron rumores de que la muerte se produjo por envenenamiento, aunque nada hay que lo demuestre.

La caída de Salses

En julio de 1496 acaba la presencia francesa en Nápoles, pero Carlos VIII no se resigna y planea abrir un nuevo frente en el Rosellón para recuperar el territorio que ya había devuelto al Rey Católico. Este, ante el peligro de un ataque que parece inminente, envía a su pariente Enrique Enríquez de Guzmán de capitán general a Perpiñán, coloca destacamentos en los pasos fronterizos del Pirineo, asegura la vigilancia de la costa catalana y envía un refuerzo de 1 000 lanzas a las 600 castellanas que guardan el Rosellón. Otras tropas, con el duque de Nájera y Juan de Ribera a la cabeza, se sitúan en Fuenterrabía y la frontera occidental navarra.

A finales de agosto de 1495, el rey Fernando convocó Cortes de Aragón en Tarazona para obtener dinero con que pagar a sus tropas, pero las discusiones se alargaron más de dos meses. Después de un arduo forcejeo los procuradores acordaron colaborar con 200 hombres de armas y 300 jinetes, pero a cambio obtuvieron que se suspendiera durante diez años la Hermandad de Aragón, semejante a la de Castilla, a la que los nobles se oponían tenazmente. También exigieron que las tropas de la corona aragonesa tuvieran un capitán general propio, cargo que recayó en el arzobispo de Zaragoza, el hijo bastardo del rey.

Como consecuencia de esta tensión prebélica y la amenaza francesa, el viaje de la infanta Juana a Flandes para la boda con el archiduque Felipe el Hermoso, tuvo que ser organizado como una operación naval importante, teniendo en cuenta, además, que los mismos barcos que llevaban a Juana debían regresar a España con Margarita de Habsburgo, esposa del príncipe Juan. Para completar los preparativos de guerra se reforzó la flota mercante con una armada al mando de Juan Hurtado de Mendoza, y se concedieron diversas ventajas a los armadores que construyeran barcos de más de seiscientos toneles[16].

Iniciadas las hostilidades en el Rosellón, Fernando se preocupó de impedir cualquier colaboración de Navarra con Francia, mientras las tropas castellanas de Enríquez incursionaban en tierras de Narbona y se reforzaban las fortalezas de Salses y Colliure.

Aunque el Rey Católico reunió Cortes valencianas y catalanas en el primer trimestre de 1496, tuvo que recurrir al indispensable apoyo militar y financiero de Castilla para sostener la frontera pirenaica.

A comienzos de ese mismo año las hostilidades experimentaron diversas alternativas, con Carlos VIII instalado en Avignon y dispuesto a emplear la artillería que tenía concentrada en Béziers y el puerto de Aigües-Mortes. A mediados de julio la reina Isabel y la infanta Juana viajaron a Laredo, desde donde la futura esposa del archiduque Felipe de Habsburgo embarcaría a Flandes, y el rey se dirigió a Gerona a reunir a su ejército, reforzado con 6000 gallegos y mucha gente de armas.

> El rey Carlos de Francia —cuenta Andrés Bernáldez— quedó muy enemigo y muy quejoso del rey don Fernando de España, por la liga y por el favor que dio al rey don Fernando de Nápoles...Y en el mes de julio del año de MCCCCXCVI hizo grande allegamiento de gente en Narbona y en aquella comarca, de armas y artillería, para entrar a destruir la tierra de Perpiñán. Y como lo supo el rey don Fernando fue de Castilla en persona con mucha gente de guerra ...y en XXIX de julio del dicho año de XCVI entró en Barcelona ...y fue para Gerona, y desde allí al campo por donde los franceses habían de entrar en su tierra, porque se habían mucho acercado.

El 28 de septiembre Fernando, después de dejar en el Ampurdán y el Rosellón 1500 hombres de armas, 2000 jinetes y 4000 peones, regresó a Barcelona, al tiempo que el rey francés se alejaba también del frente pirenaico y enviaba más tropas a Italia desde Lyon. Parecía que las hostilidades se iban a interrumpir, pero los franceses cañonearon y tomaron por asalto el castillo de Salses el 28 de octubre, mataron a 300 defensores y arrasaron la fortaleza antes de retirarse. Después de esto se acordó una tregua de dos meses y medio en Lyon.

El capitán general Enríquez de Guzmán intentó entonces guarnecer la frontera con tropas aragonesas y catalanas, ya que hubo que retirar a mucha tropa castellana por el desgaste sufrido en verano, pero le resultó imposible puesto que las obligaciones militares de catalanes y aragoneses con el Rey Católico estaban muy limitadas por mor de las leyes que regían en la corona de Aragón. Como explica Zurita:

> Ni los señores de los lugares ni los pueblos a quien mucho cumplía para guarda de sus haciendas el reparo y defensa de los lugares no acudían a ello ni se les podía mandar por las ordenanzas de la guerra. Y pues cumplía al servicio del rey conservar el amor de los pueblos, era forzado darles contentamiento guardando sus libertades. Y ellos se excusaban diciendo que aquella guerra no era por la defensión de la tierra sino por la voluntad del rey.

Envuelto en un disturbio, al intentar prender a uno de sus hombres que había matado a un ciudadano de Perpiñán, murió de una pedrada el capitán general Enríquez. Le sustituyó Sancho de Castilla, y el refuerzo de las guarniciones fronterizas continuó, contando con el refuerzo de una armada con base en los puertos de Colliure, Rosas y Palamós, aunque la tregua de Lyon fue renovada,

Nuevas complicaciones surgieron cuando los reyes de Navarra, Juan de Albret y Catalina, iniciaron el acercamiento a Francia y aceptaron el proyecto de Carlos VIII de casar a Magdalena, la hija pequeña de los soberanos navarros, con el heredero del vizconde de Narbona, Gastón de Foix, que sería el sucesor en ese reino y el Bearn. A este problema se añadió el deterioro transitorio de las relaciones de los Reyes Católicos con el papa Alejandro VI, un desacuerdo que intentó aprovechar Carlos VIII. Sabiendo el rey francés que César Borgia, hijo del pontífice, quería retomar el estado laico, le ofreció grandes señoríos a cambio de que le consiguiera el apoyo del papa a sus empresas en Italia.

Para empeorar las cosas, la reina navarra Catalina de Foix comunicó a los Reyes Católicos que su hija Magdalena, custodiada en la corte castellana, debía regresar a Navarra, y en septiembre de 1497 el primogénito del vizconde de Narbona se comprometió en matrimonio con esa princesa , lo que le destinaba a ser el heredero de los bienes de su futura esposa.

Esta decisión vulneraba los acuerdos pactados por Isabel y Fernando con Navarra, y aunque los Reyes Católicos no los denunciaron formalmente, advirtieron que todos los alcaldes y alguaciles navarros tendrían que ser naturales del reino, y cualquier nombramiento debería hacerse con el consentimiento de la Corona. A esta advertencia se unieron una serie de medidas defensivas en la frontera de Guipúzcoa y Álava, a cargo del condestable Bernardino de Velasco.

A la tensión política se añadió para desgracia de Isabel y Fernando el fallecimiento del príncipe de Asturias, Juan, el 4 de octubre de 1497, algo que alteraba la línea sucesoria y daba inicio a una serie de infortunios familiares relacionados con los herederos a las coronas de Aragón y Castilla. Y a esto se unía la desconfianza de los Reyes Católicos hacia el papa, que había investido por su cuenta a Fadrique rey de Nápoles y recelaba de la reforma eclesiástica que se pretendía llevar a cabo en España.

Los acontecimientos se precipitaron al ser asesinado Juan Borgia, duque de Gandía, hijo del papa Alejandro VI, cuando estaba a punto de abanderar una nueva alianza con Ludovico Sforza de Milán, Fadrique de Nápoles y Fernando el Católico para mantener el equilibrio político en Italia. Eso era algo que no convenía a César Borgia, inclinado a secundar a Francia a cambio de los beneficios que Carlos VIII le había prometido, por lo que no resulta extraño que cayeran sobre él las sospechas del asesinato de su hermano Juan.

En noviembre de 1497 una embajada francesa se presentó ante Isabel y Fernando para proponerles dividir el reino de Nápoles entre España y Francia. Carlos VIII planteaba que Fernando se quedara con Calabria, pero podría cambiar esa región por Navarra y una renta anual de 30 000 ducados.

El Rey Católico rechazó de plano la oferta y la tensión volvió a la frontera pirenaica, pero inesperadamente murió el rey Carlos VIII en el castillo de Amboise el 8 de abril de 1498, al golpearse la cabeza con el dintel de una puerta. Fue entonces cuando el duque de Orleans se convirtió en rey de Francia con el nombre de Luis XII y el título de duque de Milán, lo que ponía al descubierto sus pretensiones a ese rico territorio del norte de Italia.

Por el momento, sin embargo, España y Francia eligieron el camino de la paz, y en agosto de 1498 firmaron un tratado por el que el rey francés y los Reyes Católicos se comprometían a ayudarse mutuamente, y a socorrer a los aliados de cada uno en caso de guerra defensiva. El tratado estipulaba además la libertad de comercio y devolución de sus bienes a quienes los hubieran perdido en la guerra anterior.

CERCAR A FRANCIA

Tal como indica la historiadora Ladero Galán, todo se desarrollaba conforme al plan diplomático trazado por Isabel y Fernando para cercar a Francia, «el país más rico, homogéneo y poblado de toda Europa», que contaba con un poderoso ejército tras salir vencedora de la Guerra de los Cien Años y ambicionaba el control de Italia y la hegemonía mediterránea.

Pero a partir de la primera guerra de Nápoles, los Reyes Católicos fueron tejiendo una compleja red diplomática para garantizar los intereses españoles, que pasaban por frenar el poderío francés y establecer en Europa un equilibrio entre las principales naciones. Para que esta política de alianzas tuviera carácter permanente era preciso fomentar vínculos comerciales fluidos entre los Estados europeos y conseguir alianzas por medio de matrimonios, una tarea a la que Fernando e Isabel se dedicaron con afán desde 1495.

De estos enlaces, los que mayores consecuencias tuvieron para España fueron los del príncipe Juan y la princesa Juana, hijos de los Reyes Católicos, con los hijos del emperador Maximiliano I Habsburgo: la archiduquesa Margarita y el archiduque Felipe el Hermoso. Además, Isabel y Fernando trataron de estrechar las relaciones con Portugal mediante la boda de su primogénita Isabel, que tras enviudar del príncipe heredero portugués Alfonso en 1491 se volvió a casar en 1497 con el rey de ese país, Manuel I.

La Virgen de la Misericordia con los Reyes Católicos y su familia por Diego de la Cruz. Monasterio de las Huelgas, Burgos.

Un destino fatídico, sin embargo, parecía perseguir a los Reyes Católicos y dio al traste con muchos de sus proyectos políticos por medio de matrimonios dinásticos. La cadena de muertes truncó sus mejores sueños en este sentido, que de realizarse hubiesen podido cambiar la suerte de España y de Europa.

El príncipe Juan falleció en 1497 y la princesa Isabel en 1498, en Zaragoza, justo cuando Fernando trataba de que las Cortes de Aragón la reconocieran heredera de esa corona. El hijo de Isabel y Manuel I, que hubiera podido reunir las coronas de Castilla, Aragón y Portugal, murió en 1500 y la península Ibérica continuó dividida.

Ante tanta adversidad, Fernando reaccionó con nuevos enlaces, además del ya logrado entre Juana y Felipe de Habsburgo. La infanta María sustituyó a su hermana Isabel como esposa del rey portugués Manuel I en 1499, y la pequeña Catalina fue prometida al príncipe de Gales, Arturo, heredero de la corona inglesa.

Con su consumada política de alianzas, Fernando puso los cimientos de un sistema diplomático que había de sostener el poder español durante un siglo —afirma el historiador J.H. Elliott. Fue un maestro de la diplomacia de su tiempo. y el éxito de las misiones que envió a las principales capitales europeas para crear la Liga Santa le convenció de la necesidad de tener embajadores

El emperador Maximiliano de Austria y su familia. Óleo sobre tabla de Bernhard Strigel.

permanentes. «De 1480 a 1500, en sus esfuerzos por conseguir el asedio diplomático de Francia, Fernando estableció cinco embajadas permanentes en Roma, Venecia, Londres, Bruselas y la corte austriaca. Estas embajadas, que habían de convertirse en puntos fijos de la red diplomática española, desempeñaron un papel de vital importancia en la consecución del éxito de la política exterior española. Los hombres elegidos para ocuparlas, como el doctor Rodrigo de Puebla, embajador en Londres, eran muy capacitados, procedentes de la misma clase profesional, con preparación legal y burocrática, que proporcionó a Fernando e Isabel sus consejeros, jueces y administradores».

Segunda guerra de Nápoles

La muerte en abril de 1498 del rey francés Carlos VIII alteró de nuevo la situación en Italia y puso otra vez a prueba el predominio en Europa de la diplomacia y las armas españolas.

La corona de Francia recayó en el duque de Orleáns, que adoptó el nombre de Luis XII, pariente del rey difunto y casado en primeras nupcias con una hija de Luis XI, un matrimonio que anularía para casarse con Ana de Bretaña, viuda de Carlos VIII.

El nuevo monarca francés era un soberano inteligente, buen militar y hábil negociador, y pronto dejó al descubierto sus apetencias de dominio sobre Italia, a las que creía tener derecho por su ascendencia, puesto que era nieto de Valentina Visconti, hija del primer duque soberano de Milán y de Isabel de Valois, hermana de Carlos V de Francia. Ya en el momento de su proclamación, Luis XII se hizo llamar rey de Francia, de las Dos Sicilias, de Jerusalén y duque de Milán. Pero los triunfalismos verbales no le impidieron adoptar una posición realista ante el creciente poderío hispano, y eso le condujo a negociar con Fernando, quien por entonces intentaba que el papa Alejandro VI desposeyera del reino de Nápoles a Fadrique por su procedencia «bastarda».

El rey francés propuso a Fernando repartirse el reino de Nápoles en buena armonía, y el 5 de agosto de 1498 se firmó un tratado de alianza entre las coronas de España y Francia. Dando por hecho que esto le dejaba vía libre para intervenir en Italia, ocupó casi sin resistencia el ducado de Milán.

Indefenso ante el poder coligado de Luis XII y Fernando, el rey Fadrique de Nápoles nada pudo hacer para impedir su anunciada ruina, que se consumó en el tratado secreto de Granada del año 1500, refrendado en el castillo de Chambord. Por este acuerdo, los franceses se quedaban con la parte norte del *Reame* y los españoles con el sur. Luis XII ostentaría el título de rey de Nápoles y el Abruzzo; y el Rey Católico, con el título de duque de Apulia, pasaba a gobernar esa provincia y la de Calabria. El papa ratificó el acuerdo cuando el rey Fadrique cometió el error de pedir ayuda al sultán turco Bayaceto, que en ese momento amenazaba Italia.

Tres comarcas quedaban indecisas en el reparto consumado: la Capitana, la Basilicata y el Principado, con lo cual la mecha de la discordia permanecía encendida. Luis XII creía haber ganado más, pero Fernando conocía perfectamente la partida que se estaba jugando. Ambos monarcas trataban de asegurarse bases en el reino de Nápoles desde las cuales poder iniciar la ofensiva en el momento propicio. Fernando, por supuesto, tenía razones sobradas para no torcer el brazo en los asuntos de Italia. La política aragonesa, por tradición y experiencia, estaba orientada hacia el Mediterráneo y vinculada a él por el comercio y las posesiones en este mar, que incluían las islas Baleares, Cerdeña y Sicilia.

Una tropa selecta

Tras conquistar Milán en el año 1500, Luis XII disponía de un poderoso ejército en ese ducado, pero el Rey Católico, con su habitual astucia, tenía preparado en Málaga un gran ejército expedicionario y una importante armada, reunidos con el pretexto de combatir al Turco en el Mediterráneo. Y al frente de la selecta tropa iba otra vez Fernández de Córdoba, con su plantel de aguerridos capitanes veteranos: Diego López de Mendoza, Alonso de Silva, Sancho de Villalba, Pedro de Paz, Diego Zamudio, Gonzalo Pizarro, Pedro Navarro y Pedro García de Paredes, por nombrar a los más conocidos. Para el nombramiento de Gonzalo de Córdoba hubo alguna discusión en la corte, que zanjó la reina Isabel, con la absoluta conformidad de Fernando, contando con los apoyos del arzobispo de Toledo y el confesor fray Hernando de Talavera

En apariencia, el cuerpo expedicionario hispano tenía la misión de reunirse con la flota veneciana para recuperar la isla de Cefalonia, frente al golfo de Lepanto, que los turcos habían arrebatado a Venecia. Se trataba de impedir un ataque a Italia como el de 1480 en Otranto, pero las órdenes secretas que Fernández de Córdoba recibió de Fernando se centraban en defender las plazas y puntos fuertes ganados en la anterior campaña de 1495, sin ayudar al debilitado Fadrique II de Nápoles ni a su posible sucesor.

El ejército que parte de Málaga está ya adaptado a la nueva doctrina militar impuesta por los Reyes Católicos, cuyo máximo artífice será el Gran Capitán. Lo componen 22 compañías de infantería más una pequeña tropa de asturianos «homicianos» (homicidas indultados a cambio del servicio de armas) que manda Alonso de Sotomayor. Son unos 3 000 de a pie, entre espingarderos, ballesteros, piqueros y rodeleros. En cuanto a la caballería, suma unos 600 entre hombres de armas y lanzas jinetas (caballería ligera); y a esto se añade una reducida fuerza artillera, mandada por Diego de Vera, y un Estado Mayor, con un capitán general y cuatro consejeros: Juan Núñez de Villaviciosa, Lorenzo de Zafra, Juan de Lezcano y Antón Bernal.

Poco antes de zarpar, los Reyes Católicos envían una carta de ánimo a Fernández de Córdoba: «Todas las cosas que son necesarias para la armada ya están prestas; que para embarcarlas no esperan sino a vos y a la gente que ha de ir». Y el Gran Capitán les responde: «Pueden creer vuestras Altezas que esta que voy a mandar es la más hermosa armada de navíos y gente y artillería que nunca de España salió».

El nombramiento de Fernández de Córdoba como jefe supremo del combinado naval y terrestre de la expedición lo confirmaron los Reyes en los primeros días de abril de 1499.

> Nos, por lo que debemos a Dios y por la obligación que tenemos a la defensión de la Cristiandad, y también para la defensión de nuestras islas que tenemos hacia aquellas partes, habemos mandado hacer cierta armada para enviar al nuestro Reino de Sicilia y de allí a otras partes donde fuera menester.

La escuadra hispana se hizo a la vela en mayo y llegó a Mesina el 18 de julio, tras tocar en Mallorca y Cerdeña. El 2 de octubre llegó a Corfú, y en la isla de Zante se le unieron una escuadra veneciana y dos carracas francesas, con unos 800 hombres, en señal del compromiso de Luis XII en la empresa, aunque esa fuerza se retiró sin entrar en combate.

Después de atacar y tomar Cefalonia en pelea durísima por la heroica resistencia de los jenízaros otomanos, Venecia volvió a quedarse con la isla, que caía dentro de su órbita de influencia. Luego, como el tratado de partición del reino de Nápoles exigía la presencia armada española en Italia, Gonzalo Fernández regresó a Mesina con su flota a principios de 1501 y desembarcó en Calabria.

Uno a uno, el Gran Capitán fue ocupando los territorios asignados, con la única resistencia notable del puerto de Tarento, que también acabó rindiéndose. En Tarento se encontraba el joven Ferrando de Aragón, duque de Calabria y heredero del rey Fadrique de Nápoles, que fue enviado a España por instrucciones expresas de Fernando, lo que incumplió la palabra que el Gran Capitán le había dado al capitular. Pese a haberle prometido que podría ir donde quisiera si se rendía, tuvo que cumplir la orden que le dio Fernando, su señor. El rey Fadrique, al verse abandonado por todos, se entregó al rey de Francia y abdicó el reino de Nápoles en favor de Luis XII. En Francia murió en 1504.

El Rey Católico —apunta el profesor Hernando Sánchez— se esforzó por reducir la presencia castellana en el sur de Nápoles (donde la nobleza feudal era mayoritariamente angevina) al ámbito puramente militar, y confió las cuestiones políticas a funcionarios de la corona de Aragón. Para esto contó con la colaboración del Gran Capitán, que recibió el cargo de gobernador de los ducados de Calabria y Apulia. Fernando, no obstante, envió a Italia a un hombre de su confianza, Tomás Falferit, con instrucciones detalladas sobre el gobierno de esas provincias, para limitar los amplios poderes de Fernández de Córdoba.

Las prioridades del Rey Católico se centraban, además de controlar las principales fortalezas del sur de Italia, en la adopción de una rígida política religiosa que incluía apoyar la labor inquisitorial, aunque dejó por el momento en suspenso la implantación del Santo Oficio en Nápoles y Sicilia.

La ocupación de las plazas fuertes en el sur de Italia motivó un serio enfrentamiento diplomático con el papa Alejandro VI, ya que este exigía al Gran Capitán la entrega de Cosenza a uno de sus parientes. Sin dejarse amilanar, Fernando rechazó la intromisión y celoso de su autoridad ordenó a su general que si el pontífice insistía «no disimule, antes le responda reciamente [...] porque de las tales cosas nos solos habemos de disponer y mandar lo que se haga y no su Santidad ni otra persona alguna...»

Ilustración de Ricardo Sánchez

Ceriñola

La última campaña de Nápoles dirigida por el Gran Capitán se inició con algunos reveses en 1501 por la superioridad numérica del ejército francés, lo que parecía conducir a un rápido acuerdo diplomático en 1502. Pero los hechos desmintieron estos pronósticos.

Los Reyes Católicos ratificaron su confianza en Fernández de Córdoba al concederle el extenso ducado de Terranova, en Calabria, y en el otoño de 1501 el general cordobés pidió más dinero a Fernando para iniciar la campaña, pero el rey le mandó esperar. La expedición a Italia está resultando demasiado costosa y Fernando no tenía fondos que enviarle. Entretanto, los franceses al mando de D´Augbiny invadieron Nápoles y ocuparon la capital.

Fernández de Córdoba se hace fuerte en Calabria y sitia Tarento. Fernando le pide entonces que «entretenga» a los franceses, pero sin romper formalmente las hostilidades. Considera que aun no ha llegado la hora de empezar la guerra con Francia.

Luis D´Armagnac, duque de Nemours, llega a Nápoles acompañado de los más famosos generales del ejército francés, sustituye al virrey D´Augbiny y se entrevista con Fernández de Córdoba. Discuten sobre el reparto de la provincia de Capitanata y cansado de negociar, el duque francés lanza un ultimátum en la primavera de 1502. O los españoles le entregan las provincias de Basilicata y Capitanata o las ocupará por la fuerza. Para conocer la respuesta envía un heraldo, y el Gran Capitán lo despide con estas palabras: «Andad, hermano, con la gracia de Dios. Decid de mi parte al duque que venga cuando quiera».

A mediados de julio de 1502 comienza la guerra y Fernández de Córdoba lleva a su ejército a Barleta, y se encierra en esa ciudad fortificada en espera de instrucciones de España. Los Reyes Católicos le envían un mensaje: mejor buscar la concordia que la ruptura, «porque mucho más nos serviréis en conservar eso con paz que en darnos todo el reino con guerra». Una recomendación un tanto desconcertante porque en España ya se ha aprobado la declaración de guerra a Francia.

Los meses van pasando con el ejército hispano cercado en Barleta, y en la corte hay muchas críticas al Gran Capitán por haberse encerrado en esa ciudad, sin posibilidad aparente de maniobra. El Consejo de Guerra que asesora a los Reyes Católicos está a punto de destituirle, aunque Fernando e Isabel frenan la decisión.

Fernández de Córdoba vuelve a pedir refuerzos, y esta vez Fernando se los da. A fines de julio de 1502 un contingente de 700 hombres, entre peones y caballería, sale de Cartagena hacia Barleta, y otros dos más le siguen en octubre y noviembre. Un socorro que equilibra en parte la inferioridad de fuerzas con los franceses.

La batalla campal con el duque de Nemours parece inevitable, pero antes Fernando encomienda al cordobés que las poderosas familias rivales de Orsini y Colonna hagan las paces. Una tarea que el Gran Capitán culmina con éxito y acredita una vez más sus dotes diplomáticas, ya demostradas en la Guerra de Granada.

En febrero de 1503 la flota francesa que bloquea Barleta es derrotada por las galeras españolas frente a Brindisi, lo cual permite al ejército español seguir abasteciéndose por mar. Fernando decide entonces abrir un segundo frente en Calabria y hacia allí envía una fuerza al mando de Luis Portocarrero. Al poco de desembarcar en Reggio muere Portocarrero y le sucede en el mando Francisco de Andrade, que con su ejército avanza hacia el norte a lo largo de la costa y derrota a D´Augbiny en Seminara. El Gran Capitán recibe nuevos refuerzos por mar, ente ellos 2.000 mercenarios lansquenetes alemanes enviados por el emperador Maximiliano y mandados por Octavio Colonna.

En España, mientras tanto, las disensiones entre Fernando el Católico y Felipe el Hermoso se ahondan, y el rey le pide al Gran Capitán que no atienda ninguna orden que le llegue de su yerno y no crea nada que proceda de él. «No hagáis caso de las cartas del príncipe— le advierte—, antes bien, cuando os escribiere de la paz, apretad más reciamente la guerra».

Los pronósticos de Fernando se cumplen. El Gran Capitán recibe cartas de Felipe que le informan de un tratado firmado en abril de 1503 en Lyon con Luis XII. Nápoles deberá pasar a manos de su hijo Carlos (el futuro Carlos V) —le dice el yerno del Rey Católico — cuando este se case con una hija de Luis XII, pero hasta entonces la mitad del reino de Nápoles será para el rey de Francia y la otra mitad para el propio Felipe. Por toda respuesta, el Gran Capitán rompe las cartas en demostración de fidelidad a Fernando.

Por fin, sin dar muestras de alarma o impaciencia, el 27 de abril de 1503 el ejército de Fernández de Córdoba sale de Barleta y se dirige al cercano pueblo de Ceriñola, situado sobre una colina. Es ahí donde el Gran Capitán ha decidido presentar batalla. Los soldados, después de una dura marcha, llegan agotados ya avanzada la tarde, y la hora parece poco propicia para entablar combate. Pese al cansancio, Fernández de Córdoba obliga a sus hombres a construir trincheras y fortificar el campo. Rodea la altura de Ceriñola con un foso y en la pendiente coloca estacas afiladas para obstruir el avance de la caballería pesada enemiga. Delante pone a los espingarderos y arcabuceros. Luego, sitúa en el centro del dispositivo a los lansquenetes alemanes y a la

La Batalla de Ceriñola recreada por Ricardo Sánchez.

infantería española al mando de García de Paredes y Gonzalo Pizarro. En las alas coloca la caballería y más arcabuceros, detrás la artillería con trece bocas de fuego, y él delante de la artillería, dominando el conjunto, con la caballería ligera de Fabricio Colonna y Pedro de Paz.

Desde Canosa, donde el duque de Nemours ha instalado su campamento, la caballería francesa vigila los movimientos del ejército español. El jefe francés se muestra deseoso de atacar, a pesar de lo avanzado de la hora y de que algunos de sus capitanes aconsejan demorar la batalla hasta el día siguiente. Pero el orgullo de Nemours le impulsa a combatir sin tardanza para que no se dude de su valor. «Si no sirvo bien al rey —dice—, muriendo en el campo salvaré al menos mi honor».

Los franceses adoptan un dispositivo escalonado en profundidad. Delante y a la derecha, la vanguardia de caballería pesada (hombres de armas) con Nemours a la cabeza. En el centro, detrás de la artillería, 6 000 peones suizos y gascones. Y en la retaguardia 400 lanzas franceses e italianas.

La batalla se inició con la carga de la caballería pesada francesa sobre el flanco izquierdo español, pero las monturas tuvieron que frenar ante el foso erizado de estacas, y los caballeros cayeron y sufrieron graves pérdidas por el fuego de los espingarderos y arcabuceros. Una nueva carga francesa repite el fracaso. Hombres y caballos muertos o heridos cubren el terreno, aniquilados por los disparos de la infantería española.

Desesperado, Nemours intentó atacar de flanco bajo el fuego de los arcabuces, en busca de un punto débil por el que romper el compacto bloque de la fuerza española. Murió alcanzado por tres balazos. «La masa de suizos —dice Quatrefages— se puso entonces en movimiento. Su lento avance permitió a los espingarderos otras cuatro mortíferas descargas que, sin embargo, no les detuvieron».

Después de que la vanguardia de los hombres de armas franceses quedara fuera de combate, los jinetes españoles iniciaron el ataque a uno de los flancos del cuadro de la infantería suiza y gascona, mientras la infantería española se encargaba del otro flanco. En esta acción destructiva desempeñaron un temible papel los rodeleros, que con sus armas blancas causaron estragos al infiltrarse en las cerradas filas de los piqueros. En menos de una hora, más de 3 000 franceses quedaron muertos sobre el terreno, y el resto de su ejército en fuga, protegido por las 400 lanzas de la retaguardia, se refugió en Venosa y Gaeta. Esta última plaza, poderosamente fortificada y bien protegida por un cinturón de castillos, constituía una excelente base para ganar tiempo y esperar refuerzos, que llegaron el 6 de agosto al mando del marqués de Saluzzo.

El ejército español, después de treinta y cuatro días de asedio en el que sufrió muchas bajas de la artillería, no quiso arriesgar un asalto y quedó a la expectativa en la línea Castelleone-Mola.

El Gran Capitán entró vencedor bajo palio en la capital napolitana, y todas las autoridades locales, portando en alto la bandera con las barras de Aragón, salieron extramuros a recibir al vencedor de Ceriñola. Antes de entrar en la ciudad recibió a sus representantes y firmó unas capitulaciones por las que se comprometía a respetar las leyes locales y no introducir la Inquisición española. Una decisión contraria al deseo de los Reyes Católicos, que insistían en imponer el Santo Oficio al modo de España, pero el general cordobés vencedor fue retrasando indefinidamente esta medida, que consideraba perjudicial para las buenas relaciones con el *Reame.*

La diferencia sobre el asunto de la Inquisición no impidió que los Reyes Católicos confirmaran al Gran Capitán la posesión de los feudos que le había concedido Fadrique de Nápoles, además de asignarle cuantiosas rentas procedentes de las entradas fiscales del reino. Fernando, además, reforzó el mando de su jefe militar al darle poderes para enajenar los bienes de los nobles profranceses (angevinos) y forajidos, lo que le permitió repartir favorecer con generosidad entre los leales a la causa española.

En la euforia de la victoria, el Gran Capitán —por orden de Fernando— da por nulo el reparto del reino de Nápoles acordado en el tratado de Granada, y no acepta el mando independiente que el Rey Católico había otorgado a Francisco de Andrade en el frente abierto en el sur de Italia.

Todos los analistas militares coinciden en que la batalla de Ceriñola representa el triunfo del nuevo arte bélico y el ocaso de la guerra medieval, donde la caballería pesada era el arma prepoderante. La táctica de aprovechamiento del terreno, contención y defensa dinámica que utilizó el Gran Capitán, contra el choque frontal de los hombres de armas franceses, fue un ejemplo anunciador del predominio de la infantería en el campo de batalla. Otra innovación fundamental vino de la utilización de los arcabuceros y espingarderos concentrados en compañías para realizar fuego compacto por líneas, que aniquiló a las formaciones montadas francesas.

Pero la guerra de Nápoles, pese a la gran victoria de Ceriñola, no podía darse por concluida. La presencia militar francesa se mantenía en parte del territorio y en los castillos Novo y Uovo de la propia ciudad de Nápoles, importantes reductos que los españoles aun tardarían algún tiempo en conquistar.

Garellano

Deseoso de revancha, Luis XII reunió otro ejército mayor que el derrotado en Ceriñola, y lo puso primero al mando de Luis de la Tremouille, su general más prestigioso, y después de Francisco de Gonzaga, marqués de Mantua. Una elección que desató las quejas de muchos jefes franceses, que consideraban humillante ser mandados por un italiano.

Los refuerzos franceses desembarcados en Gaeta no se limitan a defender la ciudad y se sitúan a lo largo de la orilla derecha del río Garellano. El poderoso ejército de Luis de la Tremouille también avanza desde el norte con 2000 hombres de armas y 13 000 infantes gascones y suizos. El conjunto de la fuerza de Gaeta y este ejército triplica prácticamente a las fuerzas de Fernández de Córdoba. En la ciudad de Nápoles, entretanto, el tesorero real echa cuentas y se espanta del mal estado de las finanzas del *Reame*. El gasto del ejército en los últimos meses asciende a 160 000 ducados, y Fernando solventa por el momento la situación con pagarés, pero queda endeudado con banqueros y prestamistas de Roma y Venecia.

Mientras el monarca francés rumia su desquite, el papa español Alejandro VI muere en Roma, probablemente envenenado en una cena celebrada en la mansión del cardenal Corneto, en la que participaban también su propio hijo y otras dignidades de la corte papal.

Para impedir presiones de César Borgia y las familias nobles romanas en la elección del nuevo papa, Fernando da instrucciones al Gran Capitán para que se mantenga vigilante en Frascati con las tropas de López de Mendoza y García de Paredes. El pontífice elegido es Francesco Piccolomini, que toma el nombre de Pio III, un anciano achacoso que apenas dura un mes en el cargo.

Sin atender las sugerencias de retirarse a Capua para pasar el invierno, Gonzalo Fernández hace frente al ejército francés. El mal tiempo y las continuas lluvias paralizan las operaciones y derivan en una guerra de trincheras que se prolonga durante seis semanas, en espera de la batalla definitiva. Por fortuna para el bando español, desde Nápoles llegan refuerzos al mando de Bartolemeo de Alviano, como consecuencia del acuerdo que Fernando concreta con la familia romana de los Orsini, enemiga mortal de los Colonna, más inclinados a la causa española.

En la noche del 27 al 28 de diciembre de 1503 las tropas españolas cruzan el Garellano y destrozan por sorpresa al ejército francés. La desbandada enemiga es total y la retirada hacia Gaeta es un infierno. El 31 de diciembre el marqués de Saluzzo capitula y rinde Gaeta. Sobre una de las torres más altas de la ciudad ondea el pendón de los Reyes Católicos, que a partir de entonces son dueños y señores del reino de Nápoles.

En un rasgo de generosidad que en él era habitual, el Gran Capitán devuelve a los supervivientes vencidos dos carracas capturadas para que puedan regresar rápidamente a Francia, pero el Rey Católico se molesta al conocer el hecho. Considera que los dos barcos son legítimo botín de guerra y pertenecían a la Corona. Para agravar el desaire, Fernández de Córdoba, justifica la entrega con palabras que parecen sonar a lección moral y no sientan bien al monarca: «Si nuestras fueran las carracas— dice— se las diéramos. A Dios le gusta más usar de la misericordia que de la justicia. Imitémosle en ello, ya que nos ha dado la victoria».

Con los auspicios del nuevo papa Julio II, los Reyes Católicos y Luis XII firman una tregua en Mejorada del Campo, y un año después acuerdan un tratado en la ciudad francesa de Blois. España se queda con Nápoles, y Francia, de momento, con el Milanesado. Fernando contempla la posibilidad de casar a su nieto Carlos, el futuro emperador, con una hija de Luis XII, sin que tal casamiento ponga en duda que la soberanía de Nápoles corresponde al monarca de Aragón. Para dejar sellado el trato, Fernando obtiene del papa Julio II la investidura del reino napolitano.

Por el éxito de su campaña, los Reyes Católicos otorgan al Gran Capitán diez mil ducados de renta y el título de duque de Terranova, además de confirmarle en todos los honores que le habían concedido años atrás el rey Fadrique y el príncipe Ferrante. Como exige el momento, el vencedor entra triunfante en la capital de Nápoles a caballo y con armadura, pero rechaza muchos de los fastos que los napolitanos le han preparado para no despertar los recelos de Fernando, avivados por los rumores envidiosos que circulan en la corte española. Con privilegios y cargo de virrey, Gonzalo Fernández se instala en Castel Capuano, un palacio fortificado de la época de los reyes normandos.

Fernando envía instrucciones concretas al nuevo virrey: mantener el ejército a punto, ayudar al papa contra César Borgia, procurar la amistad con los Colonna y los Orsini, fomentar la justicia y la moralidad pública en Nápoles y expulsar a los judíos de ese reino. Pero el Gran Capitán, sin negarse abiertamente, no lleva a efecto esta última medida por tener claro que «causaría muy evidente daño a la tierra». Aunque molestos, los Reyes Católicos terminan dejando en suspenso el edicto y los judíos pudieron quedarse en Nápoles, si bien el *Reame* quedaba nominalmente sujeto a la jurisdicción del inquisidor general de España.

La permanencia de los judíos en Nápoles puede considerarse un éxito personal de Fernández de Córdoba, aunque su negativa a seguir las instrucciones de Isabel y Fernando en este punto alimentara las críticas de sus enemigos en la corte española y en el propio reino de Nápoles, envuelto siempre en las intrigas, asesinatos y pendencias de una aristocracia inmoral y levantisca que provocaban la inseguridad general. Miles de soldados ociosos vagaban por el campo y los caminos y causaban riñas y desmanes que llegaron a oídos de Fernando y la reina. Buscando halagar a los Reyes Católicos, rancios linajes napolitanos manifestaban su desagrado hacia Gonzalo de Córdoba, un virrey que los mantenía a raya y no quería someterse a sus exigencias.

Poco después de morir en 1504 la reina Isabel, principal valedora del Gran Capitán, la situación económica del reino de Nápoles es desastrosa, debido en gran parte al elevado gasto militar. A pesar de los reiterados avisos de los

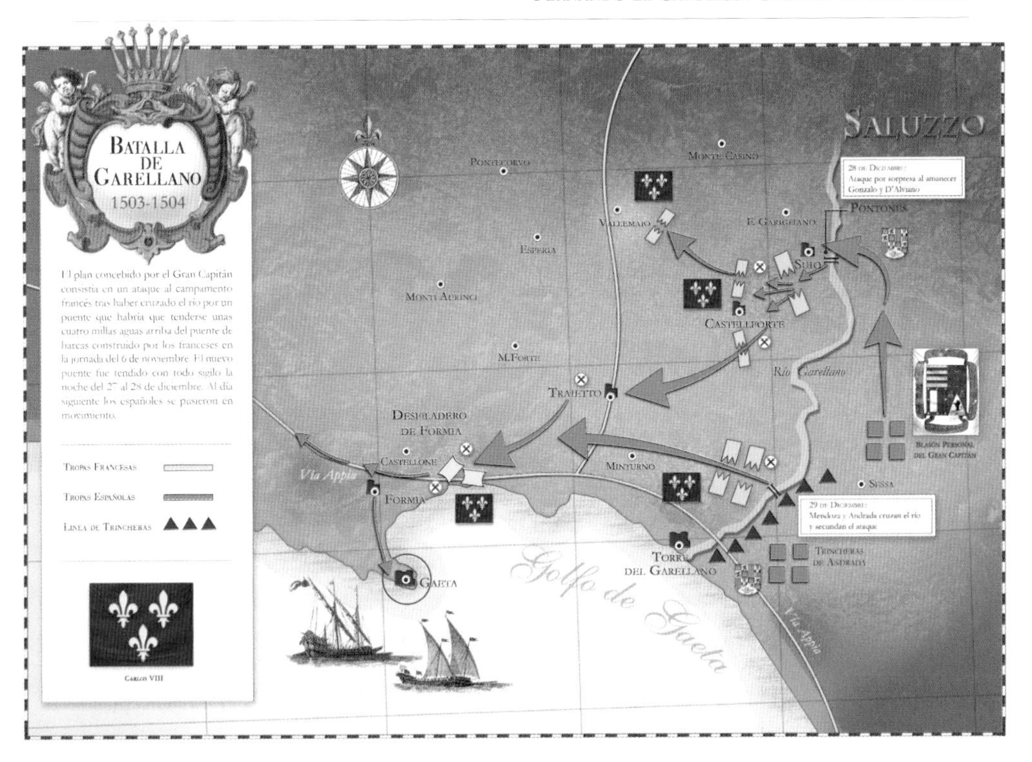

Batalla de Garellano (Ricardo Sánchez).

Reyes Católicos, Fernández de Córdoba ha descuidado los números y los funcionarios de la Corona detectan en la contabilidad del ejército un «agujero negro» excesivo. Para empeorar las cosas, durante los seis meses siguientes a su triunfo de Garellano el Gran Capitán no envió ningún informe a España de lo que estaba pasando en Nápoles, y la reprensión enojada de los Reyes no se hizo esperar en una carta fechada el 20 de mayo de 1504:

> Y lo que mucho peor de todo es ver que en reino que Nuestro Señor tan milagrosamente nos ha querido dar, donde más obligados somos de le servir en la administración de la justicia y buen gobierno, haya ninguna justicia, sino muertes y robos y malos tratamientos de pueblos; sin duda es para Nos causa de muy grande enojo…

El enfado de los Reyes Católicos aumentó cuando se enteraron de que el Gran Capitán había unido su escudo familiar al escudo real en los documentos oficiales. Considerando que eso menoscababa sus prerrogativas, los soberanos españoles le ordenaron romper esos sellos y le reconvinieron sin demasiada acritud, dando por supuesto que se trataba de un error sin mala intención.

...habemos visto —le escriben— el sello con que ahí se sellan las provisiones, dentro del cual están vuestras armas junto a las nuestras..., parece yerro del que hizo el sello; debéis mandar hacer luego uno en que solamente haya nuestras armas reales...

Para sofocar cualquier conato de rebeldía y reducir gastos, Fernando reclama a su virrey la vuelta a España de la mayor parte de su ejército, que debe ahora ser empleado en el norte de África. Aunque la capital de Nápoles aun dispone de una guarnición suficiente, solo quedan trece compañías para controlar el *Reame* repartidas en todo el resto del territorio.

A pesar de la distancia y las dificultades de comunicación, Fernando el Católico envía instrucciones detalladas al Gran Capitán en julio de 1503. Gonzalo Fernández era virrey y lugarteniente general, pero el Rey Católico controlaba todas las acciones de gobierno de Nápoles y exigía que le mantuvieran permanentemente informado de la situación. En una de las cartas halladas en el archivo de los duques de Maqueda con fecha 11-07-1503, expuesta recientemente en el Museo del Ejército, el monarca envía una larga serie de instrucciones sobre el envío y uso de tropas, la gestión de la administración y la justicia en los territorios del *Reame*, el modo de ganarse el afecto de los nuevos súbditos y el trato a los prisioneros capturados. La misiva va dirigida a Ramón de Cardona, caballerizo mayor, y a micer Juan May, para que trasladen las indicaciones al Gran Capitán. Fernando recomienda incluso procurar que los soldados españoles se casen con mujeres de Nápoles para repoblar ese reino:

[...] porque es de creer que en estas guerras habrán enviudado muchas mujeres de todas suertes en el Reino de Nápoles, y muchas de aquellas y otras que están por casar, es de pensar que habrán placer de casarse con españoles, diréis al dicho nuestro visorey que debe procurar que se casen en aquel reino todos los más españoles que ser pudiere, de los peones y de toda suertes, y si hay algunos lugares despoblados que se hayan de poblar que se pueblen de españoles».

Las cartas que cruzaron el Rey Católico y el Gran Capitán revelan la complejidad de las relaciones en el enmarañado laberinto político europeo, que Fernando domina con maestría, y atestiguan la aversión que el monarca aragonés sentía por su yerno, una enemistad derivada del maltrato del archiduque a la desventurada Juana.

No se ha contentado —escribe Fernando en una de las misivas— con publicar por loca a la Reina mi hija, su mujer, y enviar acá sobre ello escrituras firmadas de su mano, y más he sabido que la tienen en Flandes como presa y fuera de toda su libertad Y que no consienten que la sirva ni vea ni hable ninguno de sus naturales, y que lo que come es por mano de flamencos y así su vida no está sin mucho peligro, guárdela Dios, ya vos veis que debo yo sentir de todo esto, y para con vos yo disimulo por no ponerla más en peligro hasta traerla, si a nuestro señor pluguiere».

Prisión y muerte de César Borgia

Como muestra de las muchas confabulaciones y traiciones que agitaban Nápoles se produjo la detención del aventurero César Borgia, duque de Valentinois, hijo del papa Alejandro VI y arzobispo de Valencia, entre otros muchos títulos. Sin duda, una de las figuras más representativas de la política renacentista en Italia.

César había desembarcado en Nápoles provisto de un salvoconducto que le había proporcionado el Gran Capitán unas semanas antes, cuando estaba prisionero del papa en Ostia.

En Nápoles, César tantea a Fernández de Córdoba. Le ofrece acudir en ayuda de Pisa, sitiada por el ejército de Florencia, y poner esa ciudad bajo la soberanía de los Reyes Católicos si estos pueden protegerla de las ambiciones de los estados vecinos. Pero el papa exige al Gran Capitán que vuelva a encarcelar a César Borgia y escribe en este sentido a Fernando.

Ante la indecisión del virrey, Fernando respalda al pontífice y pide a Fernández de Córdoba que sin tardanza encarcele al Borgia, cuyas verdaderas intenciones no eran liberar Pisa, sino pasar de largo por esa ciudad y unirse al duque de Ferrara, casado con su hermana Lucrecia, para ocupar el territorio papal de la Romaña. «Por ninguna cosa del mundo —escribe el Rey Católico— no soltéis al dicho duque de Valentones, que tenerle y enviármelo preso es uno de los mayores servicios que nos habréis hecho».

Preso y enviado por barco a España en agosto de 1504, César Borgia es recluido en Chinchilla antes de pasar al castillo de La Mota, en Medina del Campo, donde acudió a conspirar y abrazarlo Felipe el Hermoso, ya en muy mala relación con su suegro Fernando.

Ayudado por el conde de Benavente, el Borgia se fugó de la prisión en octubre de 1506, y emprendió el camino de Navarra, donde reinaba su cuñado Juan de Albret. Y en Navarra murió de una lanzada en una escaramuza el 12 de marzo de 1507, al intentar tomar la ciudadela de Viana, defendida por un hijo del conde de Lerín. Sus restos quedaron sepultados en el templo de Santa María de esa ciudad navarra.

César Borgia, hijo del papa Alejandro VI, muerto en Navarra en 1507.

Al poco de fallecer la reina Isabel, Fernando envía al pesquisidor Alonso de Deza a Nápoles para poner freno al mal estado de las cuentas en ese reino. Un deterioro agravado por la falta de entendimiento del Rey Católico y el Gran Capitán, a quien el monarca escribe una carta en términos bastante duros:

> Hemos sabido que en ese reino y en los pueblos de él se hacen de continuo muchos malos tratos que franceses ni otra ninguna parte los hizo [...] y que padecen con nuestra gente lo que nunca padecieron [...] y en secreto dicen que son más enemigos de españoles que de turcos. Ciertamente habemos habido mucho pesar y enojo de oir tales nuevas de ese reino, que aquellos que tanto deseaban venir a nuestra obediencia y esperaban ser tratados de Nos, se ven ahora mucho peor tratados que nunca [...] y la honra que con tanto trabajo se ganó conquistando se pierda mal gobernando. Y lo mucho peor de todo es ver que en reino que nuestro Señor tan milagrosamente nos ha querido dar, donde más obligado somos de le servir en la administración de la justicia y buen gobierno, haya ninguna justicia, sino muertos y robos y malos tratamientos de pueblos, sin duda es padra nos causa de muy gran enojo. Porque creemos que la principal causa de este mal tratamiento es ser la gente de guerra mucha y mal pagada y tenerla vos mal mandada...

Las sospechas y el desencuentro de Fernando con su general más distinguido aumentan cuando el papa Julio II (que busca reunir un poderoso ejército para intervenir en los asuntos de Italia) ofrece al Gran Capitán el título de Gonfaloniero, que equivale a jefe del ejército del pontificio y lleva aparejado un sueldo de 50 000 ducados.

Al rey aragonés le llegan también rumores interesados de que Venecia y el emperador Maximiliano de Austria han ofrecido al cordobés el mando de sus ejércitos, y el embajador veneciano desliza venenosamente en el oído de Fernando que su virrey en Nápoles quiere alzarse soberano de ese reino.

Pese a la turbiedad de estas acusaciones, en diciembre de 1504, muerta ya la reina Isabel, Fernando confirma al Gran Capitán en su cargo de virrey y lugarteniente general de todo el *Reame*, y no solo de los ducados de Calabria y Apulia que ostentaba desde 1501. El nombramiento será ratificado en febrero de 1505 y las competencias virreinales ampliadas.

Pero la desconfianza del rey aumenta con la llegada a España de Próspero Colonna, el *condottiero* italiano considerado amigo personal del Gran Capitán. Colonna deja patente su deslealtad cuando se entrevista en Segovia con Fernando y después de halagarlo vilmente deja caer en la corte que el virrey tiene muchos partidarios en Italia que lo consideran con aptitudes y dignidad para reinar en Nápoles.

A esto se unen las noticias que critican la actuación del Gran Capitán en Nápoles, en gran parte falsas o tendenciosas, procedentes de personajes como el alcaide del castillo Nuovo; el virrey de Sicilia, Juan de Lanuza; y sobre todo Francisco de Rojas, el influyente embajador en Roma. Las censuras apuntan al autoritarismo, despilfarro y amiguismo del héroe militar, que pretende recortar las prerrogativas fiscales de la nobleza, ferozmente opuesta a cualquier medida que pudiera mermar su bolsa o su poder, y que en defensa de sus privilegios acentúa sus quejas ante la Corona española. Como observa el cronista italiano Paolo Giovio: «Estas cosas recitadas con singular malicia, aunque por la mayor parte tenidas por mentira, turbaban grandemente el ánimo del rey».

La doblez de Próspero Colonna hacia el Gran Capitán, con sus insinuaciones tendenciosas en la corte, alimenta la envidia y malevolencia de los enemigos del virrey , y el *condottiero* llega al extremo de pedir a Fernando que reponga en el trono de Nápoles a Fadrique, exiliado en Francia, y haga volver a España al Gran Capitán y su tropa.

FERNANDO RECELA

Las tensiones políticas por el enfrentamiento abierto entre Fernando y su yerno Felipe, enrarecen la atmósfera cortesana y repercuten también en los asuntos de Nápoles, hasta el punto de que cuando Felipe el Hermoso envía a su emisario Antonio de Acuña ante el papa Julio II, Fernando ordena a su virrey que lo detenga. El Gran Capitán envió en secreto a un grupo de hombres a Roma que no lograron prender a Acuña, por lo que pidió disculpas al monarca.

Las fluctuaciones de la nobleza castellana, en su enfrentamiento con Fernando, influyeron también en la inseguridad legal de Nápoles, que formalmente seguía siendo un feudo pontificio cuya investidura reclamaba con insistencia el Rey Católico, algo que no pudo conseguir hasta 1510.

En este remolino de intrigas, el embajador Rojas acusa a Fernández de Córdoba de ejercer con negligencia sus funciones virreinales y envía un informe de la situación italiana a Fernando. En él critica severamente la actuación del Gran Capitán como «muy perjudicial al servicio y honra de V.A. y a su autoridad y al bien y pro de sus negocios». Por un momento, Fernando parece convencido de la deslealtad de su general, y el cronista Zurita dice que estuvo a punto de enviar a Pedro Navarro para traerle preso a España. Cuando el virrey se entera de esto escribe al rey:

> Certifico y prometo a Vuestra Alteza que no tiene persona más suya ni cierta para morir y vivir en su servicio…y no he de reconocer otro Rey y señor en cuanto me quisiere por siervo y vasallo.

Desconfiando de que el Gran Capitán pueda entrar en tratos con Felipe el Hermoso, el monarca le pide que regrese de inmediato a España, pero el virrey da largas a su regreso y con eso aumenta las suspicacias de Fernando, que a comienzos de junio de 1506 escribe al embajador Rojas: «El duque de Terranova veo que no viene y ahora no tiene excusas de tiempo ni de negocios que le impidan la venida; y si cuando esta recibiéredes no fuere partido para acá, de creer es que no vendrá; y si no viniere, clara está su ruindad…».

A partir de la muerte de la reina Isabel, la tendencia de Fernández de Córdoba a actuar como jefe militar y político en Nápoles contribuyó a ensanchar la brecha que le separaba del rey. Fernando tuvo que recalcar a su general que le correspondía solo a él la «administración y gobernación de Castilla» tras la muerte de su esposa, en nombre de su hija Juana, y le ordenó que suspendiera cualquier innovación en el orden institucional y político del *Reame*. Con esto el Rey Católico quería dejar sentado que solo a él correspondía dirigir la política italiana a pesar de la anunciada y próxima llegada a España de su yerno Felipe.

Fernando pretende asegurar la tranquilidad en el reino de Nápoles, pero no a costa de concesiones gratuitas al derrotado rey francés. La negociación, en todo caso, se presenta delicada, sobre todo en lo que atañe a la restitución de propiedades a los barones angevinos, y el monarca aragonés reclama con insistencia el regreso a España de su virrey en Nápoles por considerar indispensable su presencia para llevar a cabo tal asunto, como se evidencia en la larga carta que envía al Gran Capitán desde Valladolid el 14 de abril de 1506:

Después que vino la Reina, mi mujer [Germana de Foix] y estos embajadores del Rey de Francia y los príncipes y barones que con ellos vienen, han hecho conmigo muy grande instancia para que cumpla lo de la restitución de los barones como está capitulado, y conociendo yo que de hacerse de una manera o hacerse de otra cuelga el sosiego y seguridad y asiento perpetuo de ese reino o lo contrario, viendo que sin vos y sin las informaciones que para ello traéis es imposible hacer este bien, esperando de hora en hora vuestra venida les he dilatado la negociación todo lo que ha sido posible, y no pudiendo más diferir de hacer sobre ello alguna provisión, está concertado que envíe yo allá uno o dos comisarios personas de autoridad para que informados de la verdad de los que poseían en aquel tiempo [los barones angevinos] los ponga en posesión de lo que entonces poseían y después de concertado este despacho lo he dilatado y dilataré lo que pudiere esperando vuestra venida por que como he dicho sin ella no se puede hacer bien este negocio de ninguna manera. Y según el mucho tiempo que ha que me escribís que partís cada día no sé qué pueda ser la causa que tanto os detenga haciendo ya tan buen tiempo como hace y yendo en vuestra venida tanto como veis que va y porque a vos a quien yo tengo por único en fidelidad y en el amor y confianza que de vos tengo, no es razón de encubrir cosa alguna os hago saber que algunos del Rey don Felipe mi hijo dicen aquí en secreto que aunque tantas veces habéis escrito que vendréis, que ellos saben cierto que os detenéis todo el tiempo que conviniere para otros propósitos y que así lo tenéis afirmado y asegurado al Rey don Felipe mi hijo. Y aunque de vos sé yo que antes moriríais que caer en tal fealdad, y por mi yo estoy enteramente satisfecho de vuestra limpieza y lealtad, pero porque me pesa mucho que en público ni en secreto diga ni piense nadie tal cosa de vos y también porque veáis que además de la necesidad grande que hay de vuestra venida para lo que se ha de hacer en esta negociación de la restitución, hay infinita necesidad que un solo momento no la dilatéis porque todos vean pública y claramente que es levantamiento y mentira esto que algunos del Rey don Felipe dicen de vos. Si cuando esta recibiéredes no fuerais partido en todo caso del mundo todas cosas dejadas os partid luego en recibiéndola sin deteneros un solo momento, pues veis lo que por todas partes en ello va, y a la misma hora que hubiereis hecho vela mandad al marqués de la Pádula [Antonio de Cardona] que me lo haga saber con correo volante por tierra.

Crisis sucesoria

El dominio de la corona de Castilla que Fernando reclamaba se vería pronto amenazado por el enfrentamiento con su ambicioso e intrigante yerno. Un conflicto que venía de mucho antes, por las sospechas del maltrato de Felipe a doña Juana, y que se agravó con los acuerdos que a espaldas de Fernando negoció el archiduque flamenco con Luis XII de Francia en contra de los intereses del rey aragonés en Nápoles.

Corrida de toros en Benavente en honor de Felipe el Hermoso (1506). Cuadro atribuido al pintor flamenco Jacob van Laethem. Castillo de la Follie. Ecaussines (Bélgica).

En el viaje de regreso a Flandes, de paso por Francia, Felipe el Hermoso contravino las instrucciones de Fernando y firmó con Luis XII el tratado de Lyon, que concertaba el matrimonio entre el hijo del archiduque (Carlos) y la hija del rey de Francia (Claudia), ambos todavía niños. Carlos debía aportar como dote el reino de Nápoles, pero el acuerdo nunca llegó a realizarse.

Acostumbrado al lujo y la vida muelle de los Países Bajos, y entregado a devaneos eróticos que alteraban la salud mental de su esposa Juana, el archiduque Habsburgo nunca se sintió a gusto en Castilla y demoró cuanto pudo su llegada a España, que la reina Isabel tanto deseaba.

Felipe y Juana cruzaron, por fin, la frontera del Bidasoa el 3 de enero de 1502 y se reunieron en Toledo con la reina, pero a los pocos meses, cansado de España y de los celos de su mujer, el archiduque anunció su deseo de regresar a Flandes, sin atender otra consideración política que su capricho y dejando detrás a Juana, que no podía acompañarle por su avanzado embarazo.

El 14 de diciembre de 1502 partió de España el archiduque y el 10 de marzo de 1503 Juana dio a luz en Alcalá de Henares al infante don Fernando, que sería educado en la corte española y llegaría a ser emperador de Alemania cuando su hermano Carlos abdicó la corona imperial.

Por entonces, Juana daba ya síntomas claros de enajenación mental. Deseaba reunirse a toda costa con su marido y, como los temporales hacían imposible el viaje a Flandes por mar, permanecía muchas horas agarrada a los barrotes del rastrillo de la fortaleza de Medina del Campo, o recluída en la garita de los soldados que montaban guardia junto a la muralla. Cuando sus padres intentaron hablar con ella fueron rechazados con palabras ásperas.

Finalmente, en la primavera de 1504, la infeliz Juana fue embarcada en Laredo para reunirse con su amado archiduque. Cuando llegó, como dice el cronista Anglería, «se dio cuenta que el corazón de su esposo estaba muy distante de ella, sospechando mediaba una amante [...] Aquella serpiente de fuego le hizo estallar en turbulentas llamaradas, y se dice [...] la emprendió a golpes contra una de sus damas que sospechaba era la amante y ordenó le cortaran al rape el rubio cabello que tanto agradaba a Felipe.» La respuesta del esposo —señala el historiador Alfredo Alvar— fue patética: «Nunca más volvió a estar con ella.»

A la reina Isabel le quedaban ya pocos meses de vida, pese a contar tan solo 53 años. Habían contribuido a minar su resistencia los avisos del embajador Gómez de Fuensalida desde Flandes, que informaban del progresivo deterioro mental de Juana y los ultrajes que recibía de su marido, soliviantado por el encelamiento y los desvaríos de su mujer.

En el lecho de muerte, la reina Isabel dicta testamento. En contra de sus propias preferencias, ya que Fernando era su nieto predilecto, se atiene exactamente a la ley sucesoria y entrega el reino a la perturbada Juana y a su marido, el fatuo Felipe, por quien sentía escaso afecto y que no tenía apego alguno por Castilla.

Ante el temor de que ambos residan largo tiempo fuera de España, Isabel designa a Fernando para que en tal caso asuma la regencia hasta que Carlos, el primogénito de Juana y Felipe, sea mayor de edad. Y si Carlos muriese, la corona pasaría a sus hermanos Fernando, Leonor e Isabel, por este orden. En el testamento, Isabel pedía a su marido y fiel colaborador político de muchos años:

> Que rija, administre y gobierne los dichos mis reinos y señoríos y tenga la administración y gobernación de ellos por la dicha princesa, según dicho es, hasta tanto que el infante don Carlos, mi nieto, hijo primogénito heredero de los dichos Príncipe y Princesa, sea de edad legítima, a lo menos de veinte años cumplidos».

Hados adversos

Con el matrimonio de Isabel y Fernando que ensamblaba los reinos de España, y los cinco infantes que llegaron a edad adulta, todo parecía ordenado para lograr la unidad de las coronas hispanas (incluida Portugal) en la misma persona. Sin embargo, «los hados adversos y aves inafaustas», que dice Anglería, lo echaron todo a rodar y llenaron de pesadillas lo que debía haber sido una sucesión bien ajustada en teoría. Los últimos años del reinado de los

Reyes Católicos no solo fueron una tragedia familiar digna de Shakespeare, sino un terremoto histórico que a punto estuvo de sepultar a España.

Don Fernando no podía heredar Castilla porque la propietaria era su esposa. La Corona debía pasar al primogénito, que en este caso, a falta de varones, era una mujer, doña Juana, la cual a su vez debía ser reconocida sin obtáculos como heredera de Fernando en Aragón. Eso la hubiera convertido en soberana de las dos coronas: Castilla y Aragón, con lo cual la fusión de los reinos españoles se hubiera prolongado sin problemas. Pero todo se torció con la insania de Juana y la aviesa personalidad de su marido Felipe el Hermoso. La familia de los Reyes Católicos quedó arrasada por el destino, como si un mal espíritu se hubiera empeñado en demoler todos sus planes futuros.

Cinco hijos, como hemos dicho, tuvieron Isabel y Fernando que alcanzaron la mayoría de edad. Cuatro hembras y un varón: Isabel, Juan, Juana, María y Catalina, por orden de nacimiento.

Isabel, la mayor, se casó dos veces. Primera con el heredero al trono portugués, Alfonso, y muerto este con el padre: el rey Manuel. De este segundo matrimonio nació un hijo, Miguel, que también podría haber heredado las tres coronas peninsulares: Portugal, Aragón y Castilla, pero murió en Granada a los dos años de edad en 1500. Isabel falleció en el parto.

El segundo hijo de los Reyes Católicos, Juan, nació el 30 de junio de 1478, y desde muy niño tuvo una salud frágil. Recibió una educación totalmente cortesana y humanista, con preceptores de alto rango, entre los que se contaban Anglería y el dominico Diego de Deza, y fue armado caballero en 1490 en el sitio de Granada. Ya en esa edad Fernando compartía con él todas las ceremonias oficiales y lo educó en las artes de gobierno. Cuando cumplió 18 años se puso al príncipe Casa propia y se le instruyó en las artes y las letras, como correspondía a quien parecía estar destinado a ser uno de los mayores monarcas de Europa.

Al parecer, Juan aprovechó bien las enseñanzas recibidas y muchos le consideraban un dechado de virtudes. El cronista Gonzalo Fernández de Oviedo afirma que Deza le «enseñó leer y escribir y gramática…y mediante el buen ingenio de su alteza y la industria de tan sabio y prudente maestro, el Príncipe salió buen latino y muy bien entendido en todo aquello que a su real persona convenía saber. Especialmente fue muy católico y gran cristiano y muy amigo de toda verdad e inclinado a la virtud y amigo de buenos». Una opinión que confirma Anglería. «posee aquellos tres dones naturales que hacen a los hombres consumados y perfectos si se cultivan mediante una educación conveniente, como son la agudeza de ingenio, la memoria y la grandeza de alma.»

En 1496 se concertó el doble matrimonio entre Juan y la princesa Margarita de Austria, y doña Juana con Felipe el Hermoso. Juan y Margarita se casaron en 1497 en Burgos, y los cronistas coinciden en que el príncipe murió de los excesos sexuales que su delicada salud no pudo resistir.

La inesperada tragedia se produjo en octubre de 1497 cuando los Reyes Católicos, tras pasar por Salamanca, están en Valencia de don Juan camino de la frontera con Portugal, para arreglar la boda de Isabel con el rey Manuel. El inquietante estado de salud del príncipe Juan, que presiente la muerte, hace que Fernando acuda a marchas forzadas junto a su hijo, y este agoniza serenamente, con plena lucidez de sus facultades mentales. «Aquel infausto día 6 de octubre —dice Anglería— llenó de profundo luto a España entera, privándole del único ojo que tenía [...] dejaba encinta, cuando murió, a Margarita; si da a luz un hijo nos traerá alguna esperanza, aunque a largo plazo, por ser tan pequeña.»

Con Juan se perdía el único hijo heredero de los Reyes Católicos. Dicen que Fernando intentó ocultar a la reina el fatal desenlace demorando los correos con la triste nueva, y que Isabel, cuando se enteró, prorrumpió en llanto mientras rezaba y daba gracias a Dios porque su hijo había muerto con la entereza y sosiego de un buen cristiano.

La pena inundó Castilla y la muerte del príncipe quedó recogida en muchas coplas populares y romances, como este de Juan del Encina que recoge Alfredo Alvar:

> Triste España sin ventura/ Todos te deben llorar/ Despoblada de alegría,/ Para nunca en ti tornar/ Llora, llora, pues perdiste/ Quien te había de ensalzar/ En su tierna juventud/ Te lo quiso Dios llevar./...

La sucesión, otra vez, quedaba en suspenso. Manuel e Isabel vienen a toda prisa desde Portugal. Isabel es ahora la heredera, pero muere pocos meses después en el parto del efímero Miguel.

Queda de sucesora Juana, nacida el 6 de noviembre de 1479, la reina que sería llamada Loca , que nunca reinó y cuyo matrimonio con Felipe el Hermoso fue un «via crucis» para ella misma y sus regios padres. Desde que embarcó para encontrarse con su marido en Flandes, transcurrió más de un año sin que Isabel y Fernando tuvieran apenas noticia de ella. En 1498 nace en Lovaina la primera hija de doña Juana, Leonor; en 1500, su segundo hijo, Carlos, en Gante; y en 1501, Isabel.

En los últimos días de enero de 1502 Juana y Felipe entraron en Castilla para ser jurados príncipes de Castilla y Aragón. «A finales de abril se iban a encon-

La Virgen de los Reyes Católicos de Fernando Gallego.
A la izquierda, detrás del Rey Católico, está Santo Tomás, patrón del monasterio de donde procede la obra. En el lado derecho aparecen el príncipe Juan (1478-1497) y un dominico que podría ser el inquisidor general fray Tomás de Torquemada (1420-1498). Museo del Prado.

trar en Toledo los reyes y los infantes —dice Alfredo Alvar—, pero Felipe enfermó y Fernando acudió a visitarlo a Olías. Mantuvieron una entrevista en la que fue intérprete Juana y en los días siguientes, repuesto el flamenco, al fin la reina Isabel pudo dedicarse a su hija, seis años después de haberla perdido de vista, tras la muerte de dos hijos y la retirada de otras dos hijas a sendas cortes europeas...»

En enero de 1503, el malhadado Felipe el Hermoso parte a Flandes, contrariando los deseos de los Reyes Católicos, y lo hace además por tierra, atravesando Francia, un país que está prácticamente en guerra con España por las disputas en Nápoles y el Mediterráneo. Doña Juana, que está embarazada, queda en España, sumida en la tristeza y la pena, gimiendo y llorando. Anglería escribe que estaba «cabizbaja, desesperada, sin querer hablar palabra, dia y noche pensativa [...] es una mujer simple, aunque sea hija de una mujer tan grande [...] solicita solo por su marido, vive sumida en la desesperación, meditabunda dia y noche, sin proferir palabra.» Los médicos atestiguan que duerme mal, come poco y está muy triste.

Nada, ni las súplicas de su madre la reina, puede retener a Juana en Castilla después de haber dado a luz a su segundo hijo Fernando. Quiere marcharse a Flandes con su idolatrado archiduque. Isabel viaja a Medina del Campo para

Felipe el Hermoso y Juana la Loca en el relicario de la Capilla Real de Granada, obra de Alonso de Mena

intentar hacerle desisitir y que vuelva a sus cabales. Un viaje, cuenta la reina, «con más trabajo y prisa y haciendo mayores jornadas de que para mi salud convenía, y aunque le envié a decir que yo venía a posar con ella, rogándole que se volviera a su aposentamiento, hasta que yo vine y la metí, y entonces ella me habló tan reciamente, palabras de tanto desacatamiento y tan fuera de lo que hija debe decir a madre, que si yo no viera la disposición en que ella estaba, yo no se las sufriera en ninguna manera.»

La reina informa a Felipe el Hermoso de que doña Juana no rige bien sus actos, pero la princesa – dejando a sus padres sumidos en la desolación— regresa a Flandes, donde – informa Anglería— «se dio cuenta de que el corazón de su esposo estaba muy distante de ella.» Algo que todos veían menos ella misma, pues a fin de cuentas en eso consiste la demencia por amor. No es extraño que Isabel dudara de la capacidad de su propia hija para reinar, y como tampoco se fiaba de su yerno, hizo todo lo que podía hacer: nombrar a Fernando gobernante de Castilla que hasta el heredero, Carlos, pudiera hacerse cargo de la Corona.

Cuando Juana regresa a España en 1506 como reina de Castilla, acompañada de su marido, el choque entre Felipe y Fernando estaba servido. Pero Fernando, ya de vuelta de todo, antes de iniciar en Castilla otra guerra civil se retira a sus reinos de Aragón y Nápoles, no sin casarse antes con Germana de

Foix, sobrina del rey francés. Un matrimonio que echa por tierra el proyectado acercamiento de Felipe a Francia para aislar al Rey Católico.

Pero la muertre sigue rondado a la familia real. En septiembre de 1506 muere Felipe el Hermoso en Burgos, y en mayo de 1509 en Valladolid, al poco de nacer, fallece Juan de Aragón, el hijo de Fernando y Germana de Foix.

Por fortuna, el cardenal Cisneros salvó la situación, y mientras doña Juana paseaba alucinada el cadáver de su esposo por toda Castilla, el prelado pidió a Fernando (por entonces en Nápoles) que regresara urgentemente a España para hacerse cargo de la situación.

En cuanto a las otras dos hijas de los Reyes Católicos que quedaban en la lista sucesoria, María se casó con don Manuel, el viudo de su otra hermana Isabel, y sería madre de Isabel de Portugal, la querida esposa de Carlos V.

La suerte no ahorró tampoco dolor y desamparo a la menor de las hijas, Catalina, que después de casarse con Arturo, el heredero al trono inglés, a la muerte de este terminó casándose con el hermano Enrique VIII, y acabó su vida repudiada y humillada, sin que nadie, ni siquiera su poderoso sobrino Carlos V, pudiera impedirlo.

A la greña

La muerte de la reina Isabel dejaba planteado un conflicto sucesorio que a punto estuvo de hundir el proyecto unitario de los Reyes Católicos. El germen de la desunión y el tribalismo, tan característico de la idiosincrasia hispana, seguía latente y capaz de resurgir a la menor ocasión, y pronto dio señales de vida.

La despechada nobleza, que añoraba el desmesurado poder feudal de otras épocas, veía en la llegada de Felipe el Hermoso una ocasión propicia de reanudar viejas influencias en los asuntos de Estado, pero la pronta muerte del nuevo rey frustró estas expectativas.

En lo político, Felipe se sentía muy atraído por el rey Luis XII de Francia, en oposición a la trayectoria de Fernando que había procurado con tenacidad y astucia el aislamiento de ese país.

Pronto se hizo patente la división entre quienes se agrupaban alrededor del regente Fernando y los grandes de la nobleza que se mostraban favorables al nuevo monarca consorte, en muchos casos por puro resentimiento y ansia de poder. Con los primeros estaban el arzobispo de Toledo, cardenal Cisneros; el obispo de Palencia, Juan Rodríguez de Fonseca y la mayoría de los procuradores de las ciudades castellanas, a quien los Reyes Católicos habían dado amplias prerrogativas frente a los nobles. Entre los seguidores de Felipe había grandes nombres de la nobleza castellana, como Medina Sidonia, Benavente, Nájera, Astorga, Béjar, Priego, Ureña, y el marqués de Villena, Juan Pacheco, señor de Belmonte, a quien el embajador Gómez de Fuensalida atribuye esta frase que da idea de su carácter turbulento: «En los tiempos de paz pocos son los que ganan, y en los tiempos revueltos se hacen los hombres». El cronista Mártir de Anglería, testigo valioso de este tiempo, dejó escrito sobre la actitud de los grandes señores y sus feudales pretensiones de dominio: «Los nobles rugen y afilan sus dientes como jabalíes furiosos».

Es posible que Fernando se sintiera un tanto defraudado con el testamento de Isabel al quedar designado solamente regente de Castilla, pero la reina le daba en realidad todo lo que le podía dar con arreglo a la legislación castellana, con la esperanza de que «la afición del archiduque a sus estados patrimoniales le tuviese apartado de España y fuese posible al rey viudo continuar su política».

Fernando, por otra parte, aceptó dignamente la situación y actuó con lealtad. El mismo día que murió la reina renunció al título de rey de Castilla y mandó alzar pendones por don Felipe y doña Juana en Medina del Campo.

El plan de Fernando en esos momentos, «para ir confirmando la unión de estos reinos», como dice Zurita, era que los nuevos reyes enviasen a España al primogénito Carlos, que a la sazón tenía cuatro años, para que se educase en España bajo su dirección, pero el rencor disolvente de los grandes señores castellanos lo impidió. Antes de que Felipe diera una respuesta, el influyente don Juan Manuel, señor de Belmonte, le urgió a que exigiera a su suegro salir de Castilla[17].

Doña Juana, en cambio, escribió a su padre una carta, por medio del secretario Lope de Conchillos, en la que le rogaba que conservase la regencia. El escrito no llegó a su destino por traición del mensajero, y a Conchillos se le dio tormento. Humillada una vez más por su marido, la reina Juana, a la que todos veían ya demente, fue recluida.

Toda la labor política de Fernando, que daba via libre al predominio hispano en Europa, se derrumbaba ahora por la obediencia de Felipe a los designios del rey de Francia, quien todavía se consideraba señor feudal de los Países Bajos y Borgoña.El embajador Fuensalida informaba por carta a Fernando de que los cortesanos flamencos de Felipe se repartían ya los cargos de Castilla.

En la pelea anunciada, el rey aragonés estaba solo frente a la codicia de los nobles y su yerno, con el que intentó desesperadamente llegar a un acuerdo. Con este fin envió a Bruselas en diciembre de 1504 al obispo de Palencia para que Felipe se atuviera a razones, habida cuenta de que los derechos de Fernando eran muy firmes en lo jurídico. Si la reina Juana recuperaba el juicio —manifestó el obispo—, ambos esposos deberían regresar a España para ser reconocidos soberanos. Y si la demencia de la reina era cierta, como aseguraba su marido, la gobernación correspondía a Fernando como regente hasta que Carlos cumpliera los veinte años.

Las Cortes de Castilla reunidas en Toro en enero de 1505 avalaron la demanda del rey aragonés y lo reconocieron como regente en ausencia de Juana y Felipe. Y en otra sesión posterior le confirmaron en la regencia, dando por hecho la incapacidad de la reina. Fuensalida, además de prometerle compensaciones en Italia, garantizó a Felipe que si Fernando quedaba regente de Castilla, el rey viudo se obligaba a no contraer matrimonio y asegurar así la corona de Aragón a los descendientes de la reina Juana.

Pero Felipe el Hermoso no aceptó la concordia y se mostró pródigo con los señores que le seguían. Aconsejado arteramente por don Juan Manuel envió embajadores a Castilla para convencer a Fernando de que Juana estaba en condiciones de gobernar, lo que el rey aragonés sabía que no era cierto por los informes que Fuensalida le enviaba.

La situación de Fernando se hizo angustiosa y toda la obra de los Reyes Católicos parecía en trance de liquidación. Los signos del derrumbe se manifestaron pronto. Felipe y su padre el emperador Maximiliano concertaron en Hagenau con el cardenal de Amboise, plenipotenciario de Luis XII, un tratado que significaba el fracaso de la estrategia de cerco a Francia y colocaba a Felipe contra su suegro en Castilla.

El archiduque flamenco también era un gran señor francés por sus posesiones en Francia, y por tanto vasallo de ese rey. Por el tratado con Luis XII, este se comprometía a apoyarlo contra Fernando el Católico. Una de sus cláusulas establecía incluso que si el Rey Católico no se adhería al pacto entre Francia y el archiduque, el rey francés emprendería la conquista del reino de Nápoles.

Para contrarrestar a su yerno, en una decisión de corto alcance que muchos han considerado un inmenso error, Fernando decide pactar con el rey de Francia. El compromiso es un modelo de diplomacia sin escrúpulos, que deshacía las maquinaciones de Felipe y el emperador Maximiliano y reforzaba la posición de Fernando en Castilla, aunque haya quien piense que el monarca aragonés se dejó llevar por la visión estrecha de los problemas urgentes y olvidó intereses más altos que con el tratado quedaban rotos.

En todo caso, lo que Fernando busca con este cambio de alianzas es poner coto a la ambición e inclinación profrancesa de su detestado yerno, a quien acusó de «publicar por loca a la Reina mi hija su mujer» y retenerla en Flandes «como presa y fuera de toda libertad».

> Don Fernando, el fundador de la España moderna, recordó en esto el concepto patrimonial de las monarquías medievales y, llevado de su justo despecho, procuró privar de la herencia aragonesa a quien, ciertamente, se había hecho indigno de ella. Pero este despecho le hizo olvidar entonces aquel afán por la unión de los reinos que, aun después de muerta la reina, parecía ser la clave de su política. (Marqués de Lozoya).

No hay duda de que fue un error de consecuencias impredecibles para el conjunto de España, aunque la la decisión pueda explicarse pensando en la situación del Rey Católico en ese momento. Aislado y casi sin aliados en Castilla, vituperado por quienes hasta hacía poco le temían o halagaban, con una hija reina perturbada y completamente entregada al capricho de su marido, y un yerno decidido a anularle. Fernando era orgulloso, y no podía entregar lo único que le quedaba, Aragón, a un enemigo que buscaba destruirlo. El acercamiento a Francia fue una manera de impedir que Felipe se quedara con todo y lo dejara convertido en un mendigo político, en un viejo rey sin recursos y sin corona.

Primera regencia

El plan de Fernando, una vez muerta Isabel, era asumir la plenitud del gobierno que el testamento de la reina le otorgaba. Para eso necesitaba dos cosas: declarar la incapacidad de su hija doña Juana para gobernar y convocar Cortes en Castilla para legitimar el proceso.

La reunión de las Cortes tuvo lugar en Toro, entre enero y marzo de 1505. Los procuradores confirmaron que la gobernación de Castilla correspondía al Rey Católico, además de aprobar una larga serie de medidas, como la constitución de los mayorazgos, que solo podían otorgarse por la Corona. Una medida que contentaba a la nobleza.

Las Cortes de Toro decidieron también enviar emisarios a Flandes para comunicar a Felipe y doña Juana los acuerdos adoptados, y en especial la ratificación de Fernando como regente. Pero mientras tanto, entre los grandes de la nobleza castellana —ansiosa de recuperar el papel preponderante de tiempos anteriores— había empezado a gestarse una opinión de franco rechazo hacia el Rey Católico, a quien tachaban de autoritario. Unos, los nobles derrotados en la guerra civil castellana— como los Pacheco o los Stúñiga— deseaban revancha, y otros se sentían insuficientemente recompensados, o preteridos en la función que desempeñaban los secretarios reales sin pretensiones aristocráticas, como Conchillos, Gricio o los Cavallería, muchos de ellos procedentes de Aragón.

Desde su nuevo puesto de gobernador del reino, Fernando se enfrentaba a una situación muy desfavorable también en el aspecto económico. Luis Suárez señala que las disposiciones adoptadas en favor de la Mesta y la ganadería trashumante en años anteriores, aunque favorecían a los comerciantes, perjudicaban mucho a los agricultores.

Las cosechas de los últimos años, por otra parte, habían sido malas, y la subida de los impuestos perjudicaba a los sectores más pobres de la población. La disolución de la Hermandad General en 1498, aunque en principio supuso un ahorro para las ciudades que debían sostenerla, tuvo consecuencias muy desfavorables porque dejó a los ayuntamientos sujetos al dominio de oligarquías urbanas manejadas por los nobles.

Pronto salió a la luz la protesta solapada de la nobleza a los acuerdos de Toro. Primero fue el duque de Nájera, y a él se unieron los Pimentel (conde de Benavente), Stúñiga (duque de Béjar), Pacheco (marqués de Villena) y la casa de Medina Sidonia. Los grandes linajes exigían que no se adoptara ninguna decisión sobre la regencia hasta que doña Juana y su marido volvieran a Castilla, ya que solo a ellos correspondía la convocatoria de Cortes.

En esta tesitura, la divergencia de intereses entre Fernando y su yerno se agrandó todavía más por el obstinado antagonismo de Felipe, que no cedía en su deseo de asegurarse la posesión de Castilla y eliminar del poder a su suegro, contando con el apoyo de Francia.

Don Juan Manuel, señor de Belmonte, hurgó entonces en las diferencias entre Fernando y el archiduque, y aconsejó a Felipe que con el respaldo de la alta nobleza y algunos obispos castellanos diera por no válidas las Cortes de Toro, y que doña Juana convocara otras para cederle sus poderes de soberana de Castilla.

Fernando se adelantó a la jugada y envió también a Flandes a uno de sus secretarios, Lope de Conchillos, para pedir a doña Juana que firmara un documento en el que reconocía a su padre como gobernador de Castilla. Juana lo firmó, pero enterado Felipe ordenó detener a Conchillos y destruyó el escrito. Bajo tortura, el secretario del Rey Católico reveló los planes de Fernando. A partir de ahí la guerra entre este y su yerno quedó declarada.

El ataque anunciado del archiduque a su suegro se produjo con la llegada a España de Filiberto de Veyre, señor de Chièvres, que era portador de una carta muy negativa para los intereses de Fernando, firmada por doña Juana al dictado de su marido.

En la misiva, la reina Juana negaba estar loca, y decía haber sido víctima de ataques de celos de los que ya se había repuesto. El documento apuntaba a separar Castilla de la corona de Aragón, al dejar claro que en ningún caso la reina deseaba quitar la potestad de reinar a su marido. La corona castellana, en resumen, pertenecía a Juana y esta había decidido entregársela a Felipe.

La pugna entre Fernando y su yerno vino muy condicionada por las maniobras políticas en busca de alianzas exteriores. Desde bastante tiempo atrás, Felipe era partidario de una estrecha colaboración con Francia; tendencia que cristalizó en septiembre de 1504 con el primer tratado de Blois, un acuerdo por el que Luis XII de Francia respaldaba a Felipe el Hermoso para ocupar el trono de Castilla y concertaba el compromiso matrimonial de Carlos, el hijo de Felipe (que aportaría Nápoles como dote), con Claudia, hija del monarca francés.

El tratado también incluía una vaga promesa de otorgar el antiguo ducado de Borgoña a Felipe, y establecía que —en el caso de que Luis XII falleciera sin hijos varones— Milán pasaría a la princesa Claudia y a su esposo Carlos. Este compromiso que afectaba a Flandes se anunció en Hoguenau el 6 abril de 1505 con gran fiesta, y pocos días después Felipe, desde Estrasburgo, dio por no válido lo acordado en las Cortes de Toro hasta que él y doña Juana estuvieran en Castilla.

Todo este embrollo diplomático suponía reconocer la hegemonía de Francia y deshacer la unión de reinos creada en España, arruinando la obra por la que Fernando el Católico llevaba luchando tanto tiempo.

Nápoles, mantenido con tropas y dinero castellanos, también se perdería si entraba a formar parte de Castilla y reinaba Felipe, por lo que Fernando se propuso a toda costa mantener a ese reino firmemente sujeto a la corona de Aragón.

Ante esta oleada de amenazas, el Rey Católico reaccionó con una jugada que acreditó una vez más su maestría política. Para deshacer la entente de Maximiliano y su hijo Felipe con Francia, negoció directamente un acercamiento al monarca francés Luis XII con quien selló el «segundo tratado de Blois» en octubre de 1505.

Luis XII renunciaba a sus pretensiones sobre Nápoles, que se incorporaba definitivamente a la Corona de Aragón, a cambio de un millón de ducados de indemnización a pagar en 10 años, y al matrimonio de Fernando con Germana de Foix, sobrina del rey francés e hija del vizconde de Narbona, que reclamaba el trono de Navarra.

El papel político de Germana como reina consorte de Aragón fue nulo, pero para muchos en Castilla el matrimonio parecía una afrenta a la memoria de la reina Isabel, y una amenaza de ruptura de la unión castellano-aragonesa. Las Cortes de Zaragoza advirtieron de que si Fernando tenía un hijo, el heredero Carlos perdería sus derechos a la corona de Aragón.

Felipe el Hermoso se dio perfecta cuenta de que este segundo tratado de Blois anulaba en la práctica lo acordado en el primero, más todavía teniendo en cuenta que su esposa Juana aún no le había firmado el traspaso del poder soberano en Castilla. Eso le movió a acelerar el viaje a España, pero antes envió embajadores a Castilla para concertar con los nobles opuestos a Fernando la llamada «concordia de Salamanca», en noviembre de 1505, hecha pública en esa ciudad.

La «concordia» reconocía a Juana y Felipe como reyes de Castilla, y en el caso de que doña Juana fuese incapaz de reinar, Fernando y su yerno se harían cargo conjuntamente de la gobernación.

El mal tiempo impidió a Felipe y a su esposa emprender viaje por mar hasta el 8 enero de 1506. Fue un viaje accidentado. Una gran tormenta en el canal de la Mancha obligó a los barcos a recalar en el puerto inglés de Portland. La imprevista arribada dio ocasión a que Felipe y el rey Eduardo VII de Inglaterra negociaran, y las dos hermanas, Catalina y Juana, pudieron verse por última vez antes de que se cumpliesen sus trágicos destinos.

La real pareja se demoró largo tiempo en Windsor y no pudo abandonar Inglaterra hasta el 22 abril, desembarcando en La Coruña cuatro días más tarde.

Un mes antes, Fernando se había casado con Germana de Foix en la villa palentina de Dueñas. Pero esta vez, para que no hubiese dudas, el Rey Catolico levantó acta ante notario y tres testigos de que la boda le había sido impuesta por razones políticas, y en ningún caso renunciaba a su derecho sobre Nápoles. Cuando él muriese, sería el heredero de la corona aragonesa, y no Germana, quien ocupara el trono napolitano.

Tratado de Blois

Por medio de los embajadores Juan de Enguera, provincial del Císter en Aragón e inquisidor en Cataluña, el conde de Cifuentes y Tomás Malferit, presidente del Consejo de Aragón, el Rey Católico firma el tratado de Blois (12 de octubre de 1505) con Luis XII. El pacto asegura la boda del aragonés con Germana de Foix, sobrina del rey francés y sobrina-nieta de Fernando por ser su padre, Juan de Foix, hijo de la reina Leonor de Navarra. Luis XII cedía a Germana sus derechos a Nápoles, que revertirían a la Corona de Francia si el matrimonio no tenía sucesión. Germana tenía entonces 18 años y Fernando, ya muy gastado, le triplicaba la edad, por lo que la sucesión no parecía probable.

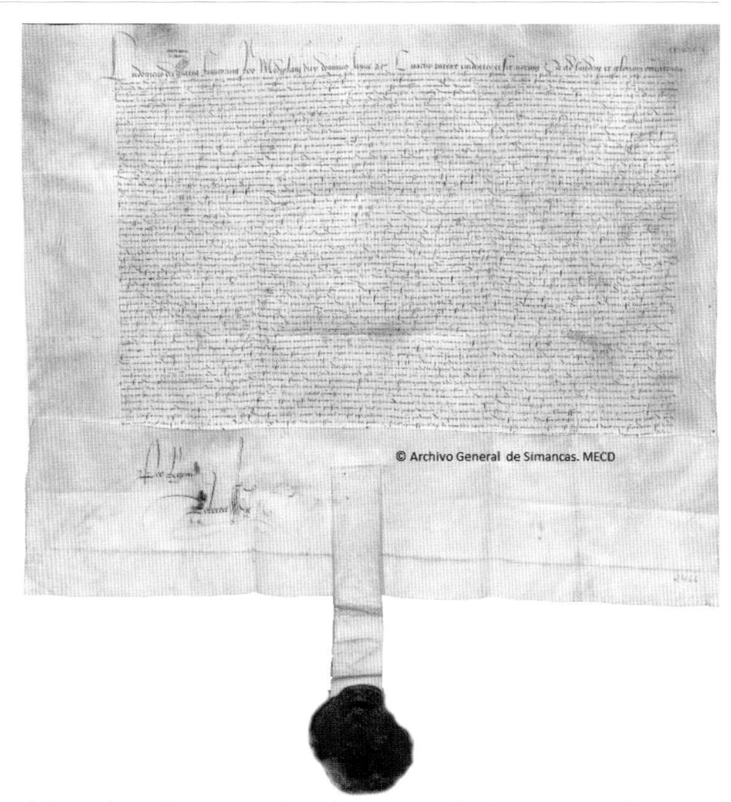

Tratado de Blois. Archivo General de Simancas.

La boda se celebró el 22 de marzo de 1506, y uno de los que más lamentó el enlace fue el Gran Capitán. Por razones más personales que otra cosa, la nueva esposa de Fernando siempre le mostró animosidad y contribuyó grandemente a desacreditarlo en la corte. La camarilla que acompañaba a la consorte francesa seguramente no había olvidado las derrotas que el conquistador de Nápoles había infligido a las armas francesas, y no dejó de sugerir al rey aragonés candidatos para sustituir al virrey de Nápoles.

Por el tratado de Blois, tan hábilmente negociado, Fernando pasó de ser regente en Castilla a ocuparse solo de la corona de Aragón, pero Felipe tuvo que avenirse a negociar con él, y el resultado de estas negociaciones fue la mencionada concordia de Salamanca, el 24 de noviembre de 1505, que establecía el gobierno conjunto de Juana, Felipe y Fernando. De todas formas Felipe solo trataba de ganar tiempo para llegar a España y atraerse a la nobleza con promesas y dádivas contra el Rey Católico, pese a lo cual las consecuencias de lo acordado en Blois deshacían muchas de las expectativas del archiduque. De momento, paralizaba cualquier acción conjunta de Luis XII y Felipe dirigida contra Aragón, además de librar a Castilla de un gobierno subordinado al rey de Francia y poner freno a las ambiciones francesas sobre Nápoles.

La diplomacia del archiduque se puso en marcha, y Felipe juzgó conveniente para sus fines políticos sacar a su esposa Juana de la reclusión y presentarse con ella en Castilla. El 7 de enero de 1506 embarca con una escuadra de sesenta naves y 2000 soldados en Flandes rumbo a España. Cuando desembarca en La Coruña, recibe el homenaje de muchos nobles, que refuerzan su ejército hasta los 9 000 hombres. Una fuerza considerable frente a la cual el Rey Católico está casi indefenso, asistido solo por el duque de Alba, el conde de Cifuentes y algunos caballeros aragoneses. Displicente y después de darle largas, el flamenco accede a entrevistarse con Fernando en Remesal, cerca de la Puebla de Sanabria, el 20 de junio de 1506.

Fernando había ido al encuentro de Felipe y Juana en Laredo, donde tenían previsto desembarcar, pero el tortuoso yerno cambia a última hora los planes y llega sin aviso a La Coruña, con intención de rehuir el encuentro. Son momentos muy espinosos para el monarca aragonés. Los nobles de Castilla le dan de lado y las deserciones proliferan. Le abandona el obispo Deza, presidente del Consejo Real, y está a punto de hacerlo su cronista Mártir de Anglería. Hasta Cisneros se dejó engatusar y se metió en el consejo asesor de Felipe, cuya intención inequívoca es eliminar políticamente a su suegro. No hay sitio para los dos en la ancha Castilla.

La entrevista de Remesal marca el punto más bajo de la trayectoria política del que ya solo es rey en Aragón. El lugar de encuentro con Felipe está situado en tierras enemigas del marqués de Astorga y del conde Benavente, y cuando Fernando pasa por ellas se le humilla y rehúye como si fuera un apestado. Las poblaciones le cierran las puertas por orden de sus señores, y al séquito le niegan techo y sustento. España, una vez más, parece abocada a la guerra civil, que Fernando ni desea ni está en condiciones de emprender.

En Remesal, Felipe se esfuerza en demostrar que ahora es él quien manda. Se presenta revestido de reluciente armadura, como si fuera a entrar en batalla, rodeado de un nutrido ejército que contrasta con la imagen de un Fernando desarmado, vestido con sencillez y rodeado de un séquito mínimo. El Rey Católico, llega incluso a temer por su vida. «Es como si me quisieran prender y hacerme prisionero», relatan los cronistas. Además de no entenderse, suegro y yerno apenas se toleran y parecen opuestos en todo. Cuando Felipe habla lo hace con grandes aspavientos, y cuando grita, el rostro se le enrojece por la ira. Fernando, por el contrario, se muestra flemático y trata de conservar la calma, quizá porque sabe que tiene todas las de perder en el enfrentamiento.

> Iba el Rey Católico acompañado bien diferentemente —dice Zurita— y llevaba consigo al duque de Alba y algunos señores, sin los caballeros de su casa,

> y sus oficiales, que serían todos hasta doscientos de mula, sin ningunas armas: y llegaron ambos reyes haciéndose gran cortesía: pero el rey don Felipe al parecer, con semblante de sentimiento, y queja: y harto más grave, y esquivo de lo que solía, y más mesurado: y el suegro regocijado, y con el rostro muy alegre, como era su costumbre.

Dando muestras de gran entereza, el Rey Católico se despidió de Felipe y tras abrazar al duque de Nájera, al conde de Benavente y a otros caballeros que le acompañaban, «en presencia de muchos Grandes echó la bendición a todos —cuenta Andrés Bernáldez— , y les encomendó que fuesen leales a su Rey, y se quitó de la cabeza un sombrero y el bonete, y quedando en cabello se humilló a todos, y se despidió y volvió las riendas.»

Las aparentes muestras de buen humor de Fernando en esta triste despedida del reino que había regido durante tantos años, no eran sino un modo de encubrirla pena que en el fondo sentía.

> Pero no pudo tanto disimular el sentimiento que tuvo de ver aquellos grandes, y caballeros, que pocos días antes le reconocían por su rey —dice Zurita—, y señor soberano, con tanto desacato, y desagradecimiento ante sí: y lo que le fue más grave, que no se le quiso dar lugar a que viese a la reina su hija, que quedaba en la Puebla [de Sanabria]: y así quedaron en los secretos más desavenidos, y exasperados sus ánimos que antes [...] Las pláticas [entre Fernando y Felipe] fueron muy breves: porque aunque el rey don Felipe venía muy enseñado de lo que debía hacer, y decir, no sabía exceder de aquello: y los suyos, señaladamente don Juan Manuel, no se fiaban en dejarlos solos: temiendo no se desegañase por la gran prudencia, y maña de su suegro.

Así las cosas, Felipe se volvió a La Puebla de Sanabria y Fernando entró en la aldea de Asturianos. Allí recibió una comunicación de su yerno pidiéndole que no se cruzase en su camino y se dirigiese a Villafáfila, donde se concluiría lo acordado en Remesal. Otra humillación más para Fernando, como reconoce Zurita en su crónica:

> Mas ya estaban las cosas de manera, que al rey le trataban como a tan extranjero, que no solamente no le quedaba en lo secreto ninguna esperanza de buena concordia, pero aun en el tratamiento público daba el rey su yerno firmado de su nombre, que no estaba en tan entera libertad, que pudiese ordenar de sí, como le pluguiese: pues le ponían ley, no solo en las jornadas que debía hacer, pero en los terceros, con quien había de procurar la concordia...

Una falsa concordia

La reunión entre suegro y yerno acabó con victoria aparente de Felipe. El ya archiduque-rey pidió a Fernando que se retirase a Villafáfila, una aldea en el noreste de Zamora, hasta concluir las negociaciones que sus consejeros ultimaban con Cisneros. En una solitaria ermita, con Cisneros vigilante de los trapicheos de don Juan Manuel, señor de Belmonte y «enredador máximo», como lo califica Vaca de Osma, Fernando juró el 27 de junio de 1506 la nueva concordia que sustituía a la de Salamanca, y un día después lo hizo Felipe en Benavente.

La situación perdedora de Fernando le deja poco margen de maniobra y no le permite exigencias. En casi todo cede. Debe abandonar el gobierno de Castilla y reconocer la incapacidad de la reina Juana, lo que deja todo el poder de la corona castellana en manos de Felipe, al que sin embargo sigue llamando su «hijo» en las cartas y documentos oficiales. Como indemnización recibiría las rentas de los Maestrazgos de las Órdenes Militares y la mitad de las procedentes de las Indias, pero Felipe obtiene algo mucho más valioso: el reconocimiento formal de la incapacidad de doña Juana para reinar, con lo cual quedaba «tan desembarazado en el reino, cuando sus privados lo pudieran desear» (Zurita) , y así quedó firmado en la siguiente escritura por ambos reyes, con lo que doña Juana quedadba desposeída de toda autoridad efectiva:

> Don Felipe por la gracia de Dios rey de Castilla, de León, de Granada, etc, príncipe de Aragón y de las Dos Sicilias, etc. Archiduque de Austria, duque de Borgoña y de Brabante. Etc. Conde de Flandes, y de Tirol, etc. Facemos saber a los que la presente vieren, que hoy ...fue asentada cierta capitulación de amistad, y unión, y concordia entre nos, y el serenísimo príncipe señor don Fernando rey de Aragón, de las Dos Sicilias, etc. nuestro padre: y por la honestidad, y lo que se debe a la honra de la serenísima reina nuestra muy cara, y muy amada mujer, no fueron allí expresadas algunas cosas ... conviene a saber, como la serenísima reina nuestra mujer, en ninguna manera se quiere ocupar, ni entender en ningún género de regimiento, ni gobernación, ni otra cosa: y aunque lo quisiese facer, sería total destrucción, y perdimiento de estos reinos ... Queriendo preveer y remediar, y obviar a los dichos daños ... fue concordado y asentado entre nos, y el dicho señor rey nuestro padre, que en caso que la dicha serenísima reina nuestra mujer por sí misma, o inducida por cualesquier personas de cualquier estado, o condición que fuesen, se quisiese, o la quisiesen entremeter en la dicha gobernación ... que nos, ni el dicho señor rey nuestro padre, no lo consentiremos ...

El bochornoso trato encrespa a Cisneros, que reprocha al rey su aparente pasividad para impedir que Felipe se salga con la suya. «Con tres mil hombres de guerra esto se habría acabado», le dice indignado. Fernando le tranquiliza y le revela que ha hecho una declaración secreta ante Malferit, Cabrero y el secretario Pérez de Almazán dando por nulas las concordias forzadas con el nuevo rey flamenco.

En Tordesillas, Fernando hace público un manifiesto que intenta rebajar la tensión. Reafirma su fidelidad al testamento de Isabel y se muestra conforme con dejar el reino de Castilla a su enemigo. Pura formalidad en espera de tiempos mejores. De momento, aún le queda un asunto importante que resolver. Debe ir a Italia a ocuparse de los negocios de Nápoles y dejar cerrado ese flanco. Nunca ha estado en Italia y ya es hora de reafirmar sus derechos en el *Reame*. En el fondo no ha renunciado a nada, pero sabe que ha llegado la hora de esperar y ver, antes de pasar otra vez a la acción.

Acrecentó la zozobra de Fernando en esos días la falta de noticias del Gran Capitán, que demoraba su venida a España (como el rey le había ordenado). Las sospechas del rey no carecían de fundamento. El virrey parecía estar a la espera de ver como se desarrollaban las cosas en Castilla, y tenía ofertas del emperador y de Felipe el Hermoso para entrar a su servicio y ponerse en contra del Rey Católico. Para que no hiciese caso de estos ofrecimientos, Fernando le envió una cédula firmada en la que —según Zurita— «le prometía y aseguraba por su fe, y palabra real, y juraba a Dios Nuestro Señor, y a la Cruz, y a los Santos cuatro Evangelios», que cuando viniera el cordobés a España le daría el maestrazgo de Santiago, con las villas y fortalezas que el nombramiento comportaba. Algo que finalmente el rey no hizo.

Junto a esto, pareciéndole que el Gran Capitán no tenía excusa que le impidiera el regreso, a Fernando le llegó información muy alarmante de Nápoles, según la cual Felipe le pedía a Gonzalo Fernández que se alzase a su favor con las fortalezas del *Reame*. A cambio ofrecía casar al hijo del rey Fadrique de Nápoles con la hija mayor del Gran Capitán, «y los harían reyes: y quedaría él perpetuo gobernador y administrador de aquel reino» (Zurita).

No es de extrañar que el Rey Católico, por conjurar ese peligro, reiterase su ofrecimiento al virrey del maestrazgo de Santiago, al tiempo que daba instrucciones secretas al arzobispo de Zaragoza de partir a Nápoles, y a Ramón de Cardona para que Pedro Navarro se apoderase del castillo nuevo napolitano y detuviese al Gran Capitán. Un plan que no se llegó a poner en práctica seguramente porque Fernando recibió un escrito del virrey en el que este se sinceraba humildemente y reiteraba ser su ferviente vasallo. La carta, que recoge Zurita, decía así.

> Muy alto, y muy poderoso, y Católico Rey, y señor:
>
> Por algunas letras he dado aviso a Vuesrtra Majestad de las causas que me han detenido: y si así por no saber que Vuestra Alteza las haya recibido, como por satis-

facer a la certificación que debe tener de mi ánimo ... sintiendo que allá, y en otras partes algunos significan tener alguna inteligencia o plática conmigo, en favor de sus errados propósitos, y en gran perjuicio de mi honra y de vuestro servicio ... deliberé enviar a Albornoz, persona propia con la presente: porque más presto navegara por las postas, que yo por golfos, ... y a Vuestra Majestad lo suplico, y sus relaes manos beso, que ni mi tardanza, pues ha sido por convenir a vuestro servicio, ni duda que de mi se le ponga, no le haga hacer cosa que no convenga a su estado y servicio. Que por esta letra de mi mano, y propia y leal voluntdad escrita, certifico y prometo a Vuestra Majestad , que no tiene persona más suya, ni cierta para vivir y moriré en vuestra fe y servicio, que yo: y aunque Vuestra Alteza se redujese a un solo caballo, y en el mayor extremo de contrriedad del mundo ... no he de reconocer ni tener en mis días otro rey y señor: sino a Vuestra Alteza, cuanto me querrá por su siervo y vasallo. En firmeza de lo cual por esta misma letra de mi mano escrita, lo juro a Dios como cristiano, y le hago pleito homenaje de ello como caballero, y lo firmo de mi nombre, y sello con el sello de mis armas [...] y con ayuda de Dios mi persona será muy presto con Vuestra Alteza: para satisfacer a más, cuanto convendrá a vuestro servicio ...

Muy humilde siervo, que sus reales pies y manos besa.
Gonzalo Fernández
Duque de Terranova.»

Fue en esta carta mucho de notar —añade Zurita— que en el sobrescrito de ella, llamaba al Rey Católico Rey de España y de las Dos Sicilias: y fue la principal causa, cuanto yo creo, porque se sobreyó en la ida del arzobispo [de Zaragoza] a Nápoles... y se mostró que no fue menos señalada la fe y la lealtad del Gran Capitán con el rey, que su gran valor.

Afrentosa salida

Ansioso de abandonar Castilla y retirarse a su reino de Aragón, Fernando firma el acuerdo de Villafáfila. El Rey Católico deja a Juana y Felipe el gobierno de Castilla (lo que significa dejar todo en las manos del rey-archiduque) y se reserva solo los maestrazgos de las órdenes militares. Cerca de Valladolid, en Renedo, suegro y yerno vuelven a encontrarse. El rey aragonés da unos cuantos consejos a Felipe que caen en el vacío y luego emprende el camino de Aragón. Va amargado, consciente de que su obra política, que tanto batallar le ha costado, está a punto de arruinarse. Zurita le atribuye esta frase que refleja su nostalgia de tiempos mejores: «Más solo, menos conocido y con mayor contradicción venía yo por esta tierra cuando entré a ser príncipe de ella y Nuestro Señor quiso que reinásemos sobre estos reinos para algún servicio suyo».

El historiador Antonio Rodríguez Villa, en su obra *La Reina doña Juana la Loca*, apunta bien el dramático bochorno que supuso esta salida de Castilla casi furtiva del rey, menospreciado por quienes solo unos meses antes se inclinaban a su paso.

> [...] no es posible dejar de lamentar la afrentosa y desairada salida de Castilla del rey don Fernando el Católico, a cuyo reino tantos y tan extraorinarios servicios había prestado, ya afirmando el trono vacilante de la reina doña Isabel, ya sosegándole en las turbulencias, bandos y parcialidades que le agitaban al principio de su reinado, ya preparando y llevando a feliz y glorioso término la conquista del reino de Granada, ya, en fin, gobernando aquel Estado en unión de la reina, su esposa, por más de treinta años. A todo se sometió este gran monarca con suma prudencia y rara templanza, a trueque de no encender la guerra civil en el país que tanto amaba... Hasta el último momento fue despedido de Castilla tan descortés y villanamente, que en algunos pueblos por donde pasaba le cerraron las puertas, no permitiéndole la entrada en ellos.

Fernando sale de Castilla por tierras de Soria y llega a Zaragoza, donde los señores de Aragón, los Ribagorza, Villahermosa, Borja y Lanuza, le dan pruebas de adhesión y le tranquilizan sobre la sucesión de Juana. El reconocimiento jurado que las Cortes aragonesas han hecho a la heredera sigue vigente.

De Zaragoza, el rey sigue viaje a Barcelona. Le acompañan varios miembros de la familia Cardona y dos nobles castellanos: Diego de Mendoza, representando a la casa de Santillana y del Infantado, y Fernando de Toledo, hermano del duque de Alba. Después de hacer alto en el monasterio de Valldoncellas entra solemnemente en la capital catalana y pasa varios días despachando asuntos. En vista de la imposibilidad de entenderse con Felipe y su hija Juana, Fernando se retira a sus dominios aragoneses. Llega a Zaragoza el 23 de julio de 1506 y, decidido a reafirmar su autoridad en el reino más próspero de su Corona, embarca en Barcelona para Nápoles el 4 de septiembre en una flota que manda Ramón de Cardona. Como el Gran Capitán sigue haciendo oídos sordos a la orden de volver a España, el rey decide trasladarse a su reino recién conquistado. Cree que ha llegado el momento de resolver personalmente una situación que empieza a ser muy preocupante y se le puede escapar de las manos, igual que ha ocurrido con Castilla.

Al embarcarse, deja como lugarteniente general de Cataluña al duque de Calabria. La travesía discurre sin incidentes cerca de la línea de costa: Palamós, Port-Vendrés, Tolón y Génova. Le alegra ver que en el puerto genovés ya está esperándole el Gran Capitán.

De dama en dama

El archiduque, ya rey Felipe I, es indeciso y despierto, pero sobre todo un *bon vivant* dispuesto a gozar de todo lo que su alta posición le ofrece. Banquetes, juegos, amoríos y cacerías llenan su existencia, y el desenfrenado afán de pasarlo bien le hacen presa fácil de los ambiciosos que le rodean. «Lo traen de banquete en banquete —se queja el embajador Fuensalida— y de dama en dama, y así va todo como va».

En esta carrera de libertinaje la reina Juana agrava su demencia, salpicada por periodos de lucidez. A Felipe le estorba su mujer y pretende incapacitarla por completo y desentenderse de ella, pero las Cortes de Castilla se muestran reacias. El pueblo, que recuerda todavía a la reina Isabel, compara y comienza a alterarse. A principios de julio de 1506, los nuevos reyes hacen su entrada en Valladolid. Doña Juana lleva el rostro cubierto por un velo negro, y esa noche se hospeda en la casa de Íñigo López de Haro. Su marido lo hace en la del marqués de Astorga, lo que sugiere la escasa armonía conyugal que existe entre ellos.

Doña Juana ha sido jurada por las Cortes reina propietaria de la corona de Castilla, pero Felipe es el rey efectivo y gobierna en solitario, marginando por completo a su desdichada esposa. Borgoñones y neerlandeses empiezan a copar altos cargos en el gobierno y toman el mando de importantes fortalezas. Aconsejado por el taimado don Juan Manuel, el monarca flamenco emprende una vasta depuración administrativa que deja fuera a los principales colaboradores de los Reyes Católicos. Para no quedarse atrás, y por lo que pueda pasar, el mismo don Juan Manuel se apropia de los alcázares de Sevilla y Burgos, y de las fortalezas de Plasencia y Jaén.

En el escaso tiempo que ocupó el trono de Castilla, Felipe gobernó mal y rodeado siempre por su gente de Flandes. Contrariando el testamento de la reina Isabel entregó a sus amigos extranjeros plazas y fortalezas, como la de Simancas (donde residía el infante Fernando), que entregó al señor de La Chaux . A su favorito don Juan Manuel le dio el alcázar de Segovia, que le quitó a Beatriz de Bobadilla, marquesa de Moya, gran amiga y confidente de la reina Isabel. Y también le entregó la Casa del Cordón en Burgos tras haber desalojado a su propietario, el condestable Bernardino Fernández de Velasco, casado con la hija natural del rey Fernando, doña Juana de Aragón. En el plano internacional, sus desaciertos no fueron menores. Firmó un acuerdo con los reyes de Navarra y el Bearn sin contar con su esposa Juana, heredera de la corona de Aragón, que mantenía derechos sobre el reino navarro; y no cesó de conspirar con su padre el emperador Maximiliano y los reyes de Inglaterra y

Retrato de Felipe el Hermoso. Óleo atribuido al Maestro de la Leyenda de la Magdalena (1483-1527. Museo del Louvre

Francia contra su suegro, al que odiaba profundamente. Más tarde, cuando Fernando regresa a la regencia de Castilla, expulsaría del reino al embajador de Maximiliano, Andrea del Burgo, un notable promotor de intrigas entre los nobles opuestos al rey aragonés.

El descontento empieza a bullir, y muchos de los grandes partidarios del nuevo monarca, como el duque de Medina Sidonia, el marqués de Priego o el conde de Cabra, exigen que doña Juana intervenga en el gobierno. En Andalucia estalla una revuelta contra los excesos del inquisidor Rodríguez Lucero, que inflama los ánimos del gentío contra los conversos, y en Segovia hay resistencia a la hora de entregar el alcázar a una compañía de soldados alemanes. «Nuestra ciudad extrañaba la nueva milicia —escribe el cronista Colmenarejo— y aun la insolencia y glotonería de los alemanes, en tiempo de la mayor falta de mantenimiento que en aquellos años padeció Castilla». El mismo autor atestigua que al malestar existente en el reino contribuían el hambre, producido por la sequía y las malas cosechas, y el azote de la peste, que hicieron de los años 1506 y 1507 dos de los peores recordados en Castilla.

La rueda de la Fortuna trastocó una vez más la historia. Pudo ser la peste o la pulmonía, pero el caso es que Felipe I acabó por sorpresa sus días en Burgos y el panorama político se alteró por completo. «El rey se subió cierto día a comer a la fortaleza de Burgos —cuenta el cronista Lorenzo de Padilla—, que tenía don Juan Manuel, y después de haber comido jugó a la pelota con Juan de Castilla y otros caballeros. Y acabado el juego se sintió mal dispuesto y se bajó a palacio y esa noche tuvo una recia calentura, la cual le fue siempre tanto creciendo, que murió al séptimo día, que fue viernes, a veinticinco días del mes de septiembre, en lo mejor de su juventud, de edad de veintinueve años».

Felipe fue asistido por galenos flamencos y españoles de Salamanca. No hubo indicios de envenenamiento, pero aun así, por mor del «cui prodest» hubo rumores de que Fernando no era ajeno a la muerte. Un cronista cuenta que en 1517, poco después de fallecer el rey aragonés, un antiguo servidor de la corte, Lope de Araoz, proclamó a voces en la plaza de Oñate que más le valdría al heredero Carlos no venir a España porque ya estaba su hermano don Fernando para reinar, y así evitaría que le diesen «bocado» (veneno) como habían hecho con su padre. Al insensato bocazas la imprudencia le salió cara. Le cortaron la lengua y lo despojaron de sus bienes.

Si algún atisbo de lucidez quedaba todavía en la mente de la pobre Juana, la muerte de Felipe, de quien no se había separado ni un momento durante la semana que duró su agónico final, la apagó para siempre. Juana hizo colocar el cadáver de Felipe sobre un fastuoso lecho, vestido con ropa de brocado forrada de armiños, en la Casa del Cordón de Burgos, palacio de los condestables de Castilla que servía de palacio real. Allí se pasaba los días y noches contemplándo al muerto sin decir palabra, ajena a cualquier asunto de gobierno.

Los grandes de la nobleza, preocupados, decidieron nombrar una junta de la que salió un consejo de regencia presidido por el arzobispo de Toledo, Jiménez de Cisneros, del que también formaban parte los duques de Nájera y el Infantado y el almirante Fadrique Enríquez, pariente de la reina. En la grave coyuntura, Cisneros decide llamar a Fernando, el avisado estadista de vuelta de todo, y le encarece que retorne cuanto antes a Castilla. Muchos nobles se inquietan. «Los grandes, puesto que conocían que solo el Rey Católico podía reparar el infortunio —escribe Colmenares—, se hallaban cargados de ingratitudes que habían usado con aquel Príncipe».

El fantasma de la guerra civil extiende otra vez su guadaña sobre Castilla. Los marqueses de Moya, amigos íntimos de la reina Isabel, entran en Segovia y ponen sitio al alcázar. Les ayudan los duques de Alba y de Alburquerque, mientras el marqués de Villena y el conde de Benavente apoyan a los sitiados. Tras una lucha durísima el alcázar se rinde el 15 de mayo de 1507. Y la peste sigue haciendo estragos en toda España. Bernáldez dice que las gentes morían de hambre y enfermedad en calles y caminos. «Y fue de hambre este dicho año también —anota—, de manera que en muchas partes también de hambre se morían y así fue gran fatiga y presura magna en toda España que no se podían valer los hijos de los padres, y los vivos huían de los muertos». El cronista

Alonso de Santa Cruz afirma con desmesura notoria que aquel año se perdió la mitad de la población de España. Ajena a todo esto, la reina Juana acude con frecuencia a la cartuja de Miraflores, donde reposan los restos de su adorado Felipe. Hace abrir el féretro y pasa horas contemplándolos en silencio.

Los señores que más se habían señalado contra Fernando, tiemblan ahora ante su regreso a Castilla y buscan entregar a otro la regencia. Tantean la posibilidad de dársela al emperador Maximiliano, o a los reyes de Portugal o Navarra. Cualquiera que no sea el Rey Católico les vale.

> Si el marqués de Villena —escribe el duque de Alba— y los duques de Nájera y Béjar y el conde de Benavente pudiesen sacar el demonio del infierno para juntarse con él contra Su Alteza, por asegurar sus personas y casas, lo harían.

El consejo de regencia, por fin, convoca Cortes en Burgos. Una convocatoria debatida, ya que algunos procuradores dudan de la legitimidad de una asamblea que no ha sido convocada por la reina Juana. Esta, en un momento de lucidez, firma el 19 de diciembre de 1506 una cédula que revoca las mercedes otorgadas por su marido y reintegra en el Consejo Real a quienes formaban parte de él a la muerte de la reina Isabel. Al parecer, este fue el último acto político consciente de la infeliz soberana.

Como la peste ha entrado ya en Burgos, piden a doña Juana que abandone la ciudad, pero ella se niega a hacerlo sin llevarse el cadáver de Felipe. Y así da comienzo por los caminos de Castilla en pleno invierno, la peregrinación nocturnal y luctuosa de una reina alienada, transportada en silla de manos, a la que acompaña un gran cortejo de clérigos, caballeros y sirvientes. Durante el día, la comitiva se detiene en la iglesia de alguna aldea de paso para celebrar solemnes funerales, y por la noche se cobija donde buenamente puede. Y así llegaron a Torquemada, donde la reina dio a luz el 14 de febrero de 1507 a la infanta Catalina, que con el tiempo llegaría a ser reina de Portugal.

Rey de Nápoles

En el viaje en barco hacia la capital napolitana Fernando el Católico va acompañado de su nueva esposa un nutrido grupo de nobles aragoneses y castellanos y María de Manrique, la esposa del Gran Capitán, con sus hijas. Deja como lugarteniente general en Cataluña al duque de Calabria, hijo de Fadrique, el fracasado rey napolitano; y en Aragón a su hijo natural, Alonso, arzobispo de Zaragoza. Durante todo el viaje seguía muy receloso del Gran Capitán La muerte de Felipe el Hermoso, cuando el rey se hallaba ya en la costa italiana, no ponía fin a la pugna que mantenía con una parte de la nobleza castellana, que aprovechó la ausencia de Fernando para hacer frente común. La presencia en Italia, por otra parte, «supondría el acto central del drama político escenificado desde hacía varios años entre el monarca y el conquistador de Nápoles», dice el historiador Hernando Sánchez.

El 1 de octubre de 1506 la galera real de Fernando se une en Génova con la del Gran Capitán, que ha salido a su encuentro con tres naves. Fernando se detuvo en esta ciudad porque estaba muy interesado en ver el «Santo Catino», un vaso guardado en la sacristía de la catedral que algunos veneraban como la copa utilizada por Jesucristo en la Última Cena y que el cronista Giovio describe como: «una esmeralda de seis ángulos, cavada a modo de un plato de vianda... consagrada a San Lorenzo».

El Gran Capitán subió sin escolta a la galera real y se hincó de rodillas ante el rey. Hizo ademán de besarle las manos, pero Fernando se lo impidió. Le hizo levantarse, lo abrazó y le besó en el rostro. Enseguida el monarca le agradeció todo lo que había hecho por él y no ahorró elogios. «Si os hubiese de pagar lo mucho que os debo —le dijo— habíais de ser señor de todo el mundo». La respuesta del Gran Capitán no fue menos halagadora: «Yo, señor, soy vuestra hechura, y el ser que después de Dios tengo, V. A. me lo ha dado [...] Lo que yo, señor, he hecho, hízolo Dios en virtud y buena voluntad de Vuestra Alteza». A los intercambios de alabanzas se unió Germana de Foix: «Tened por cierto— dijo a Fernández de Córdoba— que no hay en esta vida quien tanto amor os tenga como yo, por lo mucho que vos merecéis».

Cuando cuatro días después la nave del rey llega a Portofino les alcanza una galera con cartas del cardenal Cisneros y el condestable castellano Bernardino de Velasco. Su yerno Felipe acaba de morir en Burgos. Una muerte que a Fernando le liberaba de su peor enemigo y por la que no debió de derramar lágrima alguna.

En todo caso, la noticia no altera los planes de viaje del Rey Católico, que el 1 de noviembre de 1506, acompañado de Germana, hace una entrada fastuosa en Nápoles por un arco erigido en honor de su tío Alfonso V el Magnánimo. Es recibido en el castillo Nuovo con gran ceremonial y al pie de la escalinata principal jura las libertades del *Reame*. Su primera salida fue para visitar al virrey en su residencia de Castel Capuano, que le prepara una recepción opulenta, con derroche de oro, plata, pedrerías y obras de arte. Una ostentación que suscita críticas y deja indiferente al conquistador de Nápoles, habituado ya a desenvolverse en el lujo del renacimiento italiano.

El rey Luis XII de Francia. Miniatura de la *Cosmographie de Claude Ptolémée* atribuida a Jean Bourdichon (BNF).

Los fastos, sin embargo, no ocultan la verdadera naturaleza del viaje del rey en momentos en los que la situación exigía su presencia en Castilla. Tenía que dejar en claro quién mandaba de verdad en Nápoles y disipar el recelo que le inspiraba Gonzalo Fernández de Córdoba, cuyo halo militar lo convertía en un vasallo demasiado poderoso para alguien tan aferrado al concepto de su propia autoridad, como era Fernando. A fomentar esta desconfianzas (¿acaso no se había carteado Gonzalo con el taimado Felipe?) contribuian los informes virulentos de los enemigos del Gran Capitán, algunos tan influyentes como Francisco de Rojas, el embajador en Roma, Juan de Lanuza, virrey de Sicilia, o Próspero Colonna. Y eso a pesar de que Gonzalo de Córdoba le había jurado por carta reconocerle como rey «aunque se redujese a un solo caballo y en el mayor extremo de contrariedad que la fortuna pudiese obrar».

El Rey Católico no quería vasallos que pudieran hacerle sombra en un territorio recién conquistado como era el caso de Gonzalo Fernández. Seguramente no había olvidado las afrentas que su padre el rey Juan II hubo de soportar de nobles insumisos y altaneros durante todo su reinado. Mejor cubrirse antes de recibir el golpe.

Los días siguientes a su entrada en Nápoles los pasó Fernando en un carrusel de fiestas, pero el jolgorio no le impidió olvidar la cuestión que le había llevado hasta allí: reafirmar su autoridad y ponerse al corriente de los negocios de Nápoles. Esto le obliga a plantear la cuestión del buen uso de los fondos públicos, las famosas «cuentas» que la liberalidad del Gran Capitán desdeñaba con gesto despectivo de gran señor, a quien el dinero solo servía para ser gastado de forma generosa. Además, Fernando expone otra cuestión embarazosa. El tratado de Blois que ha firmado con Luis XII implica la devolución de las tierras confiscadas a los nobles angevinos partidarios de Francia en Nápoles y Calabria. Y muchas de esas tierras, para mayor desacuerdo, ya las ha repartido Gonzalo Fernández entre sus capitanes, que tienen ahora que devolverlas y se sienten ofendidos con la decisión real.

Los desacuerdos, sin embargo, quedan soterrados. El Gran Capitán parece aceptar con humildad que las guerras de Italia han resultado muy caras, y Fernando no escatima honores al hombre que le ha dado un gran reino. Le concede el ducado de Sessa y le apalabra el maestrazgo de la orden de Santiago, el más importante de España, con todas las prebendas y preeminencias que comporta, algo que quizá es solo un anzuelo para incentivar la salida de Italia del Gran Capitán. Pero el rey no cumplirá esta promesa, si es que tal hubo. De ser así, seguramente nunca tuvo intención de mantenerla, pero era un modo de asegurar a Gonzalo Fernández que seguiría siendo un personaje muy importante cuando regresara a España. Pensándolo bien, después de haber adjudicado a la Corona los maestrazgos de todas las órdenes militares, parece contrario a toda lógica que el rey entregara ahora, precisamente cuando estaba en horas bajas, el más importante de todos. Nada menos que el de Santiago. Teniendo en cuenta además que la familia del Gran Capitán, dominadora de la campiña cordobesa, no se había curado de sus tendencias insumisas, como se demostraría pocos años más tarde con la rebeldía del marqués de Priego.

En los primeros días de febrero de 1507, el rey nombra nuevo virrey en Nápoles y Gonzalo Fernández es sustituido por el conde de Ribagorza, quien a su vez será sucedido pronto por el noble catalán Ramón de Cardona, barón de Bellpuig. Antes, Fernando ha convocado al parlamento general de Nápoles, al que hace prestar juramento de fidelidad a su hija Juana y a su nieto Carlos de Habsburgo. Germana de Foix queda descartada por completo como heredera de sus reinos en la corona aragonesa.

La decisión de destituir al Gran Capitán se produce en el curso de una agitada actividad diplomática con Milán, Venecia, Florencia y el papado. Para Fernando, el objeto esencial de estas maniobras diplomáticas es fortalecer la proyección exterior de las coronas de Aragón y Castilla, y dejar asentada la persona de su nieto Carlos como señor indiscutible de Nápoles y Sicilia.

El viaje de retorno a España de Fernando señala uno de los puntos culminantes de la carrera del rey, aunque para el Gran Capitán, que lo acompaña en el regreso, represente el resplandor de su ocaso. El 25 de febrero ha dejado de ser virrey y el pueblo de Nápoles se lanza a las calles para despedirlo. El gentío llena el puerto para desearle un feliz viaje, y un cronista italiano apunta que «era tanto el llanto de las mujeres y de algunas personas que rompe el cielo, como si los turcos hubieran entrado en la ciudad saqueándola».

Como acostumbra, el Gran Capitán no repara en gastos y se despide a lo grande, con una larga serie de banquetes y fiestas que encandilan a la nobleza napolitana y dejan huella en la ciudad. Como último gesto pródigo en la tierra de sus victorias, cancela con un débito de 30 000 ducados todas las deudas de los capitanes y soldados que con él vuelven. El dinero no parece preocuparle, y más ahora, cuando el rey le ha prometido el rico maestrazgo de Santiago.

Durante su estancia en Italia, Fernando se ha dejado convencer por el papa para celebrar un encuentro con Luis XII en Savona, y en esa ciudad ambos monarcas rivalizan en magnificencia y cortesía. Se diría que no hay vencedores ni vencidos, y los enemigos de Ceriñola y Garellano comparten mesa y galanterías. En la reunión, astutamente, el rey de Francia, sabedor de las diferencias del rey aragonés con su general, trata de quitar protagonismo a Fernando extremando sus atenciones con el Gran Capitán, cuyas virtudes no cesa de elogiar delante del monarca.

En el banquete que el rey francés ofrece el 30 de junio de 1507 como evento final del encuentro, Luis XII hace sentar a su misma mesa a Gonzalo de Córdoba, junto al Rey Católico y Germana de Foix. Un gesto que alteraba el protocolo y que desagradó a Fernando. De sobra sabía que el francés actuaba con malicia. En plan campechano y dirigiéndose a Fernando, le dijo: «Mande V.S. al Gran Capitán que se siente aquí; que quien a reyes vence con reyes merece sentarse y él es tan honrado como cualquier rey».

Durante el agasajo, Luis XII hizo gala de muestras extremas de cortesanía hacia el vencedor de Ceriñola, como entregarle la mitad de su pan y dejarle probar de su mismo plato. Todo ello bajo la mirada suspicaz del rey Fernando. Y ya a los postres, siempre espléndido, Gonzalo Fernández no quiso ser menos y regaló al rey francés la gruesa cadena de oro con que los napolitanos le habían obsequiado en su despedida. No hay duda de que el adalid español saboreó ese momento. El cronista italiano Guicciardini, que recogió testimonios de primera mano, dice que ese día fue para él más glorioso que el de su entrada triunfal en Nápoles.

Gentilezas y lisonjas aparte, el rey Fernando procuró no perder el tiempo en sus conversaciones con Luis XII, y trató de reconciliar al rey francés con el emperador Maximiliano, con intención de organizar una Liga de Francia, España y el Imperio contra la República de Venecia. Una maniobra que culminaría en la Liga de Cambrai.

Reparto de beneficios

El historiador Hernando Sánchez considera que el Gran Capitán fue causa adicional del conflicto que el Rey Católico debió de conciliar en Nápoles «por la indefinición de gran parte de sus atribuciones y las múltiples dimensiones que implicaba el sistema de gobierno personal fraguado en los campos de batalla y consolidado por la ausencia del monarca en el reino conquistado por otro en su nombre».

Fernández de Córdoba, al actuar como virrey, consolidó su tarea regidora en un extenso apoyo clientelar de los jefes militares que le habían servido en campaña y los aliados de la nobleza napolitana, a quienes favoreció con honores y tierras confiscadas a los nobles angevinos profranceses. Pero esta política quedó en entredicho cuando por el tratado de Blois con Luis XII Fernando el Católico se comprometió a restituir los patrimonios incautados a los barones angevinos. Tal decisión hizo crecer el descontento entre los nobles que habían apoyado al Gran Capitán, algunos de los cuales, al igual que algunos capitanes, se quejaron de haber quedado relegados en el reparto de mercedes. El propio virrey informó de esto al soberano a finales de 1505, al tiempo que denunciaba al angevino príncipe de Salerno y a Fabricio Colonna de intentar desacreditarlo para minar su autoridad.

Las tensiones desatadas por el reparto de beneficios que siguió a la conquista de Nápoles terminó creando muchos insatisfechos. La protesta de los descontentos fue una de las principales razones que llevaron a Fernando a pedir la vuelta del Gran Capitán a España para que rebatiese «las lenguas y perjuicios que cuantos escribían o venían de Italia ponían de él». Unas críticas que obligaron al virrey a justificar su generosidad en el reparto de favores, y a erigirse en intermediario de los principales estamentos de gobierno local en sus demandas a la Corona.

Aunque la dilación de Fernando en entregarle el maestrazgo de Santiago hirió profundamente al Gran Capitán, este —por intermedio de Juana de Aragón, que había sido reina consorte de Nápoles— obtuvo en calidad de «alcalde y tenedor» la ciudad y fortaleza de Loja. Una donación a la que añadió la sustanciosa renta que le proporcionaba la concesión exclusiva de comerciar la seda de Granada.

Fernando el Católico apoyó de inmediato el nombramiento, aunque el asunto se complicó cuando Fernando de Fuenmayor, el corregidor de Loja, se negó a ceder a Gonzalo Fernández el mando de la fortaleza, alegando que el estratega cordobés estaba detrás de la rebelión del marqués de Priego.

En vista de las trabas para la entrega de Loja, el Gran Capitán se dirigió otra vez a la reina doña Juana, y esta envió un despacho al corregidor en el exigía que se cumpliera la orden sin dilación. En el mismo sentido actuó también Fernando que urgió a la Audiencia y a la Chancillería de Granada para hacer efectiva la entrega de Loja a su general.

La presión del rey hizo que el 15 de julio de 1508 el Gran Capitán tomara posesión de la gobernación de Loja, y allí pasó sus últimos años, haciendo vida reposada a su pesar, siempre deseoso de volver a entrar en lid. Algo que el destino y el propio rey Fernando le negarían.

Las desavenencias del monarca con su mejor jefe militar se acentuaron por el escaso aprecio que Germana de Foix demostró hacia este. A la falta de afinidad personal entre ambos se unió el desagrado de Fernando por la anunciada boda de Elvira, la hija del Gran Capitán, con Bernardino Fernández de Velasco, condestable de Castilla. Un matrimonio que el desconfiado Fernando no aprobó porque tenía otros planes de casamiento para la muchacha, poseedora de una cuantiosa dote. El rey hubiera deseado casarla con su nieto, hijo de Alfonso de Aragón, el arzobispo de Zaragoza. Al final, la boda con el condestable no llegó a realizare por la muerte de este, y Elvira terminaría casándose (ya muerto el Gran Capitán) con su pariente Luis Fernández de Córdoba, conde Cabra.

A Germana tampoco le gustó el proyectado matrimonio de Elvira con el condestable de Castilla, que había enviudado recientemente de Juana de Aragón, hija natural de Fernando. Un día, la reina consorte le espetó al condestable: «¿Cómo es que habiéndoos casado con la hija del Rey, mi señor, os queréis casar con la hija de su vasallo?»

> Señora —contestó enojado el condestable— , por la misma razón por la que mi señor el rey, después de haber casado con una mujer la más excelente que hubo en el mundo ni habrá, ahora está casado con una simple dama de la reina de Francia.

Germana no olvidó la respuesta. Y ni qué decir tiene que a partir de entonces sus relaciones con el condestable pasaron a ser cualquier cosa menos amistosas.

> Pocos contrastes tan violentos —dice el historiador aragonés Giménez Soler— ofrece la historia en dos caracteres como los que presentan el Rey Católico y el Gran Capitán en cuanto a dadivosos: era el uno tan tímido como atrevido el otro; el rey vivió en constantes apuros pecuniarios y procuraba librarse de ellos guardando lo que poseía; el duque de Sessa no se preocupó jamás de lo suyo propio ni de lo del reino y lo que tuvo lo dio inmediatamente.

Soler señala que son dos las ingratitudes que se atribuyen a Fernando respecto a Gonzalo Fernández. Una sería no haberle dado el maestrazgo de Santiago después de habérselo prometido; y otra, no haber perdonado la rebeldía del marqués de Priego, sobrino de aquel, y llevar su saña hasta derribar el castillo señorial de Montilla, donde nació el Gran Capitán.

Sobre lo primero, dice el historiador que «aun suponiendo cierta la promesa, que hasta hoy no se ha probado que sea cierta», la incorporación de los maestrazgo de las ordenes militares a la Corona justificaría el cambio de opinión. Y ante el interés general de la monarquía, o lo que entonces era lo mismo: del Estado, debían callarse todas las ambiciones.

En cuanto a lo del marqués de Priego, considera que no era políticamente prudente dejar sin castigo la rebeldía por una cuestión de parentesco. El rey habría perdido autoridad y la impunidad hubiera sido un mal ejemplo general.

Asimismo, Soler considera infundada la acusación de que el Rey Católico sintiese envidia hacia el Gran Capitán. Por el contrario, le entregó en merced la villa de Loja, y en ella Gonzalo vivió el resto de su vida con más fasto que muchos reyes, a pesar de que por ser segundón de casa noble el patrimonio que le correspondía por herencia era escaso.

RETORNO A CASTILLA

El año 1507, cuando Fernando regresa Castilla parece cumplirse el tétrico refrán: «El año de siete, deja España y vete». Las noticias que llegan son de peste y mortandad en campos y pueblos, y el horizonte político se enturbia con venganzas y peleas entre los nobles, faltos de la autoridad regia que los sujetaba.

En Toledo estallan disturbios por el enfrentamiento de los partidarios del conde de Fuensalida, cabeza de los Ayala, y los del conde de Cifuentes, Juan de Silva, alférez mayor de Castilla. El conde de Lemos, Rodrigo Osorio, asalta Ponferrada en mayo de 1507, que reclama como patrimonio propio. Falto de los apoyos que esperaba de otros nobles gallegos y del rey Manuel de Portugal, Osorio termina entregando Ponferrada a su cuñado el marqués de Astorga, ante el temor del regreso del rey Fernando. Y en Andalucia las disputas del duque de Medina Sidonia (que había intentado apoderarse de Gibraltar), con Pedro Fernández de Códoba, marqués de Priego, y los condes de Ureña y Cabra, obligan al arzobispo de Sevilla, fray Diego de Deza, a gestionar una concordia que deja pendientes las diferencias entre las poderosas familias.

El 20 de julio de 1507, Fernando pisa de nuevo tierra española en el Grao de Valencia, y un mes después entra por Almazán en Castilla. En la aldea de Tórtoles se reunió con su hija doña Juana, y consiguió de ella que diera por terminado su fúnebre peregrinar por las aldeas castellanas y se recluyese en el palacio de Tordesillas. La todavía reina nominal viviría casi medio siglo más en ese lugar, donde el cadáver de Felipe quedó depositado en la iglesia de Santa Clara durante dos años.

El Rey Católico y su hija hablaron mucho tiempo en este encuentro de Tordesillas. Ella parecía por momentos haber recobrado la lucidez y estuvo de acuerdo en dejar en manos de su padre el gobierno de Castilla hasta que Carlos tuviese edad de reinar. Por alguna razón que solo su oscura mente le dictaba, doña Juana se negó entregar a Cisneros el capelo cardenalicio que Fernando le había conseguido de Roma y lo convertía en cardenal de España, y ante la negativa, tuvo que ser el rey quien se lo diera en persona.

Cuando su desvarío se hizo más profundo, doña Juana accedió a que los restos mortales del que fuera su marido pasaran a la Capilla Real de Granada. «Tordesillas fue el destino de Juana —dice el historiador José García Oro—. Durante varios decenios estaba allí, encerrada y destellante, la portadora de la legitimidad dinástica de Castilla. Era Reina natural y legítima, jurada en las Cortes de Castilla, pero era loca a todos los efectos y no podía reinar».

Poco antes de su llegada, Fernando escribe al cardenal Cisneros. Le dice que desea regresar a Castilla, pero sin condiciones. Quiere tener las manos libres para actuar. Y lo más urgente, como si la historia volviera a repetirse, era reducir a la obediencia de los grandes señores y acabar con los alborotos partidistas en las villas y ciudades. Cisneros está de acuerdo, y el rey, con habilidad diplomática unida a la amenaza de la fuerza, consigue que el duque de Nájera entregue sus castillos y se sometan el duque de Alburquerque y el marqués de Villena.

Fernando arrebata también el castillo de Burgos al intrigante don Juan Manuel, su mortal enemigo, que se refugia en la corte del emperador Maximiliano, y acaba con las banderías en Vizcaya y el señorío de Molina. Otro gran señor recalcitrante, el conde de Lemos, tuvo también que abandonar Galicia.

Como antaño, Fernando sigue planeando bodas como medio de ampliar su acción política, y prepara el casamiento de su nieta Juana, hija del arzobispo de Zaragoza, con el primogénito del duque de Alburquerque, buscando la adhesión de este. La sumisión de Alburquerque hace innecesaria la boda y Juana termina casándose con Juan de Borja, duque de Gandía. Del matrimonio nacerá el que será llamado san Francisco de Borja, gentilhombre de la emperatriz Isabel, esposa de Carlos V.

Estatua de Juana la Loca en Tordesillas delante de la Iglesia de San Antolín. En la imagen se ve la ventana de la torre por la que, según la tradición, solía mirar hacia el río y los campos.

Especialmente duro fue el rey con el marqués de Priego, sobrino del Gran Capitán y el terrateniente más poderoso de Córdoba. La situación allí estaba muy alterada desde que el inquisidor Diego Rodriguez de Lucero, con el beneplácito del inquisidor general y el arzobispo de Sevillla fray Diego de Deza, sembrara el terror con su fanática intolerancia y sus procedimientos arbitrarios. El tal Lucero, un auténtico «ángel exterminador», veía judaizantes en todos sitios y emprendió una caza de brujas de la que no se salvó nadie, desde funcionarios reales a canónigos, que alcanzó incluso al arzobispo fray Hernando de Talavera.

Los desmanes del exaltado inquisidor fueron tales que el Rey Católico le retiró su protección y la protesta llegó a Roma y amenazó la supervivencia legal de la Inquisición. Finalmente, Lucero pagó su delirio y fue encarcelado, y Diego de Deza, tuvo que renunciar a su cargo de inquisidor general, algo que el papa Julio II aprobó en el breve *Dudum postquam* el 19 de abril de 1507.

El iracundo Lucero, sin embargo, no estuvo mucho tiempo en la cárcel. Cuando llevaba tres años preso, Fernando decidió liberarlo porque convenía a sus fines políticos en relación con el nombramiento de Antonio de Rojas, arzobispo de Granada, para presidir el Consejo de la Inquisición. El rey quería seguir controlando el Santo Oficio, como en tiempos de la reina Isabel, y reducir el papel inquisitorial del cardenal Cisneros al ámbito exclusivamente castellano.

Represalia

Los desmanes de Lucero extendieron el malestar en toda la ciudad de Córdoba y, aprovechando el descontento popular, el marqués de Priego y el conde de Cabra al frente de sus partidarios asaltaron la cárcel de la Inquisición cordobesa y pusieron en libertad a los presos y en fuga a sus carceleros.

Fernando envió a la ciudad un juez especial, y el marqués tuvo la osadía de detenerlo y encarcelarlo en el castillo de Montilla. Cuando el Rey Católico se enteró, reaccionó con dureza, y marchó sobre Córdoba con un ejército de 1000 lanzas y 3 000 infantes con el que restableció de inmediato la situación. Aconsejado por su sobrino Gonzalo Fernández, y temeroso de la ira del monarca, el marqués de Priego se entregó a la clemencia del rey, que le castigó con el destierro por diez años, la pérdida de Antequera y una multa de veinte millones de maravedís, además de demoler la fortaleza de los Aguilar en Montilla, el castillo familiar del Gran Capitán, como escarmiento para la nobleza andaluza sediciosa. Los más significados cómplices de la rebelión corrieron peor suerte que el marqués y fueron ejecutados.

Un cronista anotó que por este castigo quedaron muy agraviados todos los grandes de España, y quien más sintió el ultraje fue el Gran Capitán, que sin embargo acató sin protesta la voluntad real y achacó la represalia contra su sobrino, hijo de su hermano mayor Alonso de Aguilar, a que el rey había sido mal aconsejado.

Como no podía ser menos, Gonzalo Fernández intercedió por su sobrino, y en este sentido envió cartas a gente influyente en la corte, incluído el cardenal Cisneros, quien recomendó al Gran Capitán que convenciera a su pariente para que se entregase a la voluntad del rey. Las solicitudes de clemencia por parte de otros nobles, entre ellos el duque de Alba, no ablandaron a Fernando, que responsabilizaba a la aristocracia cordobesa de las tensiones sociales en sus señoríos andaluces.

También tuvo que ocuparse el monarca en rebajar los humos del duque de Medina Sidonia, que se creía virrey de Andalucía por cuenta propia. Fernando intentó primero arreglar el matrimonio entre el heredero del ducado, todavía un niño, con su nieta Juana, pero la idea fracasó porque el tutor del duque, el conde de Ureña, se lo llevó a Portugal para frustrar la boda. El rey mandó entonces que fueran entregadas a la Corona todas las fortalezas de los Medina Sidonia, y la orden se cumplió excepto en Niebla (Huelva), que fue sitiada y tomada al asalto antes de colgar de las murallas a los principales responsables de la resistencia.

Entonces, el 3 de mayo de 1509, la reina Germana dio a luz un hijo al que pusieron por nombre Juan de Aragón y su nacimiento, motivo de preocupación para muchos, quedó en nada porque el niño murió a las pocas horas.

UN CARDENAL PARA UN REINO

El árbitro de Castilla

La muerte de Isabel la Católica dejaba un reino a la deriva y la vieja nobleza castellana, con deseos de revancha, pensó llegado el momento de ajustar cuentas con el rey Fernando, a quien muchos llamaban» El Aragonés». Lo consideraban prepotente y autoritario, y deseaban que retornara a su tierra.

Pero las continuas disputas y los intereses enfrentados de los nobles redundaron en favor de Cisneros, arzobispo de Toledo, considerado el primer señor de Castilla, después del Rey.

Cisneros acudió a las Cortes de Toro de 1505 dispuesto a cumplir lo acordado en las anteriores de 1502-1503, celebradas en Toledo, Madrid y Alcalá de Henares. Las de Toro habían establecido que los sucesores en el trono eran doña Juana y su marido Felipe el Hermoso, y preveían un gobierno interino de Fernando en nombre de su hija, bien por estar ella ausente o porque no pudiese «entender en la gobernación» de sus reinos. Con eso Fernando quedaba designado Rey-Gobernador de Castilla.

En sintonía con el pensamiento de la reina Isabel, las Cortes de Toro avanzaron en la elaboración de un código de leyes para Castilla, conocido como las Leyes de Toro (7 marzo de 1505) que completaban los pasos dados a principios del siglo XVI por comisionados reales y jurisconsultos como Alonso Díaz de Montalvo y el doctor Palacios Rubios.

Mientras la nobleza desenterraba sus resentimientos y querellas, el pueblo llano solo quería la paz y una continuidad en la línea de gobierno desarrollada por los Reyes Católicos. Por esos días, Fernando y Cisneros conversaron mucho y discretamente, y el rey aragonés tenía fundadas esperanzas de poder desempeñar el papel de gobernador de Castilla que la reina Isabel le había asignado en su testamento.

Por desgracia, en la corte flamenca de Bruselas las cosas no se vieron así. Lo que se pretendía era desmontar todo el aparato de gobierno de la etapa anterior. Pero esta «purga» no afectó a Cisneros, para quien el rey Fernando había pedido el capelo cardenalicio el 8 noviembre de 1505. El arzobispo de

Cardenal Cisneros, regente de Castilla a la muerte de Fernando el Católico.

Toledo se había convertido en pieza clave de la situación castellana, y tanto Fernando como Felipe deberían contar con su arbitraje.

Cisneros y el Rey Católico estaban de acuerdo en una serie de puntos que se concretaron en la Concordia de Salamanca de 24 noviembre de 1505, y establecieron una especie de triunvirato o gobierno conjunto de Fernando con los nuevos soberanos doña Juana y Felipe, que por entonces ya habían anunciado su viaje a España.

Y mientras Cisneros se afianzaba como «tercer rey» de España, en Castilla seguían las tensiones alrededor de la sucesión monárquica.

Desde la legalidad dinástica, la soberana era Juana, cada vez más incapaz de soportar la pesada herencia y cada vez más dependiente de su marido Felipe, de quien se recordaba su precipitada marcha a Flandes, con manifiesto desaire a sus suegros los Reyes Católicos, cuando dejó prácticamente abandonada a su mujer, que estaba a punto de dar a luz.

Muy consciente del trágico aislamiento de Juana en Flandes y los malos tratos que allí recibía, la reina Isabel había establecido en su testamento lo que creía ser la única solución posible: el nombramiento de Fernando como Rey Gobernador.

Todo hubiera podido discurrir con normalidad de no haber sido porque la mayoría de los nobles de Castilla se pusieron en contra de Fernando. La cabeza de esta oposición era don Juan Manuel, señor de Belmonte, que movió a su antojo la voluntad de Felipe el Hermoso en contra del rey aragonés. Detrás de don Juan Manuel había prelados y nobles con ambiciones opuestas, a quienes solo unía poner fin a la presencia de Fernando en Castilla.

Muerte imprevista

Después de estar casi medio año recorriendo tierras de Castilla y Galicia, Felipe y su lujoso séquito compuesto de caballeros flamencos y españoles, soldados alemanes y servidumbre, entró en Burgos y se aposentó en el palacio del condestable de Castilla. Se suceden los banquetes, las cacerías y los torneos, mientras doña Juana solloza por los amoríos continuos de su marido. Es entonces cuando a Felipe le llega la muerte.

El sábado 25 septiembre de 1506, en Burgos, siente un dolor agudo en el costado. De inmediato le atienden sus médicos flamencos, pero el lunes la situación empeora y se informa al arzobispo de Toledo, que permanece cerca de la corte en casa de un amigo.

Cisneros envía a su mejor médico, el doctor Yanguas, que —tras superar la desconfianza de sus colegas flamencos— propone sangrar al enfermo. Pero la propuesta es rechazada. El estado del enfermo empeora y los presagios son funestos. Ante la inminencia del desenlace, el cardenal se reúne con los magnates castellanos. Están los más representativos con excepción del duque de Alba, que no ha participado en los manejos para alejar de Castilla al rey Fernando.

Felipe muere el 1 de octubre en la Casa del Condestable y la afligida Juana dispone la capilla ardiente en una amplia sala, entre el desconsuelo general de los caballeros flamencos y el desconcierto de los nobles castellanos. Poco antes del funeral los médicos embalsaman el cadáver y le extraen el corazón, que envían al emperador Maximiliano. En un doble ataúd, de madera y metal, el cuerpo es transportado a la Cartuja de Miraflores, y allí se celebran las honras funerarias.

Sin perder tiempo, los nobles y Cisneros vuelven a reunirse en Burgos para elegir de inmediato un gobernador del reino hasta que sea proclamado el nuevo rey. La elección recae en el cardenal que, enfrentado a la amenazadora nobleza, salva la situación con un acuerdo por el cual los grandes de Castilla se comprometen a disolver sus milicias y no realizar acciones que alteren la paz pública. Los litigios entre ellos se derimirán por votación en asambleas convocadas legítimamente.

Superado este obstáculo, Cisneros escribe a Fernando para darle cuenta de la inestable situación creada por la muerte de Felipe, y pedirle que regrese a gobernar Castilla, como estableció la reina Isabel en su testamento.

La respuesta de Fernando es templada y tranquila. No quiere un regreso precipitado, para no dar a entender que está ansioso de retomar el mando. Además, debe terminar lo que ha ido a hacer a Nápoles y dejar que se enfríen los ánimos exaltados de sus enemigos. Y entretanto, para garantizar su propia seguridad y la de doña Juana y el resto de la corte, Cisneros organiza tropas propias (gente de ordenanza) y guardas reales. Con ello, el cardenal defiende también su legitimidad de regente provisional, ya que la reina Juana no le había nombrado. Y por si fuera poco para aumentar la confusión, se desata una epidemia de peste que extiende la desolación por Castilla.

En este ambiente tétrico, es cuando doña Juana, a punto de dar a luz, decide en diciembre de 1506 que el ataúd de su marido sea retirado de la Cartuja de Miraflores y en comitiva funeraria recorra pueblos y aldeas de la vieja Castilla. En medio de ese remolino de tribulación y desvarío, el 14 enero de 1507 la reina demente alumbra a la infanta Catalina.

La empresa africana

Los arrebatos misioneros y cruzados de Cisneros conmovían la imaginación del cardenal, obsesionado con la idea de establecer un Mediterráneo cristiano. En esta idea le influyó mucho Egidio Delfine de Ameria, ministro general de los franciscanos, con quien mantuvo largas charlas cuando este visitó la corte castellana no solo en busca de dinero, sino también con la intención de reorganizar la orden franciscana bajo un nuevo estatuto de vida reformada.

Tres diferentes mensajeros se acercaron también a Cisneros en esta etapa de interinidad política, buscando el apoyo del primado de España. Uno de ellos era fray Mauro Hispano, custodio de tierra Santa y guardián de Monte Sión, que encabezaba una embajada del sultán mameluco de Egipto (Soldán de Babilonia), muy alarmado por las correrías de los portugueses en la India y la posibilidad de verse atacado en acción conjunta por estos y los reyes de España. El fraile informó también de la situación precaria de los Santos Lugares, que desde hacía siglos estaban bajo la protección de la corona de Sicilia y Aragón, y por consiguiente podían ser considerados un título más de la corona de Fernando el Católico. Fray Mauro obtuvo del soberano aragonés la cuantiosa suma de 1000 ducados de oro anuales para los custodios de los Santos Lugares, que debían recaudarse de las rentas de la Cámara Real siciliana.

Otro personaje que influyó en el cardenal fue el veneciano Jeronimo Vianello, que encandiló a Cisneros con la visión de una soñada África Cristiana. Vianello creía prioritaria la conquista de Mazalquivir, que junto a la ciudad de Orán, en el reino de Tremecen, se consideraba la llave de toda África.

También acudió a Cisneros el confesor del rey de Portugal, Manuel I el Afortunado, un sacerdote visionario empeñado en que todos los reyes de la cristiandad se implicaran en una cruzada destinada a conquistar el imperio mameluco de Egipto y expulsar a los turcos del Mediterráneo.

Cisneros, sabedor de que el rey Fernando no estaba en condiciones de encabezar tal empresa, y mucho menos de costearla, se prestó a financiar de inmediato la campaña. Para Cisneros este plan devolvería a la cristiandad la Jerusalén bíblica, convertida en capital del orbe cristiano.

Desde 1500, durante la guerra de Granada, Cisneros soñaba con una cruzada mediterránea que hiciera del *Mare Nostrum* el lago de la cristiandad. Un espejismo conectado con las intensas relaciones comerciales que la corona de Aragón mantenía con los sultanes de Egipto, a los que vendía trigo y armamento a buen precio.

Al pragmático Rey Católico, sostener a los soberanos mamelucos de Egipto le resultaba útil para obstaculizar avance turco en el Mediterráneo. En este contexto la embajada que envió desde El Cairo el sultán Kait-Bey, que se declaró protector de los musulmanes de España, fue convenientemente atendida. Kansu-el-Ghuri, sucesor de Kait-Bey, recibió pocos años después (1501-1502) otra embajada del humanista milanés Pedro Mártir de Anglería, muy vinculado a Cisneros, destinada a persuadir al sultán mameluco de que la integración de los mudéjares en Castilla se desarrollaba según lo pactado.

Anglería fue bien recibido en Alejandría por el cónsul catalán en esa ciudad, y el 2 febrero de 1502 se entrevistó en El Cairo con el sultán, reafirmando las antiguas relaciones de los reyes hispanos con el lejano Egipto, establecidas desde principios del siglo XV con la embajada que Enrique III de Castilla envió a Tamerlán. Del viaje de Anglería a Egipto, el humanista italiano dejó escrita una crónica (*Legatio Babilonica*) contando las maravillas que había visto antes de emprender viaje de retorno a España por Italia. .

Fue poco después de este encuentro cuando el soberano mameluco, muy alarmado por la expansión comercial de Portugal en la India, envió de mensajero a la corte española al fraile franciscano español Mauro de San Bernardino, más conocido en las crónicas por Mauro Hispano, custodio de Tierra Santa.

Después de pasar por Venecia y entrevistarse en Roma con el papa Julio II, Mauro llegó a España en el tiempo del fallecimiento de la reina Isabel. Pese a lo incierto del momento, el fraile se entrevistó con Cisneros y el Rey Católico, a quienes intentó comprometer en la defensa de los Santos Lugares.

A continuación, el franciscano viajó a Portugal en mayo de 1505, y allí encontró la entusiasta acogida del rey Manuel I el Afortunado, quien creía llegado el momento de convocar una nueva cruzada para acabar con el sultán de Egipto y arruinar el comercio musulmán en el Golfo Pérsico. La idea no llegó a realizarse pero dejó huella en Cisneros, que ya se veía acaudillando la recuperación de Jerusalén como capital religiosa de la cristiandad.

Con tenacidad, el cardenal fue articulando militarmente tal propósito, contando con el asesoramiento de Jerónimo Viannello y la colaboración del influyente franciscano portugués fray Enrique de Coimbra. Ambos contaron con la aprobación de Fernando el Católico al proyecto, cuya realización exigía el compromiso de Inglaterra, Portugal y Castilla, además de la participación del emperador austriaco y del rey de Hungría.

El rey Manuel I el Afortunado y Cisneros coincidían en la necesidad de combatir a los dos grandes poderes islámicos, el mameluco y el turco, pero diferían mucho en la forma de llevarlo a cabo. Cisneros quería una campaña mediterránea, con conquista de asentamientos en el litoral y la meta puesta en Alejandría. El monarca portugués no era partidario de la acción militar. Su táctica pretendía ahogar comercialmente a El Cairo y Constantinopla, bloqueando el Mediterráneo y el océano Indico.

La nueva empresa de cruzada se estrellaría una vez más contra la realidad de los diferentes intereses de los reinos cristianos, pero Cisneros no cejó en el empeño de lograr asentamientos en el norte de África, lo que se llamaba la Berbería de Levante, asignada a Castilla en el tratado de Alcaçobas, para lo cual contó con dos asesores competentes. Uno era Fernando de Zafra, y otro el mencionado Jerónimo Viannello, que insistía en considerar a Mazalquivir y Orán las llaves de África.

EL ATAQUE A BERBERÍA

Desde 1492, las reiteradas incursiones y exploraciones en la costa berberisca permitieron conocer no solo su situación militar, sino también su disposición a aceptar un protectorado cristiano, ya que sufrían graves carencias de víveres y padecían saqueos constantes. Con ese propósito, el papa Alejandro VI emitió una bula en 1495 que concedía a los reyes de España la investidura de todas las tierras que conquistasen en África, con la obligación de cristianizar a sus habitantes.

Como la corona de Castilla no estaba en disposición de emprender directamente acciones militares de gran envergadura por estar empeñada en otros escenarios, como eran Italia y la frontera de Francia, se consideró que la empresa africana debía de ser llevada a cabo por particulares respaldados por los reyes cristianos. Una fórmula que ya tenía precedentes en la expansión portuguesa en África y en la ocupación de Melilla por el duque de Medina Sidonia en 1497.

Con un entusiasmo rayano en la obsesión, Cisneros se erigió en protagonista y financiador principal del proyecto de expansión en el norte de África. Además de aportar el dinero, encargó a hombres de armas experimentados la preparación de las tropas, con el compromiso de reintegrar las plazas conquistadas a la Corona. Sirve como ejemplo de esto la conquista de Mazalquivir (Mers-el-Kebir) en diciembre 1505, refugio de piratas que disponía de un castillo bien artillado. En la empresa participaba la Corona con el capitán general y alcaide de los Donceles, Diego Fernández de Córdoba, más la tropa de Ordenanza, con sus capitanes Diego de Vera, Gonzalo de Ayora (encargado de la artillería) y López de Orozco, que mandaba la caballería. La estrategia de la expedición fue diseñada por Fernando de Zafra, y el éxito conseguido demostró que el proyecto era realizable.

África por el rey

Una armada de galeras de Cataluña, más las carabelas de Andalucía y varios navíos sueltos embarcaron 7000 hombres en Málaga, al mando de Ramón de Cardona, con el objetivo de conquistar la mencionada plaza, refugio de corsarios, que los portugueses ya habían intentado tomar en 1496 y 1501.

El 11 septiembre de 1505 la expedición desembarcó y las tropas ocuparon las alturas próximas a Mazalquivir bajo una lluvia torrencial. Dos días después la plaza se rindió, y los soldados colocaron el estandarte real al grito de: «África por el rey don Fernando». El 24 septiembre la fuerza expedicionaria regresó a Málaga y en Mazalquivir quedó una guarnición de 500 infantes y 100 caballos.

Otro foco que inquietaba las costas españolas era el Peñón de Vélez de la Gomera, guarida de piratas en tierra berberisca, que Fernández Duro describe como «masa elevada de rocas, escarpada e inaccesible a las embarcaciones». El rey Fernando se propuso tomarla, y para no contravenir lo pactado en Alcaçobas, envío aviso al rey de Portugal, pero el plan quedó en suspenso por atender a otras necesidades más urgentes en el interior de España. Y ese mismo año de 1505, aprovechando la llegada de unas naves de abastecimiento enviadas por el duque de Medina Sidonia a Melilla, el alcalde de esa ciudad ocupó la plaza de Cazaza, distante unas dos leguas en la costa.

No fue hasta julio de 1508 cuando el Peñon de Vélez, un islote separado de tierra firme por un estrecho canal, fue ocupado por Pedro Navarro, que lo fortificó y dejó una guarnición a cargo de Juan de Villalobos y algunos soldados con artillería.

Para España fue una buena noticia la ocupación del islote, pero el rey de Portugal, Manuel I el Afortunado, yerno de Fernando el Catolico, protestó por considerar que el lugar estaba fuera de la divisoria acordada en Alcaçobas. A esto, el rey hispano le respondió que no había sido su intención faltar a lo pactado, y se declaró dispuesto a dejar el Peñón en manos portuguesas siempre que le devolvieran lo gastado en la expedición y se revisaran otras cuestiones relacionadas con la expansión lusa por la costa occidental de Marruecos.

La disputa por los derechos de Vélez de la Gomera quedó interrumpida cuando el rey de Fez atacó la plaza portuguesa de Arcila, cuya guarnición quedó cercada. El rey Manuel pidió entonces auxilio a Fernando y este se lo dio de inmediato. Pedro Navarro acudió con una flota de galeras y desembarcó 3.500 hombres, que recuperaron la ciudad y ahuyentaron a los sitiadores en octubre de 1508. Agradecido el rey de Portugal por los servicios de Navarro, le quiso regalar 6000 ducados de oro, pero este no los aceptó. Le dijo al monarca luso que se había limitado a cumplir con el mandato del rey Fernando, que era quien le pagaba. Un gesto que pocos entenderían hoy.

La racha de triunfos de Mazalquivir y Cazaza se truncó en 1507, coincidiendo con el regreso a España de Fernando desde Nápoles, cuando el alcaide de Los Donceles salió de Mazalquivir con unos 3000 infantes y cien caballos para llevar a cabo una incursión de saqueo en territorio moro. Cuando regresaba cargado con el botín y mil quinientos cautivos le salió al paso la caballería del rey de Tremecén que le propinó una contundente derrota. Sobre el campo quedaron más de 2000 muertos cristianos y 500 fueron hechos cautivos. Mazalquivir solo se salvó porque los musulmanes se entretuvieron en repartirse los despojos de la tropa vencida.

Por entonces los ataques berberiscos a la costa mediterránea española se habían recrudecido, debido en parte al comercio de Génova, que vendía armas y municiones a los piratas, aunque Zurita los explica también porque ya no se armaban galeras en Cataluña ni se ejercitaba la disciplina militar en cuestiones marítimas.

> Esto llegó a tal extremo —dice— por el descuido y negligencia, o de los Príncipes, o de los mismos tiempos, por la mudanza que hubo en el gobierno y por la

Sitio y toma de Orán por el cardenal Cisneros en 1509. Pintura mural.
Capilla mozárabe de la catedral de Toledo.

ausencia perpetua que hacía el Rey de sus reinos, que así como en lo antiguo iban las galeras catalanas armadas de manera que los capitanes de ellas eran obligados a no huir con una sola, de dos de los enemigos, ahora estaban ya los turcos y moros tan diestros y ejercitados en las cosas de la mar, que con solo una galeota o fusta se atrevían a pelear con dos galeras de las nuestras; y esto sucedía, no solo por el descuido de los capitanes, pero por su desenfrenada codicia, y por estar mejor instruidos en robar los del Rey que de los enemigos ni de los corsarios que corrían todas las costas de España y las destruía.

ORÁN

Cuando en 1508 Castilla se había recuperado un tanto de los disturbios sucesorios, Cisneros creyó el momento de proseguir con su cruzada y ocupar la ciudad de Orán, enclave estratégico del reino de Tremecén, como puerta de lo que se llamaba «la empresa de toda África», encaminada a la conquista de Jerusalén. Las circunstancias eran propicias por las desavenencias del rey de

Fez y sus hermanos. Uno de estos era rey de Túnez y en noviembre de 1507 envió una embajada a Fernando. Le prometía ayuda en la conquista de Orán a cambio de que lo apoyara en conquistar el interior del reino de Tremecén.

En esta ocasión Cisneros contó con todo el apoyo de Fernando el Católico, y el 11 julio de 1508 el cardenal y al rey suscriben en Alcalá de Henares un acuerdo que declara al prelado capitán general de la expedición y gobernador de la conquista, que dirigiría y financiaría él personalmente.

La campaña se realizaría en nombre de la Corona y Orán quedaría sujeta en lo eclesiástico al arzobispado de Toledo. Por recomendación del Gran Capitán, Cisneros nombra a Pedro Navarro lugarteniente y maestre de campo general, pero este se muestra descontento —pese a a ser nombrado capitán general de África— por considerar que el cardenal solo es un fraile que no entiende de asuntos de guerra.

La demora hace que los equipamientos se reajusten. En enero de 1509 el rey Fernando suscribe con el cardenal una nueva capitulación más generosa, y Pedro Navarro pacta con Cisneros un contrato por el que se compromete a tener la armada lista para hacerse a la mar el 14 abril de 1509.

Cada vez más ilusionado con la empresa, Cisneros parte el 21 febrero hacia Cartagena, dispuesto a encabezar el contingente militar. Allí le esperan Pedro Navarro y otros capitanes con una heterogénea tropa dispuesta a desertar en masa si no se les paga lo convenido. Los revoltosos terminan amotinándose al grito de «Paga, paga, que el fraile es rico». Hay enfrentamientos y heridos. Uno de ellos es Jerónimo Viannello, consejero del cardenal toledano, acuchillado por un sobrino de Cisneros.

El cardenal y Pedro Navarro no se entendieron desde el principio, y el prelado toledano se arrepintió de haber contratado al aventurero roncalés, que ignoraba sus órdenes y solo obedecía a sí mismo. Después de mucho discutir, la armada se hizo a la mar el 16 de mayo: ochenta naos y diez galeras, con unos 11 000 infantes y casi 4000 jinetes. Al día siguiente se produce el desembarco en las inmediaciones de Mazalquivir. Desde ahí los expedicionarios marchan hacia Orán atravesando una sierra. En vanguardia la infantería, la caballería cubriendo la retaguardia y la armada apoyando con la artillería.

Orán, edificada en parte sobre una colina que se adentra en el mar, estaba protegida por una ciudadela de buenos muros con sesenta cañones gruesos. La ciudad era próspera, comerciaba con Génova y Venecia y tenía más de 10 000 habitantes.

Contra lo esperado, hubo poca resistencia, seguramente porque los oraneses esperaban refuerzos que no llegaron, y la ciudad fue conquistada en un día. Los soldados que bajaban de la sierra se unieron a los que iban en las galeras.

Los atacantes escalaron las murallas, abrieron las puertas y entraron furiosos en la ciudad repartiendo muerte. En la desbandada cundió el pánico entre los musulmanes y se produjo una carnicería. Fernández Duro dice que en el asalto murieron 4000 moros y pasaron de 5000 los prisioneros. Los cristianos solo tuvieron 30 bajas. Por la noche, la ciudad estaba totalmente en poder de la fuerza castellana, bien dirigida por Pedro Navarro.

Los pocos supervivientes vagan despavoridos. Orán está sembrada de cadáveres y en los siguientes días es saqueada sin piedad. Para que el dominio cristiano quede manifiesto, las dos mezquitas del lugar se transforman en iglesias. Cuando apareció el rey de Tremecén con un gran ejército para defender la ciudad, ésta ya había caído. El botín obtenido se calculó superior a los 500 000 escudos de oro, que Cisneros mandó repartir entre los soldados vencedores. Trescientos cautivos cristianos fueron liberados y se repararon las fortificaciones.

Con premura, tras enviar despachos informando a Fernando de la victoria, el cardenal Cisneros volvió a España el 23 de mayo, bastante impresionado por el saqueo y la violencia de los que había sido testigo. En cartas que luego escribió a su amigo Diego López de Ayala se quejó duramente de la rapacidad, indisciplina y altanería de Pedro Navarro, a quien culpaba de haber malogrado el grandioso proyecto de la conquista de África. Lo consideraba un mercenario que no le mostraba ningún respeto, y aconsejaba al rey Fernando que lo apartase por entero de la gobernación de Orán, y lo dejase con dos o tres mil hombres en el norte de África para algaradas y correrías en territorio moro, por ser esto lo único que sabía hacer.

La actitud del cardenal desazonó a Fernando. La «espantada» de Orán de Cisneros propiciaba el vacío de autoridad en la ciudad, de la que Pedro Navarro parecía haberse adueñado, a pesar de que un grupo de leales al prelado dominaba los puntos fuertes y el avituallamiento.

Sin pérdida de tiempo el Rey Católico dictó instrucciones para asegurarse el control de la nueva conquista. Ordenó decomisar la parte del botín de guerra perteneciente a la Corona, designó un veedor real para aprovisionar a las tropas, facilitó franquicias a los mercaderes oraneses, contrató oficiales en Andalucia para la reconstrucción y nombró capitán general de Orán al duque de Medina Sidonia, Diego Fernández de Córdoba.

Pedro Navarro continuó desde Sicilia sus expediciones de castigo y saqueo sobre poblaciones magrebíes, que para la Corona y Cisneros representaban la continuación de la gran empresa destinada a extender los dominios de la Cruz en el norte africano. Aunque cada vez parecía más lejano el sueño de reconquistar Jerusalén.

Además de ser el artífice principal de la expansión castellana en el Magreb, Cisneros desempeñó una gran labor apaciguadora en 1508, cuando Fernando el Católico recuperó la gobernación de Castilla y existía el temor de que descargase su venganza contra los nobles que le habían traicionado. También tuvo que limar asperezas con algunos personajes que se consideraban preteridos. Tal fue el caso de Gonzalo Fernández de Córdoba, quejoso porque el rey no le había dado el maestrazgo de Santiago como le había prometido, al que respaldaban su sobrino el marqués de Priego y el condestable de Castilla.

Cisneros logró persuadir a Gonzalo Fernández de que aconsejara a sus parientes la conveniencia de abandonar la animosidad hacia Fernando, pues tal actitud comportaría su suicidio político, como en efecto ocurrió con el marqués de Priego en Córdoba, que vio destruido su castillo familiar en Montilla.

En esta última etapa de su vida Fernando llegó a desconfiar exageradamente del Gran Capitán, que vivía retirado en Loja. Al rey le habían llegado noticias de que el papa Julio II había ofrecido al cordobés el nombramiento de Confaloniero, jefe de todas las milicias papales. Desde ese puesto podría desempeñar un relevante papel en favor de los designios del pontífice en la dividida Italia, lo cual el Rey Católico consideraba perjudicial al dominio español en Nápoles.

Por entonces, como si fuera secreto de familia, Fernando visita en ocasiones a la pobre y recluida doña Juana, que continúa en Tordesillas bajo la custodia de su carcelero aragonés Jaime Ferrer, servidor a ultranza del monarca. Con la enajenada reina, aislada de todo, está también su hija, que luego se casaría con el rey de Hungría. y para aliviar la situación material de la desdichada soberana, Fernando instituye en 1508 un «Consejo de la Reina» presidido por el obispo de Málaga, Diego Ramírez de Villaescusa.

Tremecén

Según informaban a Fernando los seguidores de Cisneros, la empresa de Berbería despertaba también entusiasmo en la corona de Aragón. Las Cortes de Monzón de 1510 votaron nuevos fondos para la expansión en África, donde Pedro Navarro seguía conquistando enclaves estratégicos como Bugía (6-I-1510) y Trípoli (25-VII-1510), y consiguió el vasallaje del rey de Tremecén a la corona de Castilla por un periodo de cinco años. Ni la peste, que con frecuencia causaba estragos en la tropa cristiana y llevó a la tumba a Jerónimo Viannello, uno de los inspiradores del entusiasmo cruzado del cardenal, consiguió detener la exitosa campaña.

A raiz del sometimiento de Tremecén se firmó una concordia en 1515 por la que el Rey Católico nombró capitán general de ese reino africano al marqués de Comares. Este tratado convertía a Tremecén en un presidio (acuartelamiento fortificado) gobernado de forma muy negativa y arbitraria por los Fernandez de Córdoba, lo que exigía un remedio inmediato que Cisneros intentó aplicar cuando volvió a asumir la regencia de Castilla a la muerte de Fernando.

En todo caso, Mazalquivir y Orán quedaron firmemente asegurados en el plano militar por la Corona, contando con los tributos que el rey de Tremecén fue obligado a pagar en concepto de vasallaje.

Liga de cambrai

Nuevas empresas, además de África, requerían la atención del Rey Católico en tierras europeas, donde las desavenencias entre los soberanos cristianos creaban una situación de guerras continuas.

El papa Julio II, intentando contener la expansión veneciana en el norte de Italia, concertó en 1508 con Fernando el Católico la Liga de Cambrai. La alianza anti veneciana, además del papa, incluía a Luis XII de Francia, el emperador Maximiliano I, el duque de Ferrara, el marqués de Mantua y el monarca hispano. Este último pretendía además que Venecia le devolviera una serie de fortalezas costeras en el Adriático y el Mediterráneo oriental que habían sido cedidas a la república veneciana por el rey Fernando II de Nápoles.

El motivo por el cual el papa promovió la Liga tenía su origen en la guerra turco-veneciana de 1499-1503, terminada con una paz que Venecia consideró desfavorable. A raíz de esto, aprovechando la circunstancia de la muerte del papa Alejandro VI y las luchas intestinas en los Estados pontificios, los venecianos ocuparon territorios en el norte de Italia y en la Romaña.

Julio II, sucesor del fallecido papa, exigió a Venecia que devolviera lo que había ocupado y para apoyar la demanda forjó la Liga de Cambrai en diciembre de 1508.

Como estaba previsto la guerra contra Venecia comenzó en 1509. El rey Luis XII de Francia venció en la batalla de Agdanello y se hizo con Brescia, Bérgamo, Cremona y otros territorios de Lombardía. El papa, Mantua y Ferrara también consiguieron los territorios que reclamaban, y Fernando el Católico recuperó algunas fortalezas en la costa adriatica del reino de Nápoles.

Una vez satisfechas sus pretensiones, la mayoría de los miembros de la Liga abandonaron las hostilidades, dejando solo contra Venecia al emperador Maximiliano, que había obtenido Friul, Istria y el sometimiento de Verona, Vicenza y Padua. Los venecianos emprendieron entonces la ofensiva y recuperaron parte del territorio perdido en Lombardía.

La intromisión del rey francés en los asuntos del papado, donde tenía comprada la voluntad de muchos cardenales, hizo que el pontífice chocara con Luis XII. El enfrentamiento provocó un cambio de alianzas ya que el papa Julio II se alió entonces con Venecia contra los franceses. Una coalición que derivó en la Liga Santa. El giro político propició el entendimiento del rey de Francia y el emperador Maximiliano, que se concretó en un tratado sellado en Blois el 17 noviembre de 1510.

Aunque atacado por varios frentes, Luis XII repelió los ataques y acudió en ayuda de su aliado el duque de Ferrara, Alfonso de Este. El rey francés entró en Bolonia en mayo de 1511 y se internó en el territorio pontificio de la Romaña.

Para evitar ser excomulgado por guerrear contra el papa, Luis XII, de acuerdo con el emperador Maximiliano, conspiró con un grupo de cardenales que convocaron un concilio en Pisa para deponer al pontífice. A esto el papa respondió reuniendo el concilio de Letrán y creando la Liga Santa, en octubre de 1515, con los reyes de España y de Inglaterra, los suizos y la república de Venecia.

EL CISMA DE PISA

En el otoño de 1510 sonaron otra vez las alarmas en la corte española. El papa Julio II estaba gravemente enfermo y se hacía realidad el cisma en la Iglesia, promovido por un grupo de cardenales manejados por el rey de Francia que se reunieron en Milán y luego en Pisa.Los disidentes depusieron al papa, pero este convocó un concilio en la basílica de san Juan de Letrán el 3 mayo de 1512, con asistencia masiva de cardenales, obispos y los embajadores de España, Venecia y Florencia.

En paralelo a estos acontecimientos, el Rey Católico convoca Cortes en Madrid para establecer la sucesión a las coronas de Aragón y Castilla del príncipe Carlos, que tiene entonces 10 años y reside en Bruselas.

Ni el monarca aragonés ni el cardenal Cisneros dudan en respaldar a Julio II frente a los cardenales rebeldes, lo cual equivale a la guerra abierta con el rey francés. En apoyo de la Liga Santa y el anunciado concilio de Letrán, Fernando y Cisneros reúnen en Burgos (noviembre de 1511) a los principales prelados y dignidades eclesiásticas de Castilla. El rey aprovechó este foro eclesiástico para manifestar su interés en resolver una serie de litigios que afectaban a la Corona. El monarca quería proveer las sedes episcopales por presentación real, limitar las competencias de los jueces de las instituciones eclesiásticas y excluir a los extranjeros de los cargos de gobierno de la Iglesia española, algo que casi todos en Castilla pedían.

Pero en abril de 1512 al Rey Católico le llegan malas noticias desde Italia. Las tropas del papa y españolas han sufrido un grave quebranto contra los ejércitos de Francia y Ferrara en Rávena.

Para entender mejor el alcance esta derrota hay que remontarse a la Liga de Cambrai (diciembre de 1508), cuando el rey de Francia, el emperador, el papa y Fernando el Católico acuerdan repartirse los territorios de Venecia en el norte de Italia. Una alianza sustituida más tarde por la Liga Santa, cuando el papa entiende que la amenaza más grave contra sus dominios procede del rey de Francia.

En esta nueva alianza, Fernando se comprometía a proporcionar un importante ejército de 10 000 infantes, 1200 hombres de armas y 1000 caballos ligeros, además de una escuadra de galeras. El gasto de la guerra correría a cargo de Venecia y el papa, que serían los encargados de pagar a las tropas españolas.

En enero de 1512 un ejército francés de 18 000 hombres (al que se unen las tropas del duque de Ferrara) al mando de Gastón de Foix, duque de Nemours y hermano de la reina Germana de Foix, esposa del Rey Católico, avanza hacia Bolonia. Su fuerza principal son las lanzas de los hombres de armas o gendarmes. La élite de la caballería francesa, considerada la más potente de Europa, integrada por la flor y nata de la nobleza.

Después de entrar en Bolonia y saquear Brescia, el ejército francés se dirige a Rávena y pone cerco a la ciudad, en poder de la Liga. Los españoles, al mando del virrey Ramón Cardona, acuden a liberar la ciudad, y el 11 abril se da la batalla, que tuvo lugar al pie de sus muros. Cardona la aceptó a pesar de que Fernando le había prevenido de que siguiera la táctica militar del Gran Capitán, siempre partidario de no empeñar batalla hasta estar seguro de vencer.

Rávena

La batalla de Rávena fue una de las más sangrientas libradas en Italia. Los muertos no bajaron de 18 000, y en ella pereció Gaston de Foix, rematado en tierra tras caer del caballo, lo mismo que otros muchos capitanes franceses y españoles.

La muerte de Gastón de Foix —un joven valeroso y ducho en combate— causó hondo pesar en Luis XII, que veía en él al hijo que no tenía. Pero sin duda la que más lo sintió fue su hermana, la esposa de Fernando, dividida entre su deber de reina de Aragón y el afecto por su familia de origen. «He recibido la carta que vuestra majestad me ha escrito para darme noticia de la batalla que ha tenido lugar cerca de Rávena entre el ejército de vuestra alteza y el de mi marido y de la muerte de mi hermano el duque de Nemours —escribe a su tío Luis XII la afligida Germana—. Al inmenso dolor que su pérdida se junta al que siento por la causa de este conflicto que no me deja dormir, sobre todo cuando pienso que mi marido, como Príncipe Católico, tiene el deber de defender la Iglesia contra vuestra majestad, que es el Príncipe del Cristianismo. Del dolor de mi hermano me consuela solo el pensamiento de que ha muerto

Muerte de Gastón de Foix en la batalla de Rávena el 11 de abril de 1512. Cuadro de Ary Scheffer.

a vuestro servicio y ha cumplido con su deber. Ruego a Dios que acoja su alma y ponga fin en el cielo a esta guerra, ya que nosotros no somos capaces de hacerlo en la tierra».

El campo de batalla de Rávena quedó tan cubierto de cadáveres que era imposible caminar sin tropezar con alguno, como recuerda el poeta Ludovico Ariosto en estos versos:

Io venni dove la campagne rosse
eran del sangue barbaro e latino
che fiera stella dianzi a furor mosse;

e vidi un morto all´altro sì vicino,
che, senza premer lor, quasi il terreno
a molte miglia non dava il cammino.[18]

Pedro Navarro, que se mantuvo firme con la infantería española durante todo el combate, fue hecho prisionero, y más tarde se pasaría al bando francés por creer que Fernando no había querido pagar su rescate.

La derrota hizo zozobrar el proyecto de la Liga Santa y el Rey Católico dio instrucciones al Gran Capitán de preparar un ejército para volver a combatir en Italia. Pero los franceses no sacaron mucho partido de su victoria. Su ejército, desmoralizado por la muerte de Gaston de Foix, perdió el entusiasmo y los aliados de la Liga, por el contrario, redoblaron esfuerzos. Además, Fernando consiguió que su yerno Enrique VIII de Inglaterra se adhiriera a la alianza, y —con el concurso del papa— que el emperador de Austria se desligará de los intereses de Francia y pactara una tregua con Venecia.

Acosados desde varios flancos, el ejército francés se retiró hasta el pie de los Alpes, tan solo tres meses después de su rotundo triunfo en Rávena, y abandonó todas sus conquistas en el norte de Italia.

Tras la retirada francesa los aliados se disputaron los despojos y Venecia, por sacar menor parte, se consideró agraviada, pese a que Fernando reconvino al papa y al emperador para no perjudicar a los venecianos. Como desquite, éstos terminaron firmando un tratado de defensa mutua con Francia en marzo de 1513, con lo que la Liga perdió uno de sus puntales. Ese mismo año falleció el papa Julio II y le sucedió Giovanni de Medici, que tomó el nombre de León X.

Una vez despejado el turbulento panorama italiano y con Francia a la defensiva, Fernando se desentendió transitoriamente de los asuntos en ese país, ocupado como estaba en la conquista de Navarra.

Pero el ejército de Cardona seguía en campaña en Lombardía y después de restablecer a los Médici en Florencia permaneció a la espera. Entonces los franceses regresaron con nuevas fuerzas a Italia, pero fueron derrotados en Novara en junio de 1513, lo que les obligó a evacuar Milán y volver a Francia. Cardona, tras la retirada de su principal enemigo, atravesó el Milanesado y devastó los antiguos dominios de Venecia en el norte de Italia, pero los venecianos, enardecidos al ser atacados por sus antiguos aliados, se lanzaron con el general Albiano a la cabeza contra su ejército, que marchaba con lentitud sobrecargado de botín. Aún así, la infantería española resistió la acometida y quedó dueña del campo de batalla, cubierto por 4000 cadáveres del enemigo.

Las guerras de la Liga de Cambrai continuaron hasta finales de 1516, cuando se firmaron los tratados de Noyon y Bruselas. El rey francés Francisco I, que había sucedido a Luis XII, se alió con Venecia y obtuvo un importante triunfo en Marignano en septiembre de 1515, con lo que pudo recuperar casi todo el territorio perdido en Italia. Esto, unido a la abdicación del duque milanés Maximiliano Sforza, permitió al rey de Francia entrar triunfante en Milán.

Temeroso ante el avance francés, el papa León X pactó entonces con Francisco I la devolución de Parma y Piacenza al ducado de Milán, y Módena y Reggio al duque de Ferrrara.

Más tarde, al morir el Rey Católico, su nieto y sucesor Carlos negociaría en agosto de 1516 con el rey de Francia el tratado de Noyon, por el que Milán quedaba para Francia y Nápoles para España. Pese al acuerdo, los cantones suizos anti franceses y el emperador Maximiliano se unieron para proseguir la guerra contra el monarca francés, pero el emperador falto de fondos y de artillería se retiró de la contienda en 25 marzo de 1516. Los suizos entonces tuvieron que regresar a sus cantones y finalmente Francisco I firmó con ellos una «paz perpetua» en noviembre de 1516.

La retirada de Maximiliano del norte de Italia dejó a Brescia y Verona en manos de Venecia. En vista de la situación, el futuro emperador Carlos firmó en nombre de su abuelo emperador, ya muy enfermo, la paz de Bruselas (diciembre de 1516) que dejaba a Venecia los territorios ganados por los Habsburgo en Italia y ponía Lombardía en manos de Francisco I.

Así acabó la Guerra de la Liga de Cambrai, en la que se vieron envueltos casi todos los estados cristianos de Europa occidental. Tras esto la situación política en el norte de Italia, tan influida el Rey Católico, quedó en suspenso, a la espera de nuevos acontecimientos que no tardarían en producirse.

NAVARRA

Un reino partido

La conquista de Navarra fue una jugada maestra propia del genio político de Fernando. Se trataba de una cuenta pendiente que el rey aragonés tenía desde hacía mucho tiempo con Francia, y también una revancha familiar que redondeaba la obra de su padre Juan II. Con ella completó la unión de todos los reinos de España.

Navarra era una espina heredada que el Rey Católico llevó clavada durante todo su reinado. Un avispero y un problema fronterizo permanente. Situado geográficamente entre Castilla y Aragón, el reino navarro también era un foco de discordia con Francia, que a través de dinastías vinculadas a este país, como los Evreux, Foixy Albret, buscaron asimilar un territorio que constituía una cuña estratégica para intervenir militarmente en España.

Para Navarra era casi imposible mantenerse neutral , dada la hostilidad declarada entre el Rey Católico y los reyes de Francia, y en cuanto se inclinó del lado francés, Fernando agarró la ocasión para hacer lo que llevaba muchos años soñando: incorporar la corona navarra a los reinos peninsulares. Al final, la realidad de la geopolítica se impuso sobre cualquier otra consideración.

Núcleo formidable de la Reconquista, de Navarra nacen Castilla y Aragón en tiempos de Sancho el Mayor. Pero aparte de esto, las relaciones familiares de la corte navarra y sus implicaciones políticas componen una espesa tela de araña laberíntica, un rompecabezas para expertos en árboles genealógicos en el que se mezclan hermanos, primos, sobrinos, tíos, nietos, biznietos, hijos y esposos, de ramas legítimas o bastardas vinculadas a casas reinantes de Francia o España.

En vida todavía de la reina Isabel, Fernando intentó casar a su hijo Juan con la reina Catalina de Navarra, pero la reina madre Magdalena de Francia, casada con Gastón de Foix, se opuso y casó a su hija con Juan de Albret.

Así, a comienzos del siglo XVI, cuando el Rey Católico decide intervenir, gobernaban Navarra los reyes Juan de Albret y su esposa Catalina de Foix, aliados de Francia en la guerra contra la Liga Santa promovida para detener al rey francés en Italia.

CRONOLOGÍA DEL REINO DE NAVARRA

1464.-Acuerdo entre los beaumonteses y Juan II de Aragón.

1468.-Isabel de Castilla es designada heredera al trono. Asesinato de Nicolás de Echavarri, obispo de Pamplona, estrecho colaborador de la princesa Leonor, que acusó del crimen a Pierres de Peralta, servidor del rey Juan II.

1469..-Matrimonio de Fernando de Aragón e Isabel de Castilla. Los condes de Foix son destituidos en la lugartenencia de Navarra. Su hijo Gastón de Foix es nombrado heredero.

1470.-Muere Gastón de Foix, hijo de Leonor y Gastón IV de Foix.

1471.-Tratado de Olite. Juan II deshereda a su hija Blanca de Navarra y cede el Rosellón y la Cerdaña a cambio de ayuda militar del rey Luis XI de Francia.

1472.-Muere Gaston IV, conde de Foix y lugarteniente de Navarra.

1474.-Muere Enrique IV de Castilla.

1476.-Acuerdos de Tudela entre Fernando el Católico y Juan II de Aragón y Navarra.

1479.-Muere Juan II en Barcelona. Le sucede su hija Leonor como reina de Navarra y su hijo Fernando como rey de Aragón. Muere la reina Leonor y le sucede su nieto Francisco Febo bajo la regencia de la princesa Magdalena de Francia, princesa de Viana y hermana de Luis XI de Francia..

1481.-Francisco Febo es coronado rey de Navarra.

1483.-Muere el rey Francisco Febo. Le sucede su hermana Catalina de Foix, bajo la regencia de su madre, la princesa Magdalena de Francia. El conde Juan de Narbona se intitula rey de Navarra y pide al Rey Católico que lo reconozca como tal.

1484.-Matrimonio de Catalina de Foix y Juan III de Albret.

1488.-Magdalena de Francia y la reina Catalina de Navarra son convocadas ante el Parlamento de París por la reclamación de los condes de Narbona a la corona navarra.

1494.-Coronación de Catalina de Foix y Juan III Albret.

1495.-Muere Magdalena de Francia, princesa de Viana. Primera expulsión del reino del conde de Lerín, cabeza de los beaumonteses.

1498.-Expulsión de los judíos de Navarra.

1503.-El Parlamento de París condena a Catalina de Foix.

1505.-Matrimonio de Fernando el Católico y Catalina de Foix.

1506.-El pleto de los condes de Narbona se extiende a los territorios de Bearne y Nemours.

1507.-Segunda expulsión del conde de Lerín.

1510.-El parlamento de Toulouse confisca todos los bienes franceses de la familia Foix.

1511.-Santa Liga entre el papa Julio II, Fernando el Católico y el dux de Venecia, a la que se unirían luego el rey de Inglaterra y el emperador Maximiliano.

1512.-Muere Gastón de Foix, heredero de Juan de Narbona. Tratado de Blois. El duque de Alba invade Navarra. Rendición de Pamplona. Juan de Albret intenta recuperar el trono por las armas.

Conviene recordar que al morir sin hijos el príncipe de Viana, hijo de Juan II de Aragón, la corona recaía en su hermana Blanca, esposa de Enrique IV de Castilla y repudiada por su marido en 1453. Por haber apoyado a su difunto hermano, Blanca estaba enemistado con su padre, que la mantuvo prisionera en el palacio de Olite.

La hija predilecta de Juan II era la infanta Leonor, casada con el conde Gaston de Foix, un influyente noble francés vinculado a esta familia emparentada con la casa real francesa. El monarca aragonés actuó cruelmente al entregar a Blanca a su hermana Leonor. Un «trabajo sucio» que encomendó a Pierres de Peralta, jefe de la facción agramontesa, partidaria de Juan II.

Tras dos años de cautiverio en el castillo de Orthez, Blanca es asesinada en 1464 por su hermana Leonor, a quien su padre Juan II permite gobernar Navarra como lugarteniente y convertirse en reina cuando falleciera. Pero antes de morir, Blanca hizo donación de Navarra a los reyes de Castilla. En 1479, a la muerte de Juan II de Aragón, Leonor fue proclamada reina de Navarra en la catedral de Tudela y falleció a los 15 días de su coronación, probablemente envenenada.

El nieto de Leonor, Francisco Febo, reinó a continuación durante cuatro años, y a su muerte el trono recayó en Catalina de Foix, cuya madre era la princesa Magdalena, hermana del rey francés Carlos VIII.

Sin contar con las Cortes navarras, Magdalena concertó con su hermano Carlos VIII el matrimonio de Catalina con Juan de Albret, heredero del señorío del mismo nombre, uno de los más importantes de Francia. A la corona navarra —anota Jaime Ignacio del Burgo— sumaba Catalina en tierra francesa los vizcondados del Bearne (con capital en Pau), Bigorra, Lomagne y Limoges, y los condados de Rodez, Armagnac y Perigord, además de Andorra, compartida con el obispo de la Seo de Urgel. Por su parte, Juan de Albret, aportaba los ducados de Albret, Vendome, Beaumont y Alençon, en el territorio de Aquitania.

En marzo de 1488 los reyes navarros firman con los Reyes Católicos el tratado de Valencia, por el que estos —además de mantener tropas castellanas en Navarra— adquieren la tutela del reino sin reconocer los derechos al trono de Catalina de Foix.

Al producirse el matrimonio de Juan de Albret y Catalina se inclinaba la balanza del lado francés desde el punto de vista patrimonial, ya que en sus dominios ultrapirenaicos los Albret eran vasallos del rey de Francia y estaban obligados a rendirle pleitesía. Navarra era un reino independiente, pero en el Bearne la corona francesa no reconocía esa soberanía y exigía también acatamiento en el resto de los territorios situados en Francia. Esta situación estratégica entre Castilla, Aragón y Francia obligaba a Navarra a una política de neutralidad, que se hacía cada vez más difícil de mantener a medida que crecía la enemistad entre el Rey Católico y el monarca francés.

A todo esto se añadía la permanente rivalidad en el interior de Navarra entre agramonteses y beamonteses, partidarios de los reyes de España o de Francia.

El acceso al trono de Catalina de Foix no apaciguó los ánimos. Debido a la rebeldía de los beamonteses, Juan y Catalina tardaron 10 años (1494) en poder ser proclamados reyes en Pamplona con arreglo al fuero, y tuvieron que hacerlo con la protección de tropas castellanas enviadas por los Reyes Católicos. Al año siguiente Luis de Beaumont fue obligado a abandonar Navarra para tranquilizar la situación interna y aminorar las intrigas y enfrentamientos políticos, muy influidos por los acontecimientos en España y Francia. Una Navarra francesa ponía en peligro la seguridad de Castilla y Aragón; y una alianza de Navarra con Castilla y Aragón amenazaba a Francia. Entre esos dos extremos, el desequilibrio estaba garantizado.

Entre 1495 y 1500 el reino de Navarra estaba prácticamente ocupado por las tropas castellanas, y en 1500 se firmó un nuevo tratado en Sevilla por el que se retenía en la corte de Castilla a Magdalena, la hija de los reyes navarros, y se acordaba su casamiento con un hijo o nieto de los Reyes Católicos. A cambio, las tropas castellanas saldrían de Navarra, pero los alcaides de las fortalezas debían jurar fidelidad a Fernando.

Política y religión

Cuando en 1503 se reproducen las tensiones entre Castilla y Francia, continúan los intentos de sellar acuerdos matrimoniales para asegurar el futuro del reino que no llegaron a concretarse. Pero en 1505 el rey viudo Fernando se casó con Germana de Foix, hija del vizconde de Narbona, a quien el rey de Francia apoyaba en sus pretensiones a la corona navarra.

Los reyes franceses venían intentando desde hacía muchos años hacerse con el control de Navarra. Para conseguirlo alimentaron durante decenios las pretensiones a ese trono de Juan de Narbona y Gastón de Foix, parientes de la reina Catalina. Por una carambola de la historia, Gastón de Foix, duque de Nemours, moriría en 1512 en la batalla de Rávena, y como Fernando se había casado con Germana de Foix, hermana y heredera de Gastón, esta boda neutralizó las intenciones de Luis XII de poder utilizar a su sobrina en el juego de poder por hacerse con el trono navarro. Fue entonces cuando, sin ningún tipo de subterfugio, el monarca francés apremió a los reyes navarros para establecer una alianza que le permitiera contrarrestar la influencia española en ese reino.

El Rey Católico, sin embargo, no estaba inactivo. Desde mucho antes buscaba una excusa para hacerse con Navarra y poder librar una guerra igualada con Francia. Para eso necesitaba sumar apoyos frente a Luis XII, que disponía de un poderoso ejército.

La ocasión se la brindó el Cisma de Pisa, cuando varios cardenales franceses, manejados por el rey francés, deciden enfrentarse al papa y convocar por su cuenta en septiembre de 1511 un concilio en esa ciudad italiana para destituirle.

Fernando entonces activó todos sus recursos diplomáticos para llegar a un pacto anti francés, la Liga Santa, que se presentó como una cruzada en defensa del papa. Eso hizo que el combate contra Francia adquiriese tintes religiosos y contase con la bendición del pontífice. El rey francés pretendía eliminar cualquier injerencia papal en sus asuntos temporales, pero la jugada del ilegítimo concilio de Pisa le salió mal. Apenas pudo reunir en él a unos cuantos obispos y otros dignatarios eclesiásticos.

Con el fin de asegurar más la empresa, Fernando firmó con su yerno Enrique VIII de Inglaterra un acuerdo para atacar a Francia en la Guyena (hoy Aquitania), un territorio que había estado en poder de los ingleses hasta 1554. Con esta intención un ejército inglés al mando del marqués de Dorset desembarcó en Fuenterrabía para realizar una intervención militar conjunta con el ejército del Rey del Católico concentrado en Salvatierra, Alava.

Las tropas inglesas, cansadas de esperar en los puertos de Pasajes y la costa vizcaína, regresaron a Inglaterra sin tener ocasión de combatir. Pero a Fernando esa retirada no le importó. Tenías sus propios planes y para lograrlos no necesitaba ayuda extranjera alguna.

Antes de iniciar el ataque, el rey aragonés exigió estricta neutralidad a los reyes Juan y Catalina, con el fin de evitar que el ejército anglo-castellano pudiera ser acometido desde territorio navarro al iniciar la ofensiva.

En un intento de adelantarse a los acontecimientos, el rey francés negoció entonces con los reyes navarros, en la ciudad de Blois, una alianza que prácticamente dejaba Navarra en manos de Francia. Pero Fernando, que disponía de un buen servicio de espionaje, conocía todos los detalles de esta negociación. Los Albret se comprometían a cerrar sus fronteras al ejército anglo-hispano y a declarar la guerra al rey Enrique VIII y a sus aliados: el papa y el Rey Católico.

La información secreta de lo tratado en Blois le llegó a Fernando por medios escabrosos que darían pie a una trama de espías. Uno de los diplomáticos franceses que negociaron el acuerdo murió repentinamente en casa de una mujer navarra con la que estaba amorosamente enredado, y con turbios manejos, los agentes del Rey Católico se hicieron con una copia del acuerdo que el finado llevaba consigo.

Al aliarse con Francia, Navarra se convertía en enemiga de la Liga Santa, y por decisión del pontífice los reyes navarros podían ser destronados y despojados de su reino.

Fernando pide a Julio II que le envié bulas papales para legitimar su actuación. y estas llegaron poco después de iniciada la invasión de Navarra, aunque hay algunos que niegan su legitimidad. La última de las bulas (fueron tres), firmada por el papa dos días antes de morir, anunciaba que los reyes navarros quedaban excomulgados y desposeídos de su reino por fomentar el cisma.

En este complicado juego de intereses internacionales, Juan y Catalina intentan mantener el equilibrio entre España y Francia, pero al final se inclinan del lado francés. El tratado firmado en Blois el 17 junio de 1512 estipula que en caso de conflicto armado Navarra estaba obligada a declararse abiertamente en contra de los «enemigos» del rey de Francia, lo que suponía en la práctica una declaración de guerra a Castilla.

Fernando no podía dejar a su espalda a una Navarra aliada de Francia, y para forzar la neutralidad de ese reino envió al embajador Pedro de Ontañón a la corte de Pamplona, poco antes de que se firmara el subrepticio tratado de Blois. En consecuencia, el rey aragonés exigió a sus sobrinos Catalina y Juan de Albret que, en prenda de neutralidad, le entregasen como rehén a su primogénito, el príncipe de Viana don Enrique. Pero luego, considerando que esa petición era demasiado dura, se conformó con la entrega de las plazas fuertes de Estella, San Juan de Pie de Puerto y Maya, en la frontera francesa. Una vez en posesión de esas plazas, Fernando pedía también paso libre para las tropas que iban a entrar en Francia, a lo que Juan de Albret y Catalina se negaron. A partir de ahí el dispositivo militar castellano del Rey Católico se puso en marcha.

Antes de iniciarse la guerra, Fernando envía el 20 junio de 1512 una carta al arzobispo de Sevilla, miembro del Consejo Real, en la que expone su decisión de invadir Navarra para mermar la fuerza de Francia en Italia, una vez perdida la esperanza de que Germana de Foix pudiera reinar en esa tierra:

> Y habido sobre ello maduro consejo con los Prelados y Grandes, y con los del nuestro Consejo, y con otras personas de ciencia y conciencia de estos reinos; considerando el daño grande que se podría seguir a la Iglesia y a toda la Cristiandad sí por dejar Nos la dicha empresa el Rey de Francia viéndose libre por la

parte de acá, enviase toda su potencia en Italia contra la Iglesia, y que por el remedio de ella y de toda la Cristiandad es necesario y conveniente hacerse la dicha empresa, ofreciéndoles toda la paz y amistad si la dieren, y que si negaran el dicho paso, podemos justamente trabajar de tomarle y tenerle para seguridad de la dicha empresa, y que de esto hay ejemplo en la Sagrada Escritura; y siguiendo el dicho Consejo mediante Nuestro Señor, habemos acordado que nuestro ejército entre por Navarra, para que trabaje de tomar la dicha seguridad.

Guerra en navarra

El 19 julio de 1512, el ejército castellano mandado por el duque de Alba cruzó la frontera Navarra por Salvatierra con el apoyo de la facción beamontesa y parte de la agramontesa. El grueso de estas tropas (entre los 12 000 y 13 000 hombres) estaba compuesto por soldados vascos. De ellos, unos 3000 eran alaveses, otros tantos guipuzcoanos y 2000 vizcaínos. En vanguardia iban los navarros de Luis de Beaumont, condestable de Navarra y conde de Lerin. El arzobispo de Zaragoza, Alfonso de Aragón, hijo de Fernando el Católico, también intervino con un importante ejército de 3000 peones y 400 jinetes.

Los reyes Juan y Catalina abandonan Pamplona y se retiran al Bearne. Cinco días después el duque de Alba entra en la capital navarra y se completa la ocupación de toda Navarra en apenas un mes, algo que no hubiera sido posible sin la ayuda de los beamonteses, partidarios de Castilla, y sin la indiferencia de la mayoría de la población hacia unos reyes que consideraba extranjeros.

Tras rendirse de Pamplona, el esfuerzo atacante se concentró sobre Tudela. Fernando fue a Logroño el 12 agosto para dirigir las operaciones, y Tudela fue cercada con el refuerzo de las tropas aragonesas al mando del arzobispo zaragozano. La ciudad se rindió el 9 septiembre y el 4 octubre Fernando el Católico entró en ella para jurar fueros y privilegios.

Juan de Albret capitula y llega a un acuerdo con Fernando. El Rey Católico se retiraría de Navarra tan pronto como terminara la campaña de Guyena, cuyo primer objetivo era la conquista de Bayona. La propuesta también incluía que, una vez restituido el reino a Juan y Catalina, el heredero debía ser educado en la corte castellana.

Cuando el obispo de Zamora, Diego de Acuña, acude como embajador de Fernando al Bearne para formalizar el tratado, Juan de Albret lo detiene y entrega a los franceses. Fernando, indignado, considera roto el acuerdo, y en el otoño de 1512 Juan y Catalina, con apoyo francés, intentan recuperar el reino con un ejército dividido en tres columnas atacantes. Una se dirigió a Guipúzcoa, otra a la Baja Navarra, y la tercera al valle del Roncal.

Pamplona fue cercada por una heterogenea tropa de navarros, franceses, y mercenarios albaneses y alemanes, pero los sitiadores fueron rechazados y emprendieron la retirada a finales de noviembre.

Juan de Albret había intentado asaltar Pamplona de inmediato. Al parecer estaba convencido de que los gigantescos lansquenetes alemanes que formaban parte de su ejército derrotarían con facilidad a los jóvenes defensores de la plaza, mucho más bajos de estatura, pero el jefe francés La Palisse, veterano de las guerras de Italia, le desengañó. «Sé mejor que vos el esfuerzo de los mancebos españoles —le dijo—. No os engañéis con la gran estatura de cuerpo de los alemanes. En Rávena murieron el triple que los españoles».

El propio rey Fernando acudió a Pamplona desde Logroño y encabezó la persecución de los franceses en retirada que, furiosos por el fracaso, arrasaron Irún, Oyarzun, Rentería y Hernani y se estrellaron al intentar tomar San Sebastián.

El duque de Alba resistió tres asaltos en Pamplona, y ante la llegada de refuerzos castellanos a las órdenes del duque de Nájera, los mercenarios de Luis XII se retiraron a Francia.

La mayor parte de los nobles navarros acataron enseguida a Fernando, a quien ya estaban acostumbrados a considera su señor natural, aunque hubo excepciones como el mariscal de Navarra, obligado por su vínculo feudal con Juan de Albret.

En las Cortes reunidas en Burgos, el duque de Alba comunicó a los procuradores que el rey Fernando había quedado dueño de Navarra, y en julio de 1512 el monarca declaró que unía este reino a la corona de Castilla. Y surge la pregunta: ¿Por qué se integró Navarra a la corona castellana, y no a la de Aragón? El historiador Ladero Quesada lo explica bien al comentar que el argumento de la proximidad geográfica no era decisorio, puesto que valdría igualmente para Aragón, aunque las relaciones económicas de Navarra eran mucho más intensas con las tierras castellanas y vascongadas vecinas que con las aragonesas. En la decisión de Fernando influyó sobre todo la complejidad legal que planteaba la incorporación del reino navarro a la corona de Aragón, que hubiera exigido —de entrada— el consenso de un principado (Cataluña) y tres reinos (Aragón, Valencia y Mallorca), en tres Cortes distintas y con un sistema de relaciones políticas en el que Fernando chocaba continuamente con los estamentos nobiliarios, que con frecuencia le regateaban su concurso. El rey —dice Ladero Quesada— «arriesgaba emplear más tiempo —recordemos que tenía entonces 63 años— y conseguir un resultado inadecuado para su proyecto de fortalecimiento de la autoridad monárquica.»

La integración en Castilla, por el contrario, allanaba obstáculos. Era mucho más rápida y presentaba menos problemas, además de resultar una prolongación del protectorado militar *de facto* que las tropas castellanas habían conseguido, desde mucho tiempo atrás, para asegurar la defensa de Navarra frente una posible invasión francesa, lo que Aragón no podía garantizar.

Según el historiador Juan de Mariana,Fernando lo hizo no solo por el mayor peso militar de Castilla en la campaña, sino también por el temor de que los navarros se acogiesen a los privilegios y libertades forales de Aragón, que lastraban la función ejecutiva del rey.

> Lo que da a entender este auto tan memorable —escribe Mariana— es que el Rey Católico no tenía intención de restituir en tiempo alguno aquel estado, y que le tenía por tan suyo como los otros reinos, sin formar algún escrúpulo de conciencia sobre el caso, así lo dijo él mismo diversas veces.

El primer virrey y capitán general de Navarra fue Diego Fernández de Córdoba, marqués de Comares, nombrado el 17 diciembre de 1512, y en mayo de 1513 Luis de Beaumont fue nombrado canciller de Navarra y más tarde presidente del Consejo Real..

Las Cortes de Navarra se reunieron en marzo de 1513 y en ellas el virrey, en nombre de Fernando el Católico, juró respetar los fueros, usos y costumbres del reino y anunció un perdón general para todos los que acatasen a las nuevas autoridades. El juramento fue ratificado el 12 junio de ese mismo año por el propio Fernando, que se comprometió a «mejorar los fueros y no empeorarlos», de donde viene la famosa institución de «amejoramiento del fuero».

En marzo de 1513, al conocerse la última de las bulas papales, las Cortes de Navarra reconocen rey a Fernando el Católico, y en 1515 el monarca decide que a su muerte heredarán esa corona su hija doña Juana y sus sucesores.

El aislamiento de los derrotados reyes navarros Juan y Catalina es total cuando el rey Fernando firma un acuerdo en abril de 1513 con Luis XII de Francia. El pacto estipula la renuncia del aragonés a los derechos que su esposa Germana de Foix pudiera tener sobre los condados de Foix y el Bearn, y la cesación del apoyo a los reyes navarros, al tiempo que se reconoce el pleno dominio español sobre Nápoles.

Después de la guerra, el sistema defensivo de Navarra se reforzó en las zonas más amenazadas desde Francia, y Pamplona se convirtió en una importante fortaleza con la construcción de un nuevo castillo.

En 1516, ya fallecido el rey Fernando, de nuevo Juan de Albret intentó reconquistar Navarra con ayuda de Francisco I de Francia, pero los atacantes

fracasaron al poco tiempo y su jefe, el condestable Pedro de Navarra, fue apresado y moriría años después en el castillo de Simancas. Juan de Albret, otra vez, se refugió en el Bearn, y para evitar más problemas el regente cardenal Cisneros ordenó la demolición de todas las fortalezas del reino navarro, exceptuando las consideradas de valor estratégico, y el reforzamiento de las defensas de Pamplona. Albret murió en junio de 1516 y Catalina de Foix al año siguiente.

Jaime Ignacio del Burgo opina que es un grave error decir que Navarra quedó incorporada a Castilla. «El reino permaneció intacto—dice—, aunque a partir de entonces su corona pertenecería a quienes se ciñera la corona de Castilla. De esta manera se garantizaba la unión perpetua del reino de Navarra con el reino de Castilla y los demás que pertenecieran a la monarquía común».

Al morir en 1516 Fernando, su nieto Carlos pasará a ser rey de Navarra con el título de Carlos IV. El rey-emperador, al reunir las coronas de Castilla, Aragón y Navarra, puede ser considerado como el fundador nominal de la monarquía española, aunque fuese el Rey Católico el verdadero hacedor.

LAS LEYES DE BURGOS

Fernando influyó decisivamente en el gobierno de las Indias en los últimos años de su reinado. Un asunto que siempre siguió con la máxima atención, pues no en vano esas tierras —desde su descubrimiento— habían pasado a ser propiedad compartida de los Reyes Católicos.

El pulso no le había temblado al rey a la hora de destituir y poner preso a Colón, pero una vez consolidada la autoridad de la Corona en el Nuevo Mundo, las expediciones de exploración y conquista se sucedieron sin pausa, con la convicción— contra lo que creía Colón— de que los territorios descubiertos formaban parte de un nuevo continente.

Sevilla es elegida como la capital que centraliza todo el tráfico con América. Eso la convierte en punto neurálgico de las navegaciones ultramarinas y control de la ruta del oro procedente de Sudán y Tombuctú. En 1503 los Reyes Católicos fundan en ella la Casa de Contratación para registrar el comercio trasatlántico, que proporciona pingües ganancias tanto a la Corona como a empresarios particulares.

Cuatro años después de fallecer la reina Isabel, Fernando crea la Junta de Navegantes, bajo la dirección de Américo Vespucio, ya naturalizado súbdito castellano. En 1511 se crea la primera Audiencia de América en la isla de La Española y un poco más tarde la Junta de las Indias, antecedente del Consejo de Indias.

Desde el principio los Reyes Católicos (y Fernando tras la muerte de Isabel) impulsaron el proceso de descubrimiento y conquista de América con visión política y estratégica, y siempre se mostraron favorables a considerar a los indios «súbditos» de la Corona, y no esclavos, como pretendía Colón. Junto a esto, trataron de impedir la creación de una «nueva nobleza» en tierras americanas, pues no olvidaban los desmanes y altanería de los grandes de la Península a los que tuvieron que enfrentarse. Una mala experiencia agravada —en el caso de Fernando— por el conflicto con su yerno Felipe.

De acuerdo con esta premisa— como una forma de conciliar el ansia de lucro de los colonziadores, la evangelización y mano de obra de los indios, y los derechos de la Corona, se creó la Encomienda, que era un privilegio que los reyes concedían a determinados colonos, siempre españoles. Por la Encomienda, la Corona entregaba un grupo de indios a un encomendero, que podía exigir trabajo o tributo a los aborígenes. A cambio, estos recibían instrucción religiosa, alimento y protección. La Corona, además, percibía una cantidad del encomendero por cada indio encomendado. Pero el sistema de encomiendas quebró en la práctica por los abusos de los propios encomenderos que explotaban con exceso a los indios, sin que existieran normas jurídicas capaces de impedirlo.

Serían los frailes dominicos los primeros en condenar esta opresión. Las denuncias contra los abusos de encomenderos y colonizadores llegaron a España tras el sermón que poco antes de la Navidad de 1511 pronunció el fraile dominico Antonio de Montesinos en La Española, ante el gobernador Diego Colón, funcionarios reales y colonos, a quienes acusó de vivir en pecado mortal por su crueldad y tiranía con los indios.

> ¿ Con qué autoridad —protestó Montesinos— habeís hecho tan detestables guerras a estas gentes que estaban en sus tierras mansas y pacíficas, donde tan infinitos de ellos, con muertes y estragos nunca oídos habeís consumido? ¿Cómo los tenéis tan opresos y fatigados, sin darles de comer ni curarlos en sus enfermedades [...] ¿ Estos no son hombres? No tienen almas racionales? ¿ No estáis obligados a amarlos como a vosotros mismos?

El sermón provocó una gran conmoción entre las autoridades de La Española, pero Montesinos se mantuvo en sus trece, apoyado por el vicario de los dominicos en la isla, fray Pedro de Córdoba, que hablando por toda la congregación amenazó con negar la confesión y la comunión a los españoles si persistían en el maltrato a los indígenas.

Cuando estas noticias llegaron a España, Fernando convocó la Junta de Burgos, en la que se planteó sin rodeos la cuestión moral y jurídica del trato a los indios y sus derechos de acuerdo con la tradición del humanismo cristiano. Un asunto que ningún país del mundo se había planteado antes.

Presidida por el obispo de Palencia, Juan Rodríguez de Fonseca, la Junta de Burgos se reunió en el convento dominico de San Pablo, con la participación de prestigiosos juristas y teólogos, como López Palacios Rubio, fray Pedro de Covarrubias, fray Matías Paz o Santiago Zapata, además de Montesinos y Pedro de Córdoba.

Después de mucho debatir, la Junta de Burgos llegó a las siguientes conclusiones:

1º Los indios son libres y deben ser tratados como tales.

2º Los indios han de ser instruidos en la fe, como mandan las bulas pontificias.

3º Los indios tienen obligación de trabajar, sin que ello estorbe a su educación en la fe.
4º El trabajo de los indios debe ser conforme a su constitución física, de modo que lo puedan soportar, y ha de ir acompañado de tiempo para el descanso y la distracción.
5º Los indios han de tener casas y haciendas propias, y deben tener tiempo para dedicarlo a su cultivo y mantenimiento.
6º Los indios han de tener contacto y comunicación con los cristianos.
7º Los indios han de recibir un salario justo por su trabajo.

En realidad, lo acordado en Burgos fue una decisión salomónica, ya que se mantuvo la institución de la Encomienda (vigente desde 1503), pero se reguló el trato a los indígenas y se les reconoció portadores de derechos, lo que entrañaba una novedad histórica y un antecedente de lo que hoy llamamos Derechos Humanos. A pesar de esto, los dominicos no se quedaron conformes y obtuvieron del rey las llamadas Leyes de Valladolid en 1513, que ampliaban los derechos de los indios y mejoraban sus condiciones de trabajo.

Los teólogos del Consejo Real, en línea con la escolástica tradicional, atribuían al papa la soberanía espiritual y temporal sobre todo el orbe, y por tanto el derecho a la conquista les venía a los españoles por donación del pontífice. De acuerdo con esta tesis, la Junta de Burgos confirmó la práctica del llamado Requerimiento, que consistía en comunicar formalmente a los indígenas la existencia de Dios y de su Iglesia, y pedirles que aceptasen la Verdad revelada cristiana o se sometiesen a la autoridad de la Iglesia y de la corona de Castilla, con la advertencia de que si se negaban serían reducidos por la fuerza. Algo que hoy nos resulta surrealista y que prolongó en la práctica las tropelías contra los indios por gente sin escrúpulos establecida en América.

> El requerimiento fue en realidad una ficción —reconoce Juan Cruz Monje Santillana— , una excusa que hoy puede parecernos absurda (los indios en realidad no entendían nada de los que se les decía) pero nos interesa por lo que evidencia: que los títulos principales de los castellanos ...eran donación papal y la voluntaria aceptación de la autoridad castellana por parte de los indios. También interesa destacar que la propia existencia del reuqerimiento, que se practicaba por considerarlo necesario, demuestra que los títulos en los que los Reyes católicos habían depositado mayor confianza eran los relacionados con la donación papal complementada con la libre aceptación de los indios.

Es de destacar que los religiosos del Nuevo Mundo, como Montesinos, no tenían ninguna necesidad de plantear tales debates, ya que nadie ponía en duda los derechos de España sobre las Indias. La controversia surgió solo por la inquietud y honradez intelectual de los propios españoles que cuestionaron la legitimidad de sus compatriotas, en contra incluso de los intereses materiales de España, y en favor solo de la Justicia.

Poco después de las Leyes de Valladolid, Fernando obtuvo del papa el derecho de presentación de obispos en América, «así en la isla Española, como en las otras islas y Tierra Firme de las Indias —como dice el cronista Alonso de Santa Cruz— La cual el Papa tuvo por bien, y mandó dar su bula para ello, y para que él como gobernador de los reinos de Castilla y de León pudise presentar los obispados.»

¿Un buen católico?

Una pregunta que muchos historiadores podrían hacerse es si Fernando era realmente un buen católico, o simplemente consideraba la religión como un instrumento de su política.

La respuesta es claramente afirmativa en el primer sentido, y se manifiesta en tres aspectos claves:

El primero, político. El rey no se contentó con ser católico en lo personal, sino que fue también y sobre todo Rey Católico. Toda su acción de gobierno, acertada o equivocada, lleva esa impronta, que refrendó la Iglesia al declararle monarca «Católico» por antomasia.

El papa Inocencio VIII fue el primero en dar el título de «Reyes Católicos» a Isabel y Fernando tras la toma de Granada, como parece testimoniar la inscripción en su tumba del Vaticano, donde quedaron inscritas en mármol las palabras: *Regi Hispaniarum Catholici Nomine Imposito.*

Y en 1494 Alejandro VI, el sucesor de Inocencio VIII, expidió la *bula Inter caetera*, que cita a los Reyes de Aragón y Castilla en los siguientes términos:

> De donde habiendo sido llamados por favor de la divina clemencia a esta sagrada cátedra de Pedro, aunque inmerecidamente, reconociéndoos como verdaderos reyes y príncipes católicos, según sabemos que siempre fuisteis, y lo demuestran vuestros precidos hechos…

El título fue reconocido de nuevo en la bula *Si convenit* del mismo Alejandro VI en diciembre de 1496, en la que se fundamenta la concesión del renombre «Católico» por seis motivos: las virtudes de ambos reyes manifestadas en la unificación y pacificación de sus reinos; la reconquista de Granada; la expulsión de los judíos que no aceptasen el bautismo; los esfuerzos por llevar adelante la cruzada contra los musulmanes; la ayuda prestada al papa cuando Italia fue invadida por Carlos VIII de Francia; y por útimo para compensar a los monarcas españoles por el título de «Cristianísimo» que ostentaba el rey francés.

Ya fallecido el Rey Católico, el papa León X extendió el título de Católico al rey-emperador Carlos en 1517, quedando incorporado desde entonces a la corona española.

Reflejo de ese catolicismo esencial que inspiró su reinado fue el esfuerzo que Fernando desarrolló como paladín al servicio del papa de Roma. En ese sentido fue un «papista» decidido, aunque también fuese capaz de contradecir al pontífice cuando sus intereses políticos lo exigían, como ocurrió en el caso de la Inquisición o en la cuestión de la prerrogativa de presentación de altos cargos eclesiásticos.

Otro rasgo del catolicismo Fernando se manifiesta en el «espíritu de cruzada» que guió muchas de sus empresas. El Rey Católico fue un entusiasta de la Cruzada para conquistar Jerusalén, y en las instrucciones a sus embajadores repartidos por las cortes de Europa reitera su deseo de guerrear contra los «infieles», algo en lo que era totalmente secundado la reina Isabel.

> Bien acreditó el Rey su amor a la Cruzada —afirma Miguel Ángel Ochoa Brun— cuando peleó personalmente contra los moros españoles, y cuando, ya no joven, se disponía a marchar al África, al frente de sus tropas, propósito que hubiera llevado a cabo a no habérselo estorbado la inquieta y belicista política del rey francés [Luis XII]. A este decidido soldado del cristianismo bien le cuadró pues el título que le concedió Julio II, en Bula de marzo de 1510, cuando le llamó fortísimo atleta de Cristo.

Todo para el príncipe

Culminada su tarea de estadista con la incorporación de Navarra, Fernando es ya un hombre físicamente agotado. Le preocupaba sobre todo rematar su obra con la entrega de sus estados a su nieto flamenco Carlos, dando así cumplimiento al testamento de quien fuera su leal compañera política y esposa, la reina Isabel.

Pese a la grave contradicción que supuso el nacimiento del hijo con Germana de Foix, muerto a las pocas horas de nacer, que hubiera podido alterar la línea sucesoria en la corona de Aragón, lo cierto es que Fernando nunca tuvo intención de deshacer la unión castellano-aragonesa, aunque no eran pocos los que en una y otra corona lo deseaban. Una vez más, el retorcido tribalismo hispano asomaba la oreja. Pero el hecho es que el Rey Católico siempre mantuvo en vigor en todos sus reinos el juramento de fidelidad a la reina Juana, que sellaron las Cortes de Aragón, y rechazó cualquier insinuación que otros monarcas, como el emperador Maximiliano, le hicieron para romper lo que tanto le había costado unir. En noviembre de 1513 Fernando escribe a su embajador en la corte Habsburgo, Pedro de Urrea:

> Diréis al emperador que de los reinos de Castilla y Aragón no se puede quitar ninguno al príncipe [Carlos] ; ... mi deseo y mi propósito es, y así lo quiere la justicia, que todo lo de la Corona de Castilla y Aragón quede al príncipe.

La única sombra en ese sentido no venía de un posible descendiente con la reina Germana, sino del nieto que llevaba su mismo nombre, Fernando, el segundogénito de Juana y Felipe el Hermoso, nacido en Alcalá de Henares y educado en Simancas, que era su predilecto. El único pariente próximo que acompañaría su cadáver desde Madrigalejo a Granada.

Fernando confiaba mucho más en alguien como el infante Fernando, que conocía bien España y se sentía español, que no en un mozo nacido en Flandes, que nada sabía de estos reinos y que ni siquiera sabía hablar español. Para compensar al nieto más querido, al haberle negado cualquier derecho sucesorio que le correspondiera, pensó incluso en crear para él un reino lombardo—véneto en el norte de Italia. Un estado nuevo que, según el embajador José María Doussinague, citado por J. A. Vaca de Osma, «habría sido pieza importantísima en la futura política internacional de don Carlos llegando a pensar que algún día ceñirían sus sienes a las dos coronas imperiales: la de Occidente y la de Oriente, después de expulsar de Constantinopla a los turcos».

Últimas decisiones

Pero el deber de la legitimidad dinástica se impuso sobre los deseos. Carlos era el primogénito y el heredero también de Castilla, como disponía el testamento de la reina Isabel, y Fernando dedicó los últimos años de su vida a despejarle el camino al trono, aunque ni siquiera pudo verlo para darle algunos consejos que sin duda le hubieran servido de mucho y probablemente hubieran evitado las guerras civiles de los Comuneros y las Germanías.

En esta última vuelta del camino de su vida, Fernando sigue atento y activo. Es un animal político y la política es su aliento. Envía a Flandes a su nieto bastardo Juan de Aragón, hijo del arzobispo de Zaragoza, para que acompañe al futuro Carlos I y contrarreste la influencia de los consejeros flamencos que le rodean. Y sigue proyectando bodas, bodas de Estado, por supuesto. La de su querido nieto Fernando con Renata de Francia, y la del rey francés Luis XII con su nieta Leonor, pero los planes se frustran por la muerte del soberano francés. Entonces organiza el matrimonio de Fernando con la hija del rey Ladislao de Hungría; y de su nieta María con el hijo del rey Luis de Bohemia. Con eso piensa abrir caminos en Centroeuropa a su descendencia.

Entretanto sigue recibiendo embajadores y asistiendo a ceremonias, negociaciones y agasajos, y en las Cortes de Burgos confirma la incorporación de Navarra a Castilla. Algo que a primera vista puede sorprender. ¿Por qué incorporar ese reino a la corona castellana y no a la de Aragón? A fin de cuentas su padre Juan II fue rey de Navarra, y allí gobernó su madre Juana Enríquez y reinó su hermanastro el príncipe de Viana.

La razón principal —como hemos dicho— es pragmática: atenerse a la realidad de una Castilla más poderosa y con más recursos que Aragón, capaz de defender mejor la unión de reinos que supone la incorporación de Navarra. Además, un reino aragonés unido a Navarra podría sentir la tentación de intentar una política propia con Francia y poner en peligro la unidad y la herencia de Carlos.

Castilla, considera Fernando, es la única capaz de aglutinar la herencia de las coronas peninsulares.

> Así vino a decirlo el rey Fernando en Burgos en 1515 y así quiso también ir a manifestarlo ante las Cortes aragonesas reunidas en Calatayud, presididas por doña Germana y con ayuda de su hijo el arzobispo de Zaragoza. Allí si que le fallaron las fuerzas. También el entusiasmo popular y nobiliario que la había rodeado en Burgos. Era natural y natural el desánimo con que el rey regresó a Castilla. (Vaca de Osma).

Henry Kamen señala que en los nueve años que Fernando gobernó en solitario en toda España, Castilla y Aragón evolucionaron con éxito por separado. Los aragoneses que esperaban recibir más atención de su rey se vieron desilusionados porque Fernando pasaba la mayor parte de su tiempo en Castilla, y sobre todo en Valladolid, que se había convertido en la capital administrativa de la Corona. Pero siguió ocupándose de Aragón, y en este reino se celebraron Cortes Generales en 1510, 1515 y 1516.

En cuanto a la preferencia de situarse en Castilla , el historiador británico afirma que era una decisión lógica, « pues Castilla era la que aportaba los hombres y el dinero para las importantes conquistas de Navarra y el norte de África y para la expansión en América. Fernando se interesó mucho por el Nuevo Mundo, y en 1512 promulgó las Leyes de Burgos, por las que se regulaba la explotación de la mano de obrfa indígena.»

Fernando fue un gran viajero. Viajaba mucho, y en los últimos años de su vida iba de un lugar a otro, tratando de aliviar su hidropesía y la congoja que sentía por las desgracias familiares y la inseguridad política de su herencia. También dedicaba muchas jornadas a la caza, su actividad favorita, aunque ya apenas podía montar a caballo y debían ser llevado en andas.

Sin dejar de pensar en el futuro de sus reinos, en las semanas finales de su existencia llegó a tierras del duque de Alba en Trujillo, y desde allí escribió a su consuegro el emperador Maximiliano. Le pedia que el nieto Carlos viniera cuanto antes a España, y allí mismo firmó una especie de concordia con el deán de Lovaina, Adriano de Utrecht, preceptor del futuro rey—emperador, quien luego sería papa con el nombre de Adriano VI.

Muy preocupado por el futuro del infante Fernando, el Rey Católico quiso asegurarle una renta de 50 000 ducados anuales y varios señoríos en Nápoles, y ordenó que fuera a Flandes en la misma flota que traería a Carlos a España.

Aun tuvo tiempo el rey aragonés de sentir la muerte de su Gran Capitán, que le precedió pocas semanas en el camino a la tumba. Olvidando viejas sospechas, Fernando decretó luto general y solemnes exequias por el estratega cordobés, y envió su pésame a su viuda María, duquesa de Terranova, en carta fechada el 3 de enero de 1516.

> Duquesa prima: Vi la letra en que me hicisteis saber el fallecimiento del Gran Capitán; y no solamente tenéis vos muy gran razón de sentir mucho su muerte; pero téngala yo de haber perdido tan grande y señalado servidor, a quien yo tenía tanto amor, y por cuyo medio, y con ayuda de Nuestro Señor, se acrecentó a nuestra corona real el nuevo reino de Nápoles, y por todas estas causas me ha pesado mucho su muerte.

En el juicio final de la historia quedará lo que para algunos fue ingratitud del Rey Católico hacia su mejor general, y para otros una actitud justa del monarca en defensa de la razón de Estado y su propia autoridad.

Quizá el Gran Capitán no obtuvo toda la recompensa que su gesta en Italia merecía, pero tampoco hay que exagerar. Fernando le otorgó títulos nobiliarios importantes y las rentas de substanciales señoríos, incluyendo el de Loja y con el añadido del pingüe monopolio de la seda que se elaboraba en Granada. Gonzalo Fernández murió siendo uno de los principales señores de Andalucía, y el Rey Católico quizá se excedió en sus recelos y no le dio el maestrazgo de Santiago, pero hay que decir que en una España proclive a la secesión y el desacato nobiliario, las relaciones familiares del Gran Capitán (con la permanente altanería del marqués de Priego) eran peligrosas y levantaban aires de fronda en un Estado que constituía la única salvaguarda de la unión de reinos tan trabajosamente lograda. Las lealtades nacionales eran todavía poco sólidas y a Fernando el Católico se la había sublevado casi toda la nobleza castellana con Felipe el Hermoso.

Hoy sabemos que las suspicacias de Fernando sobre la intromisión del Gran Capitán en los asuntos italiano eran infundadas, pero estaban alentadas por las noticias que le llegaban de Italia, como recoge el cronista Paolo Giovio, en las que el cordobés no salía muy bien librado:

> Otros decían que estaba soberbio por la victoria y rico por las grandes rentas del reino, y que había escogido para sí y sus amigos y favoritos las más ilustres y ricas tierras del reino, y que al rey no había dejado sino la honra de traer la corona y el vano nombre del nuevo título.

El Gran Capitán, cuya actuación en la guerra fue sobresaliente, no se distinguió demasiado como administrador civil ni en materia de cuentas y —seguramente de forma involuntaria, o quizá por orgullo— tampoco se preocupó mucho de no dar pábulo a las insidias y murmuraciones contra él que llegaban a la corte española. Si bien en la primera campaña de Italia informó con frecuencia a los Reyes Católicos de sus decisiones y del desarrollo de los acontecimientos, no fue así en la segunda, cuando estuvo casi seis meses sin enviar cartas a Fernando. Mucha de la desconfianza del rey se debió al silencio de su general, de quien solo recibía nuevas indirectas y, con frecuencia, procedentes de los envidiosos enemigos del virrey.

Tampoco le gustó mucho a Fernando la comitiva inmensa que acompañó al Gran Capitán hasta Burgos, tras desembarcar en Valencia el 30 de diciembre, donde la corte entera salió recibir al conquistador de Nápoles por mandato del rey. Demasiada pompa y espectáculo, con oficiales y soldados en torno al vencedor de Italia vestidos de púrpura, sedas y pieles; recubiertos de oro y joyas. Un magnífico y desproporcionado aparato que algunos entendieron como un desafío al lucimiento del propio monarca.

Hubo también otros puntos de fricción, ya citados, como la boda del condestable de Castilla con Elvira, la hija de Fernández de Córdoba. Un enlace que molestó al rey, que deseaba casar a Elvira con su nieto Juan de Aragón.

También por ese tiempo el condestable de Castilla y Gonzalo Fernández desairaron al Rey Católico cuando este —un tanto arbitrariamente— pidió al arzobispo de Toledo, Jiménez de Cisneros, que permutase esta dignidad con su hijo natural, el arzobispo de Zaragoza.

A Cisneros no le agradó la propuesta y amenazó con abandonar el arzobispado, y entre los que le apoyaron y exhortaron a resistir estaban el Gran

Capitán y el condestable. El rey terminó cediendo y la cosa no pasó a mayores, pero el resquemor de Fernando perduró.

Ya en las postrimerías de su vida, Fernando tenía planes de pasar los inviernos en Andalucia en busca de un clima más benigno que los de Aragón o Castilla. Algo que le permitía también seguir alimentando el sueño de organizar una poderosa armada en Sevilla para asestar un golpe definitivo al Turco Algún augur incluso le había dicho que no moriría sin haber reconquistado el Santo Sepulcro en Jerusalén, y en esas estaba cuando en su camino hacia el sur, acompañado de sus nietos Fernando de Austria y Juan de Aragón, tras pasar por Jairecejo y un caserio en la Cruz de Barreros, se sintió tan cansado que no pudo más y la comitiva real se detuvo en Madrigalejo, donde la muerte le esperaba impaciente.

Bien podrían haberle servido de largo epitafio, pues largas fueron también sus obras, las palabras que Baltasar Gracián le dedica en su obra *El Político.*

> El verdadero Hércules fue el Católico Fernando; con más hazañas que días ganaba a reino por año, y adquirió por herencia el de Aragón; por dote, el de Castilla; por el valor, el de Granada; por felicidad, la India; por industria, a Nápoles; por religión, a Navarra; y por su grande capacidad, todos [...]
>
> Conoció y supo estimar su gran poder; tenía tomado el pulso a sus fuerzas, y súpolas emplear; tenía tanteadas las de sus enemigos, y súpolas prevenir; sacando los españoles a las provincias extrañas, los transformó en leones; acometiendo siempre a los franceses, los venció siempre, y nunca dio lugar a su prevención. Tenía comprehendidas las naciones, y dábales por su comer.
>
> Pero la eminencia de este gran político estuvo en hacer siempre la guerra con pólvora sorda; esto es, sin el peligroso y vano ruido del armar, sin asonadas de empresa, que avisan a los contrarios, irritan a los neutrales, y despiertan a todos [...] cogía una plaza en el África, un reino en España, una isla en el océano, una ciudad en Italia y todo esto con la presteza de un león. No hubo hombre que así conociese la ocasión de una empresa, la sazón de un negocio, la oportunidad para todo.

LOS AÑOS FINALES

Las últimas noticias que le llegan al rey desde el extranjero no son halagüeñas. En febrero de 1513 muere el papa Julio II, lo que anuncia nuevas batallas y marejadas políticas en Italia. Le sucede el cardenal Juan de Médici, que toma el nombre de León X. Uno de sus primeros gestos, en junio de ese mismo año, es reconciliarse con los cardenales cismáticos del concilio de Pisa, lo que se interpreta como un signo de acercamiento a Francia, y por ende a la corte de Flandes. Pero por lo demás, no parecía existir mucha voluntad en Roma de negociar la paz ente Luis XII y Fernando el Católico, ni tampoco entre Inglaterra y Francia. Asi se llegó a una especie de punto muerto que se rompió en enero de 1515 cuando falleció el rey francés y emergió la figura de su sucesor en el trono, Francisco I, versátil, vanidoso y prepotente, dispuesto —como sus antecesores— a intervenir sin disimulos en las península italiana y en particular en el Milanesado, el territorio que Francia ha ambicionado desde los tiempos de Carlomagno.

Los peores presagios para España en este sentido se cumplieron cuando en septiembre de 1515 el monarca francés entró triunfante en Milán, acompañado además de Pedro Navarro, el conquistador de Berbería y antiguo soldado del Gran Capitán, que por despecho, dolido porque Fernando no había pagado su rescate cuando le hicieron prisionero en Rávena, combatía ahora en el bando de Francia contra sus antiguos compañeros de armas.

La Liga Santa, por la que Fernando tanto había trabajado, se deshacía ante los cambios políticos que se vislumbraban y se materializaron en el Concordato de Bolonia de 1506, por el que León X cedía al rey francés las designaciónes de obispos en abierto desafío a la Monarquía Católica, que llevaba años debatiendo este asunto con el pontificado.

Estos acontecimientos pusieron en vilo al Rey Católico y al fiel Cisneros, que ahora le apoya en todo. Ambos unen fuerzas para frenar el deterioro de una situación que poco antes creían estabilizada. La inquietud se agrava cuando el príncipe Carlos, sin consultar para nada con Fernando, es declarado solemnemente mayor de edad a los quince años en Bruselas el 5 de enero de 1515. Un hecho que evidencia «todas esas maldades que andan urdiendo» los enemigos del rey, como denuncia el cardenal de Toledo. Con el estoicismo propio de quien ya lo ha visto todo en política, Fernando convoca Cortes en Aragón, en mayo, y en Castilla en junio.

Estos sucesos que presagiaban tiempos calamitosos, unido a la mala salud que va royendo la fortaleza física del rey, hacen de 1515 un año atribulado y amargo, algo que detectan los emisarios y embajadores de las principales cortes europeas. «Don Fernando decae— dice José García Oro— , se inquieta, no se detiene en ningún paraje, camino de una dorada Andalucia que siempre tuvo por cura de todos los males», y que a Cisneros le parecía «la mayor locura del mundo». Es un vano intento de distraer a la muerte para mantenerla alejada, algo que, por supuesto, nunca da resultado con esa veloz perseguidora, la esquelética dama de la guadaña, que cuenta escrupulosamente los días de cada uno y acude inmisericorde a reclamar su cuenta en la hora que solo ella conoce.

En busca de la muerte

De las últimas horas del Rey Católico tenemos datos fehacientes, aportados por testigos de vista y cronistas de probada veracidad en lo esencial.

Tras hacer un alto para cazar en los bosques de Buitrago, el 28 octubre de 1515 llega Fernando a Madrid, y el uno de noviembre Anglería vuelve a escribir:

> El rey cae de Escila en Caribdis, quiero decir que va de mal en peor. Consulta a los médicos donde debe pasar el próximo invierno. Escogerán Plasencia por estar situada en un escondido Valle y al abrigo de los aires del norte. Ni allí, ni en ningún otro sitio nos detendremos mucho tiempo, hasta que el rey sacuda sus enfermedades o rinda tributo a su naturaleza. Lleva una vida de continua inquietud.

Recelando de que el rey se cansara pronto de estar en Plasencia, el personal palatino propone, si las circunstancias lo permiten, prolongar el viaje a tierras andaluzas, con el pretexto de revisar los preparativos de una armada contra el Turco en la primavera siguiente. Y así, el rey emprende su último trayecto. Sale de Madrid bastante indispuesto de sus achaques. Pasa por Móstoles, Casarrubios, Talavera, Oropesa y Casatejada, y llega a Plasencia el 28 noviembre de 1515.

Como muchos de su entorno sospechaban, el rey no se detuvo más de una semana en Plasencia. Su inquietud nómada le lleva a los campos de Abadía, un terreno del duque de Alba, para cazar ciervos. Allí estuvo cinco días y al parecer se lo pasó bien. En este apacible sitio acudió a verle el dean de Lovaina, Adriano de Utrech, embajador del príncipe Carlos, para tratar acerca del gobierno de Castilla y de la sucesión de los demás reinos.

Es en Abadía donde mejora la salud del enfermo y se anuncia que el viaje continuará a Sevilla y luego a Granada. Esta marcha hacia el sur contó con la conformidad de los médicos, que veían favorable al enfermo un clima más templado en invierno, y tampoco descartaban que el viaje fuera provechoso para una terapia psicológica, «pues el decrépito espíritu del monarca podría elevarse de tono a la vista de lugares de épicos recuerdos, durante la campaña de la reconquista granadina», dice el cronista local Lorenzo Rodríguez.

Desde Abadia, el rey vuelve a Plasencia el 12 diciembre, y al día siguiente se desplaza a la villa de Galisteo por algún motivo incierto. El 17 está de nuevo en la ciudad placentina, hasta el 28 diciembre en que emprende otra vez viaje hacia el sur; pero antes decide hacer escala en el monasterio de Guadalupe. Una visita religiosa de acuerdo con la tradicional costumbre de los Reyes Católicos cuando atravesaban territorio extremeño. De paso, el rey podría asistir en el santuario a una asamblea de la orden de Calatrava, que debía proceder a designar al sucesor del comendador mayor, Gutiérrez de Padilla, fallecido poco antes en Almagro.

En tono pesimista, Anglería, que se adelanta para esperar al rey en Guadalupe, relata en carta el 31 diciembre: «El rey no deja de vagar de un lado para otro en busca de la muerte... Yo me he retirado Guadalupe, insigne monasterio de los frailes jerónimos, donde se venera a la Santísima Virgen bajo esta celebérrima advocación. Aquí espero al rey que nos aseguró pasaría por estos lugares. Temo que sus días antes ser muy breves...».

La caminata del cortejo real debió de ser muy penosa, pues el rey estaba tan debilitado que era necesario llevarlo en andas o literas. Eso explica que se tardaran cinco días en ir de Plasencia a Jaraicejo, y una vez allí se reanuda la fatigosa marcha con «asaz pasión y dolor», como dice Galindez de Carvajal, por el camino que va a Trujillo.

El humor de los caminantes debía de ser sombrío y entre ellos causó revuelo que sonase por sí sola la misteriosa campana de la aldea de Velilla de Ebro, ya que era creencia muy extendida que sus tañidos eran presagio de muerte de reyes o graves catástrofes.

Alertadas las autoridades de Trujillo de la visita del monarca, inician sin pérdida de tiempo diligencias para atender al ilustre huésped, y como distracción añadida se encargan seis toros bravos para lidiarlos el día de los Reyes Magos.

Durante su estancia en la ciudad trujillana no hay novedades sobre el curso de la enfermedad del soberano, y Fernando continúa su camino hacia Guadalupe el 7 enero de 1516 . Tras descansar en Abertura cuatro o cinco días, debió de llegar a Madrigalejo el 13 o 14, cuando ya estaba en las últimas. Tanto que el doctor Galindez de Carvajal dice que el rey estaba deshecho, «porque le sobrevinieron cámaras[19] que no solo le quitaron la hinchazón que tenía de la hidropesía, que le deshicieron y desemejaron de tal manera que no parecía él. Y en la misma línea el historiador Solano Costa afirma que «el rey enflaqueció en Madrigalejo y el dolor del corazón, con la hidropesía, le apretó, de suerte que los médicos perdieron el tino y la esperanza. Luego se le disolvió la hinchazón y se le cayó un trozo de la quijada».

El efecto de las «cámaras» fue devastador y dejó consumido al rey, cuyas hinchazones se deshicieron por los trastornos intestinales y la continua diarrea, hasta el punto de que bien pudiera decirse que murió deshidratado. En cuanto al envenenamiento, los rumores en este sentido parecen carecer de fundamento aunque tampoco haya que descartar nada.

Hasta el último momento, cuando vio que su muerte era inexorable, el rey no quiso confesarse ni recibir los sacramentos. A su confesor, fray Tomás de Matienzo, lo rechazaba —anota Carvajal— diciendo «que venía con más fin de negociar memoriales que no en entender en el descargo de su conciencia». Es posible, según algunos, que esta conducta del monarca pudiera deberse a un mensaje que por esos días recibió de la famosa Beata del Barco de Avila, en la que le pronosticaba que no moriría hasta haber conquistado Jerusalén a los turcos. El nombre religioso de esta monja era sor María de Santo Domingo. Vivía en Piedrahita. Había fundado un convento en Aldeanueva de Avila y la fama de sus revelaciones había llegado hasta Roma.

Solo cuando los médicos le dijeron sin rodeos que se iba a morir, el rey mandó llamar a fray Tomas, que después de confesarlo, le dio la extremaunción y la eucaristía.

Nada más salir el confesor de la estancia, el rey convocó a su lado a los consejeros que le acompañaban: el doctor Galindez de Carvajal y los licenciados Zapata y Vargas. La decisiva reunión a puerta cerrada se desarrolló en la sala principal del edificio hoy llamado Casa de Santa María.

Tomando la palabra y hablando con mucho ahogo, «pero con sumo despejo, porque el entendimiento y la voluntad estaban sin lesión alguna», el rey hizo saber a sus consejeros (aunque éstos ya debían de saberlo) que dejaba encomendado el gobierno de Castilla y de Aragón a su nieto el infante don Fernando. Para esto aducía una serie de motivos que enumera Carvajal: «que había criado al infante a la costumbre y manera de acá. Que creía que el príncipe don Carlos, también su nieto, no vendría ni estaría de asiento en estos reinos a los regir y gobernar como era menester y estando, como estaba, fuera de ellos, su gobernación por personas no naturales, que mirarían antes a su propio interés que no al del príncipe ni al bien común de los reinos».

Pero los consejeros se opusieron a la propuesta de dejar de regente en Castilla y Aragón al infante Fernando, y previnieron al moribundo rey del peligro que esto suponía para la sucesión del verdadero soberano, el primogénito Carlos.

> Que su Alteza —escribe Carvajal— sabía bien con cuantos trabajos y afanes había reducido estos reinos en buena gobernación y paz y justicia en que estaban... Que asimismo, su Alteza, sabía que los hijos de reyes nacen todos con codicia de ser reyes y que ninguna diferencia existía, en cuanto a esto, entre el mayor y los otros hermanos sin tener el primogénito la posesión.

Aunque reconocían que el infante Fernando, criado enteramente en Castilla, era modelo de buenas virtudes, los consejeros desconfiaban de la camarilla que le rodeaba y podría dar lugar a nuevas divisiones en el reino. Además, temían , y así se lo dijeron al rey, que la reina Juana pudiera ser manipulada en favor del infante y en detrimento del primogénito, Carlos.

El mismo Carvajal asegura que esas razones de Estado convencieron al rey quien, sin embargo, rompió a llorar amargamente por saber que su decisión desairaba al nieto que más quería. El monarca hizo deseo expreso de que el testamento se escribiera de nuevo de principio a fin, lo cual ocasionó un gran trabajo a los amanuenses, que tuvieron que darse prisa porque la vida de Fernando llegaba a su fin por momentos.

El Rey Católico entró en trance agónico en el frío atardecer del 22 enero y murió en las primeras horas de la madrugada siguiente. Galindez de Carvajal, quien además de testigo del acontecimiento era miembro del Consejo Real, describe sucintamente el momento:

> Era la medianoche, entre una y dos, entrante el miércoles que se contaban 23 días de enero de 1516, cuando pasó de esta presente vida. NuestroSeñor le quiera perdonar, que buen rey fue. Falleció en hábito de Santo Domingo».

Así lo cuenta también Anglería, en carta a su primo el obispo de Tuy, desde Guadalupe, el mismo día del deceso.

> ... Allí quedó muerto, en una casita desguarnecida e indecorosa. Mira lo poco que se puede confiar en los aplausos de la Fortuna y en los favores seculares. El

> señor de tantos reinos y adornado con tanto cúmulo de palmas, el Rey amplificador de la religión cristiana y domeñador de sus enemigos, ha muerto en rústica casa y en la pobreza, contra la opinión de las gentes. Apenas si se encontró en poder suyo, o depositado en otra parte, el dinero suficiente para el entierro y para dar vestidos de luto a unos pocos criados. Cosa que nadie hubiese creído mientras vivió Ahora es cuando claramente se comprende quien fue, con cuánta largueza repartió y cuán largamente los hombres le tacharon del crimen de la avaricia ¡Oh España, oh dogma cristiano, oh príncipe Carlos, que maestro en el gobierno habéis perdido!».

La «casita» o Casa de Santa María de Madrigalejo que menciona el cronista era propiedad de los monjes de Guadalupe hasta la Desamortización, y en realidad no era un lugar tan miserable. El cronista Lorenzo Rodríguez asegura que era una enorme casona, bien repleta de todo, y sus dueños, los frailes jerónimos, la sostenían con el debido esmero. En apoyo de esta tesis cita el testimonio del barón bohemio León de Rosmithal, quien 50 años antes se había hospedado en el mismo lugar: «... un magnífico edificio que aventaja a los demás del pueblo, con unas caballerizas que caben más de cien caballos, porque esta hospedería es casi regia». También el rey don Sebastián de Portugal pernoctó en ella durante su viaje a Guadalupe para entrevistarse con su tío Felipe II, quien, asimismo la ocupó en 1580, en compañía de la reina Ana de Austria y las infantas Isabel Clara Eugenia y Catalina.

En la muerte de Fernando el Católico, seguramente porque ya no tenía prebendas que repartir, la presencia de los grandes señores del reino brilló por su ausencia. Solo estuvieron sus primos: el duque de Alba, Fadrique de Toledo, el almirante de Castilla, Fadrique Enríquez, y el marqués de Denia, mayordomo real.

> Al día siguiente de morir Fernando el Católico, es conducido el cadáver a Granada. En este último viaje son muy pocos los que le acompañan y muy pocos los continos de la casa, que los demás como al príncipe muerto de quien no guardan más favores y mercedes le desampararon —escribe Blasco de Lanuza.

DESPEDIDA Y TESTAMENTO

En el fúnebre cortejo que iba a Granada estuvieron también dos nietos de Fernando. El infante Fernando de Austria y Fernando de Aragón, que era hijo natural de Alfonso de Aragón, arzobispo de Zaragoza y a su vez hijo natural de Fernando. A este último, el rey le destinaba la encomienda mayor de la orden de Calatrava y deseaba casarlo con la hija y heredera del Gran Capitán, aunque ese proyecto quedaría en nada.

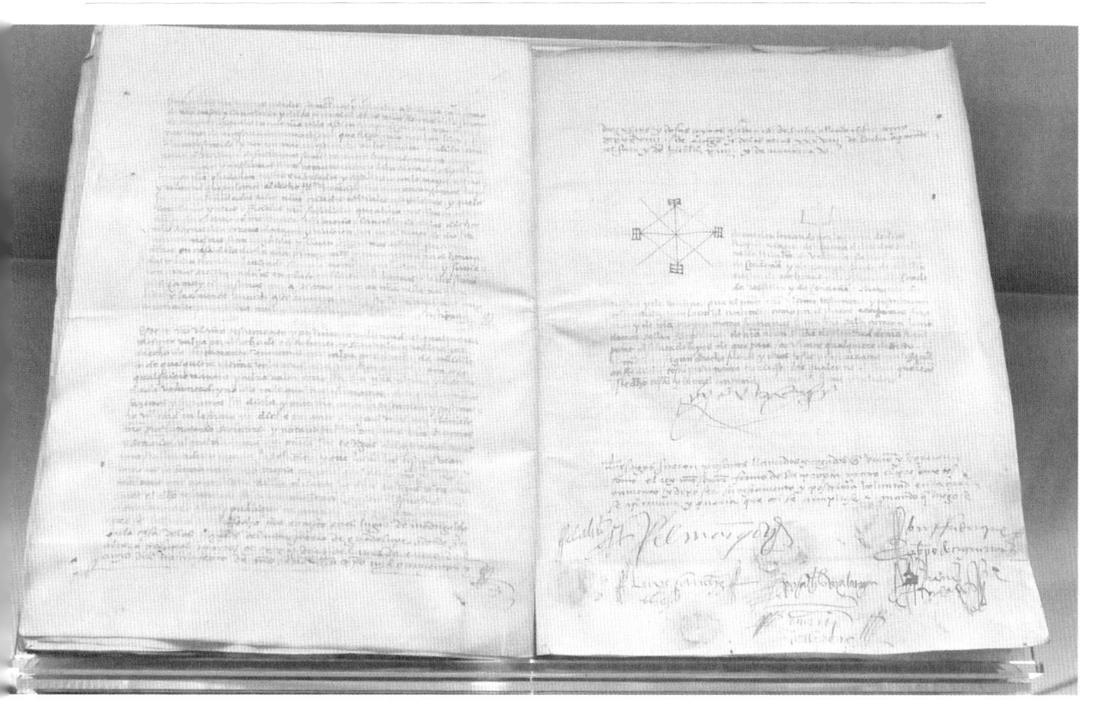

Testamento de Fernando el Católico.

El cardenal Cisneros intentó reunirse con Fernando en esos últimos días, pero debido a los continuos cambios de itinerario en el viaje del rey, que vagaba por pueblos y montes, determinó instalarse en Talavera y esperar allí hasta tener noticias más concretas del paradero real. Cisneros ya era también viejo y no estaba para muchos trotes invernales por la fría Castilla.

Cuando el rey llegó a Madrigalejo, la reina Germana estaba presidiendo las Cortes de Aragón por orden de su marido. Al recibir el aviso de que su esposo se moría, viajó a toda prisa hacia esa localidad extremeña, cabalgando sin parar, y llegó al lado del moribundo dos días antes de su muerte. Inmediatamente fue llevada a presencia de Fernando y quedó a solas con él un rato. Cuando ella salió de la cámara, Fernando hizo llamar a sus consejeros para ultimar el testamento y algunos asuntos importantes.

Con fecha 21 enero dicta una disposición en nombre de su hija doña Juana. Por los poderes que esta le ha otorgado como propietaria nominal del reino, se confirman todos los oficios y cargos de gobernación que Fernando ha dispuesto. Se trata de una maniobra para impedir que los resortes del mando en Castilla pasen a manos a extrañas. Actúa así como regente del reino en nombre de la hija, según lo acordado en las Cortes de Madrid el 6 octubre de 1510. Juana, por otra parte, también había sido jurada por las Cortes aragonesas como única heredera de la corona de Aragón.

El mismo día 21 el rey agonizante envía a Flandes otra carta dirigida al príncipe Carlos en la que le pide que cumpla su testamento y cuide de la persona y los intereses de la reina Germana. En el escrito le encarece de manera especial que no negocie en los reinos de la corona de Aragón sino «con personas naturales de ellos», y que no ponga a extranjeros en el Consejo Real ni en otros cargos públicos.

Después del trámite de dejar invalidado el testamento de Burgos, por el que se designaba regente de Castilla al infante don Fernando, el rey comunicó a sus consejeros que mientras durase la ausencia del príncipe Carlos gobernase los reinos de la corona aragonesa don Alonso de Aragón, arzobispo de Zaragoza, hijo natural del propio rey. Algo con lo que todos estuvieron de acuerdo.

Solucionada de forma unánime la regencia aragonesa, se pasó a solventar el mismo asunto en lo referente a Castilla y sus dominios. Lo importante era dilucidar qué persona regiría los destinos castellanos mientras estuviese fuera de España el príncipe Carlos. «Pero, entonces, ¿a quién nombramos?»—dijo el rey.

Fue al parecer el consejero Carvajal quien respondió a esa pregunta sin vacilación: «Al cardenal Cisneros».

Fernando dudó. La propuesta de nombrar regente a fray Francisco Jiménez de Cisneros no le hizo mucha gracia y se produjo un silencio general que rompió el propio rey al mostrarse conforme con el nombre propuesto. «Al fin y al cabo —dijo— no tiene parientes a quien engrandecer».

La elección es buena si se consideran los inconvenientes de los otros candidatos posibles, sobre todo ese Adriano de Utrech, deán de Lovaina que ha ido a ver al rey en Plasencia con credenciales secretas del príncipe Carlos, firmadas en Bruselas, para que le nombren regente de Castilla durante la ausencia del nieto primogénito si muere el abuelo. Adriano de Utrech ronda como un buitre alrededor del moribundo y desde Guadalupe acudió a Madrigalejo al tener noticia del agravamiento de Fernando, pero el rey no quiso ni verle. «Decidle que se vaya, que no me puede ver. No viene sino a ver si me muero», fue la respuesta.

El rey está obsesionado con dejar asegurado el futuro de su nieto el infante Fernando. Ya que no ha podido dejarle la regencia, propone que se le otorgue el maestrazgo de todas las órdenes militares. Pero los consejeros le disuaden. Sería un paso atrás en la política que los Reyes Católicos emprendieron para dejar en manos de la Corona el inmenso poder económico y territorial que tales órdenes atesoran. Las órdenes militares no deben ser suprimidas, pero el mando directo sobre ellas debe ser ejercido por el rey y sería demasiado dejarlo en manos de una persona de sangre regia como el infante. «Es verdad lo que decís —asiente Fernando—, pero mirad que queda muy pobre el infante». Y para compensar algo el frustrado deseo de dejar encumbrado en un puesto de altísimo nivel a su nieto más querido, Fernando le otorga varios estados en el reino de Nápoles, con unos 50 000 ducados de renta anual. Poca cosa para quien pudiera haber sido rey de toda España de no haber un hermano primogénito por medio.

La decepción del infante fue grande, pues hasta el último momento pensó que sería él, y no el cardenal Cisneros, el regente elegido. En cuanto conoció la noticia de la muerte de su abuelo convocó una reunión con los consejeros de Estado en Guadalupe. Fue Carvajal el primero en desengañarle cuando recibió la notificación de la convocatoria:

> Decid al infante que no hay inconveniente en que acudiremos a Guadalupe los que debamos acudir, pero que sepa que no hay ni tenemos más rey que su hermano Don Carlos.

El infante Fernando, nacido y criado en Castilla, tuvo el buen juicio de no intentar torcer la voluntad del destino y disputar la corona al nuevo rey-emperador, y al final el destino le recompensó. A los 20 años de edad se casó con la reina de Hungría y Bohemia, y terminó siendo el rey de estos países, y luego, cuando Carlos dimitió, le sucedió como emperador del Sacro Imperio Romano Germánico.

Confirmado el fallecimiento del Rey Católico, su cadáver fue eviscerado y embalsamado antes de ser conducido a Granada. Las vísceras se enterraron en la ermita de San Sebastián, hoy derruida, que estaba situada frente a la Casa de Santa María. Ya en la segunda mitad del siglo XVIII, según el testimonio del médico del monasterio de Guadalupe, Agustín Forner, la ermita estaba abandonada, «aunque no lo merecía... porque en ella se enterraron las entrañas de un gran Rey».

Acabado el embalsamamiento, vistieron el cuerpo con el hábito de Santo Domingo, y antes de emprender viaje a Granada el protonotario abrió el testamento del rey en presencia de prelados y señores. Un trámite necesario para saber lo que el rey difunto había dispuesto sobre el lugar donde quería ser enterrado. Como ya hemos dicho, en la comitiva fúnebre que emprendió el camino a Granada había muy pocos grandes de la nobleza. La mayoría de los cortesanos asiduos brilló por su ausencia a la hora de acompañar a quien antes tanto

Féretros de los Reyes Católicos en la cripta de la Capilla Real de Granada.

habían adulado y reverenciado. En contraste, el prior de Guadalupe, fray Juan de Siruela, dispuso que acompañaran el cadáver del rey, diez frailes y tres legos de la comunidad jerónima portando cruz alzada.

Ya en tierras cordobesas sucedió un percance desagradable. Debido al traqueteo del camino se desarmó la caja mortuoria, y hubo que trasladar los restos de Fernando a un nuevo ataúd. Una vez llegado el cortejo funerario a Córdoba, el sentimiento popular por la pérdida del rey se hizo clamoroso. La gente acudió a los caminos para dar su adiós sentido, intuyendo la gravedad de la pérdida para una España que había pasado de ser un solar de perpetuas rencillas interiores a una nación fuerte y unida. Significativo fueron los honores póstumos que tributó al cadáver el marqués de Priego, quien acudió con toda la servidumbre a homenajear al difunto al pasar la comitiva por sus tierras. Todo el mundo recordaba la fracasada rebeldía de este noble principal cordobés, que por desafiar la autoridad de Fernando había visto demolido su castillo de Montilla, el lugar en el que había nacido el Gran Capitán, que había muerto hacía solo un mes y medio.

Mausoleo de los Reyes Católicos en la Capilla Real de Granada.

En Granada, el recibimiento a la fúnebre caravana fue apoteósico. No hacía más de 24 años que el rey ahora muerto había entrado triunfador en la ciudad tras acabar con el último reino musulmán de España.

El ataúd de Fernando fue depositado el 6 febrero de 1516 junto al de la reina Isabel en el convento de San Francisco de la Alhambra. Una sepultura provisional hasta que, transcurrido un año, se acabó la construcción de la Capilla Real de la catedral granadina, donde finalmente se trasladaron los restos de ambos reyes.

Más tarde, el emperador Carlos mandaría erigir un magnífico mausoleo en memoria de sus abuelos, que le entregaron el mayor imperio de la cristiandad a cambio de nada. Un sencillo epitafio recordó los principales hechos y hazañas conjuntos de los Reyes Católicos, y hubo también, cómo no, grandes funerales con carácter oficial en Guadalupe. Las honras fúnebres correspondientes al reino de Aragón tuvieron lugar en Zaragoza, con grandes muestras de dolor y gentío multitudinario, aunque quizá el funeral de mayor pompa fuera el organizado en Bruselas por el príncipe de Carlos, que acto seguido aprovechó la ocasión para proclamarse rey de Castilla y Aragón sin pasar por las Cortes. Fue un mal augurio y un paso imprudente que los castellanos no entendieron y alimentó la tragedia de la rebelión comunera.

Al ver el rey que su fin se aceleraba pidió confesión. Lo confesó el fraile Tomás de Matienzo, y luego recibió la extremaunción y mandó llamar a sus secretarios para modificar su testamento, que firmó de su propia mano la misma noche de su muerte con las palabras «Yo, el Rey». Y hay quien dice que con esa solemne afirmación de «Yo, el Rey» quedaron unidas en aquel testamento por primera vez las tierras de España.

Lo más importante que firmó Fernando en Madrigalejo es, por supuesto, su propio testamento. Era la tercera vez que testaba siendo rey. De las otras dos, la primera fue en Burgos en mayo de 1512, nombrando como gobernador de todos sus reinos, mientras viviese Juana I, al príncipe Carlos, que a la muerte de su madre pasaría a ser rey, y entre tanto quedaba de regente el infante Fernando, que tenía entonces 12 años. El segundo testamento se otorgó secretamente en Aranda de Duero en abril de 1515, y en él se modificaba la claúsula de la regencia en favor del cardenal Cisneros.

El testamento definitivo del rey —escrito en catorce hojas de recio pergamino— es uno de los documentos más importantes y solemnes de nuestra historia. Algunos, como el historiador Solano Costa, lo consideran incluso el acta de nacimiento de la moderna España, lo que equivale a hacer de Fernando el «padre» de la nación española, puesto que a él debemos «que en la España constituida por los diversos estados medievales, se integrase de manera tan sólida que los tremendos avatares de su trágica historia no han conseguido desintegrarla».

La redacción del testamento vino precedida por el intenso debate que el moribundo rey sostuvo con sus principales consejeros: el omnipresente Carvajal, Zapata, Vargas y otros. Todo transcurrió muy en secreto, para que no se enterase el infante Fernando, ni su ayo, Gonzalo Guzmán, ni su maestro fray Álvaro Osorio, obispo de Astorga, todos los cuales se hallaban en Guadalupe esperando el fatal desenlace.

En su última voluntad, el rey declara a su hija Juana heredera universal de todos sus dominios, lo que la convertía en reina de Castilla, la corona de Aragón y Navarra. Pero se trataba de un mero formulismo porque, considerando que su estado de salud mental la incapacitaba para el ejercicio del gobierno en esos reinos, designaba a Carlos, hijo primogénito de Juana, gobernante general de la herencia materna «para que en nombre de la dicha Serenísima Reyna, su madre, los gobierne, rija y administre.»

En el legado, como queda dicho, se dejaban al infante Fernando de Habsburgo, su nieto preferido, varias ciudades en el reino de Nápoles y una renta de 50 000 ducados anuales en ese reino. El afecto que le tenía su abuelo el rey había quedado de manifiesto en los dos testamentos anteriores al definitivo de Madrigalejo. En el de Burgos, cuenta Galíndez de Carvajal, Fernando

> dejó por gobernador de estos reinos al infante don Fernando, su nieto, que él quería mucho y tenía voluntad que tuviese los tres maestrazgos después de sus días, porque nunca creyó que el príncipe don Carlos viniera a estos reinos.

Y en el testamento de Aranda de Duero insiste en confiarle el gobierno de la corona de Aragón, en ausencia de su hermano don Carlos, y bajo las mismas condiciones la regencia de los reinos de Castilla, León, Granada y Navarra.

También hay un recuerdo emocionado a la reina Isabel, la esposa fallecida, que parece reflejar sus auténticos sentimientos hacia la compañera de tantos afanes políticos:

> Considerando que entre las otras muchas y grandes mercedes, bienes y gracias que de Nuestro Señor, por su infinita bondad y no por nuestros merecimientos, habemos recibido, una y muy señalada ha sido el habernos dado por mujer y compañera la Serenísima señora Reina Doña Isabel, nuestra muy cara y muy amada mujer, que en gloria sea; el fallecimiento de la cual sabe Nuestro Señor cuánto lastimó nuestro corazón, y el sentimiento entrañable desde ello hubimos como es muy justo, que allende de ser tal persona y tan conjunta a Nos , me decía tanto por sí el ser dotada de tantas y tan singulares excelencias, que ha sido su vida ejemplar en todos actos de virtud y del temor de Dios, y amaba y celaba tanto nuestra vida, salud y honra, que Nos obligaba a tener y amarla sobre todas las cosas de este mundo.

El rey moribundo encomendaba también a Carlos que Germana de Foix viviera holgadamente, «pues no le queda después de Dios otro remedio, sino solo vos...» Algo que el heredero y futuro emperador cumplió a la perfección ya que, no solo la protegió económicamente, sino que mantuvo con su abuelastra una relación amorosa carnal cuando llegó a España, a pesar de la diferencia de edad. Carlos tenía 17 años y Germana, 29.

De esos amores nació una hija, Isabel, y aunque nunca fue reconocida por Carlos oficialmente, Germana de Foix se refiere a ella en su testamento como «la infanta Isabel», y a su padre como «el emperador». La niña residió y fue educada en la corte de Castilla y su madre se casaría dos veces más. Una con

Johann de Brandenburgo, miembro del séquito personal del emperador Carlos, y la segunda vez con Fernando de Aragón, duque de Calabria, que fue virrey de Valencia.

Finalmente, el cadáver del rey fue llevado a Granada, como Fernando pedía. Allí llegó el 6 de febrero, cuando la sepultura estaba ya dispuesta. De la pompa fúnebre se encargó el citado Martín de Anglería, como prior del cabildo en ausencia del arzobispo. Lo enterraron en el mismo sepulcro en qua yacía la reina Isabel, y con los funerales que correspondían a tan regia figura le dieron el último adiós.

FIN

Cronología del Rey Católico

1452.-Nace en Sos, Huesca, el rey Fernando.
1454.-Comienza el reinado de Enrique IV de Castilla.
1458.-Muere en Nápoles Alfonso V de Aragón. Le sucede su hermano Juan II, padre de Fernando. Este recibe por decisión paterna los títulos de duque de Montblanc, conde Ribagorza y señor de Balaguer.
1459.-Primer intento de Juan II de concertar el matrimonio de Fernando con la infanta Isabel de Castilla.
1460.-Carlos de Viana, primogénito de Juan II, encarcelado en Morella por orden del padre.
1461.-Capitulación de Villafranca. La Generalidad de Cataluña niega a Juan II la soberanía en favor de Carlos de Viana. Juan II adjudica a Fernando los títulos sicilianos de ducado de Noto, el condado de Augusta y los señorías de Piazza y Caltagirone.
Muere en Barcelona Carlos de Viana. Las Cortes de Aragón reunidas en Calatayud juran fidelidad a Fernando. Fernando, acompañado por la reina, es reconocido en Lérida lugarteniente real en Cataluña. Entrada de Fernando y su madre en Barcelona, donde son recibidos con gran ceremonia..
1462.-Nace Juana la Beltraneja. Comienza la guerra civil en Cataluña. Las autoridades catalanas prestan juramento a Fernando como lugarteniente real en Barcelona.
El príncipe y la reina se trasladan a Gerona para pacificar la revuelta de los remensas y alejarse del ambiente hostil de Barcelona. Refugiados en la ciudadela gerundense de La Força, Fernando y su madre son asediados por las tropas de la Generalitat. Comienza en Cataluña la sublevación contra Juan II. El conde Foix, yerno de Juan II, rompe el cerco a La Força y libera a Fernando y a su madre. La Generalitat y la ciudad de Barcelona proclaman a Enrique IV de Castilla soberano de Cataluña. La familia real se traslada a Zaragoza. Fernando permanece en la ciudad mientras los reyes combaten la sublevfación del principado.
1463.-Entrevista de Enrique IV de Castilla y Luis XI de Francia a orillas del Bidasoa.
1464.-Fernando es proclamado heredero de la corona de Aragón ante el altar mayor de la Seo de Zaragoza.
1465.-La nobleza rebelde proclama rey a Alfonso, hermanastro de Enrique

IV y hermano de Isabel. Guerra civil en Castilla. Fernando es designado lugarteniente real en Aragón y toma posesión de la Gobernación General del reino.

1468.-Fernando recibe el título de Rey de Sicilia. Entrevista entre Enrique IV e Isabel en la venta de los Toros de Guisando: se reconoce a Isabel heredera al trono de Castilla. Fallece en Zaragoza la reina Juana Enríquez. Fernando es coronado rey de Sicilia en la Seo.

1469.-Capitulaciones matrimoniales de Fernando e Isabel en Cervera. Fernando sale de Zaragoza hacia Castilla para contraer matrimonio. Matrimonio de Isabel y Fernando (primos segundos) en Valladolid, en una ceremonia privada que oficia el arzobispo Carrillo.

1470.-Nace en Dueñas la infanta Isabel, primera hija de los Reyes Católcios.

1471.-Fallece en Roma el papa Paulo II y le sucede Sixto IV, que concede la bula que legitima el matrimonio de Fernando e Isabel.

1472.-Capitulación de Barcelona que pone fin a la sublevación de Cataluña.

1473.-Formación de una nueva Hermandad. Pedro González de Mendoza, obispo de Sigüenza, es nombrado cardenal.

1474.- Se inicia el reinado de Isabel I de Castilla, que se autoproclama reina en Segovia. Muere Enrique IV de Castilla.

1475.-Concordia de Segovia que pone fin a las divergencias de Isabel y Fernando respecto a la corona de Castilla. Guerra con Portugal y guerra civil de sucesión. Luis XI invade los condados catalanes del Rosellon y la Cerdaña. Tropas portuguesas entran en Castilla.

1476.-Victoria de los Reyes Católicos en Toro. Asedio de Fuenterrabía por Luis XI de Francia. Viaje de Fernando a Alava y Vizcaya, y de Alfonso V de Portugal a Francia en busca de apoyo. Cortes de Madrigal. Creación de la Hermandad General, de cuyas tropas se nombra capitán general a Alfonso de Aragón, duque de Villahermosa y hermanastro de Fernando. Misión diplomática en Castilla del legado pontificio Nicolás Franco.

1477.-Primer viaje de los Reyes a Extremadura y Andalucía. La Corona asume la conquista de las islas mayores de Canarias.

1478.-La Inquisición adquiere carácter general por bula de Sixto IV. Nace el príncipe Juan, heredero de los Reyes. Asamblea del clero castellano en Sevilla. Conflictos entre la Corona y la Santa Sede sobre la provisión de las sedes episcopales de Zaragoza y Cuenca. Nace en Sevilla el infante Juan de Castilla.

1479.-Muere Juan II. Fernando II hereda el reino de Aragón. Enrique de Aragón, duque de Segorbe y conde de Ampurias, nombrado lugarteniente real en Cataluña. Francisco de Foix, rey de Navarra. Tratados de Alcaçobas-Toledo y paz luso castellana. Asamblea del clero en Valladolid. Fernando jura en la Seo las libertades y privilegios del reino. Nace en Toledo la infanta Juana.

1480.-Los turcos ocupan Otranto por breve tiempo y asedian Rodas. Cortes de Toledo. Disposiciones sobre judíos y mudéjares. Sentencia regia sobre el derecho de los campesinos castellanos a abandonar el predio que cultiven. Los reyes nombran los primeros inquisidores para actuar en Sevilla.

1481.-Se inicia la guerra de Granada con el asalto a la fortaleza castellana de Zahara. Juan II, rey de Portugal. Isabel, gobernadora y corregente en la corona de Aragón. Primer auto de fe de la Inquisición en Sevilla. Cortes en Calatayud que juran al príncipe Juan como heredero. Trasladadas a Zaragoza, las Cortes (iniciadas en abril) continúan hasta noviembre.

1482.-Matrimonio entre María de Borgoña y Maximiliano de Austria. Revuelta de los nobles napolitanos contra Ferrante I. Da comienzo la guerra final contra Granada. El cardenal Mendoza, arzobispo de Toledo. Nombramiento de inquisidores para Castilla, entre ellos el dominico Tomás de Torquemada, que desde octubre de 1483 será también inquisidor general de la corona de Aragón. Toma de Alhama. Nace en Córdoba la infanta María.

1483.-Acuerdo castellano-bretón para el envío de tropas a Bretaña. Catalina de Foix, reina de Navarra. Frustrado proyecto de matrimonio con el príncipe Juan de Castilla. Guerra civil en Granada. Boabdil prisionero de los castellanos. Primeras actuaciones en Aragón de la Inquisición. Fin de la conquista de Gran Canaria.

1484.-«Ordenanzas reales de Castilla», recopiladas por Díaz de Montalvo. Catalina de Navarra contrae matrimonio con el noble francés Juan de Albret. Cortes de Aragón en Tarazona. Se inicia la segunda guerra remensa en Cataluña.

1484-1485.-Segunda sublevación remensa en Cataluña. Asesinato del inquisidor aragonés Pedro de Arbués. Rebeldía en Ponferrada del conde de Lemos. Nace en Alcalá de Henares la infanta Catalina.

1486.-Sentencia arbitral de Guadalupe que pone fin al pleito remensa en Cataluña. Viaje de los reyes Galicia. Se examina por primera vez el proyecto colombino en la Corte. Conquista de Loja.

1487-1489.-Conquista de Málaga.

1488.-Acuerdo castellano bretón y primer envío de tropas a Bretaña. Asamblea del clero castellano. Dan comienzo las Cortes de Aragón en Zaragoza.

1489.-Segundo envío de tropas castellanas a Bretaña. Cristóbal Colón se entrevista de Jaén con la reina Isabel I, que le ofrece ocuparse de su proyecto cuando termine la conquista de Granada. Conquista de Almería, Guadix, Almuñécar y gran parte de la Alpujarra.

1490.-Alianza anglo-hispano-flamenca de Okyng. Matrimonio entre el príncipe Alfonso de Portugal y la infanta Isabel.

1491.-El matrimonio de Carlos VIII de Francia con la duquesa Ana de Bretaña pone fin a la guerra en el ducado. Medidas contra la salida de moneda Muere el príncipe Alfonso de Portugal.

1492.-Rendición de Granada. Expulsión de los judíos. Descubrimiento de América. *Gramática castellana* de Nebrija. Rodrigo de Borja nombrado Papa Alejandro VI. Coronación de Juan de Albret y Catalina de Foix como reyes de Navarra. La Corona se hace cargo del maestrazgo de Santiago. Capitulaciones de Santa Fe entre la Corona y Cristóbal Colón. Atentado contra Fernando el Barcelona.

1493.-Tratado de Barcelona: Fernando II consigue la devolución del Rosellón y la Cerdaña. Bula de Alejandro VI que otorga a los españoles la posesión de las tierras situadas hacia leguas al oeste de las Azores o de Cabo Verde. Cortes aragonesas y catalanas. Cisneros, confesor de la reina Isabel. Segundo viaje colombino.

1494.-Tratado de Tordesillas con Portugal. Creación del Consejo de Aragón. Fallece Ferrante de Nápoles, primo y cuñado de Fernando. Tratado de Tordesillas que fija la línea de separación en el Atlántico entre España y Portugal.

1495.-Carlos VIII de Francia invade Nápoles. Alfonso II renuncia al trono en su hijo Ferrante II, que huye a Sicilia. Gonzalo Fernández de Córdoba desembarca en Nápoles con tropas españolas. Cisneros, arzobispo de Toledo. Terminada la conquista de Tenerife. El papa Alejandro VI designa a Fernando rey de África (bula *Ineffabilis et summi*). Fernando abre las Cortes aragonesa en Tarazona, en las que se ordena el censo del reino. Se firma en Amberes un tratado con los Habsburgo para los matrimonios del príncipe Juan con Margarita de Austria y de la infanta Juana con Felipe el Hermoso.

1496-1497.-Reforma eclesiástica de Cisneros. Matrimonio de la princesa Juana con Felipe el Hermoso. Conquista de Melilla. Proyecto de ejército permanente en Castilla y movilización general. Alejandro VI otorga a Isabel y Fernando el título de Reyes Católicos. Fadrique I, rey de Nápoles. Matrimonio entre Juan, príncipe de Castilla, y Margarita de Flandes. Muere el príncipe Juan en octubre. Segundo matrimonio de la infanta

Isabel con su cuñado Manuel I de Portugal. Reforma monetaria en Castilla. Acuñación del ducado o «excelente».

1498.-Luis XII, rey de Francia. Expulsión de los judíos de Navarra. Diego de Deza, inquisidor general. Había sido maestro de los hijos de los reyes. Las Cortes de Zaragoza juran como heredera a la infanta Isabel. Los Reyes reciben en la Aljafería a Gonzalo Fernández de Córdoba. Fallece Isabel, reina de Portugal, después de dar a luz al príncipe Miguel, que pasa a ser heredero de Castilla, Aragón y Portugal.

1499.-Primera ocupación francesa de Milán. Revuelta de los moriscos en Granada. Intentos de penetración en la costa atlántica al sur de Marruecos (reino de Bu Tata).

1500.-Pacto de Granada con Francia para repartirse el reino de Nápoles. Acciones de Gonzalo Fernández de Córdoba contra los turcos en el Adriático. Muere en Granada el príncipe Miguel, hijo de Manuel I de Portugal e Isabel de Castilla y heredero de las coronas de Portugal, Castilla y Aragón. Nacimiento de Carlos, hijo de Juana y Felipe. Revueltas moriscas es en el reino de Granada. Nuevo matrimonio entre Manuel I de Portugal y la infanta María. Tras la victoria hispano-veneciana de Cefalonia recaen en Fernando los derechos al trono imperial de Constantinopla.

1501.-Reparto franco español del reino de Nápoles. Matrimonio entre Arturo de Inglaterra, heredero al trono, y la infanta Catalina de Aragón. Bula declarando vitalicia la administración regia de los maestrazgos de las órdenes militares.

1502.-Los moriscos desaparecen como minoría legal en el reino de Granada y en Castilla: se inicia una serie de discriminaciones que culminarán en la alternativa de emigrar o convertirse. Cuarto viaje de Colón. Segunda Guerra de Nápoles entre españoles y franceses. Muere el príncipe Arturo de Inglaterra. Las Cortes de Aragón, reunidas en Zaragoza, juran heredera de la Corona a la infanta Juana.

1503.-Casa de Contratación de las Indias en Sevilla. Victorias de Fernández de Córdoba en Nápoles: Ceriñola y Garellano. Nuevas capitulaciones matrimoniales entre Catalina de Aragón y Enrique, heredero del trono inglés.

1504.-Muerte de Isabel I. Fernando queda como gobernador de Castilla en nombre de su hija Juana.

1505.-Las Cortes castellanas reunidas en Toro reconocen a Fernando como «legítimo curador y administrador y gobernador» de Castilla por la incapacidad de Juana. Paz de Lyon : incorporación de Nápoles. Juana I, reina de Castilla. Conquista de Mazalquivir por tropas castellanas.

Fernando contrae matrimonio con German de Foix, sobrina del rey de Francia.

1506.-Regencia castellana y muerte de Felipe el Hermoso. Disputas sobre el gobierno entre Fernando y su yerno Felipe. Matrimonio de Fernando con Germana de Foix, sobrina del rey Luis XII de Francia. Acuerdo de cesión del gobierno de Castilla a Juana y Felipe en la Concordia de Villafáfila. Fernando marcha a Aragón e Italia. Muerte de Felipe. Muere Cristóbal Colón.

1507.-Regencia de Fernando y Cisneros en Castilla. Entrevista de Fernando con Luis XII de Francia en Savona. Derrota del partido beamontes en Navarra. Fernando regresa a Castilla y se hace cargo del gobierno. Epidemias de peste en Castilla.

1508.-Universidad de Alcalá de Henares. Revuelta del marqués de Priego, Pedro Fernández de Córdoba. Liga de Cambrai. Alianza entre el papa Julio II, Luis XII de Francia, el emperador Maximiliano y Fernando de Aragón.

1509-1511.-Conquista de Orán. Enrique VIII, rey de Inglaterra; matrimonio con Catalina de Aragón. Nacimiento y muerte, en mayo, del príncipe Juan, hijo de Fernando y Germana.

1510.-Conquista de Bugía y Trípoli. Fernando presenta en las Cortes de Madrid su proyecto de encabezar una cruzada en el norte de África y conquistar Jerusalén. Nuevas medidas contra los moriscos, obligados a la conversión forzosa en Granada. Fernando recibe la investidura pontificia como rey de Nápoles y la soberanía de Jerusalén. Liga de Cambray (Papado-España-Francia) contra Venecia.

1511.-Se forma la Liga Santa entre el papado, España y Venecia.

1512.-Francia es expulsada de Milán. Fernando culmina las operaciones militares en Navarra.

1515.-Fernando incorpora el reino de Navarra a la corona de Castilla.

1514.-Alfonso de Aragón, lugarteniente real en Cataluña. Se imprimen los seis volúmenes de la Biblia políglota Complutense.

1513.-Descubrimiento del Pacífico por Núñez de Balboa.

1515.-Muerte del Gran Capitán. Francisco I rey de Francia. Segunda intervención francesa en Milán (batalla de Marignano).

1516.-Muerte de Fernando V de Castilla y II de Aragón. Cisneros se hace cargo de la regencia en nombre de Carlos I, en Castilla, y el arzobispo de Zaragoza, Alfonso de Aragón, en Aragón.

Notas

1.- MÁRTIR DE ANGLERÍA, Pedro.
2.- RODRÍGUEZ AMORES, Lorenzo: *Crónicas lugareñas*, Badajoz, 2011.
3.- Citado por el párroco de Sos, Máximo Garcés Abadía, en *La villa de Sos del Rey Católico.*
4.- *Romancero de Sos. La villa de Sos del Rey Católico*, pág.32. Máximo Garcés Abadía.
5.- *Fernando II. Rey de Aragón y V de Castilla (1452-1516)*. Óscar Pérez Rodríguez, en la web: www.mcnbiografias.com
6.- La Biga (viga, en catalán) era uno de los dos grandes grupos políticos en que estaba dividida la oligarquía catalana en el siglo XV. Integraba a la mayor parte de los nobles, alto clero y mercaderes ricos, que controlaban el poder local. El otro bloque rival era la Busca (astilla o viruta, en catalán), que agrupaba a los mercaderes menos prósperos, menestrales y artesanos que aspiraban a democratizar el poder municipal y pedían medidas económicas proteccionistas.
7.- Citado por José María Manuel García-Osuna en *Breve historia de Fernando el Católico*, Nowtilus, 2013.
8.- *Diccionario militar, aeronáutico, naval y terrestre* de Guillermo Cabanellas de Torres. Con el asesoramiento de Luis Alcalá-Zamora y Castillo, Buenos Aires, 1963.
9.- *Fernando el Católico*, Javier Palao Gil, Madrid, 2002.
10.- LADERO QUESADA, Miguel Ángel: *¡Vencidos! Las guerras de Granada en el siglo XV*, Ariel, 2002.
11.- Contador mayor de la casa real de Aragón.
Pág. .- QUATREFAGES, René: *La revolución militar moderna. El crisol español*, Ministerio de Defensa, 1996.
13.- Pedro Miguel López del Campillo (1875-1962). Director del Archivo Histórico Nacional y miembro de la Real Academia de la Historia.
14.- Poema que le fue leído al rey Fernando por Pedro Marcuello en Teruel el 6 de enero de 1482, durante el viaje del monarca por tierras de la corona de Aragón.
15.- Félix Torres Amat (1772-1847). Obispo de Astorga, escritor e historiador de la Literatura. Nació en Sallent de Llobregat y murió en Madrid.
16.- Medida de arqueo de embarcaciones equivalente a cinco sextos de tonelada.
17.- Juan Manuel de Villena y de la Vega, señor de Belmonte de Campos, fue consejero de Felipe el Hermoso y acumuló los cargos de contador mayor de Castilla y alcaide de Burgos, Segovia, Plasencia, Jaén y Atienza. Enemigo acérrimo de Fernando el Católico, huyó a Flandes tras la muerte de su valedor el rey Felipe y allí fue encarcelado. Carlos V le otorgó la libertad y le nombró embajador en Roma y miembro del Consejo de Estado. Murió en 1543.
18.- Estuve donde el campo se tiñó de rojo/ con la sangre de latinos y extranjeros/ recientemente derramada por la furia de una estrella cruel.
Y vi a los muertos tan juntos y apretados entre sí/ que apenas era posible en muchas millas caminar sobre esa tierra.
19.- Deposiciones.

Bibliografía

Alvar, A.: Isabel la Católica: una reina vencedora, una mujer derrotada. Madrid, 2002.

Andreu Ocariz, J.J. :Aragón en el descubrimiento de América. Jornadas sobre los aragoneses en la empresa de Indias. Institución Fernando el Católico. Zaragoza, 1990.

Anglería, P. M. de: Epistolario. Documentos inéditos para la Historia de España. Vol. IX. Madrid, 1953-55.

Belenguer, E. :Fernando el Católico, Barcelona, 2001

—: El Imperio hispánico (1479-1665). Barcelona, 1995

—: Historia de la España Moderna. Desde los Reyes Católicos a Felipe II, Barcelona, 2011.

Beneyto, J.: Magisterio político de Fernando el Católico. La política jurisdiccional y de orden público de los Reyes Católicos. Revista de Estudios Políticos, VIII, 1944.

Bernáldez, A.: Memoria del reinado de los Reyes Católicos. Eds. J. de M. Carriazo y M. Gómez-Moreno. Madrid, RAH, 1962.

Caro Baroja, J.: Los judíos en la España moderna y contemporánea. Madrid, 1978.

Catálogo. Exposición Fernando II de Aragón, el rey que imaginó España y la abrió a Europa. Palacio de la Aljafería, Zaragoza, 2015.

Catálogo Exposición temporal 2015. El Gran Capitán. Museo del Ejército. Ministerio de Defensa, Toledo, 2015.

Clemencín, D.: Elogio de la reina católica doña Isabel. Memoria de la Real Academia de la Historia. Madrid, 1821.

Coll, Nuria: Doña Juana Enríquez, lugarteniente real en Cataluña (1461-1468). Madrid, 1953.

Congreso de Historia de la Corona de Aragón. Actas del V Congreso. Zaragoza: C.S.I.C. Institución Fernando el Católico. 5 vols. I. Vida y obra de Fernando el Católico (1955) II. Pensamiento político y política internacional y religiosa (1956). III. Fernando el Católico e Italia (1954). IV. Instituciones económicas, sociales y políticas (1962). V. Fernando el Católico y la cultura de su tiempo (1961).

Contamine, P.: La guerra en la Edad Media. Barcelona, 1984.

Contreras, Juan de (Marqués de Lozoya): Historia de España (tomo III). Madrid, 1977.

Del Burgo, J.I.: Cuando los vascos de ayer conquistaron el reino de Navarra (1512). FAES, octubre/diciembre, 2012.

Doussinague, J.M.: Fernando el Católico y Germana de Foix. Un matrimonio por razón de Estado. Madrid, 1944.

—: El testamento político de Fernando el Católico. C.S.I.C. Madrid, 1950.

FERNÁNDEZ ÁLVAREZ, M. y Suárez Fernández, L.: Historia de España. La España de los Reyes Católicos. Madrid, 1999.

FERRARI, A.: Fernando el Católico en Baltasar Gracián. Madrid, 2006.

GARCÍA CÁRCEL, R.: Los orígenes de la Inquisición española. El tribunal de Valencia (1478-1530). Barcelona, 1976.

GARCÍA HERNÁN, E.: Políticos de la Monarquía Hispánica (1469-1700). Ensayo y diccionario. Madrid, 2002.

GARCÍA ORO, J.: ¿Quién fue Cisneros? Barcelona, 2002.

GARCÍA-OSUNA Y RODRÍGUEZ, J.M.M.: Breve historia de Fernando el Católico. Madrid, 2013.

GIMÉNEZ SOLER, A.: Fernando el Católico. (ed. Arturo Compés Clemente) Institución Fernando el Católico. Zaragoza, 2014.

GARCÉS ABADÍA, M.: La villa de Sos del Rey Católico. Ejea de losCaballeros, 1992.

GRACIÁN, B.: El político Don Fernando el Católico (ed. Facsímil, prólogo A. Egido). Zaragoza, 1985.

KAMEN, H.: La Inquisición española. Barcelona, 1977.

—: Fernando el Católico (1451-1516). Vida y mitos de uno de los fundadores de la España moderna. Madrid, 2015.

LADERO QUESADA, M. A.: La España de los Reyes Católicos. Madrid, 2003.

MARAÑÓN, G.: Ensayo biológico sobre Enrique IV y su tiempo. Madrid, 1945.

MARINEO SÍCULO, L.: Vida y hechos de los Reyes Católicos. Ed. J. Hidalgo. Madrid, 1943.

MARTÍNEZ RUIZ, E.: Los soldados del rey. Los ejércitos de la Monarquía Hispánica (1480-1700). Madrid, 2008.

MAQUIAVELO, N.: El Príncipe. Ed. Austral (X edición). Madrid, 1964.

MESA BERNAL, D.: Los judíos en el descubrimiento de América. Repertorio histórico de la Academia Antioqueña de Historia, nº 252, 1989.

NETANYAHU, B.: Los orígenes de la Inquisición. Barcelona, 1999.

NICOLLE, D.: La toma de Granada. Osprey-RBA. Barcelona, 2011.

PALENCIA, A de.: Crónica de Enrique IV. Biblioteca de Autores Españoles. Madrid, 1973-75.

PULGAR, H. del.: Crónica de los Reyes Católicos. Madrid, 1943.

PÉREZ, J.: La España de los Reyes Católicos. Madrid, 2004.

—: Isabel la Católica. Granada, 2007.

PRESCOTT, W.H.: Historia de los Reyes Católicos don Fernando y doña Isabel (ed. Facsímil con prefacio de Isabel del Val Valdivieso) Junta de Castilla y León. Salamanca, 2004.

QUATREFAGES, R. : La revolución militar moderna. El crisol español. Ministerio de Defensa. Madrid, 1996.

RODRÍGUEZ AMORES, L. MADRIGALEJO: Crónicas lugareñas. Badajoz, 2011.

RODRÍGUEZ VALENCIA, V. y SUÁREZ FERNÁNDEZ, L.: El matrimonio de Isabel la Católica. Instituto de Historia Eclesiástica Isabel la Católica. Valladolid, 1960.

ROMEU DE ARMAS, A.: Itinerario de los Reyes Católicos (1476-1516). Madrid, 1974.

El Tratado de Tordesillas. Madrid, 1992.

RUIZ-DOMÉNEC, J.E.: El Gran Capitán. Barcelona, 2002.

SÁNCHEZ DOMINGO, R.: Las Leyes de Burgos de 1512. Revista jurídica de Castilla y León. Nº 28, 2012.

SANTA CRUZ, A. de: Crónica de los Reyes Católicos. Ed. Juan de Mata. Escuela de Estudios Hispanoamericanos de Sevilla. Sevilla, 1951.

SOLANO COSTA, F.: Artículo sobre Fernando II dc Aragón. Gran Enciclopedia Aragonesa, pp 1357-1366.

—: El reino de Aragón durante el gobierno de Fernando el Católico. Cuadernos de Historia. Jerónimo Zurita, Números XV-XVIII. Institución Fernando el Católico, Zaragoza, 1963-65.

—: Introducción de la Historia de Aragón en el siglo XVI. Zaragoza, 1963.

—: Lectio brevis sobre Fernando el Católico. Estudios-79. Departamento de Historia Moderna. Facultad de Filosofía y Letras. Zaragoza, 1979.

SUÁREZ FERNÁNDEZ, L.: Fernando el Católico. Barcelona, 2004.

—: Los Reyes Católicos. Barcelona, 2004.

SESMA MUÑOZ, J.A.: Fernando de Aragón. Hispaniarum Rex. Zaragoza, 1992.

—: El poder real en la Corona de Aragón. XV Congreso H.C.A. Zaragoza, 1996.

—: Fernando el Católico y Aragón, Zaragoza, 1979.

VACA DE OSMA, J.A. : Yo, Fernando el Católico. Barcelona, 1995.

VILAR, P.: Historia de España. Barcelona, 1988.

WALSH, W.T.: Isabel de España. Madrid, 2004.

VALERA, D.: Memorial de diversas hazañas. Ed. J.M. de Carriazo. Madrid, 1941.

VICENS VIVES, J.: Historia crítica de la vida y reinado de Fernando II de Aragón. (Hasta 1481). Institución Fernando el Católico. Zaragoza, 2006.

ZURITA, J.: Historia del rey Don Hernando el Católico: de las empresas y ligas de Italia (ed. Canelles López). Zaragoza, 1996.

EN LA RED

http://www.aragob.es/pre/cido/fernand2.htm. Página oficial del Gobierno de Aragón sobre Fernando el Católico.

http:// www.mcnbiografias.com/app-bio/do/Show?key=fernando-ii-rey-de-aragon-y-v-de-castilla.

Índice toponímico

Este libro acabó de imprimirse el 23 de enero de 2016,
quinto centenario de la muerte
de don Fernando
el Católico.